Dicionário de Sociologia

CB141744

Allan G. Johnson

Dicionário de Sociologia

Guia Prático da Linguagem Sociológica

Tradução:
Ruy Jungmann

Consultoria:
Renato Lessa
Professor e diretor-executivo, Iuperj
Professor-titular de ciência política, UFF

ZAHAR

Título original:
The Blackwell Dictionary of Sociology
(A User's Guide to Sociological Language)

Tradução autorizada da primeira edição inglesa,
publicada em 1995 por Blackwell Publishers,
de Oxford, Inglaterra

Copyright © 1995, Allan G. Johnson

Copyright da edição em língua portuguesa © 1997:
Jorge Zahar Editor Ltda.
rua Marquês de S. Vicente 99 – 1º | 22451-041 Rio de Janeiro, RJ
tel (21) 2529-4750 | fax (21) 2529-4787
editora@zahar.com.br | www.zahar.com.br

Todos os direitos reservados.
A reprodução não autorizada desta publicação, no todo
ou em parte, constitui violação de direitos autorais. (Lei 9.610/98)

Grafia atualizada respeitando o novo
Acordo Ortográfico da Língua Portuguesa

Capa: Gustavo Meyer

CIP-Brasil. Catalogação na fonte
Sindicato Nacional dos Editores de Livros, RJ.

J65d Johnson, Allan G.
Dicionário de sociologia: guia prático da linguagem sociológica / Allan G. Johnson; tradução, Ruy Jungmann; consultoria, Renato Lessa. — Rio de Janeiro: Zahar, 1997.

Tradução de: The Blackwell dictionary of sociology (a user's guide to sociological language)
Contém dados biográficos
ISBN 978-85-7110-393-1

1. Sociologia – Dicionários. I. Título.

97-0411 CDD: 300.3
CDU: 301(038)

Sumário

PREFÁCIO À EDIÇÃO BRASILEIRA

É um princípio básico do pensamento sociológico o fato de que participamos sempre de algo maior do que nós próprios. A vida social não começa ou termina com o indivíduo; ela brota da inter-relação das pessoas e de todos os tipos de sistemas sociais, desde famílias até locais de trabalho, desde escolas e comunidades até sociedades. Por um lado, como indivíduos, somos aqueles que fazem os sistemas sociais acontecerem. Percebemos e interpretamos o mundo, situamo-nos em relação a ele, e decidimos de uma hora para outra o que dizer e fazer. Por outro lado, sistemas sociais fornecem os termos da vida social — os símbolos e ideias culturais e a estrutura das relações sociais. Estas, por sua vez, modelam *como* fazemos os sistemas acontecerem. Escolhemos a partir das alternativas que temos diante de nós; mas o leque de alternativas em função das quais escolhemos diz respeito antes de tudo a como os sistemas são agrupados. Nesse sentido, a vida social "acontece" como resultado de uma dinâmica contínua entre os sistemas e as pessoas que deles participam.

Cada vez mais, o "algo maior" de que as pessoas participam abrange o mundo inteiro. Sistemas econômicos e políticos são os mais visíveis nessa tendência global; mas isso também vem acontecendo em sistemas de conhecimento, inclusive a sociologia, como a tradução deste livro do inglês para o português. A cultura brasileira e a minha própria nos Estados Unidos diferem bastante em diversos aspectos. A força do pensamento sociológico, porém, reside em sua capacidade de transcender diferenças com uma estrutura conceitual universal que podemos utilizar para compreender *qualquer* sistema social — e sua conexão com outros sistemas sociais — em qualquer época, em qualquer lugar.

É incomum um único autor escrever um dicionário. Fiz este trabalho porque acredito que a coisa mais importante que a sociologia tem a oferecer não é um conjunto de fatos ou teorias, mas um modo singular de observar o mundo e pensar sobre ele, e sobre nós em relação a ele. A sociologia nos proporciona uma janela para o mundo e um espelho que reflete quem somos em relação ao mundo e as escolhas que fazemos à medida que dele participamos e fazemos a vida social e todas as suas consequências acontecerem. Essa janela é construída de conceitos e ideias centrais, os quais vocês encontrarão neste livro.

ALLAN G. JOHNSON
Collinsville, Connecticut, EUA

Sobre este Livro

Toda disciplina tem seu vocabulário próprio, ou melhor, os termos que utiliza para classificar e qualificar o que considera que vale a pena ser compreendido. Em biologia, por exemplo, *vida*, *célula* e *organismo* são essenciais para quem quer conhecer o assunto, da mesma maneira que *sustenido*, *bemol* e *compasso* o são em música, e *cultura*, *interação* e *estrutura* em sociologia.

No caso de estudantes que se iniciam em uma matéria, o vocabulário parece ser, muitas vezes, apenas uma assustadora série de definições que devem ser decoradas para o próximo exame. O que os estudantes frequentemente deixam de entender é que essas palavras são muito mais do que obstáculos mentais a transpor, muito mais do que um jargão inventado por profissionais para distingui-los dos demais. Tomada como um todo, a linguagem de uma disciplina é como um mapa que identifica um campo de estudo e proporciona pontos de vista a partir dos quais se deve examiná-lo. Aprender uma nova disciplina assemelha-se a viajar por terras desconhecidas, e a linguagem técnica é um guia que leva a paisagens importantes que se deve conhecer e mostra como localizar seus aspectos mais notáveis.

Nesse sentido, a linguagem desempenha um papel fundamental ao chamar atenção para diferentes aspectos da realidade e, no processo, modelar a realidade que percebemos e experimentamos. Na primeira vez que andamos por um campo de flores silvestres, por exemplo, podemos ver apenas um mar suave de cores, fundindo-se em um todo indiferenciado. Mas o que acontece se levamos conosco alguém que sabe distinguir uma flor de outra, que nos convida a inclinarmo-nos para observar os detalhes de cada uma delas? Passear pelos campos nunca mais será a mesma coisa. Nesse momento, conhecemos a individualidade própria de cada variedade de flor e como elas se reúnem para constituir essa coisa que experimentamos como um campo. Quando menos esperarmos, estaremos dizendo "Eu nunca *vi* essa flor antes", quando, na verdade, a vimos milhares de vezes. O que nunca fizemos antes foi *observá-la*.

Observar representa em grande parte aquilo que a linguagem técnica significa. Quando aprendemos a palavra relativa a um conceito — tal como *sistema* — podemos em seguida pensar nesse conceito em relação a outros conceitos — tal como *família* — e, dessa maneira, compreender ambos de uma maneira diferente de como os entendíamos antes. De muitas maneiras, é isso que significa pensar: observar e estabelecer conexões. Não importa se os rótulos verbais se referem a cores, variedade de flores, tipos de sistemas políticos ou teorias de mudança social; eles são essenciais para que possamos observar, estabelecer ligações, pensar e compreender.

A linguagem da sociologia é aquela que os sociólogos usam para estudar a vida social em toda a sua diversidade e complexidade — para descobrir no que este sistema difere daquele ou como um padrão de interação de um pequeno grupo difere do de outro. É essa linguagem que nos leva além do ato de meramente ver o que está em volta, que nos leva a *observar*, a prestar atenção, de maneiras que nos permitam compreender de forma mais sistemática a vida social. A palavra *cultura*, por exemplo, indica um conjunto de coisas, símbolos, ideias e costumes que moldam a vida em um sistema social, como por exemplo, uma sociedade. A cultura inclui a língua que as pessoas falam, os alimentos que preferem, as regras a que obedecem e os valores que modelam suas opções. Logo que o termo *cultura* se torna parte de nosso vocabulário ativo, é mais provável que observemos a distinção entre a personalidade do indivíduo e a cultura da qual é membro. Podemos nos tornar mais conscientes de que há algo maior do que nós mesmos, do qual nós e outros participamos, um "algo" a ser compreendido por si mesmo. A partir desse ponto podemos compreender que não entenderemos o comportamento de indivíduos se não dermos atenção à cultura da sociedade em que vivem. Em vez de ver apenas personalidades individuais destrutivas como causa dos problemas sociais, por exemplo, observamos também as muitas maneiras através das quais a sociedade pode recompensar ou promover o comportamento nocivo. Em suma, começamos a observar que tudo que os indivíduos experimentam ou fazem ocorre em um contexto social e é por ele modelado.

Inventar palavras para rotular a realidade social não é trabalho simples e está repleto de controvérsias. Sociólogos podem discordar sobre a maneira de definir conceitos, tais como *família*, *cultura* ou *poder*, em parte porque cada um deles representa algo tão complexo e variado em formas que é difícil propor uma única e concisa definição para todos. Isso significa que a mesma palavra pode ser usada de diferentes maneiras. O leitor deste livro, portanto, deve ficar consciente de que, embora por razões de espaço o autor talvez não estude em detalhes minuciosos essas complicações, elas, muitas vezes, de fato ocorrem.

Há também discordâncias sobre o próprio processo de dar nomes. Alguns autores argumentam que o mundo social não existe de maneira fixa, concreta, à espera de um nome. Ao contrário, nomear é um ato criativo, no qual damos forma àquilo que, na ocasião, experimentamos como "real". O filósofo francês Michel Foucault sustentava que não há uma "sexualidade", existindo como uma "coisa" fixa a ser descoberta. Acreditava ele, ao invés disso, na existência de uma grande variedade de sexualidades que foram (e continuam a ser) socialmente formadas através de ideias culturais sobre sexualidade. A palavra *homossexual*, por exemplo, só no último século, mais ou menos, passou a ser usada como substantivo para identificar um tipo de pessoa, e não como adjetivo para descrever um tipo de comportamento. Logo que começamos a rotular pessoas, e não comportamentos, essa orientação altera fundamentalmente o que experimentamos como a "realidade" delas e o que elas fazem.

Este livro é um dicionário da linguagem sociológica, mas dizer isso não expressa realmente o que ele é, e como deve ser usado. Há numerosos termos que de alguma forma se referem à vida social mas que não são incluídos aqui porque não fazem parte da linguagem que sociólogos usam para descrever e analisar a vida social. A Ku Klux Klan, por exemplo, é uma organização que produziu um impacto muito forte sobre as relações raciais nos Estados Unidos, mas esse fato apenas não a torna parte da linguagem sociológica. Contudo, o leitor encontrará neste dicionário o verbete *movimento social*, porque este é um conceito que sociólogos usam para extrair sentido de organizações como a Klan.

O leitor tampouco encontrará aqui todos os conceitos e termos inventados por sociólogos para descrever a vida social e a maneira como ela funciona. Esse tipo de dicionário jamais caberia bem entre duas capas (e, mesmo que coubesse, seria volumoso demais para levar de um lado para outro e ler em momentos de lazer, como tenho esperança de que façam com este livro). O conjunto acumulado de termos sociológicos é não apenas vastíssimo, mas está crescendo tão rapidamente que qualquer tentativa de abranger todos eles ficaria ultrapassada antes mesmo de ser impressa. A vida social inclui uma gama extraordinária de fenômenos sociais, variando desde o motivo por que casais se divorciam até a maneira como funciona o sistema econômico mundial. Isso significa que qualquer tentativa sistemática de compreender a vida social implica inevitavelmente a invenção de um conjunto sempre crescente de conceitos e linguagem a eles referentes. À luz desse fato, não tentei abranger toda a amplitude desta disciplina tão diversificada, nem incluir os acréscimos mais recentes. Esforcei-me para representar seu núcleo conceitual clássico, juntamente com uma amostragem representativa das diversas áreas da sociologia e alguns conceitos fundamentais importantes de disciplinas correlatas, como a filosofia. Incluí também breves esboços biográficos de grandes figuras — históricas e, em menor grau, contemporâneas — do desenvolvimento e da aplicação da sociologia.

Este livro também não é uma enciclopédia, contendo discussões em profundidade das várias nuanças de significado dos conceitos. Qualquer estudante da vida social logo encontrará essas complexidades, e em contextos que permitem o tipo de discussão ampla que lhes faz a devida justiça. Um dicionário portátil, em um único volume, tem de ser elaborado dentro de uma extensão limitada, com vistas a estabelecer um equilíbrio entre profundidade, por um lado, e acessibilidade, por outro. De modo geral, quanto maior a profundidade, mais se supõe que os leitores conheçam não só a sociologia mas também disciplinas correlatas, como a filosofia. Trata-se, no entanto, de uma suposição muito frágil no caso de estudantes iniciantes de graduação e mesmo de estudantes de pós-graduação, que talvez careçam de treinamento em sociologia. Como professor e escritor, atribuo a maior importância a ser compreendido: prefiro tentar menos, e ser compreendido, a tentar demais em nome da sofisticação e deixar o leitor inteligente típico sentindo-se perdido e sem pista para compreender o que estou dizendo.

Se, então, este volume não é nem um dicionário exaustivo nem uma vasta enciclopédia, o que é? A resposta tem a ver, em primeiro lugar, com minhas razões para escrevê-lo. Mais de uma vez me perguntaram por que resolvi escrever um dicionário de sociologia, uma vez que a maioria deles é compilação de verbetes redigidos por dezenas de autores. O escritor em mim responde que me senti atraído pela ideia de escrever um dicionário na voz de um único autor, o que lhe daria um sentido mais profundo de continuidade e conjunto. O sociólogo e professor responde que se trata de um trabalho interessante e útil, em parte porque tive de aprender muita coisa a fim de escrevê-lo, mas também porque proporciona mais uma maneira de promover uma compreensão clara do que é o pensamento sociológico.

Como todos os sociólogos, meu objetivo é compreender sistematicamente a vida social. Tal como muitos de meus colegas, acredito também na importância de tornarmos aquilo que sabemos mais acessível a estudantes e a leitores inteligentes e curiosos. Embora o mundo sofra com grande número de problemas sociais, pouco se sabe fora da academia sobre o que é a sociologia e como usá-la. Isso significa que tornar claras as bases conceituais daquilo que os sociólogos fazem constitui em si um trabalho sociológico sério, que requer treinamento formal em sociologia e compromisso com o texto claro e o ensino eficaz, ambos os quais têm servido de modelo à minha vida profissional. Daí, este livro.

Por um lado, este dicionário é igual a qualquer outro, escrito com o propósito de ser consultado de tempos em tempos, à medida que surgir a necessidade de extrair sentido de termos pouco conhecidos encontrados em outros contextos. Mais amplamente, no entanto, trata-se de um trabalho independente, elaborado com a intenção simples de transmitir o sentido do que significa ver o mundo do ponto de vista sociológico. Como tal, pode ser lido isoladamente, embora não exatamente da mesma maneira que a maioria dos livros. É possível começar com conceitos básicos como sociologia, sistema social, cultura, estrutura social e interação e, em seguida, passar às perspectivas teóricas — os fundamentos do que os sociólogos estudam —, as principais maneiras de estudar algo na área da sociologia.

A partir desse ponto podemos prosseguir de várias maneiras. O leitor pode, por exemplo, começar simplesmente do princípio e ir lendo até o fim, com incursões paralelas indicadas pelas listas de conceitos aludidos nas remissões sugeridas ao fim de cada verbete. Ou pode identificar áreas de interesse particular tais como estratificação social, conhecimento e família, e partir desses verbetes. À medida que avançar em suas consultas, o leitor descobrirá estar fazendo muito mais do que adquirir uma lista de termos e definições: estará desenvolvendo a ideia de um enfoque completo para observar e pensar sobre o mundo e o lugar que nele ocupa.

Como quer que use este livro, o leitor não encontrará aqui a última palavra sobre qualquer tópico. O que espero que encontre é um recurso claro, interessante e útil, um guia para facilitar a caminhada na direção de uma compreensão mais profunda da vida social e da única disciplina dedicada a extrair sentido da mesma, em toda a sua diversificada e magnífica complexidade.

AGRADECIMENTOS

No momento em que este dicionário vai para o prelo, lembro-me das muitas pessoas que tornaram esse fato possível. Agradeço a meus editores da Blackwell Publishers — Romesh Vaitilingam, John Davey, Jason Pearce e Simon Prosser — que, durante os anos que levei para escrevê-lo, contribuíram generosamente com apoio e estímulo. Agradeço a Ginny Stroud-Lewis pelo elegante projeto da capa, a Stephanie Argeros-Magean pela suave e eficiente revisão do texto, e a Deborah Yuill pela administração cuidadosa do complexo processo editorial do livro. Sinto-me grato também a Mary Jo Deegan por ter me revelado a importante contribuição das mulheres ao trabalho sociológico.

Meus mais profundos agradecimentos a Peter Dougherty. Primeiro a sugerir que eu escrevesse este livro, ele, mais uma vez, demonstrou sua abrangente visão editorial. Previu que este livro seria trabalho árduo e divertido, e acertou nas duas coisas.

Finalmente, meus agradecimentos aos numerosos sociólogos nos Estados Unidos, Grã-Bretanha, Austrália e Nova Zelândia, cujas resenhas críticas de várias versões do manuscrito original constituíram *insights* e sugestões de valor inestimável.

ALLAN G. JOHNSON

Verbetes
A - Z

A

abordagem episódica *ver* EVOLUÇÃO SOCIAL.

aburguesamento Aburguesamento é o processo através do qual a classe operária, ao adquirir níveis relativamente confortáveis de segurança financeira e bem-estar material, torna-se mais semelhante à classe média, em especial graças à influência dos sindicatos. Em sua análise do capitalismo, Karl MARX afirmava que os operários acabariam sendo tão oprimidos pelos baixos salários e outras formas de exploração sob o CAPITALISMO que fariam a revolução que resultaria no SOCIALISMO. Uma das razões por que isso não aconteceu foi a de que segmentos importantes da classe operária passaram pelo processo de aburguesamento. Como resultado, a classe operária se dividiu entre uma elite relativamente pequena de trabalhadores afluentes e a vasta maioria que vive mais próxima das realidades da classe sob o capitalismo descritas por Marx. Essa divisão afeta valores políticos e de outros tipos, bem como padrões de consumo, o que enfraquece os sentimentos de solidariedade entre os trabalhadores e, dessa forma, o potencial de pensamento e ação revolucionários.

Há prova de aburguesamento nos Estados Unidos e em algumas outras sociedades industriais nas décadas que se seguiram à Segunda Guerra Mundial. Alguns autores argumentaram que, desde essa época, as depressões econômicas — sobretudo as que afetam a indústria de transformação e operários altamente qualificados — puseram um fim ao processo, se é que não o reverteram.

Ver também CAPITALISMO; CLASSE SOCIAL; CONSCIÊNCIA E FALSA CONSCIÊNCIA DE CLASSE; ESTILO DE VIDA; PROLETARIZAÇÃO.

Leitura sugerida: Goldthorpe, John H., David Lockwood, F. Bechhofer, e J. Platt 1969: *The Affluent Worker in the Class Structure.* Cambridge, Cambridge University Press.

ação *ver* INTERAÇÃO.

ação afirmativa *ver* PRECONCEITO E DISCRIMINAÇÃO.

ação de alinhamento e de realinhamento Uma ação de alinhamento é qualquer comportamento que indica a outras pessoas a aceitação da definição particular de uma dada situação. Quando as luzes se apagam em um teatro, por exemplo, os membros da plateia normalmente deixam de conversar e voltam a atenção para o palco, ação esta que indica sua aceitação e aprovação da situação e das expectativas que a acompanham. Erving GOFFMAN, a partir de sua PERSPECTIVA TEATRAL, interpreta indivíduos em interação social como aqueles que usam várias técnicas para criar uma DEFINIÇÃO DA SITUAÇÃO, por meio da qual podem identificar expectativas que se aplicam a si mesmos e aos demais.

Uma ação de realinhamento é uma tentativa de mudar a definição da situação. Se um membro da plateia de um teatro levanta-se durante a apresentação e inicia um discurso inflamado sobre as implicações políticas da peça, uma possível nova definição da situação é introduzida e, dependendo de se outros presentes praticam as apropriadas ações de alinhamento, poderá ou não tornar-se a nova definição aceita. De maneira semelhante, um empregador que pratica assédio sexual contra uma funcionária está tentando mudar a definição da situação, de uma situação de trabalho para outra de intimidade sexual, tentativa esta que poderá ou não ser respondida com uma ação de alinhamento.

Ver também DEFINIÇÃO DA SITUAÇÃO; PERSPECTIVA TEATRAL.

Leitura sugerida: Goffman, E. 1959: *The Presentation of Self in Everyday Life.* Nova York: Doubleday/ *(1995): A representação do eu na vida cotidiana.* 6ª ed., Petrópolis: Vozes.

ação e estrutura Ação e estrutura são questões fundamentais no estudo da vida social, girando em torno da relação entre indivíduos e os SISTEMAS SOCIAIS de que fazem parte. Especificamente, há uma antiga discórdia sobre o grau em que indivíduos demonstram capacidade de ação ao agirem de forma independente das restrições impostas pelos sistemas sociais. Interacionistas como Georg SIMMEL e Herbert BLUMER, por exemplo, argumentam que "sistemas sociais" pouco mais são do que abstrações que não existem realmente, exceto através do que pessoas decidem fazer em suas interações recíprocas. "Sociedade", escreve Simmel, "é simplesmente o nome de certo número de indivíduos associados por interação" ([1902] 1950, p.10). Dessa perspectiva, a ação humana é de suprema importância, e aquilo que os sociólogos designam como sistemas sociais constituem meros resultados da mesma.

Em acentuado contraste, interacionistas como Manfred Kuhn sustentam que a vida social é organizada sobretudo em torno de redes de status e papéis que são externos aos indivíduos e limitam profundamente, se é que não determinam, o que as pessoas pensam, sentem e fazem. Membros de uma equipe de futebol, por exemplo, podem improvisar quando participam de uma partida, mas sentem-se também muito limitados pela situação socialmente definida do jogo, que tendem a considerar como algo que existe de maneira independente deles (na verdade, anterior a eles) e que exerce um alto grau de autoridade sobre o modo como resolvem se comportar. Dessa perspectiva, o jogo gera os padrões de comportamento, e não o contrário.

Há boas razões para argumentar a favor de um terreno intermediário que combine elementos de ambas as interpretações. Embora certamente sejamos limitados pelas situações sociais de que participamos, também é verdade que essas situações não existem, de forma concreta, até que efetivamente façamos alguma coisa, e que, embora haja padrões reconhecíveis de comportamento que distinguem uma situação social de outra, muita coisa que acontece não pode ser prevista por um simples conhecimento da situação social. Em sua teoria de *estruturação*, Anthony GIDDENS chega ao ponto de argumentar que é um erro descrever sistemas sociais e ação individual como separados entre si porque nenhum dos dois existe salvo em relação recíproca. Não há, por exemplo, jogador de futebol sem jogo de futebol, com todas as regras e relacionamentos estruturados entre os jogadores. Mas é verdade também que são os indivíduos que literalmente criam a realidade do jogo de futebol, cada vez que disputam uma partida. Quando jogam, os indivíduos se valem do conhecimento compartilhado das regras relativas ao jogo e as usam a fim de desenvolvê-lo como uma realidade concreta. Nesse sentido, há o que Giddens chama de *dualidade de estrutura,* isto é, a estrutura de um sistema proporciona aos atores individuais aquilo de que precisam para produzir, como resultado, a própria estrutura.

Ver também ATOMISMO E HOLISMO; INDIVIDUALISMO METODOLÓGICO; PERSPECTIVA INTERACIONISTA.

Leitura sugerida: Blumer, Herbert 1969: *Symbolic Interactionism: Perspective and Method.* Englewood Cliffs, NJ: Prentice-Hall • Giddens, Anthony 1979: *Central Problems of Social Theory. Structure and Contradiction in Social Analysis.* Londres: Macmillan; Berkeley: University of California Press • Kuhn, Manfred H. 1964: "Major trends in symbolic interaction theory in the past twenty-five years". *Sociological Quarterly 5*, inverno: 61-84 • Simmel, G. 1902 (*1950*): *The Sociology of Georg Simmel.* Org. e trad. por K.H. Wolf, Nova York: Free Press.

ação, teoria da *ver* INTERAÇÃO.

acomodação cultural *ver* CONTATO CULTURAL.

aculturação *ver* CONTATO CULTURAL.

adaptação A adaptação refere-se às mudanças que ocorrem com o objetivo de manter os vários aspectos de uma cultura ou suas estruturas ou, em casos extremos, de contribuir para sua sobrevivência, em qualquer que seja a forma. Todos os sistemas sociais têm de se adaptar em relação a outros sistemas e ao ambiente natural. Famílias, por exemplo, têm de se adaptar à economia, às escolas e ao Estado, ao passo que sociedades têm de se adaptar a outras sociedades e aos recursos e limitações dos ambientes físicos. Por esse motivo, sistemas sociais são obrigados a levar em conta mudanças em outros sistemas e no ambiente físico.

À medida que a vida econômica na Europa e nos Estados Unidos mudava da agricultura para a indústria urbana no século XIX, por exemplo, a forma da produção familiar mudava também. Cada vez mais as famílias deixavam de produzir bens e, em vez disso, enviavam seus membros às fábricas a fim de fazer jus a salários. Essa situação mudou profundamente a DIVISÃO DO TRABALHO e a distribuição do poder nas famílias, ao excluir mães (que ficaram com a criação dos filhos e outras atividades domésticas) da produção de bens, fato este que as tornou dependentes de assalariados masculinos. Atualmente, em escala mais ampla, as sociedades industriais estão se adaptando a mudanças externas para manter seus sistemas sociais e valores fundamentais. Dando um exemplo, os níveis crescentes de poluição da água e do ar, devidos à produção industrial e ao consumo privado (como automóveis), levaram governos a intervir cada vez mais mediante regulamentação e restrições ao que antes eram considerados interesses privados. Determina-se às empresas, dessa maneira, em que condições podem obter lucros e, às famílias, quais bens podem comprar ou como podem usá-los.

O conceito de adaptação desempenha um papel importante na PERSPECTIVA FUNCIONALISTA de Talcott PARSONS sobre a sociedade, que considera a adaptação como uma das quatro tarefas básicas que todos os sistemas sociais têm de cumprir. Essa perspectiva também tem destaque em algumas teorias de MUDANÇA SOCIAL, sobretudo nas teorias evolucionárias.

Ver também EVOLUÇÃO SOCIAL; MATERIALISMO CULTURAL; PERSPECTIVA FUNCIONALISTA.

Leitura sugerida: Malinowski, Bronislaw 1944: *A Scientific Theory of Culture and Other Essays*. Chapel Hill: University of North Carolina Press / (*1983*): *Uma teoria científica da cultura*. Rio de Janeiro: Zahar • Parsons, Talcott, Robert F. Bales, e Edward A. Shils 1953: *Working Papers in the Theory of Action*. Glencoe, Il.: Free Press • Parsons, Talcott, e Neil J. Smelser 1956: *Economy and Society*. Nova York: Free Press • Spencer, Herbert 1876-96 (*1925-29*): *The Principles of Sociology*. 3 vols. Nova York: D. Appleton.

administração científica Administração científica é o empenho sistemático em analisar o trabalho para identificar a maneira mais eficiente de realizar uma dada tarefa. A teoria surgiu em 1911 na obra de F.W. Taylor (e daí ser frequentemente chamada de *taylorismo*). Taylor comparou o corpo humano a uma máquina e realizou estudos de tempo e movimento a fim de determinar o modo mais eficiente de utilizá-lo. O taylorismo esteve estreitamente relacionado ao desenvolvimento da produção em massa, em especial às linhas de montagem em fábrica introduzidas por Henry Ford, o fabricante americano de automóveis. O que veio a ser conhecido como *fordismo* separava os operários uns dos outros e dividia o processo de produção em uma série fragmentada de tarefas que podiam ser controladas com maior facilidade por supervisores e pela administração.

Críticos do capitalismo industrial consideram a administração científica como um dos principais instrumentos de controle dos operários, não apenas para aumentar a produtividade mas também para solapar o poder dos sindicatos em relação à administração, ao privar os trabalhadores do controle sobre seu processo de trabalho.

Ver também ALIENAÇÃO; AUTOMAÇÃO; DESQUALIFICAÇÃO.

Leitura sugerida: Braverman, Harry 1974: *Labor and Monopoly Capital: The Degradation of Work in the Twentieth Century*. Nova York: Monthly Review Press / (*1981*): *Trabalho e capital monopolista: a degradação do trabalho no século XX*. 3ªed., Rio de Janeiro: Zahar/Guanabara • Houndshell, D.A. 1984: *From the American System to Mass Production 1900-1932: The Development of Manufacturing Technology in the United States*. Baltimore: Johns Hopkins University Press • Salaman, Graeme 1986: *Working*. Londres: Tavistock • Taylor, Frederick Winslow 1911: *The Principles of Scientific Management*. Nova York: Harper and Row.

adolescência Adolescência é o estágio no CURSO DE VIDA que separa a infância da vida adulta. Trata-se de fenômeno relativamente recente, datando de fins do século XIX e encontrado sobretudo nas sociedades industriais. Nas sociedades não industriais, crianças tornam-se economicamente produtivas em idade relativamente jovem, e a puberdade vem a ser muitas vezes a ocasião de assumir o status pleno de adulto. Nas sociedades industriais, contudo, o período anterior à vida adulta é prolongado bem depois da puberdade e, não raro, até princípios da casa dos vinte anos. Esse fato permite que os jovens se preparem para as necessidades relativamente sofisticadas dos empregos industriais e os impede de competir por cargos com os adultos. Mais do que considerar a adolescência como inerente ao processo de envelhecimento, os sociólogos a veem como um produto da organização social.

Ver também ENVELHECIMENTO; FAIXA ETÁRIA.

Leitura sugerida: Elkind, David 1984: All Grown up and No Place to Go: Teenagers in Crisis. Reading, MA: Addison-Wesley • Hall, G. Stanley 1904: Adolescence: Its Psychology and its Relations to Physiology, Anthropology, Sociology, Sex, Crime, Religion, and Education. Nova York: Appleton • Mead, Margaret 1928 (*1961*): *Coming of Age in Samoa: A Psychological Study of Primitive Youth for Western Civilization*. Nova York: Morrow.

afinidade *ver* PARENTESCO.

afluente, trabalhador *ver* ABURGUESAMENTO.

agregado A palavra agregado tem dois significados em sociologia. No primeiro sentido, um agregado é a soma de características, experiências e comportamentos individuais, usada para expressar um fenômeno coletivo de toda uma população. Se somarmos todos os atos individuais de suicídio que ocorrem em um ano, por exemplo, o resultado é um agregado que nos diz algo sobre a sociedade em que eles ocorreram. O agregado pode ser apresentado na forma de um índice — tal como 8,5 suicídios por 100.000 indivíduos na Inglaterra e no País de Gales, em comparação com 12,3 nos Estados Unidos e 15,1 na Noruega. De forma análoga, a percentagem de crianças que residem com ambos os pais, idade média de casamento ou o produto nacional bruto são agregados.

No segundo sentido, o agregado é um conjunto de pessoas que se pode considerar como um todo simplesmente porque estão no mesmo lugar, na mesma ocasião. Pedestres que andam por uma rua, por exemplo, formam um agregado. O que distingue os agregados de outros conjuntos de pessoas (tais como GRUPOS e CATEGORIAS SOCIAIS) é o fato de que tudo de que se necessita para um agregado existir é a proximidade física, pouco importando o que reúne as pessoas. Os agregados, em geral, carecem de senso de organização; seus membros normalmente não possuem senso de integração e não interagem com muita frequência. Embora os membros de uma multidão possam compartilhar características sociais tais como nacionalidade, raça ou religião, não são elas que os tornam um agregado.

Em um sentido mais técnico, o agregado é um conjunto de pessoas que compartilham do mesmo STATUS SITUACIONAL, no mesmo tempo e lugar. Os agregados são importantes em sociologia exatamente porque tendem a ser desorganizados, carecer de coesão social e constituem, por isso mesmo, uma fonte importante de COMPORTAMENTO COLETIVO, tais como distúrbios de rua e ação de multidão. Explicar esses fenômenos é, claro, muito difícil, uma vez que raramente se pode prevê-los e, portanto, são de observação problemática.

Ver também CATEGORIA SOCIAL; COLETIVIDADE; GRUPO; NÍVEL DE ANÁLISE; STATUS.

alienação Da forma desenvolvida por Karl MARX e outros autores, a alienação é um conceito que se refere simultaneamente a um estado psicológico encontrado em indivíduos e, mais importante, a um estado social que o gera e o promove. O trabalho alienado, por exemplo, refere-se não tanto ao estado psicológico de trabalhadores que se sentem alienados mas sim a sistemas econômicos, como o CAPITALISMO, que são organizados de maneiras que alienam os trabalhadores de seu trabalho. Em outras palavras, é mais o trabalho do que o trabalhador que é o alienado, e é o trabalho alienado que afeta a maneira como o indivíduo se sente.

Marx argumentava que a alienação é resultado da posse privada do capital e do emprego de trabalhadores por salário, um arranjo que concede a estes pouco controle sobre o que fazem. A alienação ocorre primeiro na relação rompida entre trabalhadores e trabalho. No sentido mais completo, produzir alguma coisa implica um processo humano complexo, que se inicia com ideias sobre o que fazer e como fazer. Dessa situação segue-se uma unidade de mente e corpo, à medida que a ideia adquire forma no processo de execução. Sob o capitalismo, contudo, tal processo é rompido, porque os que produzem bens não têm voz sobre o que produzir e como produzir.

A alienação ocorre também na relação interrompida entre operários e o produto de seu trabalho, já que eles não exercem controle sobre o que é feito com o mesmo. Uma vez que o senso de *self* fundamenta-se até certo ponto na integridade do trabalho do indivíduo, Marx argumenta que a produção capitalista rompe também essa conexão, o que resulta na tendência de os trabalhadores se distanciarem do trabalho, vivenciando-o como uma tarefa enfadonha (se não como uma provação) a ser suportada até o apito final ou a chegada do fim de semana. Finalmente, Marx argumenta que a alienação do *self* está ligada à alienação de outras pessoas.

Indivíduos que participam de sistemas sociais alienados tendem a se sentir como dentes de uma engrenagem — isolados e desligados dos demais, do self, e de um trabalho significativo, no qual possam vivenciar a si mesmos como seres humanos completos, integrados, cuja vida tenha uma finalidade. Uma vez que Marx acreditava que o âmago da condição de sentir-se humano é o trabalho significativo, através do qual o homem modela e transforma o meio ambiente, ele considerava o capitalismo como uma maneira de organização social que o desumaniza ao solapar a essência da própria espécie. Nos sistemas alienados, indivíduos não trabalham porque experimentam satisfação ou senso de conexão com o processo vital, mas para ganhar o dinheiro de que necessitam para satisfazer suas necessidades. O trabalho alienado, portanto, transforma-se em rotina, em atividade mecânica dirigida por outras pessoas e que serve meramente como meio para um fim. O trabalhador e seu trabalho transformam-se em pouco mais do que mercadorias compradas e vendidas nos mercados de trabalho.

Leitura sugerida: Blauner, Robert 1964: Alienation and Freedom. Chicago: University of Chicago Press • Marcuse, H. 1964 (1982): *Ideologia da sociedade industrial*. Rio de Janeiro: Zahar / (*1964*): *One-Dimensional Man: the Ideology of Industrial Society*. Londres: Routledge & Kegan Paul; Boston: Beacon Press • Marx, K. 1844 (*1985*): *Manuscritos econômico-filosóficos e outros textos escolhidos*. São Paulo: Abril Cultural / (*1967*): *Economic and Philosophical (Paris) Manuscripts*. Moscou: Progress • Ollman, B. 1971: *Alienation: Marx's Critique of Man in Capitalist Society*. Cambridge: Cambridge University Press.

alinhamento *ver* AÇÃO DE ALINHAMENTO E DE REALINHAMENTO.

alteridade ver OUTRO.

altruísmo Altruísmo é a tendência a considerar as necessidades dos outros como mais importantes do que as próprias e, por conseguinte, estar disposto a sacrificar-se por eles. Sociologicamente, o conceito ocorre em vários contextos diferentes. Émile Durkheim considerava o altruísmo como uma das razões dos padrões de suicídio em certas sociedades, nas quais pessoas se identificam de maneira tão forte com um grupo ou comunidade que se sacrificam tranquilamente para defender seus interesses ou sustentar suas tradições.

Em tempos mais recentes, o altruísmo subiu a primeiro plano no debate sobre a SOCIOBIOLOGIA e sua relevância para a vida social. Ao argumentar que a vida social tem base biológica, por exemplo, alguns sociobiólogos afirmaram a existência de um "gene altruístico" que explicaria a tendência para o altruísmo encontrada em membros individuais de comunidades. Seguidores dessa opinião distanciaram-se desde então da mesma e reconheceram a importância suprema dos fatores sociais na explicação de fenômenos sociais como o altruísmo.

O conceito de altruísmo é encontrado também em estudos sociológicos sobre como pessoas escolhem maneiras de se relacionar com outras através de COMPETIÇÃO E COOPERAÇÃO, EXPLORAÇÃO, troca e compartilhamento. Esse fato foi particularmente importante para o desenvolvimento da TEORIA DA TROCA.

Ver também FATO SOCIAL; RELAÇÃO DE DÁDIVA; SOCIOBIOLOGIA; TEORIA DA TROCA.

Leitura sugerida: Dovidio, John F. 1984: "Helping behavior and altruism: An empirical and conceptual overview". Advances in Experimental Social Psychology, vol.17, org. por L. Berkowitz. Nova York: Academic Press • Durkheim, Émile 1897 (1969): *Le suicide, étude de sociologie*. Paris: Félix Alcan; PUF / (*1982*): *O suicídio*. Rio de Janeiro: Zahar / (*1963*): *Suicide: a Sociological Study*. Nova York: Free Press; Londres: Routledge & Kegan Paul • Pilavian, Jane A., e Hongwn, Charng 1990: "Altruism: A review of recent theory and research". *Annual Review of Sociology*.

amálgama *ver* CONTATO CULTURAL.

ambiente Genericamente, um ambiente é qualquer conjunto de coisas, forças ou condições em relação com algo que existe ou ocupa um lugar. Sociólogos, especificamente, distinguem entre ambientes naturais físicos e ambientes sociais. Os últimos incluem tanto a cultura material (como edificações e computadores) e as características culturais e estruturais abstratas de sistemas sociais que determinam e moldam os termos em que a vida social é vivida. Na medida em que a maior contribuição da sociologia para se compreender o comportamento humano incide na influência de fatores externos sobre os individuais, a existência de vários tipos de ambiente é um requisito essencial que subjaz a todo trabalho sociológico.

Ver também ECOLOGIA.

amostra Uma amostra é qualquer subconjunto de uma POPULAÇÃO selecionado para representar e gerar inferências sobre a mesma. Como técnica de pesquisa, a amostragem foi usada inicialmente em estudos agrícolas como forma de estimar rendimentos de culturas sem ter que medir todas elas. Hoje em dia, as técnicas de amostragem são amplamente usadas nas ciências sociais a fim de reunir informações sobre populações grandes e complexas, sem a despesa de realização de um CENSO.

Embora a amostragem seja um processo que inevitavelmente gera ERRO (como acontece com qualquer outro método de observação), os resultados, quando utilizados procedimentos científicos, são em geral bastante precisos e implicam níveis de erro que se tornam mais do que justificados pela economia de tempo e de dinheiro. Na verdade, numerosos estudos de interesse sociológico seriam impossíveis sem o uso de amostras.

Ver também AMOSTRA COMPLEXA; AMOSTRA ALEATÓRIA SIMPLES; AMOSTRAGEM APT; AMOSTRAGEM DE COTA; AMOSTRAGEM DESPROPORCIONAL; ERRO AMOSTRAL; SISTEMA DE AMOSTRAGEM.

Leitura sugerida: Kish, Leslie 1965: *Survey Sampling*. Nova York: Wiley • Singleton, Royce A., Bruce C. Straits, e Margaret M. Straits 1993: *Approaches to Social Research*, 2ª ed. Oxford e Nova York: Oxford University Press.

amostra aleatória *ver* AMOSTRA ALEATÓRIA SIMPLES.

amostra aleatória simples Uma amostra aleatória simples é um modelo de AMOSTRA no qual seleções são feitas em uma população de maneira que dê a todos os membros e a todas as combinações de membros uma oportunidade igual de serem escolhidos. A maneira clássica de selecionar tal amostra consiste em atribuir um número a cada membro da população e, em seguida, selecionar a amostra escolhendo números em uma tabela numérica aleatória.

Virtualmente toda a matemática da INFERÊNCIA ESTATÍSTICA supõe que os dados foram reunidos com um modelo de amostra aleatória simples, embora, na prática, essa condição seja muitas vezes impraticável e proibitivamente dispendiosa. Como alternativa, pesquisadores desenvolveram grande variedade de modelos de amostra que, apesar de não serem rigorosamente aleatórias, constituem aproximações que produzem níveis aceitáveis de erro que são muito compensados pelos melhoramentos em praticidade e custo.

Ver também AMOSTRA COMPLEXA; AMOSTRA SISTEMÁTICA; ERRO; ERRO AMOSTRAL.

amostra complexa Uma amostra complexa (ou de *múltiplos estágios*) é um subconjunto de população selecionado em mais do que um único estágio. Quando fazem amostragens de populações grandes e complexas, como uma área urbana ou um país inteiro, por exemplo, os pesquisadores em geral selecionam a amostra em estágios, começando com as unidades mais numerosas e trabalhando a partir delas em ordem decrescente até as unidades finais (tais como unidades familiares ou pessoas) selecionadas para observação. A fim de fazer uma amostragem de alunos de escolas secundárias de um país, os pesquisadores poderiam começar com a seleção aleatória de uma amostra de cidades grandes e pequenas (para assegurar representação geográfica) e em seguida, dentro das cidades, grandes e pequenas, selecionar uma amostra das escolas. Selecionadas estas, poderão em seguida fazer o mesmo com os estudantes que serão entrevistados.

Note-se que, sem esse tipo de procedimento, seria muito difícil selecionar diretamente uma amostra de estudantes, uma vez que montar tal lista seria extremamente dispendioso, se não impossível. Com um modelo em multiestágios, a lista dos estudantes é necessária apenas no estágio final e mais simples, e somente no caso das escolas nas quais eles serão efetivamente entrevistados.

A *amostra de conglomerado* é um tipo de amostra complexa usada para economizar tempo de viagem e despesas na realização de levantamentos, sem incorrer em um aumento inaceitável de erros. Um modelo de amostra complexa, por exemplo, poderia ser usado para entrevistar 2.000 residentes de Londres. Os pesquisadores poderiam usar inicialmente o mapa da cidade para selecionar uma amostra de 2.000 quarteirões e, em seguida, entrevistar um morador escolhido de forma aleatória em cada quarteirão. Esse procedimento, no entanto, exigiria que os entrevistadores visitassem 2.000 lugares diferentes na cidade. Como alternativa, eles poderiam "conglomerar" entrevistas, selecionando não 2.000, mas 400 quarteirões. Em cada um deles, entrevistariam cinco moradores escolhidos aleatoriamente. Cada um desses conjuntos de cinco entrevistados é chamado de "conglomerado" e nos fornece um tamanho total da amostra de 400 x 5 = 2.000.

Pesquisa metodológica demonstrou que a amostra de conglomerado justifica plenamente o esforço. Ela reduz muito os custos do levantamento, ao mesmo tempo que introduz apenas um volume negligível de viés (tendendo a produzir amostras que são mais homogêneas do que as populações usadas para representar, uma vez que indivíduos que residem no mesmo quarteirão tendem a se parecer mais entre si do que pessoas que vivem em quarteirões diferentes). O erro adicional, no entanto, é pequeno e pode ser estimado estatisticamente e corrigido mais tarde.

Ver também AMOSTRA; AMOSTRA ESTRATIFICADA.

Leitura sugerida: Kalton, G. 1984. *Introduction to Survey Sampling*. Beverly Hills, CA: Sage Publications • Kish, Leslie 1965: *Survey Sampling*. Nova York: Wiley.

amostra de conglomerado *ver* AMOSTRA COMPLEXA.

amostra de múltiplos estágios *ver* AMOSTRA COMPLEXA.

amostra estratificada Uma amostra estratificada é um modelo de amostragem no qual AMOSTRAS semelhantes são retiradas de diferentes segmentos de uma POPULAÇÃO a fim de assegurar representação proporcional de cada segmento na amostra geral. Se estamos tirando uma amostra de estudantes em uma comunidade, por exemplo, queremos assegurar que cada nível seja representado em proporção à sua parcela na população escolar. Para obter esse resultado, podemos estratificar a amostra por nível e selecionar amostras separadas dentro de cada um deles, combinando-as no estágio final em uma única amostra. Dessa maneira, os vários níveis não podem ser sub ou super-representados, uma vez que seus números relativos são determinados pelo próprio modelo da amostra. Em cada nível, ou estrato, os indivíduos são, é claro, selecionados aleatoriamente para inclusão.

De modo geral, a estratificação é um aspecto desejável em um modelo de amostra porque tende a melhorar sua eficiência, o que equivale a dizer que ela representará a população com a precisão geralmente associada a amostras de maior tamanho. A fim de selecionar uma amostra estratificada, deve ser possível identificar os vários segmentos da população e deles retirar amostras separadas — condição esta que frequentemente não ocorre.

Leitura sugerida: Kalton, Graham 1984: *Introduction to Survey Sampling*. Beverly Hills, CA: Sage Publications • Kish, Leslie 1965: *Survey Sampling*. Nova York: Wiley.

amostra sistemática Uma amostra sistemática é um modelo no qual uma lista da POPULAÇÃO é usada como SISTEMA DE AMOSTRAGEM e os casos são selecionados "saltando-se" pela lista a intervalos regulares. Se a população consiste de 1.000 pessoas, por exemplo, e queremos selecionar uma amostra de 250, escolheremos cada quarta pessoa na lista, após selecionar aleatoriamente um ponto de partida entre 1 e 4. Esse "intervalo de salto" é encontrado dividindo-se o tamanho da população pelo tamanho da amostra, neste caso, 1.000/250 = 4. Se escolhêssemos o terceiro caso como ponto de partida, selecionaríamos os casos seguintes para a amostra: 3, 7, 11, 15, 19, 23, 27, 31, 35... 987, 991, 995, 999. Se o intervalo de salto não for um número inteiro, seguiremos o mesmo processo, mas arredondaremos nossas seleções para cima ou para baixo até o número inteiro mais próximo como etapa final.

A amostragem sistemática supõe que a lista foi "bem-embaralhada", o que significa que não há tendências claras tais como organizar os dados por idade, renda ou educação, ou que uma característica se repita a intervalos regulares (um problema conhecido como *periodicidade*). Se ocorrer ordenação, haverá o perigo de se selecionar uma amostra viesada. Se a lista fosse organizada partindo dos mais jovens para os mais velhos, a seleção de um ponto de partida aleatório baixo resultaria em uma amostra que seria viesada para as idades mais baixas, enquanto que escolher um ponto de partida alto teria o efeito oposto. Conforme demonstrou Blalock, o problema da periodicidade pode ser encontrado no exemplo de seleção de apartamentos em uma listagem de unidades em um grande prédio. Se certos tipos de apartamentos (como as unidades de esquina) ocorrem a intervalos regulares na lista, então, dependendo do ponto de partida aleatório selecionado, poderemos terminar com uma amostra na qual as unidades de esquina são sub ou super-representadas, variando de nenhuma unidade de esquina a nada mais que unidades de esquina.

Leitura sugerida: Blalock, Hubert M. Jr. 1979: *Social Statistics*, 2ªed. Nova York: McGraw-Hill • Singleton, Royce A., Bruce C. Straits e Margaret M. Straits 1993: *Approaches to Social Research,* 2ªed. Oxford e Nova York: Oxford University Press.

amostragem APT A amostragem de probabilidades-proporcionais-ao-tamanho (APT) é um modelo de AMOSTRA COMPLEXA no qual em cada nível de amostragem a probabilidade de uma unidade ser selecionada é diretamente proporcional a seu tamanho. Em uma amostra de conglomerado de uma cidade, por exemplo, quanto maior o quarteirão, maior o número de conglomerados — e, por conseguinte, de respondentes — que nele serão selecionados. É mais provável, portanto, que indivíduos que vivem em um grande quarteirão sejam selecionados do que outros que vivem em um menor. Uma vez que o quarteirão é selecionado, porém, a probabilidade de cada família ou pessoa ser selecionada na amostra final é também proporcional ao tamanho do quarteirão, mas inversamente. Neste estágio final da amostragem, pessoas que residam em quarteirões maiores têm menos possibilidade geral de serem selecionadas do que indivíduos que vivem em quarteirões menores. Como resultado, as desigualdades em probabilidades da seleção se cancelam e são as mesmas para todos os membros da população, o que constitui um requisito importante na amostragem científica.

Ver também AMOSTRA COMPLEXA.

Leitura sugerida: Kish, Leslie 1965: *Survey Sampling.* Nova York: Wiley.

amostragem de cota Uma amostragem de cota é um modelo de pesquisa no qual os entrevistadores recrutam os respondentes de acordo com um conjunto de diretrizes que resultarão em uma amostra global com certas proporções de pessoas dotadas de várias características sociais. O requisito pode ser, por exemplo, gerar um conjunto de entrevistas que sejam uniformemente divididas entre mulheres e homens, contenham certas percentagens de indivíduos de raças diferentes, de grupos etários, e assim por diante. Enquanto a amostra final apresentar as proporções corretas de indivíduos com essas várias características, pouco importa quais indivíduos os entrevistadores selecionam.

Embora amostragens de cota possam gerar resultados com um grau considerável de precisão, não há razão científica para esperá-lo, uma vez que não se baseiam em probabilidades conhecidas de seleção. Nenhum dos instrumentos matemáticos sobre os quais se baseia a INFERÊNCIA ESTATÍSTICA, por exemplo, pode ser usado com amostras de cota porque elas não satisfazem nenhum dos pressupostos teóricos associados a essas técnicas. Nessas condições, as amostras de cota têm escassa legitimidade na pesquisa séria e são usadas principalmente em pesquisa de mercado como medida que reduz custos.

Ver também AMOSTRA; ESTATÍSTICA.

amostragem de eficiência A eficiência da amostragem é o grau de precisão que o modelo de uma AMOSTRA proporciona em relação ao seu tamanho. Se dois modelos de amostra podem ser usados, por exemplo, para estimar uma média de população com o mesmo grau de precisão, a menor das duas amostras é a mais eficiente. Dada a grande despesa de levantamento de amostras na pesquisa sociológica, a eficiência é altamente apreciada e tem levado ao desenvolvimento de numerosas técnicas para melhorá-la.

Ver também AMOSTRA ESTRATIFICADA.

Leitura sugerida: Kalton, G. 1984: *Introduction to Survey Sampling.* Beverly Hills, CA: Sage Publications • Kish, Leslie 1965: *Survey Sampling.* Nova York: Wiley.

amostragem desproporcional A amostragem desproporcional é uma prática de pesquisa na qual membros de um subgrupo da população são selecionados em maiores números do que seria justificado por seu tamanho relativo na população. Essa prática é seguida com mais frequência nos casos em que os pesquisadores estão interessados em subgrupos que compreendem uma pequena parte da população total.

Nas escolas de engenharia, por exemplo, as mulheres constituem uma pequena percentagem de todos os estudantes. Se tirássemos uma amostra de 1.000 estudantes, o número resultante de mulheres seria estatisticamente pequeno demais para justificar tirar conclusões sobre elas como grupo. A fim de compensar esse fato, podemos tirar uma amostra desproporcional de mulheres engenheiras, colhendo uma amostra muito mais ampla delas como parte da amostra geral.

Se em seguida usamos essa amostra para fazer declarações sobre todos os estudantes de engenharia, porém, as mulheres serão super-representadas. Podemos corrigir esse viés através do uso de PESOS DE AMOSTRAGEM.

Ver também AMOSTRA.

Leitura sugerida: Kalton, Graham 1984: *Introduction to Survey Sampling.* Beverly Hills, CA: Sage Publications • Kish, Leslie 1965: *Survey Sampling.* Nova York: Wiley.

ampliação de desvio A ampliação de desvio é uma situação que ocorre quando a resposta social a comportamento anormal — pela polícia e pela mídia, por exemplo — produz o efeito de aumentar o desvio, e não limitá-lo. Suponhamos que a mídia americana concentre-se fortemente no problema do crime nas cidades, especialmente no tráfico de drogas. Uma vez que é maior a probabilidade de que negros sejam presos por crimes do que brancos, seria relativamente fácil para a mídia recair em estereótipos raciais e identificar os negros como os principais autores de crimes. Essa situação, por seu lado, pressiona a polícia a focalizar seus esforços nos bairros negros, deter na rua e passar revista em negros e seus carros, na possibilidade de que drogas possam ser encontradas, a dar buscas em seus apartamentos ao menor pretexto de conduta ilegal. Os brancos tornam-se cada vez mais temerosos da proximidade dos negros, passam menos tempo no centro da cidade e contribuem para a decadência econômica e social do mesmo. Os negros se sentem cada vez mais isolados, sitiados, ameaçados e, talvez, se tornem contestadores em relação à polícia e a outras autoridades. O resultado final pode ser uma ampliação do comportamento desviante, gerado por respostas sociais que tinham intenção de controlá-lo.

O conceito de ampliação de desvio tem sido aplicado a numerosos grupos, variando de usuários de drogas a pessoas que sofrem de AIDS.

Ver também TEORIA DAS ROTULAÇÕES.

Leitura sugerida: Wilkins, L.T. 1964: *Social Deviance: Social Policy, Action, and Research.* Londres: Tavistock o 1965: "Some sociological factors in drug addiction control". In *Mass Society in Crisis*, org. por B. Rosenberg, I. Bernard e F. Howlen. Nova York: Free Press.

amplitude Em uma DISTRIBUIÇÃO de escores, a amplitude é uma medida da variação que leva em conta simplesmente a diferença entre os escores mais altos e mais baixos. Se a pessoa mais velha em um grupo tem 110 anos de idade e a mais jovem 18, então a amplitude da VARIÁVEL idade é de (110-18) = 92. A amplitude é uma medida relativamente grosseira de variação porque usa apenas dois escores na distribuição, mas pode fornecer informações úteis. A amplitude da renda associada a uma ocupação, por exemplo, proporciona uma ideia significativa do grau de desigualdade entre os que a exercem, bem como o potencial de promoção.

Ver também VARIÂNCIA.

Leitura sugerida: Bohrnstedt, George W., e David Knoke 1988: *Statistics for Social Data Analysis*, 2ª ed. Ithaca, IL: F.E. Peacock.

análise de aproveitamento do tempo Uma análise de aproveitamento do tempo é um registro por escrito da maneira como pessoas empregam seu tempo. A técnica pode variar da manutenção de um diário detalhado a relembrar o passado em uma entrevista. É usada para estudar uma grande variedade de problemas sociológicos. Em algumas sociedades industriais o aproveitamento do tempo tem sido usado para acompanhar mudanças na divisão do trabalho na família como reação ao movimento feminista e ao aumento da participação das mulheres na força de trabalho. Na maior parte, esses estudos revelam que a participação do homem no trabalho doméstico não aumenta quando a esposa trabalha fora. Ao invés disso, o volume total desse trabalho declina à medida que a esposa aumenta seus compromissos fora de casa. Como resultado, aumenta a percentagem de todo trabalho doméstico realizado pelo homem, mas não por causa de sua maior participação.

Leitura sugerida: Oakley, Ann 1974: *Woman's Work: The Housewife, Past and Present.* Nova York: Pantheon • Sorokin, Pitirim, A., e Clarence Q. Berger 1939: "Time-Budges of Human Behavior". *Harvard Sociological Studies*, vol.2. Cambridge: Harvard University Press • Thompson, L., e A.J. Walker 1989: "Women and men in marriage, work, and parenthood". *Journal of Marriage and the Family*, 51: 845-72.

análise de conglomerados A análise de conglomerados é uma técnica estatística usada para identificar de que maneira várias unidades, tais como indivíduos, organizações ou sociedades, podem ser agrupadas ou "conglomeradas" devido às características que têm em comum. Se estudarmos sociedades, por exemplo, veremos que as ricas tendem também a exibir DIVISÕES DO TRABALHO complexas, possuir aguerridas forças militares, base industrial diversificada, instituições políticas relativamente democráticas e populações educadas. Nessa base, poderíamos incluir sociedades como Grã-Bretanha, Japão, França, Estados Unidos, Alemanha e Itália como pertencendo ao mesmo "conglomerado". Em contraste, sociedades como China, Uganda e Nicarágua tendem a se aglomerar em torno de um conjunto de características muito diferentes, incluindo baixos níveis de riqueza, divisões do trabalho mais simples, dependência da produção de matérias-primas e produtos agrícolas, instituições políticas relativamente instáveis e antidemocráticas, baixo desenvolvimento tecnológico, e assim por diante.

Como procedimento estatístico, esse tipo de análise inclui um conjunto de técnicas usadas para identificar conglomerados em uma série de dados. No sentido mais geral, constitui uma maneira de identificar "tipos", sejam eles tipos de sociedades, indivíduos ou organizações.

Ver também ANÁLISE FATORIAL.

Leitura sugerida: Everitt, Brian 1980: *Cluster Analysis*, 2ª ed. Londres: Heinemann • Sokal, Robert R., e Peter H.A. Sneath 1963: *Principles of Numerical Taxonomy.* São Francisco: Freeman.

análise de conteúdo A análise de conteúdo é um método de pesquisa usado para analisar a vida social mediante interpretação de palavras e imagens contidas em documentos, filmes, obras de arte, música e outros produtos culturais e da mídia. Tem sido usada amplamente, por exemplo, para estudar o lugar da mulher na sociedade. Estudos de livros escolares revelam que os personagens em histórias ou exemplos tendem a ser do sexo masculino, especialmente quando o personagem é dominante, ativo ou heroico. Na publicidade, mulheres em geral são mostradas como subordinadas, muitas vezes através de seu posicionamento físico inferior em relação ao homem ou da natureza experimental, não assertiva, de sua postura e gestos.

Embora a análise de conteúdo possa assumir uma forma quantitativa relativamente objetiva (como na contagem do número de personagens femininos e masculinos em um livro ou a percentagem de notícias de primeira página em jornais que focalizam mulheres), na prática geral ela tende a ser mais subjetiva do que outros métodos de pesquisa, a menos que seja feita com muito cuidado. Pesquisadores, por exemplo, precisam especificar o que procuram e estabelecer categorias claras, nas quais possam classificar suas observações.

Ver também ANÁLISE SECUNDÁRIA.

Leitura sugerida: Holsti, O.R. 1969: *Content Analysis for the Social Sciences and Humanities*. Reading, MA: Addison-Wesley • Weber, R.P. 1985: *Basic Content Analysis*. Beverly Hills, CA: Sage Publications.

análise de conversação *ver* ETNOMETODOLOGIA.

análise de regressão A análise de regressão é uma técnica estatística para descrever e analisar relações entre uma VARIÁVEL dependente e uma ou, com a *regressão múltipla*, duas ou mais variáveis independentes. A fim de usar a análise de regressão, as variáveis devem estar na escala razão ou na escala intervalo, o que significa que devem assumir naturalmente a forma de números (tais como renda ou idade). Uma exceção a essa regra é qualquer variável que assuma a forma de uma DICOTOMIA, tal como sexo, ou uma variável de multicategoria, como educação, que se reduz a duas categorias tais como "menos que estudo universitário" ou "algum ou mais do que estudo universitário".

A análise de regressão é melhor compreendida na figura a seguir, em que a plotação da dispersão mostra a relação entre duas variáveis: a percentagem de uma população que é alfabetizada (X) e a sua expectativa de vida (Y). Cada ponto no gráfico representa um país, e a localização (ou coordenadas) de cada ponto é determinada por seu nível de expectativa de vida (no eixo vertical) e a percentagem da população alfabetizada (no eixo horizontal). Como se pode ver, há uma tendência para que os países baixos em X sejam também baixos em Y e para que países altos em X o sejam também em Y (não há pontos nos cantos superior esquerdo e inferior direito). Há, portanto, uma relação positiva entre alfabetização e expectativa de vida:

quanto mais alto o nível de alfabetização, mais tempo, em média, tende o indivíduo a viver.

A análise de regressão utiliza uma equação matemática para descrever esse tipo de relação. Na regressão linear, a equação descreve a linha reta que, em média, proporciona simultaneamente uma "aderência" a todos os pontos. Há uma única linha desse tipo que é conhecida como linha de regressão de *mínimos quadrados*. Seu nome deriva do fato de que se medirmos a distância vertical entre a linha e cada ponto no gráfico (denominado *resíduo)*, elevarmos ao quadrado cada distância e as somarmos, o total será menor no caso dessa linha do que de qualquer outra. Daí, é a linha que melhor "adere" aos dados.

A forma geral da equação é $\hat{Y}$=a+bX, na qual $\hat{Y}$ é o valor previsto da variável dependente e X é o valor da variável independente. O sinal de interpolação (^) sobre o Y indica que é um valor esperado, e não um valor real. A *constante* de *regressão* (conhecida também como *intercepção-Y)*, que é representada por *a* na equação, informa-nos do valor de Y quando X tem um valor de zero. É também o ponto em que a linha corta o eixo vertical (Y). O *coeficiente de regressão* (ou *declividade)*, que é representado por *b* na equação, informa-nos até que ponto o valor de Y muda com cada modificação em X.

Se aplicamos a técnica estatística de análise de regressão linear ao caso mostrado na figura, a equação resultante é Y=41,5+0,3X. Isso significa que se queremos estimar a expectativa de vida de um país, nossa melhor aposta é tomar 41,5 anos e adicionar a isso 0,3 multiplicado pela percentagem de alfabetizados nesse país. Se 75 por cento da população é alfabetizada, a melhor estimativa de expectativa de vida seria Y=41,5+(0,3)(75)=64 anos. Se a percentagem de alfabetizados for 10 pontos mais alta, neste caso, uma vez que a declividade é de 0,3, teremos que aumentar nossa estimativa em 0,3 anos por cada percentagem adicional de alfabetizados ou por outros (0,3)(10)=3 pontos. A estimativa resultante seria então de 67 anos.

Uma vez que as coordenadas no caso da maioria dos países (os pontos no gráfico de dispersão) não se situam diretamente sobre a linha, nossa estimativa, com toda probabilidade, incorrerá em algum grau de erro, ao passo que usar a linha de regressão nos dá estimativas que, no longo prazo, implicam o menor volume de erro. Devido a esse fato, a equação é às vezes montada como Y=a+bX+e, onde *e* representa o erro associado a cada predição. Note-se que Y não tem mais sinal de interpolação, uma vez que não representa mais uma estimativa. Uma vez que incluímos o erro no

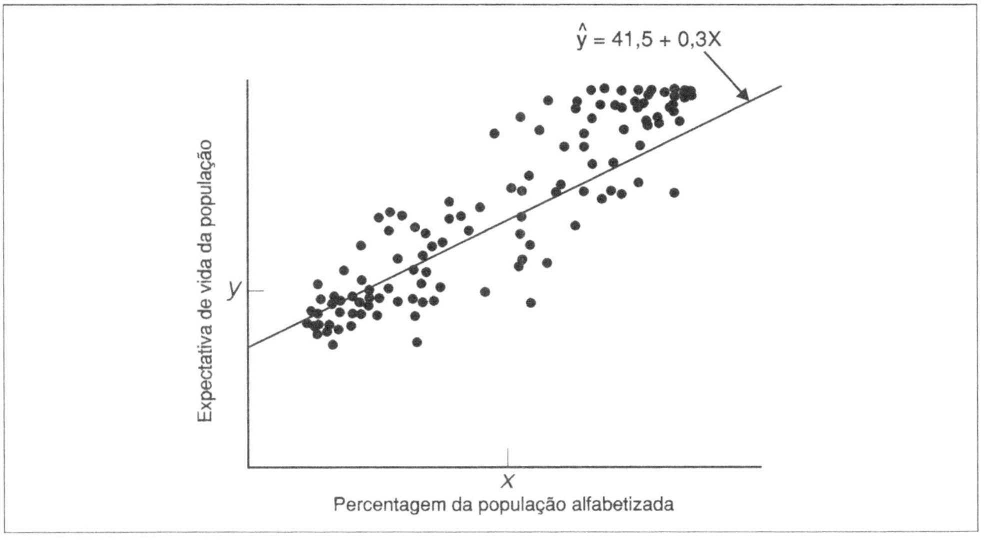

Figura 1. *Gráfico de dispersão com linha de regressão representando a relação entre expectativa de vida (x) e percentagem de indivíduos alfabetizados (y) em vários países, em princípios da década de 1980.* Fonte: *US Census Bureau, 1989.*

termo direito da equação, o valor real de Y é nesse momento representado no termo esquerdo.

Uma forma mais complicada de análise de regressão é a regressão múltipla, em que duas ou mais variáveis independentes são usadas simultaneamente para estimar o valor de uma variável dependente. A fim de estimar renda pessoal, por exemplo, poderíamos usar variáveis independentes como anos de escolaridade (X1), escore de prestígio ocupacional (X2) e sexo (X3). A equação teria então a seguinte forma:

$$\hat{Y} = a+b_1X_1+b_2X_2+b_3X_3$$

No caso de uma relação que parece mais uma curva do que uma linha reta, a *regressão curvilinear* pode ser usada. De modo geral, as técnicas curvilineares são de uso e interpretação mais complicados e menos usadas em sociologia do que as técnicas lineares.

Embora a linha de regressão dos mínimos quadrados seja a linha que melhor se ajusta a um conjunto de dados, isso não significa que se ajuste muito bem a eles. Para medir esse fato é necessário computar uma CORRELAÇÃO.

Ver também COVARIÂNCIA; PADRONIZAÇÃO.

Leitura sugerida: Bohrnstedt, George W., e David Knoke 1988: *Statistics for Social Data Analysis*, 2ªed. Ithaca, IL: F.E. Peacock.

análise de sequência A análise de sequência é uma forma de ANÁLISE MULTIVARIADA usada para avaliar modelos causais mediante exame das relações entre uma VARIÁVEL dependente e duas ou mais variáveis independentes. Os efeitos de cada variável independente sobre a dependente são mostrados direta e indiretamente através de outras variáveis independentes.

A análise de sequência possui dois requisitos principais. Em primeiro lugar, todas as relações causais entre variáveis devem tomar uma única direção, o que significa que não podemos ter um par de variáveis que sejam a causa uma da outra. Em segundo, as variáveis precisam ter uma clara ordenação temporal, uma vez que não se pode dizer que uma cause outra, a menos que a preceda no tempo.

Um diagrama de sequência típico é mostrado na figura 2. A variável dependente (renda) está no lado direito. De acordo com esse modelo, variações na renda de mulheres americanas empregadas são devidas a seis fatores — diretamente pelo prestígio ocupacional e pela educação (como mostram as setas) e diretamente pelo número de filhos, educação do pai, educação da mãe e prestígio ocupacional do pai (note-se que a educação de uma mulher tem efeitos diretos na renda e indiretos por seu prestígio ocupacional). A educação da mãe afeta a renda indiretamente, por exemplo, ao afetar a educação e o número de filhos. A educação do pai e a ocupação da mãe são mostradas sem qualquer variável por trás delas agindo como causa, o

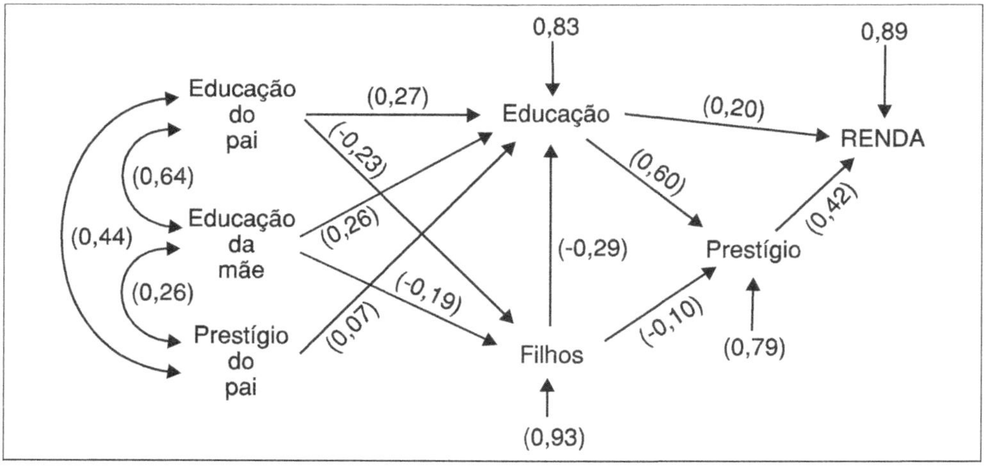

Figura 2. *Diagrama de sequência relativo à renda decorrente de prestígio ocupacional, educação, número de filhos, educação do pai e da mãe, e prestígio ocupacional do pai, mulheres americanas empregadas, 25-64 anos de idade, 1972-76.* Fonte: *computado com base em dados reunidos de Pesquisa GENSOC, 1972-76.*

que as torna *variáveis exógenas* neste modelo. As setas curvas no lado esquerdo indicam que embora as variáveis que elas ligam sejam correlacionadas, não há, por causa disso, qualquer sugestão de relação causal entre elas.

As setas vindo de fora do modelo (apontando para educação, renda, prestígio e filhos) indicam a relação entre essas variáveis e todas as variáveis não incluídas no modelo. Os números junto às setas (0,83, 0,89, 0,79 e 0,93, respectivamente) são coeficientes de correlação múltipla, indicando o quão forte essas variações são correlacionadas fora do modelo. Se esses números são inteiros, indicam a percentagem de variação explicada pelos fatores fora do modelo. Nesse exemplo, (0,89)2= 0,79 ou 79 por cento de variância em renda é explicado por variáveis externas, o que significa que apenas 21 por cento é explicado por variáveis no modelo.

Os números nas setas retas indicam o impacto que uma variável tem sobre outra, medido em unidades de desvio-padrão. Por exemplo, a seta ligando educação e renda mostra que, para cada aumento em uma unidade-padrão de desvio em educação, há um aumento de 0,20 unidade de desvio de padrão em renda. Esses números são mostrados como *pesos beta* ou *coeficientes de análise em sequência*, e nos permitem comparar a importância relativa de diferentes variáveis independentes. Prestígio ocupacional, por exemplo, tem duas vezes mais impacto em renda do que a educação (0,42 *versus* 0,20).

O efeito indireto de uma variável sobre outra é encontrado multiplicando-se os coeficientes de sequência. O efeito direto da educação sobre a renda, por exemplo, é 0,20; mas o efeito indireto através do prestígio ocupacional é de (0,60) (0,42)= 0,25, em um efeito total de 0,20 + 0,25 = 0,45.

Em contraste com técnicas como a análise de regressão múltipla, a análise de sequência é teoricamente útil porque nos força a especificar as relações entre todas as variáveis independentes, resultando em um modelo mostrando os mecanismos causais através dos quais variáveis independentes produzem efeitos diretos e indiretos em uma variável dependente.

Ver também EFEITO ESTATÍSTICO; MODELO; PADRONIZAÇÃO; VARIÁVEL.

Leitura sugerida: Blalock, Hubert M., org. 1971: *Causal Models in the Social Sciences*. Chicago: Aldine • Duncan, Otis Dudley 1966: "Path analysis: Sociological examples". *American Journal of Sociology*. 72: 1-16.

análise de séries cronológicas Em estatística, a análise de séries cronológicas é qualquer conjunto de dados extraídos de populações comparáveis a intervalos regulares de tempo, como por exemplo, anualmente, ou, no caso de um CENSO nacional típico, a cada cinco ou dez anos. Esse tipo de análise tem sido usado para descrever tendências em uma grande variedade de indicadores sociais, de OPINIÃO PÚBLICA a crime e TAXA DE MORTALIDADE. Embora seja em geral usada para finalidades descritivas, a análise de séries cronológicas tem sido cada vez mais empregada para submeter a teste modelos causais.

Ver também ESTUDO LONGITUDINAL; EXPLICAÇÃO CAUSAL E MODELO CAUSAL.

Leitura sugerida: Gottman, J.M. 1981: *Time Series Analysis*. Cambridge: Cambridge University Press • Marsh, C. 1988: *Exploring Data*. Cambridge: Polity Press.

análise de variância A análise de variância (conhecida também como ANOVA) é uma das muitas técnicas estatísticas usadas para determinar como uma variável se relaciona com outra. É usada sobretudo em psicologia a fim de comparar um ou mais grupos experimentais com um grupo de controle e, ocasionalmente, empregada também em sociologia.

Suponhamos, por exemplo, que queremos saber como a estrutura de um grupo afeta seu desempenho em uma tarefa de solução de problema. Variamos a estrutura de pequenos grupos de modo que alguns tenham líderes enquanto outros são dirigidos democraticamente. Suponhamos, também, que descobrimos que o tempo médio de que os grupos com líderes necessitam para solucionar um problema é mais longo do que o tempo tomado por grupos sem eles. A questão que a análise de variância se propõe a responder é a seguinte: o fato de as médias diferirem em nosso experimento permite-nos concluir que a liderança faz uma diferença, além de nosso experimento na população de grupos em geral?

Para responder a essa pergunta, comparamos duas coisas. Em primeiro lugar, examinamos grupos iguais — isto é, todos os grupos que contam com líderes, por exemplo, ou todos os que são dirigidos democraticamente — e medimos quanto de variação existe entre eles em tempo de solução de problema. Em segundo lugar, comparamos grupos diferentes — grupos com líderes em comparação com grupos democráticos — e verificamos quanto de variação há entre eles. Se a estrutura do grupo faz uma diferença, então grupos com estruturas diferentes devem variar mais no tempo necessário para solução de problemas do que grupos com a mesma estrutura. A análise de variância compara esses dois tipos de variação (daí o nome análise de variância) e se a primeira é substancialmente maior do que a última, concluímos que as diferenças observadas no experimento refletem diferenças na população em geral.

Ver também HIPÓTESE E TESTE DE HIPÓTESE; VARIÂNCIA.

análise fatorial Em ESTATÍSTICA, a análise fatorial é uma técnica usada para substituir grande número de VARIÁVEIS por um número menor de "fatores" que refletem aquilo que os conjuntos de variáveis têm em comum. A técnica foi desenvolvida por Charles Spearman para identificar fatores básicos subjacentes a várias medidas de inteligência. Ele argumentou que várias medidas de capacidade mental são correlacionadas porque refletem dois fatores básicos: 1) um nível geral de inteligência que afeta a capacidade da pessoa no trato de todos os tipos de problemas e 2) a inteligência específica a certos tipos de problemas. Através da análise fatorial, Spearman tentava reduzir o que, de outra maneira, seria um número grande e intratável de resultados de testes de inteligência a alguns fatores básicos que explicavam a maior parte da variação observada em capacidades individuais.

A análise fatorial é usada principalmente de forma exploratória a fim de identificar o que existe subjacente a um conjunto de variáveis de outra maneira frouxamente ligadas entre si. As medidas das atitudes de pessoas em relação a questões sociais, como aborto ou raça, por exemplo, refletem todas uma visão subjacente do mundo, tal como tendência para intolerância com a diversidade ou a mudança.

Ver também ANÁLISE DE CONGLOMERADOS.

Leitura sugerida: Gorsuch, Richard L. 1984: *Factor Analysis*, 2ªed. Hillsdale, NJ: Lawrence Erlbaum • Lawley, D.N. e A.E. Maxwell 1971: *Factor Analysis as a Statistical Method*. Londres: Butterworth • Spearman, Charles 1947: *Multiple Factor Analysis*. Chicago: University of Chicago Press.

análise log-linear Em estatística, a análise log-linear é uma forma de ANÁLISE MULTIVARIADA elaborada para lidar com variáveis de escala nominal e ordinal. A maioria das técnicas multidimensionais, tais como ANALISE DE REGRESSÃO e ANÁLISE DE SEQUÊNCIA, requer variáveis de escala de intervalos ou escala de razão, as quais, antes do desenvolvimento do método log-linear, limitavam muito os tipos de MODELOS CAUSAIS que os sociólogos podiam construir e submeter a teste, sem ignorar pressupostos cruciais que poderiam tornar inexpressivos seus resultados. A técnica aplica logaritmos à TABULAÇÃO CRUZADA, a fim de submeter a teste modelos sucessivos até ser encontrada a melhor explicação dos dados.

Leitura sugerida: Agresti, Alan 1990: *Categorical Data Analysis*. Nova York: Wiley.

análise multivariada Em estatística, a análise multivariada é uma técnica que envolve duas ou mais VARIÁVEIS independentes em relação a uma variável dependente. Ao tentar determinar as causas de variação na renda, por exemplo, pesquisadores costumam incluir grande diversidade de variáveis independentes, tais como nível educacional, ocupação, raça, sexo e meio formativo familiar (como a educação e ocupação dos pais).

A análise multivariada pode ser usada para responder a grande número de perguntas diferentes, entre elas as seguintes: com que precisão podemos prever valores de uma variável dependente, como a renda pessoal, utilizando informações sobre certo número de variáveis independentes? Que variável independente produz maior efeito sobre a variável dependente? De que modo as variáveis independentes se relacionam entre si e de que maneira isso afeta o efeito de cada variável independente sobre a dependente? De que modo os efeitos diretos das variáveis independentes sobre as dependentes se comparam com seus efeitos indiretos?

As técnicas multivariadas tiveram rápido crescimento no uso sociológico, especialmente nos Estados Unidos e sobretudo com o advento de computadores de alta velocidade, capazes de analisar grandes conjuntos de dados, tais como pesquisas de âmbito nacional.

Ver também ANÁLISE LOG-LINEAR; ANÁLISE DE REGRESSÃO; ANÁLISE DE SEQUÊNCIA; ANÁLISE DE VARIÂNCIA; EFEITO ESTATÍSTICO; MODELO.

Leitura sugerida: Bohrnstedt, George W. e David Knoke 1988: *Statistics for Social Data Analysis*, 2ªed. Ithaca, IL: F.E. Peacock.

análise secundária A análise secundária é a prática de analisar dados que foram reunidos por outras pessoas, não raro para finalidades inteiramente diferentes. Trata-se de método de pesquisa muito útil porque economiza tempo e dinheiro e evita duplicação desnecessária do trabalho de pesquisa. O método, contudo, tem deficiências, já que os dados talvez não se ajustem exatamente às necessidades dos pesquisadores que os analisam.

As fontes de dados para a análise secundária são cada vez mais variadas e extensas, sobretudo porque institutos de pesquisas nacionais, órgãos do governo, empresas e outras organizações continuam a coletar muito mais informações do que podem concebivelmente analisar com seus próprios meios. Com a proliferação de computadores pessoais de alta velocidade, com grande capacidade de armazenamento de dados, a análise de informações sociológicas de alta qualidade está hoje ao alcance da maioria dos sociólogos.

Ver também ANÁLISE DE CONTEÚDO; LEVANTAMENTO.

Leitura sugerida: Hyman, Herbert H. 1972: *Secondary Analysis of Sample Surveys*. Nova York: Wiley.

anarquismo Embora o anarquismo e a anarquia sejam popularmente associados a vários tipos de desordem, eles possuem também um significado mais limitado: a ausência de autoridade coercitiva usada para manter a ordem social, em especial quando a autoridade é exercida pelo Estado. Os anarquistas, portanto, não são contrários a um estilo de vida organizado, mas sim ao uso indevido da coerção e da força para mantê-lo. Alguns anarquistas sustentam que o Estado infringe os direitos dos indivíduos de viverem como querem. Comunistas e anarquistas socialistas argumentam que o Estado serve principalmente para defender os interesses da dominação e exploração capitalistas e que, se a posse privada do capital e o trabalho assalariado pudessem ser eliminados, as pessoas tenderiam naturalmente para arranjos sociais coletivos, cooperativos, nos quais a ordem poderia ser mantida sem a coerção de uma autoridade centralizada. A discórdia entre marxistas e anarquistas surge da questão de se haveria necessidade de manter um Estado coercitivo no período de transição entre a queda do capitalismo e a emergência do comunismo autêntico.

Como movimento social, as várias correntes do anarquismo foram mais ativas durante o século XIX e princípios deste século, sobretudo como reação à ascensão do capitalismo industrial na Europa e nos Estados Unidos.

Ver também COMUNISMO; ECONOMIA COMUNAL; ESTADO.

Leitura sugerida: Carter, A. 1971: *The Political Theory of Anarchism*. Londres: Routledge and Kegan Paul • Miller, D. 1984: *Anarchism*. Londres: Dent • Woodcock, G. 1963 (*1986*): *Anarchism*. 2ªed., Harmondsworth, Inglaterra: Penguin.

androcentrismo *ver* PATRIARQUIA.

androcracia *ver* PATRIARQUIA.

androginia *ver* SEXO E GÊNERO.

animismo Animismo é uma forma de religião baseada na crença de que espíritos habitam seres vivos e objetos sem vida, tais como árvores, rochas, nuvens, ventos ou animais. Os Mbuti da África, por exemplo, consideram a floresta como a fonte sagrada da morte e da vida. As religiões animistas incluem frequentemente *xamãs*, figuras carismáticas que se acredita que possam comunicar-se com espíritos e influenciá-los. Os xamãs adquirem seu status especial em uma grande variedade de maneiras, incluindo experiências religiosas de êxtase, tais como sonhos ou visões inspiradoras, ou porque possuem características pessoais que são definidas culturalmente como tendo significação religiosa, como certas deformidades.

Ver também CULTO DOS ANTEPASSADOS.

Annales *ver* ESCOLA DOS ANNALES.

anomalia *ver* REVOLUÇÃO CIENTÍFICA.

anomia A anomia é uma situação social onde falta coesão e ordem, especialmente no tocante a normas e valores. Se normas são definidas de forma ambígua, por exemplo, ou são implementadas de maneira casual ou arbitrária; se uma calamidade como a guerra subverte o padrão habitual da vida social e cria uma situação em que se torna obscuro quais normas têm aplicação; ou se um sistema é organizado de uma forma que promove o isolamento e a autonomia do indivíduo a ponto de as pessoas se identificarem muito mais com seus próprios interesses do que com os do grupo ou da comunidade como um todo — o resultado poderá ser a anomia, ou "falta de normas".

Émile DURKHEIM formulou o conceito de anomia como parte da explicação dos padrões de suicídio na Europa do século XIX. Argumentou que as taxas de suicídio eram mais altas entre protestantes do que entre católicos porque a cultura protestante atribuía um valor muito mais alto à autonomia e à autossuficiência individual e, por conseguinte, tornava menos provável que pessoas desenvolvessem os tipos de laços comunais estreitos que poderiam sustentá-las em ocasiões de crise emocional. Essa situação, por outro lado, tornava-as mais suscetíveis ao suicídio.

O conceito de anomia também foi aplicado ao estudo dos DESVIOS. Durante calamidades naturais e guerras, por exemplo, não é raro que pessoas infrinjam leis — como por exemplo, roubando — que nunca pensariam em transgredir em tempos "normais". Esse fato resulta em perda de coesão social e de clareza normativa na comunidade ou em toda a sociedade.

Embora a anomia seja muitas vezes usada para descrever a condição psicológica de um indivíduo, sociologicamente ela descreve uma condição em sistemas sociais como um todo. O que Durkheim descreveu como suicídio anômico era um padrão de comportamento que constituía resultado de condições sociais anômicas — em outras palavras, características culturais e estruturais de sistemas sociais que produziam baixa coesão e um consequente senso fraco de apego dos membros às suas comunidades.

Ver também ALIENAÇÃO; ESTRUTURA DE OPORTUNIDADES.

Leitura sugerida: Durkheim, Émile, 1897 (1969): *Le suicide, étude de sociologie*. Paris: Félix Alcan / (*1982*): *O suicídio*. Rio de Janeiro: Zahar / (*1963*): *Suicide: a Sociological Study*. Nova York: Free Press; Londres: Routledge & Kegan Paul • Merton, Robert K. 1938: "Social structure and anomie", *American Sociological Review* 8: 672-82 o 1968: *Social Theory and Social Structure*, ed. rev., Nova York: Free Press.

ANOVA *ver* ANÁLISE DE VARIÂNCIA.

aparência e realidade Aparência e realidade representam a distinção entre como a vida social nos parece e a realidade subjacente, que em geral não percebemos. Trata-se de um tópico pelo qual Karl MARX, em sua análise da vida sob o CAPITALISMO, demonstrou um interesse todo especial. Nas sociedades capitalistas, por exemplo, indivíduos parecem ser livres para trabalhar onde mais lhes agrada, em um mercado de trabalho livre. Uma vez que ninguém é forçado a trabalhar para qualquer empregador, a democracia econômica parece ser a regra. Por baixo dessa aparência, no entanto, há a realidade de que a vasta maioria das pessoas não possui meios de produção — nem ferramentas nem máquinas que possam usar para ganhar a vida produzindo bens — e são obrigadas a vender seu tempo a alguém em troca de salário. Esse fato concede aos que possuem os meios de produção um alto grau de poder coletivo — como o de ditar condições de trabalho e taxas salariais —, porque empregadores sabem que, sob o capitalismo, os trabalhadores têm poucas alternativas ao trabalho assalariado.

Da perspectiva de Marx, portanto, por baixo da aparência de um mercado de trabalho livre há a realidade de um sistema relativamente limitado, no qual empregadores capitalistas possuem alto grau de poder econômico coletivo em comparação com os trabalhadores. A fim de compreender a vida dos trabalhadores, argumentava Marx, temos de levar em conta a realidade subjacente, e não as aparências superficiais.

Ver também CONSCIÊNCIA E FALSA CONSCIÊNCIA DE CLASSE; IDEOLOGIA.

Leitura sugerida: Abercrombie, Nicholas 1980: *Class, Structure, and Knowledge*. Oxford: Blackwell Publishers • Marx, K. 1867 (*1974*): *O capital, crítica da economia política*. Rio de Janeiro: Civilização Brasileira / (*1976*) *Capital*, vol.1. Harmondsworth: Penguin.

apartheid O apartheid é um sistema centenário de separação social rígida e opressão na África do Sul que terminou oficialmente com as primeiras eleições nacionais multirraciais em 1994. Embora os negros formassem a maioria esmagadora da população, negavam-se a eles os direitos políticos e civis, eram separados dos brancos em virtualmente todos os aspectos da vida social e viviam sob um regime de exploração econômica. Juntamente com a Índia e os Estados Unidos, a África do Sul contribuiu com um de vários exemplos históricos de autênticos sistemas de CASTAS.

Leitura sugerida: Frederickson, G.M. 1981: *White Supremacy: A Comparative Study in American and South African History*. Nova York: Oxford University Press.

APT, amostragem *ver* AMOSTRAGEM APT.

aristocracia *ver* CLASSE ALTA.

aristocracia do trabalho *ver* MERCADO DE TRABALHO.

assimetria *ver* SIMETRIA.

assimetria estatística *ver* SIMETRIA.

assimilação *ver* CONTATO CULTURAL.

associação coordenada de modo imperativo A associação coordenada de modo imperativo é um conceito usado por Ralf DAHRENDORF em sua teoria de estratificação social. Derivado do trabalho de Max WEBER, o conceito refere-se a organizações estruturadas sob a forma de HIERARQUIAS, tais como sociedades anônimas e burocracias oficiais. O conceito se baseia na definição de Weber de PODER como a capacidade de controlar outras pessoas e refere-se ao grau em que tal controle é irresistível ou "imperativo" em uma organização ou "associação". Dahrendorf utilizou o conceito como parte do argumento de que a concentração e a estruturação hierárquica do poder constituem um aspecto fundamental da desigualdade social em sociedades industriais complexas, e que é em relação a essas organizações que ocorre a maioria dos conflitos sociais.

Ver também AUTORIDADE; ESTRATIFICAÇÃO E DESIGUALDADE; HIERARQUIA; PODER.

Leitura sugerida: Dahrendorf, Ralf 1957 (*1959*): *Class and Class Conflict in Industrial Society*. Stanford, CA: Stanford University Press.

associação diferencial Segundo Edwin SUTHERLAND, a associação diferencial é o processo de aprender alguns tipos de comportamento desviante que requer conhecimento especializado e habilidade, bem como a inclinação de tirar proveito de oportunidades para usá-las de maneiras desviantes. Tudo isso é aprendido e promovido principalmente em grupos tais como gangues urbanas ou grupos empresariais que fecham os olhos a fraudes, sonegação fiscal ou uso de informações privilegiadas no mercado de capitais. A taxa geral de desvio em uma sociedade ou as variações nas taxas entre grupos de classe, raciais ou de outra natureza dependem da existência de tais grupos e da socialização que oferecem.

Podemos também argumentar que um sistema social mais complexo forçosamente gerará mais desvios do que um sistema mais simples, porque este não pode assegurar uma experiência de socialização uniforme e geral a cada nova geração. Quanto maior a variedade das normas e valores com os quais as pessoas crescem (ou se "associam"), menos provável que haja um forte senso de COESÃO em torno de valores e normas de um dado sistema social.

A teoria de Sutherland foi proposta inicialmente na década de 1930 como reação a teorias individualistas de desvio que focalizavam apenas fatores como hereditariedade e personalidade. Sutherland argumentou, ao contrário, que a taxa de criminalidade é um fenômeno social cuja explicação deve incluir as características de sistemas sociais, tais como a frequência, a duração e a intensidade das interações de pessoas com vários tipos de grupos. Sua teoria é sumamente útil para compreender criminosos profissionais.

Leitura sugerida: Sutherland, Edwin H. e Cressey, D. 1974: *Principles of Criminology*. Filadélfia: S.B. Lippincott o 1978: *Criminology*. 10ªed. Filadélfia: S.B. Lippincott.

associação parcial (Também denominada de *correlação parcial* ou *relação parcial*). Na análise estatística das relações entre VARIÁVEIS, uma associação parcial é uma relação que ocorre entre duas variáveis, depois de introduzidas uma ou mais VARIÁVEIS DE CONTROLE. Suponhamos, por exemplo, que começamos com uma relação entre sexo e renda que demonstra que os homens auferem rendas mais altas do que as mulheres. Para ajudar a explicar essa relação, poderíamos introduzir um controle para ocupação, baseados na ideia de que os homens recebem mais dinheiro do que as mulheres porque têm melhores empregos. Ao controlar a variável ocupação, ainda estudamos a relação entre sexo e renda, mas, neste momento, restringimo-nos a pessoas que ocupam empregos semelhantes. Neste caso, a relação entre sexo e renda seria chamada de relação parcial e qualquer medida estatística da força da relação seria denominada uma associação parcial (ou correlação parcial) — e, em ambos os casos, uma "parcial", para abreviar.

Ver também VARIÁVEL; VARIÁVEL DE CONTROLE.

Leitura sugerida: Bohrnstedt, George W. e David Knoke 1988: *Statistics for Social Data Analysis*. 2ªed. Ithaca, IL: F.E. Peacock.

associação voluntária Uma associação voluntária é um grupo, ou organização, no qual pessoas podem ingressar ou sair livremente; que está isenta de controle externo; e cujas finalidades, objetivos e métodos cabem aos membros determinar. As associações voluntárias assumem diversas formas, variando de clubes esportivos informais, grupos de igreja e associações de melhoramento de bairros a agremiações nacionais, como partidos políticos. Como todos os grupos e organizações, elas variam na formalidade de suas estruturas e finalidades a que servem para seus membros. Os partidos políticos, por exemplo, são úteis principalmente no sentido em que existem como meios para atingir certas metas. Outras associações, contudo, como grupos de orações ou clubes recreativos, têm também importantes finalidades expressivas, organizadas em torno das necessidades emocionais, espirituais ou sociais de seus membros.

Sociologicamente, as associações voluntárias são muitas vezes consideradas de importância fundamental para o funcionamento da democracia, sobretudo ao fornecer às pessoas maneiras de tomarem parte na vida pública, fora da privacidade do lar e da família. Esse fato é especialmente verdadeiro no tocante aos Estados Unidos.

Ver também GRUPO DE INTERESSE.

Leitura sugerida: Gordon, C. Wayne e Nicholas Babchuk 1959: "A typology of voluntary associations". *American Sociological Review* 24, 22-29 • Knoke, Daid 1986: "Associations and interest groups". *Annual Review of Sociology* 12, 1-21 • Smith, Constance, e Ann Freedman 1972: *Voluntary Associations: Perspectives on the Literature*. Cambridge: Harvard University Press.

atenção e desatenção civis Atenção e desatenção civis são conceitos desenvolvidos por Erving GOFFMAN no seu enfoque teatral da interação social e que faz parte das técnicas usadas por indivíduos para transmitir tipos particulares de impressões de natureza social. A atenção civil é empregada pelo indivíduo para dar a impressão de estar representando um papel quando, na verdade, isso não ocorre. Estudantes em sala de aula, por exemplo, utilizam grande variedade de técnicas para transmitir a impressão de que estão dando atenção ao professor quando, na verdade, ocupam-se em outras atividades, como escrever cartas ou se entregar a devaneios. Essas técnicas incluem fingir tomar notas, inclinar a cabeça nos momentos apropriados, rir com as piadas do professor quando os outros riem, e assim por diante.

Em contraste, a desatenção civil é usada para criar a impressão de que o indivíduo está alheio ao que acontece no momento, de modo que as outras pessoas possam manter a sensação de que o que dizem e fazem está ocorrendo em um ambiente privado. No consultório médico, por exemplo, pessoas perto de nós podem falar sobre detalhes íntimos de saúde. Como estranhos suficientemente próximos para entreouvir o que é dito, ninguém espera que estejamos ouvindo atentos esses fatos. Como resposta a essa expectativa, evitamos olhar para elas ou admitir de outra maneira nossa capacidade de ouvir e, em vez disso, fingimos desviar a atenção para alguma outra coisa. O fato de ouvirmos alguma coisa assume menos importância social do que nossa capacidade de dar a impressão de que fazemos justamente o oposto.

Ver também PERSPECTIVA INTERACIONISTA; PERSPECTIVA TEATRAL.

Leitura sugerida: Goffman, Erving 1963: *Behavior in Public Places*. Nova York: Free Press o 1971: *Relations in Public: Microstudies of the Public Order*. Londres: Allen Lane.

atitude Atitude é um conceito com dois significados em sociologia, o primeiro muito usado como substituto dos conceitos de CRENÇAS e VALORES. Declarações como "O governo gasta muito pouco em serviços de saúde", "A arte obscena devia ser proibida", e "Deveria haver controle mais rigoroso da imigração" podem ser descritas corretamente como crenças, valores ou alguma combinação dos dois. Fundamentam-se todos eles em crenças sobre a realidade (a relação entre gastos do governo e a qualidade e disponibilidade de serviços de saúde; a ideia de obscenidade; a extensão e as consequências reais da imigração, e assim por diante) e implicam juízos de valor (mais serviços de saúde são desejáveis, como o apoio do governo aos mesmos; a obscenidade é nociva; o excesso de imigração é indesejável).

O segundo significado vai além de crenças e valores e identifica um aspecto distinto da maneira como nos orientamos no mundo — a emoção. Neste sentido da palavra (referida também às vezes como *sentimento*), a atitude é uma orientação cultural em relação a alguma coisa que nos predispõe não só a pensar nela de maneiras particulares, mas também a alimentar sentimentos positivos ou negativos sobre a mesma. O racismo, por exemplo, é mais do que uma questão de crenças e valores, pois implica também emoções como desprezo, ódio, repugnância, condescendência e vergonha. De forma análoga, o que torna o patriotismo uma força cultural tão poderosa não são simplesmente as crenças e valores do indivíduo sobre seu país, mas também os sentimentos profundamente enraizados de orgulho, afeição e apego que os acompanham.

Atitudes incluem uma grande variedade de emoções existentes apenas em um contexto social. O orgulho, a vergonha, a culpa, a repugnância, a simpatia, o amor, a gratidão, o vexame, o desprezo, o respeito, a reverência, a piedade — todos mantêm uma relação particular com ideias culturais e seres humanos. O orgulho, por exemplo, é um respeito positivo pelo *self* que tem origem não apenas na maneira como avaliamos a nós mesmos em relação a algum sistema de valores, porém, mais importante ainda, na maneira como esperamos que os demais nos avaliem. Analogamente, a indignação é mais do que um estado emocional e do que emoções de irritação ou raiva, porquanto inclui o fator adicional de alguém que violou valores culturais profundamente sentidos e expectativas sobre o que se espera que aconteça ou que seja. Uma vez que valores e expectativas são elementos abstratos da cultura, a indignação só pode existir em relação a um contexto cultural. Por esse motivo, embora bebês possam sentir raiva, não podem sentir indignação, uma vez que, sem a linguagem, são incapazes de vincular significado e valores abstratos a seus sentimentos.

Como conceito, atitude é importante porque incorpora ao pensamento sociológico um aspecto em geral negligenciado da vida social, ou seja, o papel da emoção e o poder dos sistemas sociais de modelá-la, regulá-la e evocá-la, gerando simultaneamente coesão e conflito social.

Ver também CULTURA.

Leitura sugerida: Allport, G.W. 1935: "Attitudes". In *A Handbook of Social Psychology*, org. por C. Murchison. Worcester, MA: Clark University Press.

atomismo e holismo Atomismo e holismo são conceitos que representam duas opiniões radicalmente diferentes sobre a natureza da vida social. A perspectiva atomista é individualista e psicológica, argumentando que um SISTEMA SOCIAL nada mais é do que um conjunto de indivíduos. Se podemos entendê-los, sabemos tudo que precisamos saber sobre os sistemas sociais de que eles participam. Em suma, o todo é a soma de suas partes, e nada mais. Em contraste, o holismo constitui o próprio âmago do pensamento sociológico. Ele considera o todo do sistema social como mais do que os indivíduos que dele participam. A guerra, por exemplo, não pode ser compreendida como uma simples soma de impulsos e comportamento agressivos e belicosos de indivíduos.

O trabalho pioneiro de Émile Durkheim em sociologia durante o século XIX constituiu, de muitas maneiras, uma reação à perspectiva atomista predominante em sua época. Trata-se de um debate que continua ainda hoje dentro e fora da sociologia. Em um lado alinham-se os que argumentam que os sistemas sociais consistem de redes de status e papéis, que modelam e limitam a aparência, a experiência e o comportamento do indivíduo. No outro, figura certo número de interacionistas que sustentam que os sistemas sociais são meras abstrações e que não existem à parte de indivíduos que interagem entre si.

Como amiúde acontece nesses debates, as polaridades talvez representem não uma contradição, mas um paradoxo que reflete a complexidade da realidade social subjacente. Sistemas sociais não podem existir sem indivíduos que deles participem em certo grau; ainda assim, indivíduos, como os conhecemos, existem apenas em relação a um ou outro sistema social.

Ver também AÇÃO E ESTRUTURA; INDIVIDUALISMO METODOLÓGICO; PERSPECTIVA INTERACIONISTA.

Leitura sugerida: Blumer, Herbert 1969: *Symbolic Interactionism: Perspective and Method*. Englewood Cliffs, NJ: Prentice-Hall • Homans, George 1950: *The Human Group*. Nova York: Harcourt Brace • Kuhn, Manfred H. 1964: "Major trends in symbolic interaction theory in the past twenty-five years". *Sociological Quarterly* 5 (inverno): 61-84.

atribuição social Atribuição social é o processo através do qual pessoas tentam explicar como outras pessoas se comportam e parecem, especialmente em termos da motivação das mesmas. A crença de que indivíduos são pobres principalmente porque não estão dispostos a trabalhar arduamente, ou que os ricos assim o são porque possuem talento e trabalham muito, constituem exemplos de atribuição social. Exemplos de autoatribuição poderiam explicar os sucessos como resultado de talento e trabalho árduo ou, alternativamente, como questão de sorte.

Essas atribuições são sociais não apenas no sentido simples de ocorrer entre pessoas, mas também, e mais importante, porque recorrem às características sociais de pessoas para formar a base da atribuição. O fato de o sucesso ser atribuído a talento ou sorte, por exemplo, depende até certo ponto de se a pessoa em questão é homem ou mulher, uma vez que se considera mais provável que a mulher tenha sucesso por questão de sorte do que de talento, talvez como reflexo de seu status desvalorizado em sociedades dominadas pelo homem. Ao descrever outras pessoas, recorremos a um conjunto enorme de ideias e maneiras de ver as características de pessoas, classe, raça, sexo e idade, e até a detalhes físicos, como se são altas ou baixas, gordas ou magras, belas ou feias, da forma interpretada por uma dada cultura.

Ver também IMAGEM AUTOPROJETADA.

Leitura sugerida: Bierhoff, H.W. 1989: *Person Perception and Attribution*. Nova York: Springer-Verlag • Weary, G., M.A. Stanley e J.H. Harvey 1989: *Attribution*. Nova York: Springer-Verlag.

autoestima *ver* SELF.

autoconceito *ver* SELF.

autocracia Uma autocracia é um Estado governado por um único líder, tal como um ditador. Nas sociedades agrárias, a liderança autocrática assumiu, ao longo da história, a forma de famílias reais que governavam por direito tradicional. No século XX, o governo autocrático tem se baseado mais em liderança carismática e controle do aparelho político e militar do Estado, como aconteceu na Alemanha nazista sob Hitler, na União Soviética sob Stálin, na Nicarágua sob Somoza, e no Iraque sob Saddam Hussein.

Uma vez que tende a depender fortemente da capacidade de coagir a população à submissão, a autocracia costuma também ser uma forma relativamente instável de governo, especialmente vulnerável a GOLPES DE ESTADO e REVOLUÇÃO.

Ver também AUTORITARISMO; DEMOCRACIA; ESTADO; ESTRUTURA DE PODER; FASCISMO; GOLPE DE ESTADO; OLIGARQUIA; REVOLUÇÃO.

Leitura sugerida: Perlmutter, H.V. 1977: *The Military and Politics in Modern Times*. New Haven: Yale University Press.

automação Automação é a prática de usar máquinas para substituir trabalhadores. Do ponto de vista ecológico, tal sistema aumenta em muito a capacidade humana de alterar o meio ambiente, extrair matérias-primas e produzir bens em grandes quantidades. Do ponto de vista de relações trabalhistas e perspectiva de classe social, constitui uma das principais maneiras para a classe capitalista aumentar seus lucros às expensas dos trabalhadores (porque ocasiona uma perda líquida de empregos) e controlar a classe operária, ao despertar nela o medo de ser substituída por máquinas.

Ver também ADMINISTRAÇÃO CIENTÍFICA; ALIENAÇÃO; DESQUALIFICAÇÃO.

Leitura sugerida: Marsh, Peter 1982: *The Robot Age*. Londres: Sphere • Shaiken, H. 1986: *Work Transformed: Automation and Labor in the Computer Age*. Lexington, MA: Lexington Books • Zuboff, Shoshana 1988: *In the Age of the Smart Machine*. Nova York: Basic Books.

autonomia do estado A autonomia do estado é uma condição que representa o grau em que o ESTADO é independente dos interesses capitalistas, especialmente na medida em que estes são organizados através de sociedades anônimas. Max WEBER argumentou que o Estado é uma instituição independente que opera de acordo com sua própria cultura burocrática. Karl MARX, contudo, considerava o Estado como pouco mais do que um prolongamento da ELITE, controlado principalmente por seus próprios membros, com vistas a proteger e promover o CAPITALISMO e os interesses da classe dominante. Opiniões mais recentes argumentam que o Estado desempenha um papel mais complicado, embora, em última análise, seja ainda um papel que promove o status quo e raramente contesta o capitalismo como sistema. É obrigado a manter certo grau de autonomia, por exemplo, para conservar sua legitimidade aos olhos da classe trabalhadora.

Leitura sugerida: O'Connor, James 1973: *The Fiscal Crisis of the State*. Nova York: St. Martin's Press • Parkin, Frank 1978: *Marxism and Class Theory: A Bourgeois Critique*. Londres: Tavistock; Nova York: Columbia University Press. (*1977*): *USA: a crise do estado capitalista*. Rio de Janeiro: Paz e Terra.

autoridade Autoridade é um conceito cujo desenvolvimento é mais frequentemente associado ao grande sociólogo alemão Max WEBER, que a considerava como uma forma particular de PODER. A autoridade é definida e sustentada pelas normas do sistema social e, de modo geral, aceita como legítima pelos que dela participam. Como tal, a maioria das formas de autoridade está ligada não a indivíduos, mas às posições — status — que eles ocupam em sistemas sociais. Tendemos a obedecer às ordens de policiais, por exemplo, não por causa de quem são como indivíduos (sobre os quais provavelmente nada sabemos), mas porque costumamos aceitar seu direito de ter poder sobre nós em certas situações e supomos que outros apoiarão esse direito, no caso de resolvermos desafiá-lo. De maneira análoga, policiais não agem com confiança principalmente porque possuem autoconfiança, mas porque compartilham da crença social de que a sua autoridade é legítima. É por essa razão que tudo que se torna necessário para invocar a autoridade de um policial seja a impressão convincente de que a pessoa em questão é de fato um policial, como indicado pela exibição de distintivos ou pelo uso de uniformes apropriados.

Temos um exemplo menos formal de autoridade na tendência de abstermo-nos de interferir no castigo, na rua, de uma criança por um adulto, se podemos encontrar uma razão para supor que o adulto é o pai. Neste caso, relutamos em interferir no que consideramos uma relação de autoridade socialmente aprovada.

Indivíduos exercem autoridade apenas enquanto julgamos que ocupam os cargos aos quais ela está ligada, e a amplitude de sua ação depende da natureza da posição e do sistema. Se um chefe de estado é ou não poderoso, por exemplo, depende menos das características do indivíduo do que da autoridade que o sistema social investe nesse cargo. Os monarcas britânicos perderam a maior parte da autoridade não porque se tornaram mais fracos como indivíduos, mas porque a estrutura do Estado britânico mudou para reduzir sua autoridade. A transformação foi mais política e sistêmica do que psicológica e pessoal.

Sociologicamente, autoridade é a forma mais importante assumida pelo poder na vida social porque, ao contrário do *poder pessoal*, que se baseia em fatores como força física, personalidade ou controle de recursos, a autoridade é gerada e controlada por sistemas sociais. Como tal, tende a ser mais estável e duradoura do que outras formas de poder, porque aqueles sobre os quais é exercida têm tanto interesse em perpetuá-la quanto em perpetuar o próprio sistema social. Tentar derrubar a autoridade investida no Estado como instituição, por exemplo, equivale a derrubar o próprio Estado (o que não deve ser confundido com remover um dado indivíduo de uma posição de autoridade, usando de algum mecanismo, como o *impeachment*) e, por conseguinte, ameaça os interesses não só dos ocupantes do cargo, mas também de todos aqueles que podem sofrer os efeitos da subversão social. Nesse sentido, os subordinados da autoridade desempenham muitas vezes um papel ativo, ao defender sua própria subordinação, aceitando-lhe a legitimidade social. Nenhum Estado autoritário pode perdurar sem apoio substancial da população, que lhe empresta a legitimidade de que precisa para governar.

A legitimidade social da autoridade depende de a mesma ser usada de acordo com as normas que lhe definem a esfera de ação e os mecanismos sociais através dos quais é aplicada. Ao contrário dos valentões dos recreios na escola, cujo poder se baseia em coerção e não em um senso compartilhado de legitimidade, pessoas em posições de autoridade podem conservá-la apenas mantendo a impressão de que ela não está sendo objeto de abuso. O abuso de autoridade, no entanto, é muitas vezes difícil de provar, uma vez que parte de sua legitimidade inclui certo grau de deferência por aqueles que a exercem. Como tal, a autoridade é uma forma de poder muito vulnerável a abuso porque repousa sobre suposições sociais compartilhadas de que os detentores da mesma agem tendo por trás todo o peso do sistema social. Isso significa que aqueles que poderiam sofrer com abusos de autoridade podem relutar em identificá-los como tais, e ainda menos a desafiar a autoridade abusiva, pois isso poderia provocar represálias não só do indivíduo envolvido mas do próprio sistema social. A relutância em questionar ou desafiar a autoridade é, na verdade, inerente à estrutura da própria autoridade e ajuda a explicar o fato de que ela permite que indivíduos exerçam muito mais poder do que suas capacidades e características individuais, em outras circunstâncias, permitiriam. É por essa razão que se torna tão difícil prevenir ou mesmo impedir maus-tratos contra crianças, já que essa conduta se baseia na autoridade, socialmente apoiada, de adultos sobre crianças.

Weber identificou três tipos de autoridade, assentadas sobre diferentes bases sociais: 1) a autoridade racional-legal; 2) a autoridade tradicional; e 3) a autoridade carismática. A *autoridade racional-legal* baseia-se em normas formalmente promulgadas, em geral codificadas, embora nem sempre em forma escrita. O indivíduo que exerce autoridade racional-legal o faz porque os códigos concedem essa autoridade a quem quer que ocupe essa posição particular. Essa é a forma de autoridade encontrada em ambientes de trabalho, governo, escolas e na maioria das grandes instituições sociais.

A autoridade *tradicional* baseia-se em um senso coletivo não codificado que diz que ela é antiga e correta e que, por conseguinte, deve ser aceita como legítima. Esse é o tipo de autoridade exercida pelos adultos em relação a crianças, embora, em muitas sociedades, a autoridade dos pais se revista também de aspectos racionais-legais. A tradição pode ser também a base da autoridade de maridos sobre as esposas em sociedades patriarcais ou de líderes religiosos sobre os membros de comunidades religiosas.

A *autoridade carismática* baseia-se na atribuição social de características ou capacidades extraordinárias a uma pessoa. Note-se que a autoridade fundamenta-se não nas próprias características, mas na atribuição dessas características por aqueles que reconhecem a autoridade como legítima. Essa distinção é de importância crucial, pois destaca o fato de que a autoridade carismática é socialmente concedida e pode ser retirada, se o líder deixar de ser considerado pessoa extraordinária. Tal como a autoridade tradicional, a carismática não é codificada, mas, ao contrário da tradicional e da racional-legal, liga-se à pessoa e não ao status social por ela ocupado. O falecido aiatolá Khomeini, do Irã, por exemplo, exercia grande autoridade carismática não apenas porque ocupava a mais alta posição de liderança na igreja islâmica, mas por causa das qualidades pessoais que se acreditava que ele trouxera para o cargo. Sociologicamente, referir-se a alguém como "carismático", induz a erro, pois gera a impressão de que tal autoridade deriva e é controlada pela pessoa que a exerce. Ao contrário, de um ponto de vista sociológico, o carisma está inteiramente nos olhos de quem o vê e é da atribuição coletiva dessas características a alguém que depende a autoridade carismática.

Aos três grandes tipos de autoridade postulados por Weber, alguns sociólogos contemporâneos acrescentaram um quarto, a autoridade baseada no conhecimento especializado (conhecida também como *autoridade profissional*). Tornando-se as sociedades cada vez mais dependentes de tecnologia sofisticada, por exemplo, e ficando cada vez mais complexas as divisões do trabalho, os que podem gerar e manter a impressão de que possuem conhecimento especializado provavelmente conseguirão, como resultado, adquirir algum grau de autoridade. A autoridade dos médicos é um exemplo. Até certo ponto tradicional, está se tornando cada vez mais racional-legal à medida que corpos legislativos assumem de forma crescente a regulamentação legal de decisões médicas que variam do aborto à retirada de aparelhagem mantenedora de vida. Além disso, contudo, tornando-se a prática da medicina cada vez mais complexa e longe da compreensão de muitos pacientes, a posse de conhecimentos especializados torna-se, por mérito próprio, uma base para a autoridade. Observações semelhantes poderiam ser feitas no tocante à lei, à ciência e à erudição acadêmica em numerosos campos de estudo.

As quatro formas de autoridade são TIPOS IDEAIS e, como tais, não encontrados em suas formas puras em qualquer dada situação. Na prática, a maior parte da autoridade é uma mistura de dois ou mais tipos.

Ver também LEGITIMAÇÃO; LIDERANÇA; PODER; TECNOCRACIA.

Leitura sugerida: Haskell, T.L., org. 1984: *The Authority of Experts*. Bloomington: Indiana University Press • Weber, Max 1946 (*1982*): *Ensaios de sociologia*. Rio de Janeiro: Zahar / (*1946*): *From Max Weber: Essays in Sociology*. Org. e trad. por Hans Gerth e C. Wright Mills. Nova York: Oxford University Press; Londres: Routledge & Kegan Paul (1970) • Wilner, A.R. 1984: *The Spellbinders: Charismatic Political Leadership*. New Haven, CT: Yale University Press.

autoridade profissional *ver* AUTORIDADE.

autoridade racional-legal *ver* AUTORIDADE.

autoridade tradicional *ver* AUTORIDADE.

autoritária, personalidade Uma personalidade autoritária caracteriza-se por conformidade rígida, intolerância, numerosos preconceitos, adulação dos fortes e dos que ocupam posições de autoridade e desprezo pelos fracos. Em seguida à guerra de 1939-45, Theodor ADORNO e colegas realizaram um estudo clássico no qual tentaram identificar perfis psicológicos de indivíduos predispostos ao PRECONCEITO e à intolerância e que tendiam a apoiar governos autoritários, como o fascismo, que havia devastado a Europa. Eles elaboraram uma escala de medição — a *escala-f* —, a fim de aferir o grau em que pessoas se ajustavam ao modelo de personalidade autoritária, e aplicaram-na a numerosas áreas da vida social, variando de atitudes em relação a minorias ao apoio a instituições democráticas. Com o Holocausto na Europa ainda recente na história, a pesquisa focalizou-se explicitamente no antissemitismo, mas descobriu que o preconceito tende a ser uma visão generalizada, e não específica. Em outras palavras, pessoas que alimentam preconceito contra um grupo tendem a fazer o mesmo contra muitos grupos, sendo o ódio aos judeus, por exemplo, associado ao ódio aos católicos.

Embora controversa e objeto de considerável crítica, a obra de Adorno é sociologicamente importante, pois procurou uma conexão entre personalidade e a maneira como sistemas sociais são organizados, tanto no que diz sobre como as condições sociais geram personalidades autoritárias e como o AUTORITARISMO afeta a vida social.

Ver também ESCALA DE ATITUDES; MEDIDA.

Leitura sugerida: Adorno, R.W., E. Frenkel-Brunswick, D.J. Levinson e R.N. Sandford 1950: *The Authoritarian Personality*. Nova York: Harper and Row.

autoritarismo O autoritarismo é um método de fazer política no qual o governo é usado para controlar a vida de indivíduos em vez de estar submetido a controle democrático pelos cidadãos. Uma vez que a verdadeira DEMOCRACIA é muito rara, a maioria dos governos é até certo ponto autoritária e, por conseguinte, problemática para aqueles aos quais governa.

A forma mais extrema de autoritarismo é o *totalitarismo*, um sistema político concebido para obter controle completo da vida interior e exterior do indivíduo. Trata-se, no entanto, de um objetivo extremamente difícil de atingir, se não impossível, que raras vezes foi implementado por tempo muito longo, exceto em obras notáveis de ficção, tal como o aterrador romance *1984*, de George Orwell. Até mesmo as sociedades mais autoritárias, tais como a Alemanha nazista e a União Soviética sob Stalin, fracassaram quando tentaram controlar a maioria dos aspectos da vida privada das pessoas ou reprimir a dissidência e a subversão.

Ver também AUTOCRACIA; DEMOCRACIA POLÍTICA E ECONÔMICA; ESTRUTURA DE PODER; FASCISMO; INSTITUIÇÃO TOTAL; OLIGARQUIA.

Leitura sugerida: Friedrich, C.J., e Z. Brzezinski 1965: *Totalitarianism, Dictatorship and Autocracy*. Cambridge, MA: Harvard University Press • Howe, Irving, org. 1983: *1984 Revisited: Totalitarianism in our Century*. Nova York: Harper and Row.

B

baby boom *Baby boom* é uma expressão que se refere ao período que se seguiu à guerra de 1939-45, quando as taxas de natalidade cresceram rapidamente na América do Norte, Austrália, Nova Zelândia e partes da Europa Ocidental. A explosão de nascimentos terminou em princípios da década de 1960 e foi seguida, na década de 1970, por uma queda na fecundidade. O *baby boom* se deveu principalmente ao inesperado "emparelhamento" da fecundidade, que sofrera um retardo com o grande número de homens convocados para o serviço militar durante a guerra, mas também devido a um aumento modesto no tamanho da família.

Ver também FECUNDIDADE E FERTILIDADE.

base e superestrutura Base e superestrutura são dois conceitos fundamentais, na opinião de Karl MARX, sobre a maneira como sociedades são organizadas em torno da produção material. A base é o MODO DE PRODUÇÃO, a maneira básica como a sociedade organiza a produção de bens. O sistema produtivo é tão importante na visão marxista de vida social que os que dominam o sistema econômico são considerados também como dominando outros aspectos da vida social, à sua imagem e interesse. As mais importantes dessas áreas de dominação são a superestrutura da sociedade, do Estado e das instituições, tais como escolas, organizações religiosas e os meios de comunicação de massa, que desempenham um papel vital na criação da consciência coletiva. Isso é feito através de crenças, valores, normas e atitudes que, juntos, proporcionam a matéria-prima para a construção e interpretação da realidade social.

Como acontece com um edifício, a superestrutura repousa sobre a base e tem que refletir sua forma. A natureza do Estado e as maneiras gerais de pensar diferirão em sociedades feudais e capitalistas industriais, por exemplo, porque as relações de produção diferem e são dominadas de formas diferentes por classes de indivíduos com conjuntos próprios de interesses. Os grupos dominantes nas sociedades feudais dependiam em parte da força da tradição e da crença religiosa para sustentar e justificar seu poder e privilégio. Em contraste, a dominância dos capitalistas industriais baseia-se mais na AUTORIDADE racional-legal, no controle sobre as instituições do Estado e, acima de tudo, na propriedade dos meios de produção. Como tal, o Estado é muito mais desenvolvido e complexo nas sociedades capitalistas industriais e as maneiras gerais de pensar são também muito mais organizadas em torno da racionalidade, da legalidade, e das relações contratuais.

Marx argumentava que é impossível compreender inteiramente os aspectos superestruturais das sociedades sem levar em conta a respectiva base. Isso não implica dizer, no entanto, que a base causa ou determina a superestrutura de uma maneira direta, linear. A superestrutura é moldada por forças não econômicas e afeta também a base. Em suma, a relação entre base e superestrutura é simultaneamente complexa e recíproca.

Ver também CONHECIMENTO; ESTADO; HEGEMONIA; IDEOLOGIA; MODO DE PRODUÇÃO.

Leitura sugerida: Hall, Stuart 1977: "Rethinking the 'Base and Superestructure' Metaphor". In *Papers on Class, Hegemony, and Party*, org. por J. Bloomfield. Londres: Lawrence and Wishart • Marx, K. 1859 (*1982*): *Para a crítica da economia política*. São Paulo: Abril Cultural / (*1971*): *A Contribution of the Critique of Political Economy*. Londres: Lawrence and Wishart • Marx, K. e Engels, F. 1845-46 (*1986*): *A ideologia alemã*. São Paulo: Hucitec / (*1970*): *The German Ideology*. Londres: Lawrence and Wishart.

bastidor *ver* PALCO E BASTIDOR.

behaviorismo O behaviorismo é um enfoque psicológico que se concentra apenas no comportamento observável e supõe que os padrões de comportamento resultam exclusivamente de condicionamento através do emprego de recompensa e castigo. Embora tenha sido pouco usado por sociólogos (com a notável exceção de George Homans, sociólogo americano), o conceito é ainda assim sociologicamente importante porque colide de modo frontal com pressupostos sociológicos básicos sobre o comportamento humano. No nível macro, o behaviorismo ignora a existência e a influência dos sistemas sociais e de seus aspectos culturais e estruturais. No nível micro, nega a importância de significado na ação e interação humanas e, portanto, ignora a distinção sociológica fundamental entre comportamento simples, por um lado, e ação significativa, por outro, que requer alguma interpretação. Como tal, há grande desacordo se o behaviorismo pode dar ou não uma explicação adequada da vida social e do comportamento humano em geral, incluindo o processo de socialização, através do qual indivíduos se tornam seres sociais capazes de participar da vida social e de sistemas sociais.

Ver também INTERAÇÃO; SOCIALIZAÇÃO.

Leitura sugerida: Skinner, B.F. 1938: *The Behavior of Organisms*. Nova York: Appleton-Century • Zuriff, G.E. 1985: *Behaviorism: A Conceptual Reconstruction*. Nova York: Columbia University Press.

bem-estar *ver* ESTADO DE BEM-ESTAR.

bens *ver* MERCADORIA.

bioestatística A bioestatística diz respeito a medidas quantitativas que descrevem a TAXA à qual ocorrem eventos que afetam processos demográficos, tais como natalidade, mortalidade, migração e crescimento. Os mais importantes desses eventos são a natalidade e a mortalidade, embora demógrafos considerem também as mudanças em status matrimonial (casamento, anulamento, separação, divórcio e novo casamento) como eventos vitais, uma vez que eles, por sua vez, afetam as taxas de natalidade. Os países diferem muito na maneira como registram os eventos bioestatísticos. Costumeiramente, os melhores sistemas de registro são encontrados nas sociedades mais ricas. A Suécia orgulha-se do que é talvez o mais antigo sistema de alta qualidade. Nos casos de populações com medíocres sistemas de bioestatística, os demógrafos elaboraram certo número de técnicas para estimar características básicas da população baseando-se em outras fontes de dados.

Leitura sugerida: Shryock, Henry S., Jacob Siegel et al. 1976: *The Methods and Materials of Demography*. Londres e Nova York: Academic Press.

bode expiatório O bode expiatório é um indivíduo, grupo ou categoria de pessoas usados como objeto de culpa no sistema social. Essa figura fornece um mecanismo para dar vazão à raiva, à frustração, ao ressentimento, ao medo e outras emoções que, de outra forma, seriam expressadas de maneiras que danificariam a coesão social, contestariam o status quo ou atacariam os grupos dominantes e seus interesses. Imigrantes e MINORIAS, por exemplo, são muitas vezes usados como bodes expiatórios durante épocas de dificuldades econômicas e considerados causa de desemprego e de outros problemas sociais. Como resultado, certos aspectos de sistemas sociais que geram crises econômicas, tais como a competição e a exploração capitalista, são ocultados do público e de possível crítica.

Ver também ATRIBUIÇÃO SOCIAL; CONSCIÊNCIA E FALSA CONSCIÊNCIA DE CLASSE.

Leitura sugerida: Ryan, William 1971: *Blaming the Victim*. Nova York: Pantheon.

Bogardus, escala de *ver* DISTÂNCIA SOCIAL.

burguesia *ver* CLASSE SOCIAL.

burocracia *ver* ORGANIZAÇÃO FORMAL.

C

caçadores-coletores, sociedade de A sociedade de caçadores-coletores é um sistema social que tem os mais simples e menos tecnologicamente sofisticados MODOS DE PRODUÇÃO. A maioria dos indivíduos que dela fazem parte depende primariamente da coleta de alimentos existentes na natureza, sendo a carne uma fonte mais ocasional do que regular de alimentação. Eles quase nunca geram um excedente, uma vez que não dispõem de meios para armazenar o que não podem consumir no futuro imediato e são obrigados a se mover de um lugar a outro, o que torna impraticável acumular posses. A desigualdade social reduz-se ao mínimo e baseia-se principalmente em prestígio conferido aos que se destacam em determinadas tarefas. Ocorre uma DIVISÃO DO TRABALHO baseada em sexo, mas há pouca, se é que há alguma, desigualdade por esse motivo. Toda a sociedade é organizada em torno de laços de PARENTESCO, o que significa que desconhecem a ideia de famílias individuais que existam como unidades distintas. A produção é comunal e cooperativa e a distribuição se faz na base de uso comum.

Ver também SOCIEDADE AGRÁRIA; SOCIEDADE HORTELÃ; SOCIEDADE INDUSTRIAL E INDUSTRIALIZAÇÃO; SOCIEDADE PÓS-INDUSTRIAL.

Leitura sugerida: Lenski, Gerhard, Jean Lenski e Patrick Nolan 1987: *Human Societies: an Introduction to Macrosociology*. 5ªed., Nova York: McGraw-Hill.

camponeses Camponeses são fazendeiros em grandes sociedades agrárias que produzem principalmente dentro de unidades familiares para consumo próprio. Em geral estão sujeitos a algum grau de controle e têm obrigações com um poder externo, tal como um senhorio. Os camponeses variam dos relativamente prósperos aos sem-terra. O interesse sociológico pelos camponeses concentra-se em várias questões, incluindo o papel que desempenham em movimentos revolucionários e os efeitos do CAPITALISMO e de economias de MERCADO emergentes sobre a vida que levam. Sob o capitalismo, por exemplo, eles muitas vezes descobrem que são privados do direito de usar a terra, perdendo sua autossuficiência econômica e tornando-se cada vez mais dependentes dos caprichos dos mercados internacionais no que interessa às exportações de alimentos.

Leitura sugerida: Moore Jr., Barrington 1967: *Social Origins of Dictatorship and Democracy: Lord and Peasant in the Making of the Modern World.* Harmondsworth: Penguin Press • Shanin, T., org. 1988: *Peasants and Peasant Societies*. Harmondsworth, Inglaterra: Penguin • Weller, R.P., e S.E. Guggenheim, orgs. 1982: *Power and Protest in the Countryside: Studies of Rural Unrest in Asia, Europe, and Latin America.* Durham, NC: Duke University Press.

capital No linguajar comum, capital é tudo aquilo que pode ser usado para gerar renda ou produzir riqueza, incluindo dinheiro emprestado a juros, ferramentas e maquinaria utilizadas para fabricar produtos e o tempo do trabalhador, vendido por salário. Esse significado amplo, contudo, é pouco útil para fins analíticos, em parte porque inclui tanta coisa que nunca podemos ter certeza do que a palavra está aludindo em um caso particular. Mais importante ainda, se capital é usado para referir-se a qualquer coisa que gere riqueza ou renda, não fica muito claro o que se deve entender por capitalismo como sistema econômico, uma vez que riqueza e renda são produzidos em quase todos os sistemas econômicos, sejam eles capitalistas ou não.

Uma definição alternativa é fornecida pelo ponto de vista marxista que utiliza o conceito de capital para descrever não como alguma coisa é usada para produzir riqueza, mas o tipo de sistema econômico utilizado. Nesse particular, capital refere-se a alguns *meios de produção* — como maquinaria e ferramentas — usados por trabalhadores que nem os possuem nem controlam, mas que com eles produzem riqueza em troca de salário. Quando uma máquina é de propriedade e operada pela mesma pessoa, ela constitui um meio de produção, mas não capital, porque as relações sociais através das quais é usada, possuída e controlada são uma única e mesma coisa. Se o indivíduo que possui a máquina passa a contratar trabalhadores que a usam para produzir bens em troca de salário, então a máquina se transforma em capital através da criação de um novo conjunto de relações sociais.

Essa maneira de encarar o capital o define como um fenômeno basicamente social, que tanto deriva como reflete as relações sociais através das quais ocorre a atividade econômica.

Ver também CAPITALISMO; TRABALHO E FORÇA DE TRABALHO.

Leitura sugerida: Marx, Karl 1867 (*1974*): *O capital, crítica da economia política*. Rio de Janeiro: Civilização Brasileira / (*1975*): *Capital*, vol.1. Harmondsworth: Penguin.

capital cultural De acordo com o sociólogo francês Pierre BOURDIEU, o capital cultural consiste de ideias e conhecimentos que pessoas usam quando participam da vida social. Tudo, de regras de etiqueta à capacidade de falar e escrever bem, pode ser considerado capital cultural. Bourdieu estava particularmente interessado na distribuição desigual do capital cultural em sociedades estratificadas e na maneira como essa desigualdade desprivilegia as pessoas. Esse fato é verdadeiro sobretudo em escolas e profissões, onde a ignorância do que as classes dominantes definem como conhecimento tácito torna muito difícil a membros de grupos marginais ou subordinados competir com sucesso. Imigrantes étnicos, por exemplo, frequentemente têm desempenho medíocre nas escolas porque carecem do importante capital cultural requerido pela nova sociedade onde vivem. Bourdieu referiu-se a essa carência como *privação cultural*.

Ver também CULTURA; ESTRATIFICAÇÃO E DESIGUALDADE; REPRODUÇÃO CULTURAL E REPRODUÇÃO SOCIAL.

Leitura sugerida: Bourdieu, Pierre, e Jean-Claude Passeron 1977: *Society, Culture, and Education*. Beverly Hills, CA: Sage Publications.

capital humano Capital humano é um conceito baseado na crença em que o papel dos trabalhadores na produção assemelha-se ao papel da máquina e de outras forças de produção. Da mesma maneira que as sociedades industriais investem em fábricas e maquinaria para aumentar a produtividade, elas investem também em escolas a fim de aumentar o treinamento, os conhecimentos e as qualificações de seus trabalhadores. Nesse sentido, empresas, comunidades e sociedades possuem certo volume de capital humano sob a forma dos vários tipos de capacidade de seu pessoal. Analogamente, pode-se considerar indivíduos como possuindo volumes variáveis de capital humano, que podem usar para fins produtivos, incluindo ganhar o sustento.

O conceito de capital humano é usado com mais frequência para explicar padrões de desigualdade social relacionados com raça, classe, etnicidade ou sexo. A teoria do capital humano argumenta que as mulheres, por exemplo, ganham menos dinheiro do que os homens porque possuem menos capital humano sob a forma de educação, qualificações e experiência. Embora o capital humano certamente explique algumas variações em renda e riqueza, contribui relativamente pouco para explicar padrões persistentes de desigualdade. Cerca de dois terços do hiato de renda entre homens e mulheres nos Estados Unidos não podem ser explicados por diferenças em educação, experiência, continuidade de trabalho ou treinamento no emprego.

O grande problema com a teoria do capital humano é a suposição de que a quantia que pessoas recebem como remuneração por seu trabalho baseia-se em um cálculo racional de seu valor produtivo, sem nenhuma atenção a fatores como raça, sexo, etnicidade e vulnerabilidade desses grupos à discriminação e exploração baseadas em preconceito.

Leitura sugerida: Becker, Gary S. 1975: *Human Capital*, 2ªed. Chicago: University of Chicago Press • Marini, M.M. 1989: "Sex differences in earnings in the United States". *Annual Review of Sociology* 15: 343-80.

capitalismo O capitalismo é um sistema econômico surgido na Europa nos séculos XVI e XVII. Do ponto de vista desenvolvido por Karl MARX, o capitalismo é organizado em torno do conceito de CAPITAL e da propriedade e controle dos meios de produção por indivíduos que empregam trabalhadores para produzir bens e serviços em troca de salário. Como fundamental ao capitalismo como sistema social, há um conjunto de três relações entre 1) trabalhadores; 2) meios de produção (fábricas, máquinas, ferramentas, e assim por diante); e 3) os que possuem ou controlam esses meios. Os membros da classe capitalista os possuem ou controlam, mas não os usam concretamente para produzir riqueza; os membros da classe trabalhadora nem os possuem nem controlam, mas os usam para produzir; e a classe capitalista emprega a classe trabalhadora comprando FORÇA DE TRABALHO (tempo) em troca de salários.

A definição mais comum de capitalismo — simplesmente a posse privada dos meios de produção — ignora o fato de que indivíduos vinham produzindo bens há milhares de anos com ferramentas próprias, muito antes do aparecimento do capitalismo. Sob o capitalismo, portanto, a posse dos meios de produção não é simplesmente privada; é também exclusiva e fornece base à CLASSE SOCIAL e à exploração no interesse do lucro e da acumulação de ainda mais meios de produção. Como tal, a identificação costumeira de capitalismo com "livre-iniciativa" induz, de certa maneira, ao erro, pois a tríade de relações entre meios de produção, trabalhadores e capitalistas não é condição necessária para a livre-iniciativa e, de várias formas, pode prejudicá-la. Uma vez que a concorrência ameaça o sucesso de toda empresa capitalista (por mais que ela possa contribuir para o sistema como um todo), as empresas geralmente a enfrentam tentando aumentar seu controle sobre o trabalho, a produção e os mercados, com o resultado de que a economia torna-se cada vez mais dominada por um número relativamente pequeno de grandes empresas. Neste sentido, o exercício efetivo de liberdade no capitalismo de livre mercado torna-se possível apenas em níveis cada vez mais vastos de organização social. À medida que milhares de pequenas empresas concorrentes são substituídas por enormes CONGLOMERADOS (muitos deles transnacionais), assim, também, a liberdade da "livre-iniciativa" é exercida por um número cada vez menor de atores econômicos.

A ideia de livre mercado está provavelmente associada de forma mais correta ao que poderia ser denominado de "capitalismo primitivo", aquele período anterior à REVOLUÇÃO INDUSTRIAL, quando o capitalismo adotou a forma de busca de lucros através da compra e venda de bens. Os precursores do capitalismo moderno não possuíam nem controlavam pessoalmente os meios de produção, embora, como mercadores, obtivessem lucros aproveitando as condições de mercado, tais como comprando e transportando bens para venda em locais onde não existiam. Os mercadores contribuíram para a emergência do capitalismo ao desenvolver a ideia do lucro, do uso de bens como veículos para transformar dinheiro em mais dinheiro. Só mais tarde é que o capitalismo surgiu como sistema, cuja principal base de poder e lucro era o controle sobre o próprio processo de produção. Na forma avançada que assumiu em sociedades industrializadas capitalistas modernas, afastou-se do capitalismo competitivo, que implicava um conjunto de empresas relativamente pequenas, evoluindo para o que Marx chamou de *capitalismo monopolista* (ou *avançado*). Nessa forma, empresas se fundem e formam centros globais cada vez maiores de poder econômico, com potencial para rivalizar com nações-estado em sua influência sobre os recursos e a produção e, através deles, sobre as condições em que a vida social ocorre, no seu sentido mais amplo. À medida que as tensões e contradições no sistema se tornam mais severas, governos intervêm com uma frequência e rigor cada vez maiores para controlar mercados, finanças, trabalho e outros interesses capitalistas. Marx considerava essa situação como o estágio final que levaria à revolução socialista.

Ver também CONTRADIÇÃO; LUCRO; MERCADO; MERCADO DE TRABALHO; MERCADORIA; MODO DE PRODUÇÃO; MONOPÓLIO; OLIGOPÓLIO; SOCIALISMO ESTATAL; TRABALHO E FORÇA DE TRABALHO; VALOR ECONÔMICO.

Leitura sugerida: Edwards, Richard C., Michael Reich e Thomas E. Weisskopf, orgs. 1986: *The Capitalist System*, 3ªed. Englewood Cliffs, NJ: Prentice-Hall • Mandell, Ernest 1971: *Marxist Economic Theory*, 2 vols. Nova York: Monthly Review Press o 1975: *Late Capitalism*. Londres: New Left Books • Marx, Karl 1867 (*1974*): *O capital, crítica da economia política*. Rio de Janeiro: Civilização Brasileira / (*1975*): *Capital: a Critique of Policial Economy*. Nova York: International Publishers; Harmondsworth: Penguin • Smith, Adam [1776] 1982: *The Wealth of Nations*. Nova York: Penguin.

capitalismo avançado *ver* CAPITALISMO.

capitalismo estatal O capitalismo estatal (conhecido também como *socialismo democrático*) é um tipo de ECONOMIA POLÍTICA em que o

Estado participa ativamente da posse, controle ou ajuda efetiva à empresa capitalista. Em alguns casos, essa orientação inclui a posse e operação de indústrias-chave, tais como as de utilidade pública, estações de televisão, petróleo, gás natural e transporte de massa. Em termos mais gerais, contudo, o Estado, no regime do capitalismo estatal, utiliza seus recursos e autoridade para estabilizar mercados capitalistas (proibindo monopólios, por exemplo, ou controlando as taxas de juros, tarifas sobre as importações e formação de preços) e, de outras maneiras, para proteger e promover os interesses da classe capitalista. A prática repetitiva que se observa nos Estados Unidos do uso de fundos fiscais para "salvar" grandes empresas manufatureiras e bancos que ameaçam ir à falência (não raro porque mal administrados ou por fraude) constitui exemplo de intervenção do capitalismo estatal. Essa modalidade desvia-se fortemente do ideal capitalista de "livre mercado", no qual a capacidade competitiva constitui a principal determinante do sucesso ou do fracasso das empresas.

Ver também CAPITALISMO; SOCIALISMO ESTATAL.

Leitura sugerida: Edwards, Richard C., Michael Reich e Thomas E. Weisskopf 1986: "The capitalist economy: Structure and change". In *The Capitalist System*, 3ªed., org. por Edwards, Reich e Weisskopf, 4-15. Englewood Cliffs, NJ: Prentice-Hall • Jessop, Bob 1982: *The Capitalist State*. Nova York: New York University Press.

capitalismo monopolista *ver* CAPITALISMO.

carismática, autoridade *ver* AUTORIDADE.

carreira *ver* TRABALHO.

casamento e divórcio O casamento é uma união socialmente sancionada envolvendo dois ou mais indivíduos no que é considerado um arranjo estável, duradouro, baseado, pelo menos em parte, em laço sexual de algum tipo. Dependendo da sociedade, o casamento pode requerer sanção religiosa ou civil (ou ambas), embora alguns casais venham a ser considerados casados pelo simples fato de viverem juntos durante um período prescrito (casamento consuetudinário).

Na maioria das sociedades, o casamento serve socialmente para identificar os filhos, ao definir com clareza os laços de PARENTESCO com mãe, pai e diversos parentes. Serve também para regular o comportamento sexual; para transferir, preservar ou consolidar propriedade, prestígio e poder; e, nas sociedades patriarcais, transferir a autoridade sobre as mulheres dos pais para os maridos. Mais importante ainda, constitui a base da instituição da FAMÍLIA.

Embora na maioria das sociedades o casamento seja definido em termos heterossexuais, o casamento envolvendo parceiros do mesmo sexo não é desconhecido e está se tornando cada vez mais aceito em algumas sociedades industriais. O casamento de *gays* e lésbicas é legal na Dinamarca, por exemplo, e em algumas partes dos Estados Unidos casais homossexuais conquistaram alguns direitos (tais como a herança e benefícios da previdência social), antes reservados a cônjuges heterossexuais.

O divórcio é a dissolução socialmente reconhecida do casamento. Como o matrimônio, é regido por grande variedade de normas culturais que determinam o quão difícil é consegui-lo e as consequências sociais e pessoais que produz. De modo geral, é mais difícil de obter em sociedades em que casamento e divórcio afetam os interesses de grande número de pessoas, como, por exemplo, quando os casamentos ligam famílias inteiras em arranjos de compartilhamento e concentração de propriedade e poder. Em comparação, o divórcio é relativamente fácil em sociedades em que se considera o casamento como nada mais do que a união consensual entre duas pessoas, destinada a produzir felicidade e segurança material para elas como indivíduos.

Ver também REGRAS DE CASAMENTO.

Leitura sugerida: Cherlin, Andrew J. 1981: *Marriage, Divorce, and Remarriage*. Cambridge: Harvard University Press • Goode, William J. 1993: *World Changes in Divorce Patterns*. New Haven: Yale University Press • Phillips, Roderick 1988: *Putting Asunder: A History of Divorce in Western Society*. Nova York: Cambridge University Press.

casamento grupal *ver* REGRAS DE CASAMENTO.

casamento matrilocal *ver* REGRAS DE CASAMENTO.

casamento neolocal *ver* REGRAS DE CASAMENTO.

casamento patrilocal *ver* PARENTESCO.

casamento, regras de *ver* REGRAS DE CASAMENTO.

caso Em pesquisa, um caso é qualquer unidade selecionada para observação. Em uma pesquisa de opinião, por exemplo, cada respondente é um caso, ao passo que em um estudo da economia mundial o caso pode ser uma empresa, uma comunidade ou toda uma nação. Em tabulações estatísticas, o número de casos é em geral representado pela letra n, como em "n = 1.500". O n minúsculo denota o tamanho de amostra e um N maiúsculo indica o tamanho da população.

Ver também POPULAÇÃO; AMOSTRA.

caso, estudo de O estudo de caso é um método de pesquisa que se concentra em um único caso, e não em um CENSO de população ou numa amostra representativa.

A despeito do fato de que o estudo de caso torna virtualmente impossível fazer generalizações sobre população, o método tem seus usos. Quando pesquisadores focalizam um único caso, por exemplo, podem fazer observações detalhadas durante longo período de tempo, o que seria impossível com grandes amostras sem que se incorresse em grandes despesas. Os estudos de caso são também úteis nos primeiros estágios da pesquisa, quando o objetivo consiste em explorar ideias, submeter a teste e aperfeiçoar instrumentos de medição e qualificações observacionais, e preparar um estudo em base mais ampla.

Às vezes o estudo de caso é a única possibilidade. Nosso interesse, suponhamos, poderia concentrar-se na dinâmica de eleições nacionais, mas, uma vez que elas ocorrem apenas a intervalos de vários anos, nossa única opção seria realizar um estudo de caso de uma eleição particular, sabendo que os resultados não podem ser generalizados para todas as eleições. Ou poderíamos querer estudar um fenômeno que é improvável que se repita de modo previsível, tais como as consequências sociais de uma guerra ou de uma calamidade natural, como inundações, terremotos ou secas.

Uma vez que permitem focalização intensa no comportamento social, esses estudos são os modelos de pesquisa preferidos pelos que usam a PERSPECTIVA INTERACIONISTA e confiam na OBSERVAÇÃO PARTICIPANTE como método de pesquisa. Dois estudos clássicos nesse particular foram os de Erving GOFFMAN sobre hospícios e o de William Foote Whyte sobre gangues urbanas. Os estudos de caso também são usados em escala muito mais vasta, contudo, como nos estudos comparativos de práticas empresariais britânicas, americanas e japonesas, de causas de revoluções políticas ou do impacto da tecnologia sobre o ambiente de trabalho.

Embora os estudos de caso não possam ser usados como base para declarações confiáveis sobre populações, podem proporcionar *insights* importantes que poderão ser utilizados com o objetivo de desenhar estudos mais amplos e mais representativos. Além disso, à medida que se acumulam os estudos de caso em determinadas áreas da vida social, o resultado pode muitas vezes ser usado como substituto de estudos isolados mais amplos, baseados em amostras representativas.

Ver também AMOSTRA; CENSO; OBSERVAÇÃO PARTICIPANTE; PERSPECTIVA INTERACIONISTA.

Leitura sugerida: Feagin, J.R., A.M. Orum e G. Sjoberg 1991: *A Case Study for the Case Study*. Chapel Hill: University of North Carolina Press.

casta Uma casta é uma categoria rígida na qual pessoas nascem sem possibilidade de mudança. Em alguns sistemas de ESTRATIFICAÇÃO E DESIGUALDADE, a distribuição de recompensas e recursos é organizada em torno de castas. Na Índia, o sistema de casta tem consistido ao longo da história em quatro categorias básicas — Brahmin, Kshatriya, Vaisya e Sudra —, todas elas com localização específica e rígida no sistema de estratificação. Além dessas castas, há os "párias", o grupo composto de "intocáveis", situados abaixo da casta mais baixa. O cruzamento de fronteiras de casta é rigorosamente proibido mediante controle sobre a distribuição ocupacional e local de residência e, sobretudo, sobre a escolha de cônjuges. Nas quatro castas principais existem numerosas subcastas, entre as quais é possível certo grau de mobilidade.

De acordo com o sistema indiano de castas, codificado na religião hinduísta, pessoas podem passar de uma casta a outra em várias vidas, através do processo de reencarnação. Essa movimentação depende de desempenho bem-sucedido na atual posição na casta, o que significa que o sistema proporciona um forte incentivo para obrigar à aceitação do próprio sistema e de suas desigualdades.

Embora o conceito de casta esteja ligado quase que exclusivamente à Índia, elementos desse sistema podem ser encontrados em algumas outras sociedades, como ocorreu no Japão nos séculos XVII e XVIII e, mais recentemente, nos Estados Unidos e na África do Sul. Apesar do sistema de castas ter sido oficialmente abolido na Índia em 1949, sua influência continua muito forte, em especial nas áreas rurais.

Ver também CLASSE SOCIAL; MOBILIDADE SOCIAL.

Leitura sugerida: Frederickson, G.M. 1981: *White Supremacy: A Comparative Study in American and South African History*. Nova York: Oxford University Press • Gould, Harold A. 1987: *The Hindu Caste System: The Sacralization of a Social Order*. Déli: Chanakya.

castelo *ver* FEUDALISMO.

categoria *ver* CATEGORIA SOCIAL.

categoria social Categoria social é um conjunto de pessoas que têm o mesmo STATUS social, tais como "mulher", "gerente" ou "estudante universitário". Embora os membros da mesma categoria social possam, como resultado, compartilhar das mesmas características, como crenças e valores, elas não identificam necessariamente a categoria como uma entidade significativa à qual pertencem (se assim acontecesse, elas constituiriam uma COLETIVIDADE). Tampouco participam de padrões regulares de interação (em contraste com os GRUPOS). A despeito do movimento feminista, por exemplo, numerosas mulheres não pensam em "mulher" como sendo algo mais do que uma característica social e biológica. Não a consideram uma entidade mais ampla com a qual se identificam e com a qual sentem algum senso de solidariedade. Em contraste, numerosas feministas consideram "fêmea" como o nome de um grupo reconhecível de pessoas por quem cultivam um senso de lealdade.

Categorias sociais podem ser facilmente transformadas em coletividades ou grupos mediante a criação de um senso de identidade compartilhado e por aumento de interação entre os membros. Os MOVIMENTOS SOCIAIS em geral iniciam-se dessa maneira, quando membros de MINORIAS oprimidas identificam seu status desprivilegiado não apenas como uma característica pessoal, mas como um indicador de sua participação em uma entidade social mais ampla.

Ver também AGREGADO.

cauda da distribuição *ver* SIMETRIA.

cela *ver* TABULAÇÃO CRUZADA.

censo O censo é uma coleta de informações sobre todos os membros de uma população, e não de uma AMOSTRA. Na Grã-Bretanha e nos Estados Unidos, por exemplo, um censo é realizado a cada dez anos. Embora seja com mais frequência associado à coleta de dados em nível nacional, o censo, como conceito, aplica-se a qualquer população, não importa seu tamanho.

Uma vez que visa uma população inteira, é tentador supor que suas informações serão mais precisas do que as decorrentes de uma amostra. Isso não ocorre necessariamente, contudo, uma vez que a pesquisa por amostragem pode concentrar-se fortemente na obtenção de respostas de todos os respondentes, enquanto que o censo tem necessariamente de aceitar um alto nível de ausência de resposta. Esse é o motivo por que grandes pesquisas por amostragem são frequentemente usadas para avaliar a precisão dos censos.

Ver também AMOSTRA; ESTUDO DE CASO; LEVANTAMENTO PÓS-CENSITÁRIO; POPULAÇÃO.

Leitura sugerida: Anderson, M.J. 1988: *The American Census: A Social History*. New Haven: Yale University Press.

centro urbano Centro urbano é o termo moderno para o conceito de *zona de transição*, de Ernest Burgess, inicialmente introduzido em sua teoria de zona concêntrica de desenvolvimento urbano. Burgess argumentava que à medida que as cidades crescem suas áreas centrais são crescentemente reservadas às empresas, hotéis, bancos e outros usos que tendem a romper o senso de comunidade entre os que nelas vivem. Esse fato deflagra um processo social através do qual essas áreas se transformam em zonas de transição. Carecendo de base para uma comunidade forte, os centros urbanos tendem a se tornar pontos de entrada para migrantes relativamente pobres que chegam em busca de trabalho. Eles se amontoam em habitações de baixo padrão e, à medida que a pobreza se espalha e as condições sociais se agravam, proliferam o crime e outros problemas sociais, o que leva os residentes prósperos a fugir para os subúrbios. Essa situação gera uma espiral descendente de receita fiscal em queda, pobreza, escolas decadentes e fuga para os subúrbios, com exceção dos mais ricos e dos mais pobres, com uma classe média e uma classe de trabalhadores qualificados cada vez menores. O modelo de Burgess tem sido criticado por ter dado pouca atenção às fontes de coesão nas áreas de centros de cidade, especialmente no nível de bairros.

Conceitos como centro urbano e zona de transição são sociologicamente importantes porque chamam a atenção para a maneira como a geografia e os usos do espaço desempenham um papel importante na criação e perpetuação de padrões sociais como a desigualdade.

Ver também ESCOLA DE CHICAGO; PERIFERIA URBANA; SUBÚRBIO; URBANIZAÇÃO E URBANISMO.

Leitura sugerida: Dogan, Mattei, e John D. Kasarda, orgs. 1987: *The Metropolis Era*. Nova York: Russell Sage Foundation • Gottdiener, Mark 1985: *The Social Production of Urban Space*. Austin: University of Texas Press • Park, Robert E., Ernest Burgess e Roderick D. McKenzie, orgs. 1925: *The City*. Chicago: University of Chicago Press.

cerimônia de degradação A cerimônia de degradação é um RITO DE PASSAGEM usado às vezes para iniciar pessoas em INSTITUIÇÕES TOTAIS como hospitais de doentes mentais, prisões e unidades militares. O objetivo das cerimônias de degradação é privar o indivíduo de sua antiga identidade e dignidade a fim de fazer com que aceite mais facilmente o controle externo. Nas prisões, por exemplo, essa prática pode incluir ser despido, passado em revista (inclusive nas cavidades do corpo), e verbalmente hostilizado de maneiras que classificam o interno como inferior e frisam sua falta de poder e de autonomia.

Leitura sugerida: Garfinkel, Harold 1956: "Conditions of successful degradation ceremonies". *American Journal of Sociology* 61: 420-4.

ceticismo organizado, norma de *ver* REGRAS DA CIÊNCIA.

cidadão e cidadania Da forma desenvolvida por Thomas H. MARSHALL, cidadania é uma situação social que inclui três tipos distintos de direitos, especialmente em relação ao ESTADO: 1) *direitos civis*, que incluem o direito de livre expressão, de ser informado sobre o que está acontecendo, de reunir-se, organizar-se, locomover-se sem restrição indevida e receber igual tratamento perante a lei; 2) *direitos políticos*, que incluem o direito de votar e disputar cargos em eleições livres; e 3) *direitos socioeconômicos*, que incluem o direito ao bem-estar e à segurança social, a sindicalizar-se e participar de negociações coletivas com empregadores e mesmo o de ter um emprego.

Uma questão sociológica fundamental sobre cidadania é de que forma os vários grupos são dela incluídos e excluídos — como na negação do voto às mulheres na Grã-Bretanha e Estados Unidos até bem recentemente neste século ou na proibição de sindicalização aos trabalhadores durante grande parte do início da história do capitalismo — e como essas situações afetam a desigualdade social. Marshall argumentou, por exemplo, que a concessão da cidadania plena aos trabalhadores desprivilegiou-os até certo ponto: enquanto se sentirem excluídos do sistema, os trabalhadores têm maior probabilidade de se organizarem em oposição ao mesmo. Na medida em que se sentem mais incluídos, tendem também a aceitar a legitimidade do próprio sistema sob o qual são explorados como trabalhadores e, por conseguinte, menor a probabilidade de que se rebelem contra o mesmo. Note-se, por exemplo, que os direitos de cidadania nas sociedades capitalistas não incluem igual controle dos meios de produção.

Leitura sugerida: Bendix, Reinhard 1977: *Notion-Building and Citizenship*. Berkeley: University of California Press • Marshall, Thomas H. 1950: *Citizenship, Social Class, and Other Essays*. Cambridge, Inglaterra: Cambridge University Press.

ciência Do ponto de vista sociológico, ciência é um corpo de conhecimentos sobre o mundo natural, um método para descobrir tal conhecimento e uma INSTITUIÇÃO social organizada em torno de ambos. Como método, a ciência repousa na ideia de que o conhecimento confiável do mundo deve basear-se em observação sistemática, objetiva, de fatos que levarão qualquer um que os estudar a chegar às mesmas conclusões. Embora grande volume de trabalhos sociológicos sejam orientados por princípios científicos, há controvérsia se métodos científicos são ou não aplicáveis à vida social ou, por falar nisso, até mesmo ao mundo natural.

Sociólogos estão interessados na ciência não apenas como um método que podem usar em suas próprias pesquisas, mas como um fenômeno social por mérito próprio. Como instituição social, por exemplo, a prática da ciência tornou-se crescentemente complexa, dispendiosa e dependente do governo e de empresas para financiamento. Esse fato, por seu lado, transformou o processo do trabalho científico, a começar pelos valores que influenciam a escolha dos objetos de pesquisa.

Ver também DESCONSTRUÇÃO; EPISTEMOLOGIA; ESTRUTURALISMO E PÓS-ESTRUTURALISMO; FALSIFICACIONISMO; MÉTODO HIPOTÉTICO-DEDUTIVO; METODOLOGIA; MODERNISMO E PÓS-MODERNISMO; OBJETIVIDADE; RELEVÂNCIA DO VALOR, ISENÇÃO DE VALOR E NEUTRALIDADE VALORATIVA.

Leitura sugerida: Barnes, Barry 1985: *About Science*. Nova York: Blackwell Publishers • Merton, Robert K. 1973: *The Sociology of Science: Theoretical and Empirical Investigations*. Chicago e Londres: University of Chicago Press • Zuckerman, Harriet 1988: "The sociology of science: A selective Review". In *Handbook of Sociology*, org. por Neil J. Smelser. Beverly Hills: Sage Publications.

ciência, regras da *ver* REGRAS DA CIÊNCIA.

circulação de elites *ver* ELITE.

civilização Uma civilização é uma sociedade cuja relativa falta de necessidade de lutar pela mera sobrevivência permite-lhe tornar-se mais complexa em cultura e estrutura. As características típicas de civilização incluem COMUNIDADES fixas; organização política sob a forma de ESTADO; DIVISÃO DO TRABALHO complexa; negócios e comércio em economias de mercado; instituições religiosas formais; e arte, literatura, música e outras formas de expressão altamente desenvolvidas.

A civilização distingue-se principalmente em comparação com as sociedades de CAÇADORES-COLETORES e a SOCIEDADE HORTELÃ, que são muitas vezes denominadas de "primitivas" por aqueles que se consideram civilizados. Essa distinção frequentemente inclui pressupostos sobre a superioridade moral destes últimos, que a história e estudos culturais entre culturas demonstram que, na maior parte, carecem de fundamento. Na verdade, alguns autores argumentam que o desenvolvimento da civilização ocidental — completa com bem-estar organizado de massa, extensa poluição ambiental, alienação, exploração econômica e opressão social — sugere decadência moral.

Leitura sugerida: Elias, Norbert 1939 (*1990-93*): *O processo civilizador*, 2 vols. Rio de Janeiro. Zahar / (*1978-82*): *The Civilizing Process*, 2 vols. Oxford: Blackwell; Nova York: Pantheon.

clã No estudo do PARENTESCO, o clã é um conjunto de pessoas que se consideram descendentes de um mesmo ancestral e, portanto, julgam-se como parte de um grupo que tem uma identidade comum. A filiação ao clã é unilinear: pode ser traçada através da mãe ou do pai, mas nunca de ambos.

Ver também PARENTESCO.

Leitura sugerida: Neville, Gwen 1979: "Community form and ceremonial life in three regions of Scotland". *American Ethnologist* 6: 93-100 • Rivers, William H.R. 1914: *Kinship and Social Organization*. Londres: Constable.

classe *ver* CLASSE SOCIAL.

classe alta No estudo da ESTRATIFICAÇÃO, a classe alta é identificada pela sua posição dominante em relação à distribuição da riqueza, poder e prestígio. Nas sociedades feudais, a classe alta assumia a forma de *aristocracia*, ou seja, um conjunto de posições herdadas de privilégio baseadas no controle da terra e das populações camponesas, posições estas não raro concedidas em troca de lealdade militar a líderes mais poderosos. Sob o capitalismo, o privilégio da classe alta baseia-se na propriedade e controle dos meios de produção e no emprego de trabalhadores em troca de salário.

Há várias maneiras de identificar as fronteiras que separam a classe alta das outras. Em um sentido, ela se distingue por sua imensa parcela de posse dos recursos e das recompensas, tais como renda e riqueza, a maior parte das quais é herdada. Na Grã-Bretanha, por exemplo, dois em cada três executivos-chefes de grandes empresas têm meio formativo de classe alta. Nos Estados Unidos, os 10% mais ricos da população controlam 67% de toda a riqueza, incluindo 87% dos bens de liquidez imediata, 94% dos ativos empresariais, 90% de papéis e títulos mobiliários e 49% de todos os bens imobiliários. É um tanto arbitrário se considerarmos esses 10% como constituindo a classe alta, uma vez que poderíamos, com igual facilidade, mudar a definição para incluir os 12% mais ricos, ou os 8% mais ricos, ou mesmo o 1% mais rico.

Um enfoque menos arbitrário focaliza o fato de que membros da classe alta tendem a possuir um senso relativamente claro de identidade de classe, baseado em laços de família e experiências comuns, como estudo em escolas particulares. Esse fato se reflete em práticas tais como a compilação de anuários de figuras da alta sociedade, no envio dos filhos a seletas escolas particulares frequentadas por outros membros da classe alta e no estabelecimento de restrições severas à escolha de parceiros de casamento. Sociólogos como William Domhoff, nos Estados Unidos, tentaram, com algum sucesso, usar esses critérios para identificar as fronteiras concretas que delimitam a classe alta.

Os marxistas em especial argumentam que a classe alta constitui, algumas vezes, uma *classe governante*, principalmente através do controle que exerce sobre as instituições econômicas e políticas. Esse fato certamente aconteceu com as aristocracias feudais, mas é menos claro que uma autêntica classe governante exista nas sociedades capitalistas modernas. A fim de manter o controle dos meios de produção, é necessário que os capitalistas providenciem para que o Estado atue tendo em vista seus melhores interesses durante, pelo menos, a maior parte do tempo. A classe alta busca cumprir esse intuito de várias maneiras. Coloca seus próprios membros em posições de autoridade, tais como em cargos de ministros; contribui para as despesas de campanha de candidatos que apoiam o capitalismo e seus interesses; financia organizações como "grupos de alto nível" que publicam livros e trabalhos que a promovem e patrocina conferências que modelam a maneira como as pessoas interpretam assuntos relativos ao capitalismo; e controla o potencial da mídia de criticar o capitalismo e revelar suas consequências sociais problemáticas. É discutível o grau em que a classe alta realmente tem sucesso em tudo isso.

Ver também CLASSE GERENCIAL; CLASSE SOCIAL; ELITE; ESTRATIFICAÇÃO E DESIGUALDADE; FEUDALISMO; HEGEMONIA; OLIGARQUIA.

Leitura sugerida: Domhoff, G. William 1983: *Who Rules American Now?* Englewood Cliffs, NJ: Prentice-Hall • Stanworth, Philip, e Anthony Giddens, orgs. 1974: *Elites and Power in British Society*. Cambridge, Inglaterra: Cambridge University Press • Useem, Michael 1984: *The Inner Circle: Large Corporations and the Rise of Business Political Activity in the US and UK* Nova York: Oxford University Press.

classe baixa No estudo da estratificação social, a classe baixa é o nível designado como a posição mais inferior em virtualmente todas as dimensões da desigualdade. Os membros dessa classe nenhuma riqueza têm e pouca renda auferem. Não possuem nem controlam quaisquer meios de produção e se encontram no fundo das estruturas econômica e de autoridade política. Em geral desempregados, quando trabalham ocupam-se das tarefas mais humildes, que pouca ou nenhuma qualificação ou treinamento exigem e nada oferecem em matéria de estabilidade ou esperança de promoção. Especialmente nos Estados Unidos, predomina a crença de que a composição da classe baixa é relativamente estável e transmitida de uma a outra geração. Embora provas recentes sugiram que uma SUBCLASSE permanente possa estar se formando na população negra, há, de modo geral, movimento considerável entre a classe baixa e a classe trabalhadora que fica imediatamente acima. As crises repetidas do CAPITALISMO, por exemplo, geram considerável mobilidade descendente que engorda as fileiras da população sem teto, errante, marginal, que Karl MARX denominou de LUMPEMPROLETARIADO.

Ver também CLASSE SOCIAL; ESTRATIFICAÇÃO.

Leitura sugerida: George, Vic., e Roger Lawson 1980: *Poverty and Inequality in Common Market Countries*. Londres: Routledge and Kegan Paul • Wilson, William Julius 1987: *The Truly Disadvantaged: The Inner City, the Underclass, and Public Policy*. Chicago: University of Chicago Press.

classe de serviço *ver* CLASSE GERENCIAL.

classe gerencial Nas sociedades capitalistas industriais, a classe gerencial é uma camada situada perto do topo da estrutura de classe, imediatamente abaixo da classe alta. Embora compartilhe de muitas das características da mesma, a base de sua posição se situa menos na propriedade dos meios de produção do que no controle que sobre eles exerce. Esse fato coloca na classe gerencial os principais funcionários executivos e outros membros da alta administração, bem como, em alguns casos, funcionários do governo cujo trabalho consiste em servir aos interesses do CAPITALISMO (daí serem algumas vezes designados como pertencentes à *classe de serviço*).

Há algum desacordo entre os sociólogos sobre a influência relativa das classes alta e gerencial, argumentando alguns que o rápido aumento do tamanho e poder desta última ameaça eclipsar a primeira. Outros observam que embora a classe gerencial tenha se tornado cada vez mais importante, seus membros ainda prosperam sobretudo por servir a interesses que coincidem com os da classe alta.

Ver também CLASSE ALTA; CLASSE SOCIAL; REVOLUÇÃO ADMINISTRATIVA.

Leitura sugerida: Abercrombie, Nicholas, e John Urry 1983: *Capital, Labour, and the Middle Classes*. Londres: Allen & Unwin • Renner, Karl [1953] 1978: "The service class". In *Austro-Marxism*, org. por Tom Bottomore e P. Goode. Oxford: Oxford University Press • Useem, Michael 1984: *The Inner Circle: Large Corporations and the Rise of Business Political Activity in the US and UK* Nova York: Oxford University Press.

classe governante *ver* CLASSE ALTA.

classe média No estudo da ESTRATIFICAÇÃO E DESIGUALDADE social, classe média é um conceito que tem permanecido esquivo a definição precisa. Da forma descrita por Karl MARX e Friedrich ENGELS, a classe média nos séculos XVII e XVIII consistia de pequenos lojistas e comerciantes, artesãos e profissionais liberais — a pequena burguesia — que ocupava o território econômico entre os grandes capitalistas e seus empregados. Atualmente, essa "velha" classe média é separada da "nova" classe média que perdeu muito de sua independência econômica e que hoje está associada principalmente ao prestígio inerente a ocupações de colarinho-branco, tais como trabalhadores burocráticos, chefes de seção de escritórios, funcionários públicos, profissionais liberais e professores.

Como conceito analítico, classe média é um termo problemático por vários motivos. A linha que a separa da classe operária, por exemplo, é obscura, porque ocupações de colarinho-branco não estão necessariamente ligadas a níveis mais altos de educação, renda, riqueza, qualificações ou treinamento, quando comparadas a empregos braçais altamente qualificados. Esse fato torna-se especialmente verdadeiro à medida que empregos administrativos são cada vez mais rotinizados, fragmentados e automatizados, tornando mais difícil distingui-los de ocupações da classe operária.

O segundo problema surge com o uso do termo "média", porque é duvidoso que a classe média esteja, em qualquer sentido da palavra, no intervalo entre a classe alta e as classes baixa e operária. Em termos de renda e riqueza, por exemplo, grande parte do que é considerado de classe média está muito mais perto da classe operária do que da classe alta; a maioria das ocupações de classe média implica baixos níveis de autoridade; e ela não exerce mais propriedade real ou controle sobre os meios e processo de produção do que a classe operária. Exceções a essas generalizações, claro, são encontradas nas camadas superiores da classe média, mas formam uma pequena parcela os que se consideram enquadrados nessa categoria. Poderíamos argumentar que a classe média fica a meio caminho entre a classe operária e a alta em termos de prestígio ocupacional, mas, no que interessa a grandes segmentos da classe alta, o prestígio ocupacional é irrelevante porque não é através de suas características que seus membros atingem ou mantêm sua posição de classe.

Embora a classe média seja geralmente considerada como a maior classe isolada, há provas de que está diminuindo em número. Nos Estados Unidos, por exemplo, tem havido no último meio século uma erosão constante na percentagem de indivíduos que se identificam como membros da classe média, que passou de 61% em 1964 para 45% em 1993.

Ver também CLASSE SOCIAL; PROLETARIZAÇÃO; TRABALHADOR DE COLARINHO AZUL E TRABALHADOR DE COLARINHO-BRANCO.

Leitura sugerida: Abercrombie, Nicholas, e John Urry 1983: *Capital, Labour, and the Middle Classes*. Londres: Allen & Unwin • Mills, C. Wright 1951: *White Collar*. Nova York: Oxford University Press / *(1980)*: *A nova classe média*. Rio de Janeiro: Zahar • Nicolaus, Martin 1967: "Proletariat and middle class in Marx". *Studies on the Left 7*.

classe ociosa *ver* CONSUMO CONSPÍCUO.

classe operária *ver* CLASSE SOCIAL.

classe social Classe social, um dos conceitos mais importantes no estudo da ESTRATIFICAÇÃO, é uma distinção e uma divisão social que resultam da distribuição desigual de vantagens e recursos, tais como riqueza, poder e prestígio. Sociólogos definem classe social principalmente na base de como essas divisões são identificadas.

Karl MARX argumentava que as divisões de classe baseiam-se em diferenças nas relações entre indivíduos e processo de produção, em especial na propriedade e no controle dos meios de produção (tais como maquinaria, terra e fábricas). Sob o capitalismo, esses meios são possuídos e controlados por uma única classe — a classe burguesa, ou capitalista —, cujos membros porém não os usam concretamente a fim de produzir riqueza. Em vez disso, esse trabalho é feito por membros da classe operária ou proletariado, que produz riqueza mas nem possui nem controla os meios de produção. Uma vez que os próprios capitalistas tampouco produzem riqueza de fato, sua prosperidade depende necessariamente do trabalho de outras pessoas. Dessa maneira, eles controlam os meios de produção e, por extensão, a riqueza produzida. Trabalhadores satisfazem suas necessidades através de salários, que lhes são pagos em troca da venda de seu tempo (ou FORÇA DE TRABALHO); salários que, do ponto de vista marxista, representam apenas uma parte do valor da riqueza que eles produzem. Daí, classe e relações de classe baseiam-se em tensão e luta sobre interesses conflitantes.

O proletariado e a burguesia, no entanto, não foram as únicas classes identificadas por Marx, embora sejam as mais importantes. As demais incluíam a aristocracia e os donos de terra (considerados como sem importância, uma vez que sua influência seria nula nas sociedades industriais) e o *lumpemproletariado*, ou *subclasse* (que incluiria a moderna população dos sem-teto), que nenhuma relação mantém com o processo de produção. (Por esse motivo, alguns sociólogos argumentam que essa subclasse é fragmentada e transitória demais para constituir uma classe.) Pensadores marxistas mais recentes identificaram novas distinções de classe para explicar a ascensão da classe gerencial (que normalmente não possui os meios de produção, mas os controla nos interesses da classe capitalista) e os trabalhadores liberais (tais como professores de faculdade e funcionários do governo) que trabalham por salário, mas que, apesar disso, desfrutam de um grau considerável de autonomia que os distingue de outros membros da classe trabalhadora.

Max WEBER identificou três distinções de classe, de acordo com três dimensões de desigualdade: 1) classe; 2) poder; e 3) prestígio. Weber usou o termo "classe" para referir-se a OPORTUNIDADES DE VIDA, ou a capacidade de pessoas de conseguir o que querem e necessitam no mercado: comprar bens e serviços, proteger-se dos demais, e assim por diante. Desse ponto de vista, a posição da classe repousa em um número muito maior de fatores do que sobre relações com meios de produção — como prestígio ocupacional, educação, experiência e níveis de qualificação e inteligência, herança, sorte, ambição e meio formativo familiar.

A segunda dimensão da desigualdade, segundo Weber, é a distribuição de poder, em especial com relação a organizações complexas como empresas, governos, sindicatos e outras instituições. Weber utilizou a palavra *partido* a fim de indicar diferenças de poder, não só no sentido de partidos políticos, mas, em sentido geral, isto é, que o poder é burocraticamente organizado nas sociedades industriais, tornando os indivíduos relativamente impotentes, a menos que tenham acesso a essas organizações. Alguns sociólogos argumentam que a localização na distribuição do poder é a principal determinante da posição da classe, e não a posição econômica ou o prestígio.

Weber citou como terceira dimensão a distribuição de prestígio, ou grau de honraria social, status ou deferência que pessoas desfrutam em relação a outras. Essa dimensão foi estudada principalmente nos Estados Unidos, sobretudo no tocante ao prestígio ocupacional como dimensão para medir a mobilidade social. Ao contrário das duas outras dimensões, o prestígio é um recurso cuja distribuição tem que ser desigual a fim de existir, uma vez que a deferência tem que declinar das posições mais altas para as mais baixas, exatamente como a honraria, em sentido oposto, eleva alguns acima de outros. O enfoque multidimensional de Weber não só amplia a análise da classe, como ajuda a identificar as complexidades da posição e relações de classe, em especial se as relações são consideradas no contexto das três dimensões de desigualdade e dos fatos que as afetam. Embora poder, prestígio e riqueza frequentemente apareçam juntos, eles, até certo ponto, variam de forma independente. Um líder, por exemplo, pode classificar-se alto em matéria de poder e prestígio, mas relativamente baixo em riqueza, da mesma maneira que riqueza não traz automaticamente poder ou prestígio.

Além dos determinantes da localização da classe e da dinâmica das relações entre classes, as questões fundamentais nesse estudo incluem o ponto em que se deve traçar as linhas entre elas (ou, na opinião de alguns, se tais linhas existem mesmo, fora dos modelos sociológicos de estratificação); a invisibilidade relativa das mulheres na análise de classe, uma vez que percentagens substanciais delas (embora rapidamente declinando agora) não trabalham fora de casa, ainda que contribuam muito para a manutenção e a reprodução dos trabalhadores; e a questão de se a família ou o indivíduo deve ser a principal unidade da análise de classe.

Ver também ABURGUESAMENTO; ALIENAÇÃO; CASTA; CLASSE ALTA; CLASSE BAIXA; CLASSE GERENCIAL; CLASSE MÉDIA; CONSCIÊNCIA E FALSA CONSCIÊNCIA DE CLASSE; CURVA DE LORENZ; INTERESSE DE CLASSE; MOBILIDADE SOCIAL; PRESTÍGIO; PROLETARIZAÇÃO; TRABALHO E FORÇA DE TRABALHO; TRABALHADOR DE COLARINHO AZUL E TRABALHADOR DE COLARINHO-BRANCO.

Leitura sugerida: Bendix, Reinhard, e Seymour Martin Lipset, orgs. 1966: *Class, Status, and Power*. Nova York: Free Press • Marx, Karl 1867 (*1974*). *O capital, crítica da economia política*, Rio de Janeiro: Civilização Brasileira / (*1976*): *Capital*, vol.1, Harmondsworth: Penguin • Weber, Max 1920 (*1982*): *Ensaios de sociologia*. Rio de Janeiro: Zahar / (*1946, 1970*): *From Max Weber: Essays in Sociology*. org. por H.H. Gerth e C.W. Mills. Nova York: Oxford University Press (*1946*); Londres: Routledge & Kegan Paul (*1970*) • Wright, Erik Olin 1985: *Classes*. Londres: Verso.

coalizão Coalizão significa duas ou mais pessoas, grupos ou outras unidades em um SISTEMA SOCIAL que se aliam para obter maior PODER ou influência. Georg SIMMEL, por exemplo, observou que uma das principais diferenças entre uma díade (duas pessoas) e uma tríade (três pessoas) é que, com a terceira pessoa, torna-se possível a duas formar uma coalizão contra uma delas. Como resultado, três pessoas que vivem juntas tenderão a ter uma dinâmica de poder muito diferente do que aconteceria com apenas duas.

Alguns sociólogos trabalharam no problema de prever quando coalizões surgirão nos sistemas sociais e quem serão os parceiros mais prováveis. Caplow, por exemplo, argumenta que pessoas formam coalizões a fim de maximizar seu poder sobre outras, bem como sua própria autonomia. Gamson sustenta que, além do poder, indivíduos formam também coalizões para maximizar vantagens. Membros mais fracos de um sistema, por exemplo, poderiam combinar-se contra os mais fortes na esperança de obter recompensas que poderiam lhes ser negadas, caso se aliassem aos membros mais fortes.

As coalizões constituem ingredientes importantes em sociologia política porque, através delas, grupos de outra maneira impotentes podem combinar-se para exercer influência considerável.

Ver também DÍADE; ESTRUTURA DE PODER.

Leitura sugerida: Caplow, Theodore 1968: *Two Against One: Coalitions in Triads*. Englewood Cliffs, NJ: Prentice-Hall • Gamson, William A. 1968. "A theory of coalition formation". *American Sociological Review* 22: 273-9.

codificação Codificação é o processo de atribuir números ou categorias a dados ou informações. É muito mais fácil, por exemplo, usar computadores para processar, resumir e exibir informações quantitativas se cada observação for expressada por um número. Podemos perguntar a respondentes de pesquisas que categoria de classe social melhor os descreve — baixa, operária, média, alta-média ou alta. Quando as respostas são processadas posteriormente, cada categoria recebe um número equivalente, denominado código — tais como classe baixa = 1, classe operária = 2, e assim por diante.

A codificação pode ser usada também para atribuir observações a categorias diferentes. Se queremos estudar um processo de grupo, podemos gravar uma fita de vídeo de uma reunião do grupo e, mais tarde, tentar identificar os diferentes tipos de comportamento, gestos e declarações observados. De que maneira podemos chegar à conclusão se uma sugestão feita por um membro do grupo é uma tentativa de ajudá-lo no seu trabalho ou um ataque sarcástico ao mesmo? O processo de atribuir essa observação particular a uma ou outra categoria e, em seguida, dar-lhe um número identificador faz parte do processo de codificação.

Ver também MEDIDA.

Leitura sugerida: Singleton, Royce A., Bruce C. Straits e Margaret M. Straits 1993: *Approaches to Social Research*, 2ªed. Oxford e Nova York: Oxford University Press.

códigos de linguagem Em seus estudos de SOCIOLINGUÍSTICA, Basil Bernstein desenvolveu os conceitos de códigos de linguagem formal e de jargão, para analisar a relação entre SOCIALIZAÇÃO, LINGUAGEM e CLASSE SOCIAL. Bernstein argumentava que as pessoas usam a linguagem de duas maneiras básicas. A primeira é o código formal, uma linguagem pública, mais precisa (universalista) que o indivíduo pode usar para comunicar-se de formas que todos compreenderão. Se estamos tentando explicar um fato a alguém que não estava presente quando ele aconteceu, por exemplo, temos de nos colocar no lugar do ouvinte e fornecer detalhes suficientes para descrever adequadamente o contexto do evento, em especial através do uso de adjetivos, advérbios e orações subordinadas. O resultado é uma história coerente, com boa possibilidade de que o ouvinte compreenda o que aconteceu, mesmo que não esteja familiarizado com o contexto que, para começar, gerou a história.

A segunda maneira é através de um código de jargão, ou seja, a linguagem usada de modo informal, que tende a ser compreendida apenas pelos que têm uma compreensão comum de um dado contexto. Quando membros de uma família se sentam em volta da mesa e contam histórias do passado, por exemplo, deixam de fora muitos detalhes porque a familiaridade de todos com as circunstâncias torna desnecessário incluí-las a fim de transmitir o significado. Um convidado, porém, decerto ignorará o sentido da história justamente por faltar tantos detalhes.

Bernstein argumentava que crianças da classe média têm mais oportunidade de dominar os códigos de linguagem formal e de jargão, ao passo que as da classe operária costumam ter experiências apenas com a segunda delas. Uma vez que o código formal é a linguagem da vida pública, incluindo a escola, crianças que careçam de contato com ele sofrerão com as diferenças de classe no seu desempenho escolar, especialmente em tarefas que requeiram tipos de pensamento universalista, abstrato. Há muito desacordo se Bernstein tem razão ou não no que diz (é possível usar código formal e, ainda assim, discutir conceitos abstratos, por exemplo) mas suas ideias permanecem influentes no estudo de classe social e linguagem.

Leitura sugerida: Bernstein, Basil 1971, 1977: *Class, Codes, and Control*, vols.1 e 3, 2ªed. Londres: Routledge and Kegan Paul.

coeficiente de alienação Em CORRELAÇÃO, ANÁLISE DE REGRESSÃO e, em especial, ANÁLISE DE SEQUÊNCIA, o coeficiente de alienação é uma ESTATÍSTICA que varia em valor de 0,00 a 1,00. É usado para indicar o grau em que uma ou mais VARIÁVEIS independentes deixam de explicar variação na variável dependente. Matematicamente, o coeficiente é a raiz quadrada da parte da VARIÂNCIA não explicada. Se, por exemplo, a análise mostra que a proporção da variação em renda pessoal explicada pelas variáveis básicas, tal como a educação, é de 0,40, então 0,60 é a proporção deixada sem explicação, uma vez que as proporções têm que somar 1,00. O coeficiente de alienação é a raiz quadrada disso, ou 0,77. No diagrama de sequência, essa quantidade é costumeiramente mostrada ligada por uma seta a uma variável dependente, no quadrante direito mais distante do modelo. (Para uma ilustração, ver a figura contida no verbete sobre ANÁLISE DE SEQUÊNCIA.) Quanto mais ela se aproxima de 1,00, mais medíocre é o modelo como explicação da variável dependente. Nesse sentido, o coeficiente de alienação é o oposto de uma correlação.

Ver também ANÁLISE DE REGRESSÃO; ANÁLISE DE SEQUÊNCIA; CORRELAÇÃO; COVARIÂNCIA.

coeficiente de correlação momento-produto *ver* CORRELAÇÃO.

coeficiente de determinação Em CORRELAÇÃO, ANÁLISE DE REGRESSÃO e ANÁLISE DE SEQUÊNCIA, o coeficiente de determinação é uma estatística que varia em valor de 0,00 a 1,00. Indica a proporção de variação da dependente variável que é explicada estatisticamente por uma ou mais variáveis independentes. É equivalente ao quadrado do coeficiente de correlação. É representada pelo símbolo r^2 em regressão simples e por R^2 em regressão múltipla.

Ver também CORRELAÇÃO.

Leitura sugerida: Bohrnstedt, George W., e David Knoke 1988: *Statistics for Social Data Analysis*, 2ªed. Ithaca, Il: F.E. Peacock.

coeficiente de regressão *ver* ANÁLISE DE REGRESSÃO.

coeficiente de resposta Em um levantamento, o coeficiente de resposta é a percentagem dos indivíduos selecionados na AMOSTRA que realmente forneceram dados para análise. Se, por exemplo, é selecionada uma amostra nacional de 1.500 pessoas e 1.100 delas são efetivamente entrevistadas, o coeficiente de resposta é de 1.100/1.500 = 0,73 ou, expressado em percentagem, 73%.

O coeficiente de resposta é de importância crucial em pesquisa de levantamento porque, quanto mais baixa, maior o perigo de que a amostra seja visada de uma ou de outra maneira. No caso de pessoas que se recusam a ser entrevistadas, por exemplo, pode-se esperar que difiram em maneiras socialmente significativas das que não procedem da mesma maneira.

Embora não haja regras rígidas neste particular, os sociólogos em geral consideram os coeficientes de resposta de menos de 73% como suspeitos e os abaixo de 50% como virtualmente inúteis para pesquisa científica. Isso não significa que tais dados não tenham valor. Podem ser usados para gerar ideias e *insights*, entre outras coisas, ou para fins exemplificativos. Não podem, contudo, ser usados para gerar inferências científicas sobre a população da qual foi obtida a amostra.

Ver também ERRO; ESTATÍSTICA.

Leitura sugerida: Singleton, Royce A., Bruce C. Straits e Margaret Straits 1993: *Approaches to Social Research*, 2ªed. Oxford e Nova York: Oxford University Press.

coeficiente intrínseco de crescimento *ver* POPULAÇÃO ESTÁVEL.

coerção, poder de *ver* PODER.

coesão Coesão é o grau em que indivíduos que participam de um SISTEMA SOCIAL se identificam com ele e se sentem obrigados a apoiá-lo, especialmente no que diz respeito a NORMAS, VALORES, CRENÇAS e estrutura. O problema de compreender as origens da coesão tem sido importante na sociologia, sobretudo desde o trabalho do sociólogo francês Émile DURKHEIM no século XIX. Durkheim afirmava que o grau de coesão depende da maneira como os sistemas sociais são organizados. Neste sentido, discordava do UTILITARISMO, que considerava a coesão como resultado de decisões correntes de indivíduos racionais, de participar de sociedades porque é de seu interesse próprio assim proceder.

Durkheim identificou duas fontes básicas da coesão: a *solidariedade mecânica* e a *solidariedade orgânica*. A primeira é a coesão que tem por base a cultura e estilo de vida comuns, o consenso sobre valores, normas e crenças resultantes de socialização e experiência também comuns. Embora ela opere em certo grau em todos os sistemas sociais, associa-se mais estreitamente a sociedades tribais, onde é mínima a distinção entre indivíduos e sociedades.

Em contraste, a solidariedade orgânica baseia-se em uma DIVISÃO DO TRABALHO complexa, na qual pessoas dependem umas das outras porque a especialização lhes tornou difícil sobreviver independentemente. Na maioria das sociedades industriais, por exemplo, pessoas trabalham para ganhar dinheiro e adquirir no mercado as necessidades básicas da vida. Elas não sabem como plantar, construir casas, tecer pano ou costurar. Isto significa que a única maneira de atender a essas necessidade é através de uma rede complexa de interpendência que reúne pessoas que, em outros aspectos, podem ser muito diferentes e têm pouco em comum. Em certo sentido, a solidariedade orgânica resulta não de semelhanças, mas de diferenças.

Versões mais recentes do enfoque da coesão social de Durkheim, especialmente a que foi desenvolvida por Talcott PARSONS, baseiam-se na ideia de que as sociedades modernas, complexas, são mantidas coesas por um *consenso* geral sobre valores. Este acordo coletivo é cultivado por instituições socializantes, tais como a FAMÍLIA, escolas e a mídia. Embora essa situação seja verdadeira em certo grau em todas as sociedades complexas, ela precisa ser ressalvada de várias maneiras. Em primeiro lugar, um consenso aparente sobre valores pode ocultar grande variação entre subgrupos da população. Em segundo, na medida em que os grupos dominantes na sociedade podem controlar grandes instituições, como as escolas e os meios de divulgação de massa, podem também definir e promover valores universais que, na verdade, refletem seus próprios interesses e não os da sociedade como um todo. Nas sociedades capitalistas, por exemplo, a maior parte da riqueza é possuída por pequenas elites, o que significa que valores que colocam os direitos privados à propriedade acima de outras considerações (como condições de vida humanitárias, pleno emprego ou meio ambiente saudável) servem aos interesses da elite.

Neste sentido, o consenso não precisa significar que aquilo com que se concorda seja, de fato, nos melhores interesses da sociedade como um todo ou de todos ou mesmo da maioria de seus componentes. Em vez disso, o consenso pode refletir o poder de alguns grupos de moldar as coisas de acordo com interesses próprios. Essa ideia está mais ligada à PERSPECTIVA DE CONFLITO e à obra de Karl MARX e Max WEBER, que argumentaram que coesão e ordem são, até certo ponto, criadas e mantidas por coerção e dominação, sobretudo por meio de instituições como o Estado. Sociedades em que há minorias oprimidas, por exemplo, podem continuar a exibir coesão social não só por causa de um verdadeiro consenso de valores, mas porque talvez temam que, se ousarem exigir justiça social, poderão ser vítimas de ainda mais violência e perseguição.

Ver também CONTRATO SOCIAL; CONTROLE SOCIAL; CULTURA; GEMEINSCHAFT E GESELLSCHAFT; HEGEMONIA; ORDEM SOCIAL; PENSAMENTO ORIENTADO PELO GRUPO; PERSPECTIVA DE CONFLITO; PERSPECTIVA FUNCIONALISTA; PODER; UTILITARISMO.

Leitura sugerida: Durkheim, Émile 1893: *De la division du travail social.* Paris: Félix Alcan / (*1978*) *Da divisão do trabalho social.* São Paulo: Abril Cultural/ (*1984*): *The Division of Labor in Society.* Londres: Macmillan; Nova York: Free Press • Parsons, Talcott 1951: *The Social System.* Glencoe, IL: Free Press; Londres: Routledge & Kegan Paul • Tönnies, Ferdinand 1887: *Gemmeinschaft und Gesellschaft* / (*1955*): *Community and Association.* Londres: Routledge & Kegan Paul; East Lancing, MI: University Press.

colarinho-branco *ver* CRIME DE COLARINHO-BRANCO.

coletividade Uma coletividade consiste de pessoas que se consideram pertencentes a uma unidade social identificável, tal como um partido político. Ao contrário do GRUPO, porém, a coletividade carece de padrões regulares de interação entre seus membros. Os partidos políticos têm estruturas de liderança que implicam interação considerável e, por conseguinte, possuem qualidades de grupo. A vasta maioria dos seus membros, no entanto, a eles pertencem apenas no sentido de se registrarem como tais e votarem de acordo com pouca, se é que alguma, interação regular com outros membros do partido. Dessa maneira, embora diretórios de partido se qualifiquem como grupos, partidos como um todo podem ser descritos mais corretamente como coletividades.

As coletividades podem assumir inúmeras formas, incluindo identificações raciais, étnicas, nacionais, políticas, religiosas e comunitárias (nova-iorquinos, por exemplo, graduados pela Oxford, ou protestantes) e associações, em que pessoas ingressam por um grande número de razões, variando de um simples donativo em dinheiro à concordância em aceitar regras de conduta profissional.

Ver também AGREGADO; CATEGORIA SOCIAL; GRUPO.

Leitura sugerida: Merton, Robert K. 1968. *Social Theory and Social Structure*, ed. rev., Nova York: Free Press.

colonialismo e imperialismo Colonialismo é um sistema internacional de exploração econômica através do qual nações mais poderosas dominam outras mais fracas. No caso típico, o colonizador controla a colônia através de uma combinação de coerção militar, dominação das principais instituições internas, tal como o Estado, e, através delas, os mercados e a produção. O papel da colônia é fornecer matérias-primas para que a potência colonial possa fabricar barato seus produtos e, dessa maneira, lucrativamente. Esses bens são em seguida vendidos nos mercados mundiais, que incluem a colônia. A relação colonial é em geral exclusiva, o que significa que a colônia não pode vender suas matérias-primas a mais ninguém e é obrigada a comprar bens acabados apenas do colonizador. Essa relação assegura matérias-primas baratas e um mercado cativo à potência colonial, uma base lucrativa de exploração econômica.

O colonialismo desempenhou um papel importante na aceleração do desenvolvimento do capitalismo na Europa, ao criar riqueza para investimento e mercados para a produção de excedentes. Desse modo, pode ser visto como uma manifestação do fenômeno mais geral do *imperialismo*, a prática de uma nação dominar outra, costumeiramente através da força militar, mas cada vez mais pela dependência econômica. O que define o colonialismo é a ênfase no lucro econômico e não na dominação política em si e por si mesma, como aconteceu no caso dos antigos impérios de Roma, de Alexandre, o Grande, e da Babilônia. Embora o sistema colonial tenha desaparecido através do processo de *descolonização* e ex-colônias sejam agora autogovernadas, padrões de dominação econômica e política e de dependência persistem através do que alguns chamam de neocolonialismo ou neoimperialismo.

O termo *colonialismo interno* tem sido usado para chamar atenção para o fato de que relações de exploração podem existir não só entre sociedades, mas dentro delas. Isso acontece de várias maneiras. Regiões industriais, por exemplo, podem dominar e explorar regiões agrícolas no que diz respeito a alimentos e matérias-primas; grupos étnicos ou raciais dominantes podem explorar grupos subordinados. Usado pela primeira vez por marxistas como Vladimir Lenin e Antonio Gramsci, a fim de descrever como a exploração capitalista funciona em nível regional, o conceito de colonialismo interno tem sido usado em uma grande variedade de ambientes, como na América Latina, em particular entre populações urbanas com meios formativos principalmente europeus e as populações indígenas nativas; às relações raciais nos Estados Unidos e à desigualdade econômica e política no Canadá e na Europa. De modo geral, o conceito contesta a ideia de que a industrialização capitalista resulta em sociedades integradas, governadas pelo princípio da igualdade.

Ver também CAPITALISMO; SISTEMA-MUNDO; TEORIA DA DEPENDÊNCIA; TERCEIRO MUNDO.

Leitura sugerida: Barratt Brown, M. 1974: *The Economics of Imperialism.* Harmondsworth, Inglaterra: Penguin Books • Hechter, M. 1975: *Internal Colonialism.* Londres: Routledge • Hobson, John A. 1902 (*1968*): *Imperialism- a Study.* Londres: Allen and Unwin • Mommsen, W. 1980: *Theories of Imperialism.* Londres: Wiedenfeld and Nicolson.

colonialismo interno *ver* COLONIALISMO E IMPERIALISMO.

competição e cooperação Competição é a luta que ocorre quando pessoas tentam maximizar suas vantagens às expensas dos demais. A cooperação é esforço coordenado para atingir objetivos comuns. A competição tem importância sociológica por causa dos efeitos positivos e negativos que produz na vida social. Antigos pensadores sociológicos, como Herbert SPENCER, consideravam a competição um mecanismo necessário para promover o progresso social, opinião esta que concordava em grande parte com o sistema capitalista então emergente e com sua crença na competição como um motor que promove baixos preços e alta eficiência. Em seu enfoque da vida urbana, a ESCOLA DE CHICAGO de sociologia enfatizou o papel da competição nos padrões de crescimento urbano, à medida que vários grupos étnicos, raciais e de classe, entre outros, competem por espaço.

Max WEBER considerava a competição uma forma pacífica de conflito. Karl MARX percebia também sua relação com o conflito, mas a uma luz menos pacífica. Em sua crítica ao CAPITALISMO, Marx argumentou que a competição entre capitalistas, entre trabalhadores e entre capitalistas e trabalhadores era a principal causa da CONTRADIÇÃO e luta que geravam uma grande variedade de consequências negativas, em primeiro lugar a exploração da classe trabalhadora e a falta de consciência e unidade dessa classe por tal motivo.

Se a competição é ou não necessária e inevitável, e as condições nas quais indivíduos a preferem, e não a cooperação, constituem questões sociológicas importantes porquanto cobrem um largo espectro — desde a maneira como indivíduos interagem em situações íntimas até a estrutura da economia mundial e as relações entre nações.

Ver também JOGO DE SOMA ZERO.

Leitura sugerida: Baran, Paul, e Paul Sweezy 1974: *Monopoly Capitalism.* Nova York: Monthly Review Press/ (*1978*): *Capitalismo monopolista.* 3ªed., Rio de Janeiro: Zahar • Cowling, K. 1982: *Monopoly Capitalism.* Londres: Macmillan; Nova York: Halsted • Marx, Karl 1867 (*1974*): *O capital, crítica da economia política.* Rio de Janeiro: Civilização Brasileira / (*1976*): *Capital*, vol.1. Harmondsworth: Penguin • Weber, Max [1921] 1968: *Economy and Society.* Nova York: Bedminster Press.

complexo industrial-militar Termo cunhado pelo então presidente dos Estados Unidos, Dwight Eisenhower, em 1960, o complexo industrial-militar é uma rede de interesses mútuos e que se entrelaçam de entidades militares e industriais. Eisenhower utilizou o termo como um aviso: uma vez que a principal função das forças militares é preparar-se para travar a guerra, e desde que a fabricação de armamentos constitui atividade altamente lucrativa, era provável que esses dois poderosos sistemas (o militar e o econômico) trabalhassem em conjunto para promover a confiança no uso da tecnologia militar e da força armada para resolver problemas internacionais. Como tal, considerava-o uma ameaça ao desenvolvimento de estratégias alternativas, pacíficas, para solucionar conflitos e promover os interesses nacionais. Além disso, temia que a influência combinada de ambos produzisse uma drenagem crescente dos recursos nacionais, à medida que partes cada vez maiores da riqueza nacional fossem canalizadas para o desenvolvimento da capacidade de fazer a guerra e reforçar os sistemas de defesa.

Ver também ECONOMIA POLÍTICA.

Leitura sugerida: Sarkesian, Sam. C., org. 1972: *The Military-Industrial Complex.* Washington: Seven Locks Press.

comportamento coletivo O comportamento coletivo é um tipo geral de comportamento social que ocorre em massas e multidões. Uma *multidão* é qualquer conjunto temporário de pessoas que por acaso se encontram no mesmo local ao mesmo tempo, de modo que uma pode afetar a outra. Uma plateia de teatro é uma multidão, como também pessoas que se reúnem em uma esquina para observar um incêndio. A *massa* difere da multidão no sentido em que embora pessoas compartilhem do mesmo fato e a ele reajam, não estão na presença física recíproca. Quando se espalha a notícia de uma calamidade natural ou de um assassinato político, por exemplo, ou quando pessoas comemoram um feriado nacional, elas participam de um padrão comum de comportamento em relação a um mesmo evento, ainda que não estejam em contato recíproco. Elas são participantes em comportamento de massa.

O comportamento coletivo pode assumir grande variedade de formas, como distúrbios de rua, ação de turbas, pânicos, histeria de massa, "coqueluche" por alguma coisa, modas, boatos e opinião pública. Alguns sociólogos categorizam também os movimentos sociais como uma forma de comportamento coletivo, embora muitos deles apresentem níveis de organização que ultrapassam em muito o que é encontrado na maioria das multidões e massas, e podem ser melhor compreendidos como grupos ou organizações formais.

O estudo do comportamento coletivo tem sido uma área importante, na qual a sociologia substituiu em grande parte a psicologia como ponto de vista. No século XIX, Gustave Le Bon propôs uma *psicologia das multidões* como teoria do comportamento em grandes aglomerações de pessoas. Em particular, argumentou que indivíduos tendem a renunciar à sua individualidade, vontade e capacidade de juízo moral quando fazem parte de multidões e ceder aos poderes hipnóticos de líderes, que moldam como querem o comportamento da multidão. Sociólogos demonstraram desde então que uma vez que o comportamento das multidões é muito mais intencional, racional e socialmente organizado do que acreditava Le Bon, a conduta nesse caso pode ser compreendida nos mesmos termos que outras formas de interação social.

Ver também MOVIMENTO SOCIAL; OPINIÃO PÚBLICA.

Leitura sugerida: Le Bon, Gustave [1895] 1960: *The Crowd: A Study of the Popular Mind.* Nova York: Viking • Smelser, Neil J. 1962: *Theory of Collective Behavior.* Nova York: Free Press • Turner, Ralph H., e Lewis Killian 1957: *Collective Behavior.* Englewood Cliffs, NJ: Prentice-Hall.

comportamento eleitoral Do ponto de vista sociológico, o estudo do comportamento eleitoral concentra-se principalmente em explicar quem vota e como vota. As pesquisas pioneiras realizadas por Paul F. LAZARSFELD e outros na Universidade de Colúmbia concluíram que votar depende principalmente da posição que o indivíduo ocupa nos sistemas sociais — classe social, história de comportamento eleitoral da família, etnicidade, sexo, raça, religião e filiação a ASSOCIAÇÕES VOLUNTÁRIAS, tais como SINDICATOS, PARTIDOS políticos e organizações cívicas. A partir de fins da década de 1940, a Universidade de Michigan transformou-se na principal instituição a pesquisar o eleitor e adotou um modelo diferente que enfatizava características individuais como o senso de identificação da pessoa com determinados partidos políticos, a opinião sobre quais questões sociais eram as mais importantes e impressões sobre alguns candidatos. Dessa perspectiva, fatores como CLASSE SOCIAL são importantes principalmente por seus efeitos sobre partidos, questões cruciais e identificação com o candidato, que, por sua vez, são os fatores que realmente influenciam o comportamento eleitoral. Em anos recentes, alguns pesquisadores usaram a TEORIA DA ESCOLHA RACIONAL a fim de argumentar que votar é determinado menos pelas lealdades a grupo e posição de classe do que por cálculos racionais de autointeresse de parte de indivíduos.

Uma grande preocupação recente em estudos sobre comportamento eleitoral tem sido a dinâmica mutável que condiciona os partidos políticos. Até data bem recente neste século, por exemplo, eleitores da classe operária tendiam a apoiar partidos liberais como o Democrata, nos Estados Unidos, e o Trabalhista, na Grã-Bretanha, ao passo que os de classe média e alta costumavam apoiar partidos conservadores, como o Republicano nos Estados Unidos e o Conservador na Grã-Bretanha. Mais recentemente, contudo, ambos os países vêm presenciando um *desalinhamento com base na classe* no comportamento eleitoral, na medida em que eleitores de classe operária e média votam cada vez mais em programas partidários liberal/conservadores.

Ver também CIDADÃO E CIDADANIA; CULTURA POLÍTICA; PARTIDO POLÍTICO; POLÍTICA.

Leitura sugerida: Campbell, Angus, Philip E. Converse, Warren E. Miller e Donald E. Stokes 1960: *The American Voter*. Nova York: Wiley • Flanagan, Scott C., Kohei Shinsaku, Ichiro Miyake, Bradley M. Richardson e Joji Watanuki 1991: *The Japanese Voter.* New Haven: Yale University Press • Franklin, Mark, Tom Mackie e Henry Valen, orgs. 1991: *Electoral Change: Responses to Evolving Social and Attitudinal Structures in Seventeen Democracies*. Cambridge: Cambridge University Press.

comunicação de massa e mídia A comunicação de massa é a transmissão de informações por especialistas treinados a uma plateia grande e diversificada espalhada por um grande território. É realizada através dos meios de comunicação de massa (mídia), ou seja, meios técnicos e organizacionais complexos que incluem tipicamente televisão, rádio, cinema, jornais, livros e revistas.

O interesse sociológico na pesquisa da mídia concentra-se em várias questões a ela relacionadas. Quem controla a mídia e, com ela, as informações que transmite? A que interesses serve? De que maneira a comunicação de massa afeta pessoas — desde os produtos que compram às suas opiniões políticas e tendência para comportamento violento — e como esses efeitos variam segundo características como classe, idade, sexo e educação? De que modo o efeito cumulativo de muitos meios de divulgação de massa que transmitem mensagens semelhantes molda as populações e suas maneiras de interpretar a realidade social? De que forma as mensagens da mídia modelam as definições públicas de problemas sociais e preparam a agenda para a discussão e o debate públicos? De que modo a mídia se relaciona com a explosão na tecnologia dos computadores e em seu potencial de transmitir imensos volumes de informações através de redes, tal como a Internet? Qual a relação entre a mídia e outras grandes instituições sociais como o Estado, as grandes empresas, a educação e a religião organizada?

Ver também CONHECIMENTO; IDEOLOGIA; SOCIEDADE DE INFORMAÇÃO.

Leitura sugerida: Iyengar, Shanto, e Donald R. Kinder 1987: *News that Matters: Television and Public Opinion*. Chicago: University of Chicago Press • Lasswell, Harold D. 1947: "The structure and function of communication in society". In *The Communication of Ideas*, org. por L. Bryson. Nova York: Harper • Towler, Paul 1988: *Investigating the Media.* Londres: Unwin Hyman.

comunidade Comunidade é um termo com numerosos significados, tanto sociológicos como não sociológicos. A comunidade pode ser um grupo de indivíduos que têm algo em comum — como em "comunidade hispânica"—, sem necessariamente viver em um dado lugar. Pode ser um senso de ligação com outras pessoas, de integração e identificação, como em "espírito de comunidade" ou "senso de comunidade". E também um grupo de pessoas que realizam tipos de trabalhos relacionados entre si, como em "a comunidade da saúde" ou "a comunidade acadêmica". E, talvez em seu sentido mais comum e concreto, pode ser um conjunto de pessoas que compartilham de um território geográfico e de algum grau de interdependência que proporcionam a razão para viverem na mesma área. Há exceções a essa definição, como os bandos de caçadores-coletores que vagueiam de um lugar para outro em busca de alimento. De modo geral, contudo, comunidades geograficamente localizadas implicam viver, trabalhar e realizar as atividades básicas da vida dentro de um território definido pelos seus residentes como tendo uma identidade geográfica, refletida mais vivamente pela atribuição de nomes a regiões e ao traçado de fronteiras.

Para alguns sociólogos, como Ferdinand Tönnies, a ideia de comunidade inclui um sentimento muito forte de pertencimento e compromisso mútuo baseado em uma cultura homogênea, experiência em comum e acentuada interdependência. Tönnies comparou esse sentimento de comunidade com outros modelos de assentamento — sobretudo com a cidade grande que, em sua opinião, não se qualifica absolutamente como comunidade.

Sociólogos desenvolveram duas dimensões para distinguir entre tipos diferentes de comunidade: 1) rural/urbana, e 2) tradicional/moderna. A *comunidade rural* tem como principais características uma população pequena, dispersa, relativamente homogênea, que se ocupa principalmente da agricultura (embora haja exceções a essa regra, em especial em pequenas cidades e vilarejos a uma distância acessível às grandes cidades, nas sociedades industriais). A *comunidade urbana* possui uma população numerosa, densamente assentada e um tanto heterogênea. A designação de uma comunidade como urbana é, de certa maneira, arbitrária. O U.S. Census Bureau, por exemplo, traça essa linha em 2.500 habitantes, embora, para qualificar-se como "área urbanizada", uma cidade e território circunvizinho devam abrigar pelo menos 50.000.

A dimensão tradicional/moderna focaliza-se principalmente em diferenças culturais. As *comunidades tradicionais* são mais homogêneas e resistentes a novas ideias, menos tecnológicas e menos dependentes da mídia. Atribuem também valor mais baixo à alfabetização e escolaridade e valor mais alto à religião. Em contraste, as *comunidades modernas* são culturalmente heterogêneas, mais seculares do que religiosas e dependentes de tecnologia sofisticada e divisões do trabalho complexas, além de usarem mídia muito desenvolvida e possuírem instituições de educação formal.

Essas distinções são sociologicamente importantes devido a seus efeitos sobre a vida comunitária. Os efeitos da urbanização sobre as relações sociais, crime, tolerância, poluição ambiental, trabalho, política e vida familiar, por exemplo, têm sido há muito tempo motivo de interesse sociológico. De maneiras semelhantes, a modernização tem sido associada à FAMÍLIA, à promoção da democracia e ao desenvolvimento econômico.

Ver também ESCOLA DE CHICAGO; GEMEINSCHAFT E GESELLSCHAFT; URBANIZAÇÃO E URBANISMO; VISÃO DE MUNDO.

Leitura sugerida: Frankenburg, R. 1966. *Communities in Britain*. Harmondsworth, Inglaterra: Penguin • Tönnies, Ferdinand 1887: *Gemeinschaft und Gesellschaft* / (*1955*): *Community and Society*. Londres: Routledge & Kegan Paul; East Lancing, MI: University Press • Wirth, Louis 1938: "Urbanism as a way of life". *American Journal of Sociology* 44: 1-24.

comunidade linguística *ver* LINGUAGEM.

comunidade moderna *ver* COMUNIDADE.

comunidade rural *ver* COMUNIDADE.

comunidade tradicional *ver* COMUNIDADE.

comunidade urbana *ver* COMUNIDADE.

comunismo Da forma descrita por Karl MARX, o comunismo é um MODO DE PRODUÇÃO no qual os meios de produção e virtualmente todos os demais aspectos da vida social são controlados pelos que deles participam mais diretamente, isto é, pelos trabalhadores, membros da comunidade, e assim por diante. A vida das pessoas é organizada menos em torno de cobiça, competição e medo do que da satisfação de necessidades humanas autênticas, cooperação e compartilhamento. A base material da comunidade é a capacidade de produzir abundância de bens. A base social inclui ausência geral de propriedade econômica privada, divisões de classe social, desigualdades em riqueza e poder e instituições opressivas, como o Estado.

Marx imaginava o comunismo como o resultado inevitável do socialismo, o qual acreditava que seria consequência de transformações revolucionárias das sociedades capitalistas industriais. Após a derrubada do capitalismo, o Estado governaria em benefício dos trabalhadores e asseguraria que não haveria uma contrarrevolução capitalista. Com a passagem do tempo, contudo, o Estado perderia sua razão de ser, uma vez que o controle dos ritmos da vida social seriam cada vez mais concentrados no nível local, entre os mais diretamente envolvidos. O Estado, acreditava Marx, simplesmente "murcharia".

Uma vez que não houve revoluções socialistas em sociedades capitalistas industriais avançadas, tampouco houve sociedades comunistas segundo o modelo marxista, embora muitas sociedades socialistas tenham sido erroneamente rotuladas como tal (sobretudo porque, embora na prática fossem socialistas, sua ideologia era comunista). O mais perto que a experiência humana chegou do comunismo foi entre as sociedades tribais, em especial entre as que se entregavam principalmente à coleta de alimentos como meio de subsistência. Resta a ser visto se o comunismo pode ser implantado em sociedades industriais avançadas.

Ver também CAÇADORES-COLETORES, SOCIEDADE DE; CAPITALISMO; CLASSE SOCIAL; SOCIALISMO ESTATAL.

Leitura sugerida: Marx, Karl 1844 (*1985*): *Manuscritos econômico-filosóficos e outros textos escolhidos*. São Paulo: Abril Cultural / (*1967*): *Economic and Philosophical (Paris) Manuscripts*. Moscou: Progress • Marx, Karl, e Friedrich Engels 1848 (*1981*): *Manifesto do partido comunista*. São Paulo: Global / (*1967*): *The Communist Manifesto*. Harmondsworth: Penguin.

condição *ver* STATUS.

confiabilidade Confiabilidade é o grau em que um instrumento de MEDIDA fornece os mesmos resultados a cada vez que é usado, supondo-se que aquilo que se mede não muda. Se a temperatura em um cômodo permanece a mesma, por exemplo, um termômetro confiável dará sempre a mesma leitura. Mas se as leituras mudam, e não acontecendo com a temperatura, então o termômetro carece de confiabilidade.

Note-se que o termômetro não tem de ser preciso a fim de ser confiável: ele pode sempre registrar 3 graus a mais, por exemplo. Seu grau de confiabilidade, em vez disso, tem a ver com a previsibilidade de sua relação com o que quer que esteja sendo medido.

Podemos submeter a teste a confiabilidade verificando se vários observadores de uma mesma situação dela darão versões semelhantes. Podemos pedir a pessoas que observem a interação de um grupo, por exemplo, e informem depois que volume de conflito ocorreu. Neste caso, o instrumento de medida consiste simplesmente de pessoas que observam, escutam e em seguida comunicam o que observaram. Como resultado, contudo, poderemos descobrir que as versões diferem muito, dependendo de como pessoas prestam atenção a uma interação.

A fim de aumentar a confiabilidade, poderíamos — como fizeram Bales e seus colegas ao estudar processos envolvendo grupos — formular um conjunto de categorias de comportamento, incluindo conflito, e pedir aos observadores que classifiquem em uma categoria, por escrito, cada tipo de comportamento que notaram. Poderíamos, ainda, proporcionar treinamento a nossos observadores para que soubessem quando deveriam considerar um tipo de comportamento como conflito e quando considerá-lo como outra coisa. Como resultado, poderíamos esperar que eles concordassem mais sobre o que viram do que antes, o que significaria que nosso instrumento para medir conflito em interações de grupo teria maior confiabilidade.

Ver também ERRO; MEDIDA; VALIDADE.

Leitura sugerida: Bales, Robert R. 1950: *Interaction Process Analysis: a Method for the Study of Small Groups.* Cambridge, MA: Addison-Wesley • Singleton, Royce A., Bruce C. Straits e Margaret M. Straits 1993: *Approaches to Social Research,* 2ªed. Oxford e Nova York: Oxford University Press.

conflito de classe e luta de classe Segundo Karl MARX, o conflito e a luta de classe são dissensões inevitáveis que ocorrem devido à organização econômica da maioria das sociedades, como entre os camponeses e a nobreza sob o FEUDALISMO, por exemplo, ou entre trabalhadores e empregadores sob o CAPITALISMO. Em suas teorias de história, Marx argumentou que essas lutas eram o motor que impulsionava e moldava a MUDANÇA SOCIAL. Foi, por exemplo, a luta entre a aristocracia possuidora de terras e os empreendedores capitalistas emergentes que resultou no declínio do feudalismo e na ascensão do capitalismo.

Do ponto de vista marxista, o conflito e a luta de classe são inevitáveis nas sociedades capitalistas porque os interesses de trabalhadores e dos capitalistas divergem fundamentalmente: os capitalistas acumulam riqueza mediante exploração dos trabalhadores que a produzem; os trabalhadores mantêm ou promovem seu próprio bem-estar apenas resistindo à exploração capitalista. Os resultados do conflito de classe se refletem em virtualmente todos os aspectos da vida social — do trabalho para promover a sindicalização e as greves a campanhas políticas, políticas de imigração e conteúdo da arte, literatura e CULTURA POPULAR.

Ver também CAPITALISMO; CLASSE SOCIAL; MATERIALISMO; PERSPECTIVA DE CONFLITO.

Leitura sugerida: Braverman, Harry 1974: *Labor and Monopoly Capital.* Nova York: Monthly Review Press / (*1981*): *Trabalho e capital monopolista: a degradação do trabalho no século XX*, 3ªed., Rio de Janeiro: Zahar/Guanabara • Friedman, A.L. 1977: Industry and Labor. Londres: Macmillan • Marx, Karl, e Friedrich Engels 1848 (1981): *Manifesto do partido comunista.* São Paulo: Global / (*1967*): *The Communist Manifesto.* Harmondsworth: Penguin.

conflito de papéis *ver* PAPÉIS, CONFLITO DE.

conformidade A conformidade é a prática de obedecer a uma norma. Tal como o DESVIO, a conformidade é um fenômeno social que precisa ser compreendido em termos das condições que o ocasionam e as consequências sociais que produz. A maioria dos indivíduos, por exemplo, acha extremamente difícil resistir às pressões para a conformidade em grupos pequenos e, quando levada a extremos, ela pode gerar efeitos desastrosos para os sistemas sociais.

Ver também DESVIO.

Leitura sugerida: Asch, Solomon E. 1952: *Social Psychology.* Nova York: Prentice-Hall • Roethlisberger, F.J., e W. Dickson 1939 (*1961*): *Management and the Workers: an Account of a Research Program Conducted by the Western Eletric Company, Hawthorne Works.* Chicago, Cambridge, MA: Harvard University Press • Scheff, Thomas J. 1988: "Shame and conformity: The deference-emotion system". *American Sociological Review* 53(3): 395-406.

conglomerado O conglomerado é uma empresa que controla certo número de outras que, entre si, produzem uma grande variedade de bens e serviços. Um conglomerado, por exemplo, pode possuir uma companhia de alimentos congelados, uma fábrica de malas, uma empresa que produz armas, uma agência de publicidade, e assim por diante. Os conglomerados são sociologicamente importantes porque sua posição complexa e diversificada torna-os muito mais poderosos, estáveis e competitivos do que outros tipos de empresas. À medida que empresas bem-sucedidas usam seus lucros para adquirir ou se fundir com outras, os mercados tornam-se cada vez mais dominados por conglomerados e a distribuição da riqueza e do poder econômico torna-se mais desigual. Esse fato assume importância especial quando os conglomerados são de âmbito internacional. Em alguns casos, seus recursos econômicos excedem o produto nacional bruto da maioria das nações.

Ver também EMPRESA TRANSNACIONAL E MULTINACIONAL.

conhecimento Conhecimento é aquilo que consideramos como real e verdadeiro. Pode ser tão simples e banal como dar o laço nos sapatos ou tão abstrato e complexo como a física de partículas. O conhecimento é importante para a sociologia porque é socialmente criado e também porque dele dependemos para nosso senso de realidade.

Na vida diária, levamos conosco o conhecimento de como o mundo social funciona, o que o sociólogo Alfred SCHUTZ chamou de *conhecimento tácito* (também conhecido como *conhecimento comum*). Sabemos o que dizer quando atendemos ao telefone, por exemplo, como responder que horas são, como nos comportar em restaurantes, como nos vestir de maneiras apropriadas às várias ocasiões, ou como desviar a atenção de uma pessoa que está profundamente constrangida. A vida social baseia-se em um sentido comum do que é real e isso, por sua vez, fundamenta-se em conhecimento, em especial no conhecimento contido na cultura. Sem a existência de conhecimento não saberíamos como participar das incontáveis situações que constituem a vida social. Mas é igualmente verdade que, sem esse conhecimento, a própria vida social tampouco existiria. Não haveria, por exemplo, "conversa" sem o conhecimento comum do que é uma conversa e como as pessoas devem se comportar para que ela aconteça.

O interesse sociológico mais antigo pelo conhecimento diz respeito, em primeiro lugar, à questão de sua origem. De modo geral, sociólogos consideram todas as formas de conhecimento como socialmente produzidas e moldadas pela cultura e estrutura dos sistemas sociais. Karl MARX argumentava que as classes econômicas dominantes moldavam o conhecimento de maneiras que promoviam seus interesses sobre os das classes subordinadas. Da perspectiva marxista, por exemplo, a ideia de que a riqueza resulta de trabalho árduo, e não de herança, sorte ou várias formas de manipulação de mercado, serve aos interesses das classes dominantes nas sociedades capitalistas. E isso é feito ocultando a verdadeira causa da riqueza e mantendo as classes baixas trabalhando de forma exaustiva (o que raramente as tornará ricas) e sem dar atenção crítica à realidade do sistema de classes e à maneira como funciona.

Seguindo as pegadas de Marx, Karl MANNHEIM afirmou que a base social do conhecimento é muito mais ampla do que as forças econômicas, que formam o núcleo do enfoque de Marx. Em tempos mais recentes, várias maneiras de estudar o conhecimento foram desenvolvidas, incluindo o PÓS-MODERNISMO.

Ver também BASE E SUPERESTRUTURA; COMUNICAÇÃO DE MASSA E MÍDIA; CONSCIÊNCIA E FALSA CONSCIÊNCIA DE CLASSE; CRENÇA; CULTURA; ETNOMETODOLOGIA; HEGEMONIA; HERMENÊUTICA; IDEOLOGIA; POSITIVISMO; TESE DA IDEOLOGIA DOMINANTE; VISÃO DE MUNDO.

Leitura sugerida: Mannheim, Karl 1929 (*1936, 1960*): *Ideology and Utopia: an Introduction to the Sociology of Knowledge.* Londres: Routledge/ (*1982*): *Ideologia e utopia.* Rio de Janeiro: Zahar o 1952: *Essays on the Sociology of Knowledge.* Londres: Routledge & Kegan Paul • Schutz, Alfred 1932 (*1979*): *Fenomenologia e relações sociais.* Rio de Janeiro: Zahar / (*1972*): *The Phenomenology of the Social World.* Londres: Heinemann.

conhecimento comum *ver* CONHECIMENTO.

conhecimento tácito *ver* CONHECIMENTO.

conjunto de papéis *ver* PARCEIRO DE PAPEL.

conquista de status e novo estruturalismo A conquista de status e o novo estruturalismo constituem os dois principais métodos sociológicos para compreender a desigualdade social, na medida em que ela ocorre em ocupações e renda auferida. A conquista do status baseia-se na ideia de que a desigualdade resulta principalmente de diferenças em características tais como educação, ocupação e educação dos pais, realizações acadêmicas, capacidade mental, valores e motivação. Desse ponto de vista, as desigualdades por motivo de raça, sexo, étnicas e de classe resultam sobretudo de diferenças na capacidade individual de competir com sucesso por status ou renda mais altos.

Em nítido contraste com o modelo individualista de conquista de status, o novo estruturalismo focaliza-se em saber como as características dos sistemas e organizações econômicos influenciam a distribuição de oportunidades às várias categorias de pessoas, limitando a conquista a alguns ao mesmo tempo que promove a de outros. Esse método inclui características dos MERCADOS DE TRABALHO, especialmente da ECONOMIA DUAL, e dos mercados de trabalho segmentados; mudanças na estrutura das ocupações, à medida que certos empregos tornam-se obsoletos ou são transferidos para locais diferentes; e *mercados de trabalho internos,* que estruturam as oportunidades de obtenção de emprego e promoção dentro das empresas. Dessa perspectiva, um fator como desigualdade por motivo de sexo resulta em parte da localização das mulheres em certos segmentos do mercado de trabalho (mais em serviços do que em manufatura) e, dentro das empresas, em empregos relativamente mal remunerados (secretariais e burocráticos), em comparação com homens dotados de qualificações semelhantes.

Ver também DESEMPREGO E SUBEMPREGO; MOBILIDADE SOCIAL; QUALIFICAÇÃO EQUIVALENTE.

Leitura sugerida: Baron, James N., e William T. Bielby 1980: "Bringing the firms back in: Stratification, segmentations, and the organization of work". *American Sociological Review* 45: 737-65 • Blau, Peter M., e Otis Dudley Duncan 1967: *The American Occupational Structure*. Nova York: Wiley • Sewell, Williams, e Robert Hauser 1975: *Education, Occupation, and Earnings: Achievement in the Early Career*. Nova York: Academy Press.

consciência coletiva De acordo com Émile DURKHEIM, a consciência coletiva é um arcabouço cultural de ideias morais e normativas, a crença em que o mundo social existe até certo ponto à parte e externo à vida psicológica do indivíduo. Como indivíduos, sentimos as limitações e restrições impostas pelo mundo social e somos afetados por elas quando fazemos opções sobre como nos mostrar e nos comportar em relação aos outros. Quando alguém comete um ato imoral, por exemplo, é a consciência coletiva que é violada. Dizer que alguma coisa é imoral diz muito mais do que aquilo que é pessoalmente ofensivo ou abominável para a pessoa que assim se manifesta. Em vez disso, declarações desse tipo apelam para uma autoridade maior, que está contida na ordem moral associada a sistemas sociais como um todo. Neste sentido, a consciência coletiva é inteiramente diferente da consciência individual. Não é uma "mente grupal", mas sim um arcabouço comum que indivíduos experimentam como externo, limitador e significativo.

Ver também COESÃO; FATO SOCIAL.

Leitura sugerida: Durkheim, Émile 1893: *De la division du travail social*. Paris: Félix Alcan / (*1978*): *Da divisão do trabalho social*. São Paulo: Abril Cultural / (*1984*): *The Division of Labor in Society*. Londres: Macmillan; Nova York: Free Press o 1924 (*1974*): *Sociology and Philosophy*. Nova York: Free Press.

consciência e falsa consciência de classe Karl MARX definiu consciência de classe como uma condição social na qual membros de uma CLASSE SOCIAL — a classe operária em especial — estão agudamente conscientes de si mesmos como classe. A falsa consciência é a ausência dessa condição, resultando em maneiras distorcidas de ver a realidade da classe e suas consequências. Mais recentemente, Michael MANN ampliou o conceito de Marx para incluir não só a consciência de filiação à classe, mas também a relação de conflito entre capitalistas e trabalhadores, a larga faixa de maneiras como os sistemas de classe afetam a vida das pessoas e as alternativas à opressão de classe.

Marx definiu classes em termos da posição de indivíduos em relação ao processo de produção econômica. A classe capitalista possui ou controla os meios de produção (fábricas, máquinas, ferramentas, e assim por diante); os trabalhadores os usam para produzir riqueza, em troca da qual recebem salários, pagos pelos empregadores. O lucro capitalista depende do pagamento de salários que representam menos do que o valor daquilo que os trabalhadores produzem. Daí, a estrutura das relações de classe é inerentemente espoliativa e antagônica, uma vez que uma classe só pode beneficiar-se à custa da outra.

A classe, então, pode ser descrita de uma perspectiva marxista em termos objetivos. Marx, contudo, via essas classes não só como conjuntos de indivíduos com características semelhantes, mas como participantes de uma luta acirrada e contínua que gerava MUDANÇA SOCIAL. A fim de participar do processo da história, as classes têm de estar cientes ou conscientes de si mesmas como classes, têm de se tornar classes não só "em si mesmas" mas também "para si mesmas", ao compreender as verdadeiras causas e extensão da opressão que sofrem como trabalhadores. Marx acreditava que a natureza exploradora do capitalismo, em conjunto com o sofrimento coletivo crescente da classe trabalhadora, formaria a consciência de classe, e daí a mudança revolucionária, inevitável.

Historicamente, a consciência de classe tem sido a exceção, e não a regra, pois poderosas forças sociais trabalham contra ela. As classes dominantes tendem a controlar as grandes instituições sociais, incluindo o Estado e sua autoridade coercitiva. Exercem também grande influência sobre os valores, crenças e normas culturais. Dessa maneira, embora a concentração de grande riqueza dependa muito mais de herança do que de trabalho árduo, a ética predominante, ainda assim, enfatiza a importância do trabalho árduo para progredir na vida. Desse modo, a distribuição desigual da riqueza é preservada e as classes baixas são deixadas para culpar sobretudo a si mesmas pela privação em que vivem, presumivelmente sobre o fundamento de que carecem de talento e motivação suficientes para ter sucesso.

Em um nível mais geral, a consciência da verdadeira natureza da vida social só resulta em geral de muito esforço e treinamento. A maioria dos sistemas sociais — de casamentos e famílias à economia mundial — não inclui em sua cultura uma percepção crítica sustentada de si mesmos como tais. Em sistemas de classe, contudo, a classe dominante tem interesse inerente na falsa consciência das classes subordinadas e pode usar sua autoridade e recursos para promovê-la e mantê-la.

Ver também CAPITALISMO; CLASSE SOCIAL; CONTROLE SOCIAL; IDEOLOGIA; IMAGEM DE CLASSE; INTERESSE DE CLASSE; MODO DE PRODUÇÃO.

Leitura sugerida: Mann, M. 1973: *Consciousness and Action among the Western Working Class*. Londres: Macmillan • Marx, Karl 1852 (*1986*): *O 18 Brumário*. Rio de Janeiro: Paz e Terra / (*1973*): "The eighteenth brumaire of Louis Bonaparte". In *Surveys from Exile*. Harmondsworth: Penguin.

consenso *ver* COESÃO.

consequência disfuncional *ver* PERSPECTIVA FUNCIONALISTA.

consequência funcional *ver* PERSPECTIVA FUNCIONALISTA.

consequência latente *ver* PERSPECTIVA FUNCIONALISTA.

consequência manifesta *ver* PERSPECTIVA FUNCIONALISTA.

consequência não antecipada *ver* PERSPECTIVA FUNCIONALISTA.

conservadorismo e liberalismo É difícil precisar a distinção entre conservadorismo e liberalismo, em parte porque o significado de ambas as palavras mudou ao longo da história. De modo geral, contudo, há algumas ideias básicas que as separam como pontos de referência para extrair sentido da vida social e, em particular, modelar o trabalho para mudá-la ou manter o *status quo*.

Como ideologia política, o conservadorismo surgiu principalmente como reação à Revolução Francesa. Em *Reflections on the Revolution in France* (1855), Edmund Burke argumentou que o *status quo* era sempre preferível a uma alternativa que existia principalmente apenas como teoria, o que, na época em que escrevia, era verdade quanto à democracia como forma de governo. A mudança, se é que devia ocorrer, melhor seria que acontecesse devagar e como ampliação lógica da ordem natural das coisas, e não como uma mudança revolucionária de direção.

O conservadorismo baseia-se em uma opinião um tanto pessimista da natureza humana, vista como basicamente má, irracional e violenta, se deixada a seus próprios meios. A única maneira de controlar esse potencial destrutivo consiste em impor rígidos códigos morais através de fortes tradições, instituições sociais e uma sociedade hierárquica governada por elites, cujo poder repousa em sua superioridade inerente e na propriedade privada, herdada através de gerações. Isso implica que a desigualdade social é inevitável e, na verdade, necessária para manter a sociedade.

O liberalismo tem suas origens no Iluminismo europeu e no conflito entre os empreendedores capitalistas do mercado livre e a aristocracia feudal fortemente enraizada. Baseia-se em um compromisso com a liberdade do indivíduo. Da maneira como o CAPITALISMO se desenvolveu nos séculos XIX e XX, contudo, os liberais acharam que ele estava se transformando em uma nova e opressiva ameaça à liberdade e ao bem-estar individual. Sob o FEUDALISMO, a ELITE havia sido a aristocracia, que se opusera ao capitalismo do livre mercado. Sob o capitalismo avançado, porém, a classe capitalista tornou-se a elite. A solução do liberalismo para essa situação tem sido a confiança cada vez maior no governo para defender os direitos individuais contra os excessos da expansão e exploração capitalista, como, por exemplo, protegendo os trabalhadores e os consumidores ou defendendo empresas-chave de algumas das consequências mais nocivas da competição sem limites. Ao fazer isso, o liberalismo perpetua o capitalismo ao defendê-lo contra seus próprios excessos.

Há uma grande incoerência no uso dos rótulos conservador e liberal, especialmente quando se referem apenas a atitudes sobre mudança. Durante a Guerra Fria, por exemplo, os americanos frequentemente associaram os liberais ao comunismo e os conservadores ao anticomunismo. Durante as revoluções anticomunistas na União Soviética e na Europa Oriental em fins da década de 1980 e na década de 1990, os inveterados defensores do status quo comunista foram com frequência chamados de conservadores e, os pró-capitalistas, considerados liberais.

Leitura sugerida: Laski, Harold J. 1936 (*1962*): *The Rise of European Liberalism*. Nova York: Barnes and Noble • Nisbet, Robert 1986: *Conservatism: Dream and Reality*. Mineápolis: University of Minnesota Press.

constante *ver* VARIÁVEL.

constante de regressão *ver* ANÁLISE DE REGRESSÃO.

construção social da realidade *ver* FENOMENOLOGIA E SOCIOLOGIA FENOMENOLÓGICA.

consumo coletivo Consumo coletivo é um conceito que se refere aos numerosos bens e serviços que, nas cidades, tendem a ser produzidos e consumidos em nível coletivo. Incluem escolas públicas e bibliotecas, ruas, pontes e transporte público, serviços de saúde, coleta do lixo, habitação financiada pelo Estado, bem-estar, proteção policial e contra incêndios, e parques e equipamentos de recreação. Manuel Castells utiliza esse termo em seu trabalho sobre comunidades urbanas, em especial na medida em que elas se desenvolvem e funcionam em relação ao CAPITALISMO industrial. De muitas maneiras, empresas capitalistas dependem desses bens e serviços — assim como de uma força de trabalho educada e de meios de transporte — para que possam funcionar. Não obstante, relutam em pagar por eles porque não geram lucros. Como resultado, cidade, Estado e governos nacionais constituem os maiores fornecedores desse serviços, mas lutam com uma crônica falta de recursos. Esse fato, argumenta Castells, ocasiona crises repetidas, MOVIMENTOS SOCIAIS e outras formas de luta política em torno do fornecimento de serviços e controle sobre as instituições do Estado por eles responsáveis.

Leitura sugerida: Castells, Manuel 1977: *The Urban Question: A Marxist Approach*. Trad. por A. Sheridan. Cambridge: MIT Press • Saunders, Peter 1981: *Social Theory and the Urban Question*. Londres: Hutchinson.

consumo conspícuo Em *A teoria da classe ociosa*, Thorstein VEBLEN define consumo conspícuo como a prática de comprar e ostentar posses materiais com vistas a indicar ou realçar o próprio prestígio aos olhos dos demais. O consumo conspícuo ocorre em forma ostensiva ou sutil. Em um extremo temos a exibição exagerada, através da qual os muito ricos (que Veblen chamou de *classe ociosa*) indicam sua posição superior demonstrando que possuem tanto que podem dar-se ao luxo de desperdiçar em enorme escala (algo semelhante à prática do POTLATCH entre os índios da América do Norte). A grande riqueza de industriais americanos como os Rockefeller e os Vanderbilt no início deste século, por exemplo, era com frequência demonstrada em festas faraônicas, nas quais enormes quantidades de alimentos eram servidas em pratos de ouro puro por um exército de empregados — todas as quais serviam à função primária de demonstrar como eles eram altamente colocados.

Em escala mais comum, indivíduos de vários meios formativos de classe usam o consumo conspícuo para chamar atenção para si mesmos e realçar sua posição. Desde etiquetas de costureiros famosos nas roupas a possuir uma determinada marca de carro (ou qualquer carro, por falar nisso) — de "ser visto" em determinados restaurantes a morar em bairros caros ou exclusivos; de fazer refeições à luz de velas a tocar música clássica para os convidados; e fazer longas e caras viagens de férias — o consumo encerra muitas vezes consequências que nada têm a ver com os usos para o qual um determinado artigo foi produzido ou um serviço prestado. Em suma, em todos os casos em que sociedades incluem sistemas de escalas de prestígio, os bens e serviços que pessoas consomem desempenham um dado papel.

O consumo conspícuo é importante para o pensamento sociológico porque chama atenção para o problema de como identificar as consequências sutis, frequentemente inesperadas, de vários aspectos da vida social. Muito do que consideramos como comportamento, gosto e preferência pessoais tem consequências sociais, cujo significado e alcance se situam muitas vezes além da consciência que temos deles.

Ver também CLASSE SOCIAL; PRESTÍGIO.

Leitura sugerida: Veblen, Thorstein 1899 (*1953*): *The Theory of the Leisure Class: an Economic Study of Institutions*. Ed. rev., Nova York: New American Library.

contato cultural Contato cultural é o que ocorre quando duas ou mais culturas entram em contato uma com a outra através de imagens na mídia, comércio exterior, imigração ou conquista, de modo que podem influenciar-se de várias maneiras. Com o processo de *assimilação* (conhecido também como *aculturação*), um grupo dominante pode impor com tanta eficiência sua cultura a grupos subordinados que estes se tornam virtualmente indistinguíveis da cultura dominante. Uma forma menor de assimilação ocorre quando recém-chegados a uma sociedade conformam-se externamente aos valores e normas vigentes como maneira de se adaptar à nova situação. É mais fácil para imigrantes ter sucesso em seu país de adoção caso se conformem e aceitem a nova língua, usem a nova moeda e obedeçam às normas. Não renunciando inteiramente à cultura de origem, esses grupos formam a base do *pluralismo cultural*, através do qual culturas diferentes coexistem e mantêm certo grau de identidade separada. Além disso, a assimilação raramente é uma rua de mão única e a cultura de grupos dominantes também é afetada. Negros na Europa e nos Estados Unidos, por exemplo, perderam muitas de suas tradições culturais africanas, mas também é verdade que a sociedade branca adotou rapidamente muitos vestígios da cultura africana e seus derivados, do jazz e maneira de se vestir à gíria e aos estilos de linguagem.

O *amálgama* ocorre quando duas ou mais culturas se fundem em uma única nova cultura que contém elementos de ambas, bem como alguns elementos inteiramente novos que representam a síntese das duas. O México, por exemplo, é um amálgama de culturas espanhola e americana nativa.

Ver também MULTICULTURALISMO; SEGREGAÇÃO E INTEGRAÇÃO.

Leitura sugerida: Blauner, Robert 1972: "Racism as the negation of culture". In *Racial Oppression in America*. Nova York: Harper and Row • Castles, Stephen, em colaboração com Heather Booth e Tina Wallace 1984: *Here for Good: Western Europe's New Ethnic Minorities*. Londres: Pluto Press • Park, Robert E. 1950: *Collected Papers of Robert Ezra Park*. Nova York: Free Press.

contexto indicativo (*indexicality*) No estudo da interação social e do processo contínuo de interpretar o que pessoas dizem e fazem, o contexto indicativo é um conceito que se refere ao fato de que o significado da linguagem e da ação depende da situação social em que ocorrem. Em outras palavras, podemos concluir que o significado indica o contexto. O significado de "Fogo", por exemplo, é inteiramente diferente quando a palavra é berrada por alguém que foge de uma casa do que quando é uma ordem dada pelo comandante de uma bateria de artilharia. De forma análoga, bater palmas significa uma coisa na plateia de um teatro e outra inteiramente diferente quando feita por um professor que procura chamar a atenção de uma classe de estudantes barulhentos. O contexto indicativo é um conceito muito importante em ETNOMETODOLOGIA.

contracultura Uma contracultura (ou *cultura alternativa*) é uma subcultura que rejeita e combate elementos importantes da cultura dominante da qual faz parte. Durante a década de 1960, por exemplo, movimentos contraculturais nos Estados Unidos criticavam em altos brados os valores da corrente principal da vida americana, como o materialismo, o apoio à Guerra do Vietnã, o respeito à autoridade e as opções do estilo de vida conservador refletidas no vestuário, corte de cabelo e rejeição de drogas como a maconha e o LSD. As contraculturas podem assumir grande variedade de formas, de CULTOS religiosos a comunas e movimentos políticos como o Partido Verde na Europa Ocidental.

Ver também MOVIMENTO SOCIAL.

Leitura sugerida: Roszak, Theodore 1969: *The Making of a Counter-Culture*. Nova York: Anchor.

contradição No pensamento sociológico (em especial na tradição de Karl MARX), a contradição é qualquer caso em que dois ou mais aspectos de um sistema social são incompatíveis ou colidem entre si. Uma sociedade cuja cultura valoriza a igualdade, a equanimidade e a justiça, por exemplo, existe em estado de contradição se inclui também preconceito e opressão por motivo de raça e sexo. Esse fato produz tensão social e pressões por mudança. Em seu estudo clássico da década de 1940 das relações sociais nos Estados Unidos, o sociólogo sueco Gunnar Myrdal previu corretamente que a contradição entre ideais igualitários e a realidade do racismo constituía um "dilema americano" que, inevitavelmente, resultaria em mudança, como começou a acontecer várias décadas depois com a emergência dos movimentos dos direitos civis.

Marx afirmava que as contradições mais importantes envolviam fatores econômicos. A transição do FEUDALISMO para o CAPITALISMO, por exemplo, resultou de tensões entre duas forças contraditórias. Por um lado havia a ordem feudal baseada na produção camponesa, apego à terra e laços de lealdade, obrigações e dominação entre nobreza e servos. Por outro, despontava um sistema de cidades e mercados nos quais homens produziam com a finalidade de comprar e vender. Uma vez que o capitalismo prosperaria com o rompimento dos laços de obrigações feudais, a contradição resultante gerou tensões profundas que por fim levaram à queda do feudalismo e da aristocracia.

O capitalismo também gera contradições que ocupam um lugar central na análise marxista. Uma das mais importantes é a existente entre os interesses conflitantes dos capitalistas (que ganham às expensas dos trabalhadores) e dos trabalhadores (que ganham às expensas dos capitalistas).

Ver também MATERIALISMO.

Leitura sugerida: Godelier, Maurice 1966: "Système, structure et contradiction dans *Le Capital*". In *Les Temps Modernes*, novembro / (*1972*): "System, structure, and contradiction in capital". In *Rationality and Irrationality in Economics*. Londres: New Left; Nova York: Monthly Review Press • Lukács, George 1923 (*1974*): *História e consciência de classe*. São Paulo: Martins Fontes / (*1971*): *History and Class Consciousness*. Londres: Merlin; Cambridge: MIT Press • Myrdal, Gunnar 1945: *An American Dilemma*. Nova York: Harper & Brothers.

contrafatual Uma declaração contrafatual baseia-se na ocorrência de alguma coisa que, na verdade, não aconteceu. "Se eu estivesse encarregado de dirigir o mundo, as coisas seriam muito melhores do que são agora" é uma declaração contrafatual, uma vez que, evidentemente, eu não estou encarregado das coisas do mundo. Declarações contrafatuais são importantes quando pensamos nas causas de fenômenos sociais, porque quando argumentamos que A causou B, supomos frequentemente o contrafatual, que se A não tivesse acontecido, B tampouco teria ocorrido, o que talvez não seja absolutamente o caso. Qualquer argumento, por exemplo, sobre os efeitos da Revolução Russa sobre o curso da história russa e mundial teria também que levar em conta declarações contrafatuais sobre o que teria acontecido se não tivesse havido uma revolução, um caso hipotético para o qual é evidentemente difícil formular um argumento convincente.

Ver também FALSIFICACIONISMO.

contrato *ver* CONTRATO SOCIAL.

contrato social Contrato social é uma ideia que tem sido usada um tanto metaforicamente para descrever a relação entre CIDADÃOS e ESTADO. Thomas Hobbes, filósofo do século XVII, considerava o Estado uma instituição necessária para evitar que pessoas fizessem mal umas às outras. Era uma proteção, contudo, que requeria que pessoas renunciassem a parte de sua liberdade e autonomia em favor do Estado. Esse fato gerou a ideia de contrato, de proteção em troca de submissão à autoridade, com o entendimento de que ambas as partes — o Estado e o corpo de cidadãos — deveriam ficar à altura de sua parte na barganha, sem abuso dos termos do acordo. Pessoas, claro, não entram conscientemente em um contrato de tal tipo e essa não foi a maneira como o Estado veio de fato surgir. Daí a natureza metafórica do conceito.

A ideia de contrato social desempenhou um papel importante na discussão dos direitos dos cidadãos em relação ao Estado, bem como da base da legitimidade do Estado como instituição, em especial da forma proposta por Jean Jacques Rousseau. Outros autores, Talcott PARSONS entre eles, argumentaram que a COESÃO social repousa em consenso sobre valores e não sobre um contrato social.

Leitura sugerida: Hobbes, Thomas 1651 (*1983*): *Leviatã*. São Paulo: Abril Cultural / (*1968*): *Leviathan*. Harmondsworth: Penguin • Parsons, Talcott 1937: *The Structure of Social Action*. Nova York: McGraw-Hill • Rousseau, Jean Jacques 1762 (*1959*): *Du contrat social*. Paris: Gallimard / (*1983*): *O contrato social e outros escritos*. São Paulo: Cultrix / (*1973*): *The Social Contract and Discourses*. Londres: Dent.

controle *ver* CONTROLE SOCIAL.

controle social Controle social é um conceito que se refere às maneiras como os pensamentos, sentimentos, aparência e comportamento de pessoas são regulados nos sistemas sociais. Até certo ponto, o controle é exercido através de várias formas de coerção, variando da capacidade do pai de restringir fisicamente um filho à AUTORIDADE do sistema de justiça criminal de condenar à prisão indivíduos julgados culpados de crimes, e de médicos de aplicarem drogas que tornam mais "controláveis" pacientes "difíceis".

A coerção, porém, é em geral ineficaz como meio único de controle social. Muito mais importante é o processo de SOCIALIZAÇÃO, mediante o qual pessoas vêm a se identificar com o sistema social e seus valores e normas e, dessa maneira, adquirem interesse na manutenção dos mesmos, bem como o senso de pertencer ao sistema. O medo do ridículo ou de exclusão, por exemplo, constitui um induzimento poderoso para conformar-se, como também o risco de passar por vergonha. É também importante o induzimento de culpa, conseguido através da internalização de padrões morais durante a socialização. Subjacente a tudo isso há a crença fundamental em que os sistemas sociais e suas normas são legítimos e, por conseguinte, de cumprimento obrigatório por nós, como deles participantes.

Ver também CONFORMIDADE; DESVIO; NORMAS; ORDEM SOCIAL; PODER; SELF; SOCIALIZAÇÃO; VERGONHA E CULPA.

Leitura sugerida: Cohen, S. 1985: *Visions of Social Control*. Cambridge: Polity Press • Lemert, Edwin M. 1951: *Human Deviance, Social Problems, and Social Control*. Nova York: McGraw-Hill • Parsons, Talcott 1951: *The Social System*. Glencoe, Il.: Free Press; Londres: Routledge & Kegan Paul.

conurbação *ver* MEGALÓPOLE.

cooperação *ver* COMPETIÇÃO E COOPERAÇÃO.

coorte A coorte é o conjunto de todas as pessoas que participam de uma dada experiência, em especial o fato de terem nascido no mesmo período. As coortes etárias são muitas vezes definidas em termos de períodos de cinco a dez anos, tal como os nascidos entre 1970-75 e 1940-50. Em algumas sociedades tribais as coortes são formalizadas e recebem nomes que as distinguem de outras. Sociologicamente, estas são conhecidas como *conjuntos de idade*.

A coorte é um conceito sociológico importante, sobretudo no estudo da mudança social. Uma vez que cada nova coorte experimenta à sua própria maneira a sociedade em que vive, em condições históricas únicas, elas inevitavelmente contribuem para a mudança social ao interpretar a seu modo valores, crenças e atitudes e ao se ajustar a restrições estruturais. Pode-se esperar, por exemplo, que a coorte que cresce durante tempos de depressão econômica desenvolva valores inteiramente diferentes sobre trabalho árduo e importância da frugalidade e poupança do que a coorte que se desenvolve durante épocas de expansão e prosperidade. De maneiras análogas, pode-se esperar também que coortes que passam os primeiros anos da vida adulta participando de guerras desastrosas, como o envolvimento americano no Vietnã ou o da antiga União Soviética no Afeganistão, desenvolvam mais atitudes e valores contra a guerra do que coortes que são expostas ao que é em geral considerado uma guerra "justa", como a Segunda Guerra Mundial.

Essas diferenças são denominadas de *efeitos de coorte*. Distinguem-se dos *efeitos longitudinais* que ocorrem devido ao envelhecimento dentro da coorte. À medida que mulheres envelhecem, por exemplo, o número de filhos que têm costuma aumentar simplesmente porque elas estão expostas a maior número de oportunidades de engravidar — o que é um efeito longitudinal. Dependendo de circunstâncias sociais mutáveis, contudo, o número médio de crianças em cada coorte pode variar. Esse fato foi comprovado pelo *baby boom* que se seguiu à Segunda Guerra Mundial na Europa e na América do Norte, com o posterior declínio da fecundidade que se iniciou em fins da década de 1960.

Ver também ESTUDO LONGITUDINAL.

Leitura sugerida: Riley, Matilda White 1987: "On the significance of age in sociology". *American Sociological Review* 52(1): 1-14 • Ryder, Norman B. 1965: "The cohort as a concept in the study of social change". *American Sociological Review* 30: 843-61.

coorte etária *ver* COORTE.

corporativismo Corporativismo é um sistema de distribuição de poder na SOCIEDADE entre várias organizações como ESTADO, SINDICATOS, empresas e associações de profissionais liberais. A ideia básica é que o PODER é mantido por essas organizações em coordenação entre si e que indivíduos têm poder apenas na medida em que seus interesses são representados por uma ou mais de uma delas. Nesse sentido, o corporativismo difere da democracia representativa, na qual o indivíduo exerce diretamente sua parcela de poder votando em seus candidatos. E difere ainda mais profundamente da democracia direta, na qual o indivíduo vota em reuniões na praça pública para referendar proposições e coisas semelhantes.

O corporativismo surgiu inicialmente na Espanha sob o governo de Franco, como parte do FASCISMO italiano. Na década de 1970, emergiu também em vários países europeus, incluindo a Áustria, a Grã-Bretanha e quase toda a Escandinávia. Na maior parte consistiu em uma relação de trabalho entre governo, empresas e sindicatos, na qual a maioria das grandes decisões de política social refletia um equilíbrio de interesses entre esses grupos corporativos. Há algum desacordo sobre suas origens e finalidade básica. Na Itália foi usado para forjar um senso de unidade nacional e minimizar conflitos internos. Alguns autores afirmaram que, em suas manifestações mais recentes, representa uma maneira de o governo e as empresas controlarem os sindicatos.

Ver também DEMOCRACIA POLÍTICA E ECONÔMICA; ESTADO.

Leitura sugerida: Goldthorpe, J.H. org. 1984: *Order and Conflict in Contemporary Capitalism. Studies in the Political Economy of Western European Nations*. Oxford: Oxford University Press • Panitch, L. 1980: "Recent theorizations of corporatism". *British Journal of Sociology* 31: 159-87.

correlação Correlação é frequentemente usada como termo geral relativo a MEDIDAS DE ASSOCIAÇÃO que indicam a força da relação entre duas variáveis. De modo geral, contudo, está ligada de forma mais específica à ANÁLISE DE REGRESSÃO. Nesta, a dependente variável, Y, é plotada contra a variável independente, X. Uma linha é ligada aos pontos a fim de fornecer a predição mais exata de Y baseada em conhecimento de X. O coeficiente de correlação é uma quantidade estatística que indica o grau em que os pontos se encontram na linha usada para prever Y a partir de X. Em outras palavras, quanto mais forte a correlação, mais exatamente X pode ser usado para prever Y.

O coeficiente de correlação (conhecido também como *coeficiente de correlação momento-produto* de Pearson) é representado por *r*. Seu valor numérico varia entre -1,0 e +1,0, com o sinal positivo ou negativo indicando a DIREÇÃO DA RELAÇÃO e o próprio número indicando a força da relação. Um valor de 1,0 (positivo ou negativo) indica uma relação perfeita, o que significa que conhecer X permite que se preveja Y sem erro. Um valor de 0,00 indica que não há relação, o que significa que ao tentar prever os valores de Y cometeremos tantos erros conhecendo X como se não o conhecêssemos. Na interpretação de correlações, é sempre importante manter em mente que correlação e causação não são a mesma coisa. A capacidade de prever Y com base em conhecimento de X não significa que X cause Y, mas apenas que tendem a variar juntos de maneiras previsíveis.

A correlação pode ser usada também para examinar-se simultaneamente a relação entre uma variável dependente e duas ou mais variáveis independentes. Poderíamos, por exemplo, querer explicar a variação na renda usando variáveis como educação, ocupação, experiência, raça e sexo. Neste caso, calcularíamos um *coeficiente de correlação múltipla* (*R*), indicando o grau em que a renda pode ser prevista com base nas informações contidas em todas as variáveis independentes operando juntas.

Em análises estatísticas que envolvam um conjunto de variáveis, é muitas vezes útil computar a correlação de cada possível par de variáveis. Elas são em seguida inseridas em uma *matriz de correlação* que, no caso de cada linha e coluna de variável, mostra o valor da correlação nas células da tabela.

Ver também ANÁLISE DE REGRESSÃO; ASSOCIAÇÃO PARCIAL; MEDIDA DE ASSOCIAÇÃO.

Leitura sugerida: Bohrnstedt, George W., e David Knoke 1988: *Statistics for Social Data Analysis,* 2ªed. Ithaca, IL: F.E. Peacock.

correlação múltipla *ver* CORRELAÇÃO.

correlação ordenada Uma CORRELAÇÃO ordenada é uma MEDIDA DE ASSOCIAÇÃO das relações entre variáveis de escala ordinal que assumem a forma de ordenações, sobretudo quando há relativamente poucos empates (poucos casos com escores idênticos). Se ordenamos nações por grau de desenvolvimento econômico, por exemplo, e em seguida como são democráticas suas instituições políticas, podemos usar um de seus vários coeficientes de correlação ordenada para medir estatisticamente o grau de aderência entre os dois postos. Tal como todas as medidas de associação, o valor numérico das correlações ordenadas varia entre +1,00 e -1,00. Um valor de +1,00 indica uma relação perfeita, na qual os dois conjuntos de postos são idênticos, sendo a sociedade mais altamente desenvolvida a mais democrática e a menos desenvolvida a menos democrática. Um valor de -1,00 indica uma relação na qual os dois conjuntos de ordenações estão em desacordo perfeito entre si, com a sociedade mais desenvolvida como menos democrática e a menos desenvolvida como mais democrática. Um valor de zero indica que não há relação entre os dois conjuntos de ordenações, o que significa que as sociedades altamente desenvolvidas não têm mais probabilidade de serem democráticas do que as menos desenvolvidas.

As correlações de ordenações mais usadas são o *r* de Spearman e o tau (τ) de Kendall.

Ver também CORRELAÇÃO; INDEPENDÊNCIA ESTATÍSTICA E DEPENDÊNCIA ESTATÍSTICA; MEDIDA DE ASSOCIAÇÃO.

Leitura sugerida: Bohrnstedt, George W., e David Knoke 1988: *Statistics for Social Data Analysis*. 2ªed. Ithaca, IL: F.E. Peacock.

costume Costume é um modo regular, padronizado, de parecer ou comportar-se, considerado característico da vida em sistemas sociais. Aperto de mão, reverência e beijo, por exemplo, são todos meios costumeiros de cumprimentar pessoas que distinguem uma sociedade de outra. Analogamente, famílias individuais têm muitas vezes costumes diferentes, como meios próprios de comemorar feriados ou marcar fatos importantes na história da família.

Ver também CULTURA; MANEIRAS DE AGIR.

Leitura sugerida: Murdock, George P. 1967: *Ethnographic Atlas*. Pittsburgh: University of Pittsburgh Press.

coup d'etat *ver* GOLPE DE ESTADO.

covariância Covariância é um tipo especial de VARIÂNCIA. Trata-se de uma quantidade estatística que mede o grau em que duas variáveis se modificam juntas em relação recíproca. Se há uma relação positiva entre X e Y, por exemplo, então em todos os casos em que o valor de X for alto, o valor de Y tenderá também a ser alto; quando o valor de X é baixo, o valor de Y tende a ser também baixo.

Outra maneira de expressar a mesma coisa seria dizer que quando o valor de X é maior do que a média de X, o valor de Y tenderá a ser maior do que a média de Y, e assim por diante. Esse fato é de grande importância para calcular a covariância. Para cada observação (como de uma pessoa numa pesquisa), tomamos o escore da variável X e o subtraímos da média de X. Em seguida, tomamos o escore de Y e o subtraímos da média de Y. Finalmente, multiplicamos essas duas diferenças. Fazemos isso no caso de cada observação e, em seguida, somamos todos esses produtos. O total resultante é a covariância. Quando a relação entre as variáveis é positiva, a covariância será positiva.

Quando não há relação e as variáveis são independentes entre si, a covariância será igual a zero.

Conforme será notado no verbete sobre variância, um dos principais objetivos da pesquisa sociológica consiste em explicar diferenças, ou seja, explicar o fato estatístico que pessoas ou outras unidades de observação diferem em características, como renda ou idade na ocasião da morte. Uma vez que a variância indica em quanto a variável Y varia absolutamente, e a covariância indica o grau em que Y varia com X, então, se a covariância é subtraída da variância, o resto é o volume de variância em Y que não varia com X. Isso é chamado de *variância inexplicada*. A covariância é frequentemente denominada *variância explicada*.

As variâncias explicada e inexplicada são muitas vezes apresentadas como percentagens da variância total. Em outras palavras, se o valor numérico da variância total de Y é 347 e o valor da covariância entre X e Y é 83, então podemos dizer que 83/347 = 0,24, ou 24% da variação de Y são estatisticamente esclarecidos ou "explicados" por sua relação com X. Mediante subtração (1,00 — 0,24), podemos dizer que 76% da variância são "inexplicados".

O uso dos termos "explicado" e "inexplicado" é restrito porque esses termos se referem a uma explicação estatística, que talvez nada tenha a ver com causa e efeito. O fato de a variável Y variar com a variável X — até mesmo perfeitamente — não significa que X cause Y.

Ver também COEFICIENTE DE ALIENAÇÃO; COEFICIENTE DE DETERMINAÇÃO; CORRELAÇÃO; FALSIDADE ESTATÍSTICA; VARIÂNCIA.

Leitura sugerida: Bohrnstedt, George W., e David Knoke 1988: *Statistics for Social Data Analysis*. 2ªed. Ithaca: F.E. Peacock.

crença Nos sistemas culturais, a crença é qualquer declaração ou parte de uma declaração que supostamente descreve algum aspecto da realidade coletiva. Se a declaração corresponde ou não ao que é geralmente aceito no sistema social como "verdade" ou "fato" em nada influencia se ela se qualifica como crença. Nesse sentido, todas as descrições da realidade com base na cultura são crenças, incluindo declarações como "Deus existe", "$E = mc^2$", "Comerciantes aceitarão dinheiro em troca de mercadorias", "A pessoa cujo cérebro não tem atividade elétrica está morta", "O Sol gira em torno da Terra", "Não há maior tolo do que um velho tolo", "No piano, a nota imediatamente acima do dó é o ré".

As crenças culturais são importantes porque é com elas que construímos o que julgamos ser a realidade da vida diária, além de assuntos menos triviais, como espiritualidade e cosmologia. Esse fato é especialmente verdadeiro no tocante às crenças relativas às várias posições nos sistemas sociais, suposições estas que usamos como substitutas do conhecimento pessoal direto das pessoas com quem interagimos e das quais dependemos todos os dias. Supomos que os caixas de banco põem de fato nosso depósito na caixa-forte em vez de fugir com ele e aposentar-se logo; supomos que pessoas que se apresentam como médicos e exibem a aparência correta sabem o que estão fazendo; supomos que a maioria das pessoas guiará o carro na mão certa da estrada. Fazemos estas suposições porque elas nos são apresentadas como partes de nosso sistema cultural de crenças, e mesmo quando alguns indivíduos as violam — como invariavelmente fazem, às vezes — continuamos em geral a aceitá-las, a menos que as exceções se tornem tão numerosas que a crença não possa mais ser mantida (como aconteceu quando pessoas perderam a confiança nos bancos durante a Grande Depressão).

O poder das crenças torna-se mais evidente ainda com a falta geral de conscientização de que elas existem como tais. Alguns cientistas, por exemplo, irritam-se com a ideia de que seu trabalho é baseado em crenças, que preferem classificar como "fatos". Eles, porém, tal como nós, aceitam alguns aspectos de suas realidades como certos e além de qualquer dúvida, como simplesmente a maneira como as coisas são, e não a maneira como foram construídas de matérias-primas brutas fornecidas por um sistema cultural particular de crenças. Do ponto de vista sociológico, porém, todo conhecimento é socialmente construído e crenças de toda ordem se situam no âmago dessa construção.

Ver também CULTURA; PROFECIA AUTORREALIZÁVEL.

crime de colarinho-branco Conceito proposto inicialmente pelo sociólogo Edwin SUTHERLAND, o crime de colarinho-branco descreve o conceito de atos criminosos que surgem de oportunidades criadas pela posição social do indivíduo, em particular da ocupação. O peculato, por exemplo, só pode ser cometido por empregados como funcionários públicos, de bancos, contadores etc. e é, por conseguinte, um crime de colarinho-branco. Outros exemplos são a inclusão de despesas falsas em contas de representação, a fixação de preços abusivos por empresas, a sonegação fiscal, a violação dos regulamentos de segurança relativos a empregados, a discriminação ilegal, a publicidade enganosa, o furto de ideias protegidas por direito autoral de outras companhias, o uso de informações privilegiadas em negociações em bolsa de valores e práticas trabalhistas injustas.

A grande importância do crime de colarinho-branco como categoria de análise sociológica foi a constatação de que criminosos desse tipo tendem a ser da classe média e alta e que, por causa de tendenciosidade de classe no sistema judiciário criminal, seus crimes são em geral considerados menos graves e menos merecedores de punição. O conceito de crime de colarinho-branco tem figurado com destaque no estudo da ESTRATIFICAÇÃO e DESVIO sociais.

Shapiro argumentou que devemos nos concentrar nas características definidoras do crime de colarinho-branco, e não nas características daqueles que os cometem. Ela afirma que o crime de colarinho-branco, ao contrário de outros tipos de comportamento criminoso, implica violação de relações de confiança. Advogados que roubam clientes enquanto administram seus bens, por exemplo, fazem mais do que roubar porque tiram proveito também de uma relação de confiança através da qual esses roubos se tornam possíveis. A violação de uma relação de confiança tem a ver com o próprio crime, e não com a classe à qual pertence o criminoso e, como tal, deveria ser mais fundamental para o conceito de crime de colarinho-branco.

Shapiro também diz que se o crime de colarinho-branco for conceituado dessa maneira, ficará claro do mesmo modo que a taxa relativamente baixa em que eles são descobertos, levados à Justiça e punidos deve-se tanto aos sistemas sociais em que ocorrem quanto à tendenciosidade de classe. A estrutura da relação de confiança proporciona aos criminosos uma grande variedade de maneiras de ocultar suas atividades (falsificando a escrituração, por exemplo) e destruindo provas. Como resultado, eles implantam seus crimes de tal maneira na estrutura vigente de organizações complexas que é difícil provar o que foi feito e quem esteve envolvido, com conhecimento dos fatos. Isso, argumentou Shapiro, resultará em taxas relativamente baixas de detecção e condenação por crimes de colarinho-branco e, dadas as dificuldades de reunir provas fortes contra os perpetradores, em acordos de cooperação com a promotoria e outros arranjos que reduzirão a severidade do castigo.

Leitura sugerida: Shapiro, S.P. 1990: "Collaring the crime, not the criminal: Reconsidering the concept of white-collar crime". *American Sociological Review* 55(3): 346-65 • Sutherland, Edwin H. 1983: *White-Collar Crime: The Uncut Version*. New Haven: Yale University Press.

crime e criminologia *ver* DESVIO.

crime organizado O crime organizado (*syndicated*, em inglês) é um sistema que se distingue por uma estrutura complexa, que lembra mais uma ORGANIZAÇÃO FORMAL do que um conjunto indefinidamente entrelaçado de criminosos. As organizações de criminosos têm uma cadeia hierárquica de comando, uma DIVISÃO DO TRABALHO complexa que inclui um sistema de administração, um sistema formal para manutenção de registros e regras claramente elaboradas que se espera que sejam seguidas por todos — todas as quais são características de organizações formais. Tornando-se as organizações criminosas mais complexas, o mesmo acontece com as variedades de crimes que cometem, tais como tráfico de droga, com sua estrutura complicada de aquisição, processamento, transporte e venda, ou a infiltração em empresas legítimas através de uma vasta rede de recursos. Algumas dessas formas de crime organizado são constituídas até mesmo como franquias, de modo muito parecido com cadeias de lanchonetes e outras redes comerciais.

Leitura sugerida: Ianni, Francis A.J., Elizabeth Reus-Ianni 1973: *A Family Business: Kinship and Social Control in Organized Crime*. Nova York: Mentor • Posner, G.L. 1988: *Warlords of Crime: Chinese Secret Societies*. Nova York: McGraw-Hill.

crime sem vítima Analisado inicialmente por Edwin Schur, o crime sem vítima é um delito em que não há vítima identificável que seja objeto do crime. Em vez disso, o delito é praticado contra a própria sociedade, com infração de suas normas, valores e crenças. Quem fuma maconha, por exemplo, ou usa cocaína, ou ainda se empenha em conduta sexual ilegal com um adulto aquiescente, viola valores culturais sobre conduta correta e as normas que dão respaldo a esses valores. Não há, contudo, vítima direta *per se*, como acontece no caso em que alguém é roubado, espancado ou assassinado, ou quando fundos são surrupiados de um banco por desfalque ou traição é cometida contra a nação.

Ver também CONSCIÊNCIA COLETIVA.

Leitura sugerida: Schur, Edwin M. 1965: *Crimes Without Victims*. Englewood Cliffs, NJ: Prentice-Hall.

crime sindicalizado *ver* CRIME ORGANIZADO.

cristalização de status *ver* STATUS, INCONSISTÊNCIA E CRISTALIZAÇÃO DE.

culto Um culto é um tipo estrutural especial de instituição religiosa. A filiação a cultos é predominantemente de membros da classe baixa e, em geral, procedida através de conversão, muitas vezes durante uma crise emocional, a qual o indivíduo pensa que o ingresso no culto resolverá. Ao contrário de outras instituições religiosas, os cultos tendem a ter vida curta, principalmente por causa de sua estrutura — organização informal, fraca, formada em torno da autoridade carismática de um único líder; serviços religiosos muito emocionais que carecem de ritual formalizado e uma orientação para abstenção, hostil, no tocante às principais instituições sociais. Virtualmente todas as grandes religiões começaram como cultos, incluindo o budismo, o islamismo e o cristianismo.

Ver também AUTORIDADE; DENOMINAÇÃO; ECLÉSIA; IGREJA; RELIGIÃO; SEITA.

Leitura sugerida: Becker, Howard 1950: *Through Values to Social Interpretation*. Durham, NC: Duke University Press • Merton, J.G., e R.L. Moore 1982: *The Cult Experience*. Nova York: Pilgrim Progress.

culto dos antepassados O culto dos antepassados é uma prática religiosa — exemplificada pelo xintoísmo japonês —, organizada em torno da crença cultural de que o espírito dos ancestrais tem o poder de influenciar a vida de seus descendentes. As práticas variam de medidas com a intenção de evitar ofender os espíritos dos mortos a invocá-los para produzir os resultados desejados, tais como maior fecundidade.

cultura Cultura é o conjunto acumulado de símbolos, ideias e produtos materiais associados a um sistema social, seja ele uma sociedade inteira ou uma família. Juntamente com ESTRUTURA SOCIAL, POPULAÇÃO e ECOLOGIA, constitui um dos principais elementos de todos os sistemas sociais e é conceito fundamental na definição da perspectiva sociológica.

A cultura possui aspectos materiais e não materiais. A *cultura material* inclui tudo o que é feito, modelado ou transformado como parte da vida social coletiva, da preparação do alimento à produção de aço e computadores, passando pelo paisagismo que produz os jardins do campo inglês. A *cultura não material* inclui SÍMBOLOS — de palavras à notação musical —, bem como as ideias que modelam e informam a vida de seres humanos em relações recíprocas e os sistemas sociais dos quais participam. As mais importantes dessas ideias são as ATITUDES, CRENÇAS, VALORES e NORMAS.

É importante notar que cultura não se refere ao que pessoas fazem concretamente, mas às ideias que têm em comum sobre o que fazem e os objetos materiais que usam. O ato de comer com pauzinhos ao invés de com talheres, ou com as mãos, por exemplo, não faz parte da cultura. O que os homens fazem é que torna visível a influência da cultura. Os pauzinhos de comer em si, contudo, constituem na verdade uma parte da cultura, como também as expectativas comuns que definem esse ato como maneira apropriada, e mesmo esperada, de comer em certas sociedades.

A distinção entre cultura, por um lado, e o que fazemos, por outro, é importante porque o poder e a autoridade da cultura na vida humana têm origem principalmente em nossa experiência da mesma como algo externo a nós e que transcende o que fazemos na realidade. Nossa aparência ou comportamento podem conformar-se ou desviar-se dos padrões culturais, mas aparência ou comportamento não são em si partes da cultura e não devem ser confundidos com esses padrões. O que torna uma ideia cultural, e não pessoal, não é simplesmente o fato de ser comum a duas ou mais pessoas: ela deve ser vista e vivenciada como tendo uma autoridade que transcende os pensamentos do indivíduo. Não consideramos um símbolo ou uma ideia como culturais porque a maioria das pessoas deles compartilha; na verdade não temos meios de saber o que a maioria das pessoas numa sociedade pensa. Em vez disso, supomos que a maioria das pessoas compartilha de uma ideia cultural porque a identificamos como cultural.

Ver também RELATIVISMO CULTURAL; SOCIEDADE; TECNOLOGIA.

cultura alternativa *ver* CONTRACULTURA.

cultura da juventude *ver* SUBGRUPO E SUBCULTURA.

cultura da pobreza Cultura da pobreza é uma teoria formulada pelo antropólogo Oscar Lewis em seus estudos de comunidades de Porto Rico e do México. Lewis identificou o que acreditava ser um fator importante na perpetuação da pobreza. Independentemente do que tenha originado padrões de desigualdade e pobreza na sociedade, argumentou Lewis, uma vez sejam eles estabelecidos, a vida de pobreza tende a gerar ideias culturais que promovem comportamentos e pontos de vista que a perpetuam. Os pobres podem perder a ambição de melhorar de vida, adotando a crença fatalista de que trabalho pesado e ambição em nada melhorarão sua existência. Assim, essa cultura é transmitida de uma geração à outra. Em um sentido, Lewis sugeriu que à medida que indivíduos se adaptam às circunstâncias da pobreza, eles tendem a desenvolver uma cultura compatível com ela e que por isso a sustentam. Esse fato ajudaria a explicar não só padrões de pobreza em sociedades, mas também a incapacidade de países do Terceiro Mundo (não industrializados) de se desenvolverem também economicamente.

Embora Lewis tivesse o cuidado de observar que não acreditava que o conceito se aplicava além dos tipos de sociedade que estudava quando o desenvolveu, isso não impediu sua ampla aplicação à pobreza encontrada em sociedades industriais, tais como a dos Estados Unidos, especialmente em relação aos afro-americanos e outros membros da subclasse urbana, cada vez mais numerosa. Tem havido grande debate, contudo, não só sobre essa teoria, mas se o conceito aplica-se ou não a qualquer sociedade e se seu efeito principal é ou não culpar injustamente as vítimas da pobreza pela situação em que vivem.

Leitura sugerida: Gans, Herbert 1969: "Culture and class in the study of poverty". In *On Understanding Poverty*, org. por Daniel P. Moynihan, 201-28. Nova York: Basic Books • Lewis, Oscar 1959: *Five Families: Mexican Case Studies in the Culture of Poverty*. Nova York: Basic Books o 1967: *La Vida: A Puerto Rican Family in the Culture of Poverty*. Nova York: Panther • Valentine, Charles 1968: *Culture and Poverty*. Chicago: University of Chicago Press.

cultura material *ver* CULTURA.

cultura não material *ver* CULTURA.

cultura política Cultura política é o repositório acumulado de símbolos, crenças, valores, atitudes, normas e outros produtos culturais que moldam e pautam a vida política em uma sociedade. Inclui lemas e hinos nacionais; cultura material como bandeiras, monumentos e estátuas de figuras heroicas; crenças sobre a história e destino nacionais; atitudes de patriotismo ou deferência (ou ainda de cinismo ou desprezo) por políticos e outros líderes; valores que dão forma a opções de política; e normas que determinam expectativas, variando da garantia de direitos civis a mecanismos para mudar o governo ou reprimir a dissidência. Os tópicos de interesse sociológico incluem a maneira como vários aspectos da cultura política afetam o comportamento e as suas consequências políticas; a relação entre a cultura política e os vários tipos de sistemas, tais como DEMOCRACIA e AUTORITARISMO, e o processo de socialização, através do qual a cultura política é transmitida de uma geração à outra.

Ver também HEGEMONIA.

Leitura sugerida: Almond, Gabriel A., e Sidney Verba 1963: *The Civic Culture: Political Attitudes and Democracy in Five Nations*. Princeton, NJ: Princeton University Press • Pye, Lucian W., e Sidney Verba, orgs. 1965: *Political Culture and Political Development*. Princeton, NJ: Princeton University Press.

cultura popular Cultura popular é o repertório acumulado de produtos culturais como música, literatura, arte, moda, dança, cinema, televisão e rádio que são consumidos principalmente por grupos não ELITE, tais como as classes operária e baixa (bem como por segmentos substanciais da classe média). Tem atraído a atenção de sociólogos — primeiro na Grã-Bretanha e, mais recentemente, nos Estados Unidos — por duas razões. A primeira, a ideia de que a cultura popular é usada pelas elites (que tendem a controlar a mídia e outros escoadouros da cultura popular) para controlar os que estão abaixo delas. Membros da Escola de Frankfurt, por exemplo, argumentaram que a cultura popular é banal, homogeneizada e comercializada e que entorpece a mente das pessoas, tornando-as passivas e fáceis de controlar. Um argumento correlato diz que uma vez que é controlada principalmente pelas elites (através da propriedade dos meios de divulgação de massa, por exemplo), a cultura popular tende a refletir seus interesses. A trivialização e objetificação sexual das mulheres no cinema, por exemplo, tem sido criticada por numerosas feministas como servindo aos interesses dos espectadores masculinos e à dominação masculina.

Outros, em especial sociólogos britânicos empenhados em ESTUDOS CULTURAIS, dizem exatamente o oposto, ou seja, que a cultura popular é frequentemente um veículo para a rebelião contra a cultura dos grupos dominantes. Desse ponto de vista a cultura popular não é uma dieta habitual, anódina, servida de cima para baixo a fim de entorpecer e pacificar grupos subordinados e refletir e promover os interesses da elite. Em vez disso, é uma arena cheia de diversidade, conflito e luta sobre o conteúdo da cultura e, portanto, da forma da vida social. As classes baixas, os adolescentes, os negros, as mulheres e outros grupos subordinados não absorvem passivamente a cultura popular; desempenham, sim, um papel em produzir e reproduzir uma visão do que são suas vidas, incluindo alguma consciência da situação desprivilegiada em que vivem. Essa luta se reflete em uma grande variedade de produtos culturais, do *rap* e da música feminista a programas de humor na televisão e à música de *rock*, cujas letras deliciam muitos jovens mas ofendem seus pais.

Ver também HEGEMONIA; SOCIEDADE DE MASSA; TEORIA CRÍTICA.

Leitura sugerida: Brake, M. 1980: *The Sociology of Youth Culture and Youth Subcultures*. Londres: Routledge and Kegan Paul • Curran, James, Michael Gurevitch e Janet Woolacott 1979: *Mass Communication and Society*. Nova York: Russell Sage Foundation • Tuchman, Gaye 1989: *Edging Women Out*. New Haven: Yale University Press.

currículo oculto O currículo oculto é um conceito usado para descrever as coisas muitas vezes não expressas e não reconhecidas que se ensinam a estudantes nas escolas. Difere do currículo divulgado, que define o que se espera que eles estudem e aprendam — disciplinas como matemática e literatura. O currículo oculto é uma questão importante no estudo sociológico da maneira como escolas produzem desigualdade social. Estudantes mulheres, por exemplo, ou aqueles que são originários de famílias de classe baixa, ou que pertencem a categorias raciais ou étnicas consideradas inferiores recebem muitas vezes tratamento que cria e reforça autoimagens de inferioridade, bem como baixas aspirações e expectativas para si mesmos. Além disso, frequentemente pouco lhes é concedido em matéria de confiança, independência ou autonomia e, dessa forma, são preparados para vidas de trabalho, nas quais docilmente se submetem à autoridade.

Estudantes cujas características sociais os situam nos grupos dominantes, por outro lado, tendem a ser tratados de maneiras que reforçam sua autoestima, independência, autonomia e expectativas de realizações e sucesso. Essa experiência contribui também para o desenvolvimento das qualificações e atitudes que esses objetivos requerem.

O conceito de currículo oculto focaliza também as consequências não previstas de sistemas sociais, assunto este que constitui uma área importante do pensamento sociológico. Até mesmo os professores mais comprometidos com os princípios de igualdade de sexo e raça, por exemplo, em geral não percebem como, em seu próprio comportamento, praticam discriminação prejudicial.

Ver também CLASSE SOCIAL; PRECONCEITO E DISCRIMINAÇÃO; REPRODUÇÃO CULTURAL E REPRODUÇÃO SOCIAL.

Leitura sugerida: Bowles, Samuel, e Herbert Gintis 1976: *Schooling in Capitalist America: Educational Reform and the Contradictions of Economic Life*. Nova York: Basic Books; Londres: Routledge • Jackson, Philip 1968: *Life in Classrooms*. Nova York: Holt, Reinehart and Winston • Snyder, Benson G. 1971: *The Hidden Curriculum*. Nova York: Knopf.

curso de vida (Também denominado *ciclo de vida*.) O curso de vida é a sequência culturalmente definida de faixas etárias pelas quais se espera que o indivíduo passe do nascimento até a morte. Esses estágios estão associados a crenças culturais sobre a maneira como o envelhecimento afeta as capacidades, valores etc. do indivíduo, bem como mutáveis distribuições de vantagens e recursos sociais, como poder e prestígio.

Incluída nas concepções sociais de curso de vida há alguma ideia de por quanto tempo se espera que pessoas vivam e, com ela, ideias sobre o que constitui uma morte "prematura" ou "inesperada". A morte entre bebês e crianças de pouca idade, por exemplo, é mais comum em sociedades não industriais do que nas industriais e, por essa razão, é menos provável que seja considerada trágica.

Ver também COORTE; ENVELHECIMENTO; FAIXA ETÁRIA.

Leitura sugerida: Binstock, Robert H., e Linda K. George, orgs. 1990: *Handbook of Aging and the Social Sciences*, 3ªed. Nova York: Academic Press • Clausen, John A. 1986: *The Life Course: A Sociological Perspective*. Englewood Cliffs, NJ: Prentice-Hall • Eisenstadt, Samuel N. 1956: *From Generation to Generation*. Nova York: Free Press.

curtose *ver* DISTRIBUIÇÃO DE CURVA NORMAL.

curva de Lorenz No estudo da estratificação social, a curva de Lorenz é um gráfico que pode ser usado para medir quanto a distribuição de alguma coisa, como a riqueza ou a renda, desvia-se de uma condição de autêntica igualdade. No caso de uma dada unidade de análise (como famílias), a figura mostra qual percentagem de toda a renda (mostrada no eixo Y) é recebida por que percentagem de famílias (mostradas ao longo do eixo X). Uma linha diagonal reta indica, por exemplo, que os 10% mais pobres da população recebem 10% de toda renda; que os 20% mais pobres recebem 20%, que os 80% mais pobres recebem 80%, e assim por diante, como seria de esperar se a renda fosse distribuída igualmente por toda a população.

Arqueando-se a linha para fora e se transformando em uma curva que se estende para o canto inferior direito, porém, ela indica uma distribuição crescentemente desigual. Na curva superior, por

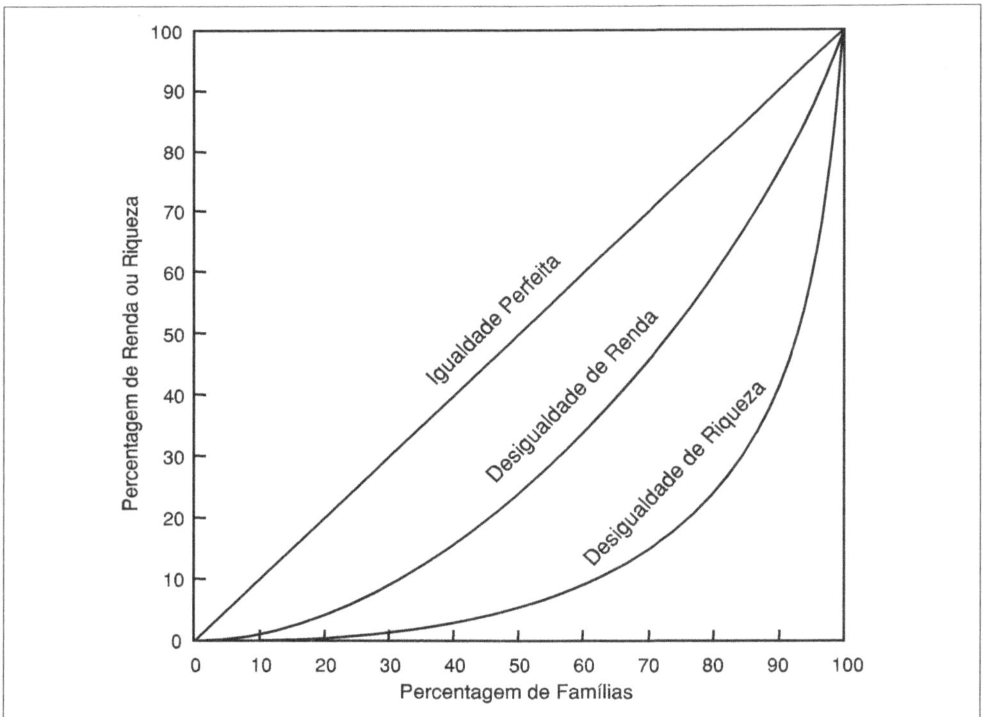

Figura 3. *Curvas de Lorenz mostrando o grau de desigualdade na distribuição da renda e da riqueza (linhas curvas) em comparação com condições de igualdade perfeita (linha reta), nos Estados Unidos, em 1983.* Fonte: *Harold R. Kerbo,* Social Stratification and Inequality, *2ªed. figura 2.5. Nova York: McGraw-Hill, 1991.*

exemplo, os 50% mais pobres da população recebem apenas 20% de toda a renda e, na curva inferior, os 50% mais pobres auferem apenas cerca de 5% de toda a riqueza. Essas curvas de Lorenz mostram a um rápido olhar que a distribuição da riqueza é mais desigual do que a distribuição da renda.

Em conjunto com as curvas de Lorenz, o *índice de Gini* (elaborado pelo sociólogo italiano Corrado Gini) oferece um indicador numérico do grau de desigualdade. Note-se que a linha diagonal, que representa a condição de igualdade na figura, forma um triângulo com o eixo X no fundo e o reflexo do eixo Y à direita. Se nos focalizarmos na área contida nesse triângulo, poderemos ver que à medida que a curva de Lorenz torna-se mais abaulada para refletir maior desigualdade, a proporção da área entre a linha diagonal e a curva aumenta (o que significa dizer que há mais área entre a diagonal e a curva de riqueza do que entre a diagonal e a curva de renda). O índice de Gini baseia-se na percentagem de área total do triângulo que se situa entre a diagonal e a curva de Lorenz. Quanto maior o grau de desigualdade, maior será o índice. Ele variará entre o valor de zero (quando a curva de Lorenz e a diagonal coincidem) e um máximo teórico (mas praticamente impossível) de 1,0.

A curva de Lorenz e o índice de Gini são úteis não só para descrever o nível de desigualdade em uma dada população, mas para medir diferenças entre populações (tais como nações) ou mudanças ao longo do tempo no grau de desigualdade dentro de uma população.

Ver também CLASSE SOCIAL; ESTRATIFICAÇÃO E DESIGUALDADE; RIQUEZA E RENDA.

Leitura sugerida: Gini, Corrado 1921: "Measurement of inequality of incomes". *Economic Journal* 31: 124-6 • Lorenz, Max O. 1905: "Methods of measuring the concentration of wealth". *Journal of the American Statistical Association* 9: 209-19.

D

dádiva *ver* RELAÇÃO DE DÁDIVA.

dados No contexto sociológico, dados são fatos que cientistas sociais coletam, analisam e interpretam. Na linguagem cotidiana e também na imprensa, a palavra *data* em inglês é usada comum e erroneamente como singular (como na frase "The data is accurate"), e não no plural ("The data are accurate"). Uma peça isolada de informação, tal como uma percentagem ou a resposta de um entrevistado a uma pergunta em um levantamento, é um *datum*. Um conjunto de percentagens, no entanto, deve ser sempre referido como dados (*data*).

dados agrupados Dados agrupados são fatos exibidos em um formato de tabela, na qual categorias de VARIÁVEIS são combinadas ou condensadas para se obter um número menor de categorias. A tabela abaixo, por exemplo, mostra como a variável "Idade à época do casamento" poderia ser apresentada em categorias agrupadas.

Idade à época do casamento
Menos de 15 anos
15 – 18
18 – 20
20 – 24
25 – 29
30 ou mais

A vantagem de agrupar dados é que o *display* resultante ocupa menos espaço e pode ser lido a um simples olhar. O risco é que, combinando categorias (como reunir todas as pessoas de 30 anos e mais), diferenças importantes possam ser obscurecidas (indivíduos que se casam à idade de 60 anos, por exemplo, diferirão de maneiras importantes dos que se casam à idade de 30).

dados de corte transversal Dados de corte transversal (ou de *períodos*) são informações coletadas em uma única ocasião a fim de refletir condições sociais, da mesma maneira que uma foto capta uma imagem visual. A maior parte dos dados coletados por sociólogos — especialmente sob a forma de LEVANTAMENTOS — assume essa forma e é, por isso, de uso limitado para descrever o processo através do qual indivíduos ou sistemas sociais mudam, ou, por falar nisso, o processo de causa e efeito, mediante o qual uma variável afeta outra no tempo. Estudos de corte transversal podem ser usados para gerar inferências sobre processos, como se eles fossem repetidos, em especial se cada amostra é observada em cada ponto. Mesmo que as amostras sejam diferentes, porém, é ainda possível usar uma série de estudos de corte transversal para tirar inferências sobre mudança. Uma amostra representativa de indivíduos de 15-19 anos de idade, por exemplo, pode ser comparada dez anos depois com uma amostra de indivíduos de 25-29 anos. Mesmo que os indivíduos não sejam os mesmos, a população da qual as amostras foram tiradas é a mesma, com a exceção dos que nela ingressaram ou saíram por migração ou falecimento.

Ver também COORTE; PESQUISA LONGITUDINAL.

Leitura sugerida: Blalock, Hubert M. 1964: *Causal Inferences in Nonexperimental Research.* Chapel Hill: University of North Carolina Press • Singleton, Royce A., Bruce C. Straits e Margaret M. Straits 1993: *Approaches to Social Research,* 2ªed. Oxford e Nova York: Oxford University Press.

dados de período *ver* DADOS DE CORTE TRANSVERSAL.

darwinismo social O darwinismo social, uma adaptação feita no século XIX da teoria da evolução de Charles Darwin, é uma explicação teórica da vida social humana em geral e da desigualdade social, em particular. Da forma exposta por Herbert SPENCER na Grã-Bretanha e, em maior extensão, por William Graham SUMNER nos Estados Unidos, o desenvolvimento das sociedades assemelha-se à evolução natural, com competição entre vários grupos (raciais, étnicos, de classe etc.) fornecendo a dinâmica necessária para que a sociedade progrida através da vitória de grupos superiores sobre os inferiores e menos "aptos". No tocante à desigualdade social, o darwinismo social atribuía a brecha entre ricos e pobres principalmente à maior "aptidão" dos primeiros para sobreviver e prosperar. A sociedade era assemelhada ao mundo natural, governada pela competição e pela "sobrevivência dos mais aptos", frase esta cunhada por Spencer, e não por Darwin.

Como argumento, o darwinismo social tem defeitos profundos e goza de pouca ou nenhuma credibilidade entre os modernos cientistas sociais. Em certo sentido, baseia-se em uma tautologia porque mede aptidão em termos do que a aptidão deve supostamente explicar: os ricos são mais ricos porque são mais aptos, e a prova de sua maior aptidão está na riqueza de que dispõem. Esse argumento é verdadeiro por definição enquanto aceitarmos a ideia de que a posse de grande riqueza é uma medida válida de aptidão (e não um acidente, como nascer em família rica, por exemplo). Como tal, pode ser sempre usado para justificar o status quo, começando com a OPRESSÃO SOCIAL, racial e de outros tipos, e o imperialismo.

Ver também EVOLUÇÃO SOCIAL; SOCIOBIOLOGIA.

Leitura sugerida: Hofstadter, Richard 1945 (*1955*): *Social Darwinism in American Thought, 1860-1915*. Boston: Beacon; Filadélfia: University of Pennsylvania Press • Sumner, William Graham 1883: *What Social Classes Owe to Each Other*. Nova York: Harper.

***de facto* e *de jure*, segregação** *ver* SEGREGAÇÃO E INTEGRAÇÃO.

declividade *ver* ANÁLISE DE REGRESSÃO.

dedutivo, raciocínio *ver* MÉTODO HIPOTÉTICO-DEDUTIVO.

defasagem cultural Defasagem cultural é um termo criado por William F. Ogburn para descrever o que acontece em um *sistema social*, quando as ideias culturais usadas para regular a vida social se atrasam em relação a outras MUDANÇAS SOCIAIS. As armas nucleares, por exemplo, estão sendo produzidas por um número cada vez maior de nações, sem que haja um sistema internacional eficaz para controlar seu uso. Em menor escala, a nova tecnologia médica torna possível manter o corpo humano funcionando muito depois de ter sido considerado clinicamente morto. Esse fato, por sua vez, coloca questões culturais sobre a definição do momento em que a vida termina, quem tem o direito de suspender o uso de aparelhos de sustentação vital, e como equilibrar valores conflitantes sobre a duração absoluta e a qualidade de vida. Em todos esses casos, o desenvolvimento de novas crenças, valores e normas sociais se atrasa em relação aos dilemas criados pela mudança tecnológica. Daí o termo defasagem cultural.

Ver também DEFASAGEM ESTRUTURAL.

Leitura sugerida: Ogburn, William F. 1922: *Social Change*. Nova York: Viking o 1964: "Cultural lag as theory". In *On Culture and Social Change*, org. por William F. Ogburn, 86-95. Chicago: University of Chicago Press.

defasagem estrutural A defasagem estrutural é uma condição que ocorre quando duas características estruturais relacionadas mudam a taxas diferentes e, portanto, deixam de sincronizar-se. Esse fato acontece frequentemente na relação entre as estruturas ocupacional e etária. Em ocupações que dependem de um suprimento de trabalhadores de certa idade, mudanças na ESTRUTURA ETÁRIA de uma comunidade ou sociedade gerarão carência ou excesso de trabalhadores. Esse fato, por sua vez, tenderá a criar problemas no mercado de trabalho. O declínio das taxas de natalidade, por exemplo, resultará finalmente em declínio do número relativo de adolescentes, que constituem a principal fonte de trabalhadores de serviço de baixo salário nas lanchonetes e lojas a varejo. Como resultado, a oferta de trabalhadores se atrasará em relação à demanda por eles, criando uma defasagem estrutural.

Ver também DEFASAGEM CULTURAL.

Leitura sugerida: Riley, Matilda W., Anne Foner e Joan Waring 1988. "A sociology of age". In *Hand-*

book of Sociology, org. por Neil J. Smelser e R. Burt. Nova York: Russell Sage.

definição da situação Definição da situação é o que indivíduos usam para extrair algum sentido dos STATUS e PAPÉIS envolvidos em uma situação, de modo que possam saber o que deles se espera e o que devem esperar dos outros. Eles precisam saber, por exemplo, se estão em um banco, em uma sauna, em um cinema ou em um mercado; e também, em sentido social, exatamente com quem estão interagindo e para que fim.

Um dos problemas mais interessantes neste particular é que definir a situação não constitui uma simples questão de identificar fatos objetivos, bem visíveis a quem quiser examiná-los. Em vez disso, a definição pode ser altamente subjetiva e aberta a negociação. Na realidade, enquanto participa da vida social, o indivíduo pode "inventar" a definição da situação enquanto nela se envolve, interpretando várias "pistas". Se estamos andando por uma rua escura e um homem se aproxima e nos pede para acender seu cigarro, podemos definir a situação como um assalto ou roubo iminentes e, neste caso, preparamo-nos para agir de modo diferente do que faríamos se interpretássemos suas intenções como cordiais. O que se seguirá poderá ter muito menos a ver com os fatos objetivos da situação do que com as definições formuladas pelas pessoas envolvidas.

Essa importante relação entre interpretações e definições subjetivas, por um lado, e os resultados objetivos da interação, por outro, deram origem à ideia clássica de William I. THOMAS, de que o que definimos como real é real em suas consequências.

Ver também ETNOMETODOLOGIA; PERSPECTIVA TEATRAL.

Leitura sugerida: McHugh, P. 1968: *Defining the Situation*. Indianápolis: Bobbs-Merrill • Thomas, William I. 1927: "The behavior pattern and the situation". *Publications of the American Sociological Society* (papers and proceedings), 1-13 o com Dorothy Swain Thomas 1928: *The Child in America*. Nova York: Knopf.

degradação *ver* CERIMÔNIA DE DEGRADAÇÃO.

delinquência Delinquência é um conceito que em geral se refere a comportamento criminoso ou desviante cometido por crianças e adolescentes, ainda não considerados como maiores de idade. Em alguns casos refere-se a atos que, no caso de adultos, seriam tratados como crimes — como o furto —, mas que, quando cometidos por crianças, são considerados em termos menos severos. Como resultado, "jovens transgressores" talvez não sejam julgados em juizados comuns ou postos na mesma prisão que adultos, e seus antecedentes criminais podem ser mantidos em sigilo e mesmo suprimidos por completo quando atingem o status de adulto.

A delinquência inclui também comportamento que viola a lei apenas quando cometido por não adultos, tais como fugir de casa, recusar-se a estudar, desobedecer habitualmente aos pais ou (especialmente no caso de meninas) ter vida sexual ativa ainda com pouca idade. Esses atos são às vezes conhecidos como delitos contra o status, porque são definidos principalmente em relação ao status de idade do transgressor.

Ver também ADOLESCÊNCIA; DESVIO; FAIXA ETÁRIA; TENDÊNCIA DELINQUENTE.

Leitura sugerida: Cloward, Richard A., e Lloyd E. Ohlin 1960: *Delinquency and Opportunity: A Theory of Delinquent Gangs*. Nova York: Free Press • Sutton, J.R. 1983: "Social structures, institutions, and the legal status of children". *American Journal of Sociology* 88(5): 915-47.

delinquência juvenil *ver* DELINQUENCIA.

delinquente *ver* TENDÊNCIA DELINQUENTE.

democracia política e econômica Da forma aplicada à política, uma democracia (do grego, significando "governo do povo") é um sistema social no qual todos dispõem de parcela igual de poder. Embora existam muitos sistemas sociais relativamente pequenos e simples (um grupo de amigos, por exemplo) que são organizados como democracias puras, no nível de organizações, comunidades e sociedades inteiras complexas, a democracia pura é muito rara. Em parte isso se deve ao fato de que a definição de "todos" quase sempre exclui algumas partes da população — tais como mulheres, crianças ou minorias. Além do mais, quase todas as sociedades que descrevem a si mesmas como democracias políticas são na verdade democracias representativas, nas quais cidadãos elegem representantes que, na prática, detêm e exercem a autoridade política.

Mas até sociedades que desfrutam níveis relativamente altos de democracia política muitas vezes deixam de estender essa igualdade à economia. Todas as sociedades capitalistas industriais, por exemplo, funcionam politicamente como democracias representativas, embora uma pequena ELITE controle a vasta maioria da riqueza, incluindo os meios de produção, como fábricas. Apesar dos trabalhadores terem liberdade de decidir não trabalhar para um dado empregador, eles em geral não têm liberdade de trabalhar para si mesmos e evitar a posição relativamente impotente de assalariado.

Os marxistas argumentam que a relação entre a democracia política e a econômica é complexa e importante para compreender CLASSE SOCIAL e OPRESSÃO SOCIAL. A existência de democracia política em uma sociedade, por exemplo, pode ser usada para ocultar a falta de democracia econômica. Além disso, instituições políticas como o Estado são usadas muitas vezes para proteger os interesses das elites econômicas.

Ver também AUTOCRACIA; AUTORITARISMO; ECONOMIA POLÍTICA; OLIGARQUIA.

Leitura sugerida: Bottomore, Tom B. 1979: *Political Sociology*. Londres: Hutchinson • Bollen, Kenneth, e Robert W. Jackman 1985: "Political democracy". *American Sociological Review* 50(4): 438-57 • Held, David 1987: *Models of Democracy*. Cambridge: Polity Press.

demografia Demografia é o estudo sistemático do crescimento, tamanho, composição, distribuição e movimentação de populações humanas. Essa especialidade surgiu quando um inglês do século XVII, John Graunt, usou registros de nascimento e batizados de igreja e da cidade para identificar padrões sociais de mortalidade na área de Londres. Embora não tivesse sido o primeiro a pensar em assuntos relativos à população, Graunt realizou um trabalho pioneiro ao basear suas observações em registros sistemáticos. Utilizou-as para fazer uma grande variedades de estimativas — do tamanho da população de Londres, por exemplo, que era desconhecido à época — e analisar os efeitos relativos de migração, nascimentos e mortes sobre o tamanho e o crescimento da população.

A demografia desempenha um papel importante não só nas ciências sociais, e na sociologia em particular, mas na formulação da política pública e econômica. Dados demográficos são coletados regularmente em todo o mundo industrializado e, em grau muito menor, também nas sociedades não industriais.

A estreita ligação entre demografia e sociologia é bem visível no campo dos *estudos demográficos*, que se concentram na relação entre variáveis demográficas, por um lado, e características dos sistemas sociais, por outro. Esse tipo de trabalho inclui perguntas sobre a maneira como sistemas sociais afetam os processos demográficos e como estes afetam as condições da vida social.

Ver também MIGRAÇÃO; POPULAÇÃO; TAXA DE AUMENTO NATURAL; TAXA DE MORTALIDADE; TAXA DE NATALIDADE; TRANSIÇÃO DEMOGRÁFICA.

Leitura sugerida: Namboodiri, K. 1988: "Ecological demography: Its place in sociology". *American Sociological Review* 5(4): 619-33 • Shryock, Henry S., Jacob Siegal et al. 1976: *The Methods and Materials of Demography*. Londres e Nova York: Academic Press • Wrigley, E.A. 1969: *Population and History*. Londres: Weidenfeld and Nicolson.

denominação Denominação é uma instituição religiosa menor do que uma IGREJA mas maior do que uma SEITA. A filiação a ela tende a ser atribuída por ocasião do nascimento e inclui uma mistura relativamente pequena de meios formativos de CLASSE SOCIAL. A estrutura de autoridade é formal, com um clero treinado, mas quase nunca burocrática. Como acontece com os tipos mais importantes de instituições religiosas, a denominação utiliza uma forma altamente abstrata de serviço religioso, com pouca exibição de emoções. Em comparação com outras grandes instituições, como o Estado, a denominação nem apoia nem combate o status quo, tendendo a coexistir com o mesmo.

Nos Estados Unidos, o conceito de denominação é aplicado com maior frequência às religiões protestantes, tais como os congregacionalistas, unitaristas universalistas e presbiterianos.

Ver também BUROCRACIA; CULTO; ECLÉSIA; RELIGIÃO.

Leitura sugerida: Becker, Howard 1950: *Systematic Sociology*. Nova York: Wiley • Troeltsch, Ernst 1912 (*1956*): *The Social Teaching of the Christian Churches*. Londres: Allen and Unwin (*1931, 1981*): Chicago: University of Chicago Press • Weber, Max [1922] (*1963*): *The Sociology of Religion*. Boston: Beacon.

dependência estatística *ver* INDEPENDÊNCIA ESTATÍSTICA E DEPENDÊNCIA ESTATÍSTICA.

derivações *ver* RESÍDUOS E DERIVAÇÕES.

desalinhamento com base na classe *ver* COMPORTAMENTO ELEITORAL.

descendência *ver* PARENTESCO.

descendência bilateral *ver* PARENTESCO.

descolonização *ver* COLONIALISMO E IMPERIALISMO.

desconstrução Desconstrução é um método para compreender significado relacionando palavras entre si, e não diretamente com o que pensamos que elas representam. Da forma discutida por Jacques Derrida e outros defensores da perspectiva conhecida como pós-estruturalismo, o significado da linguagem não deve ser procurado em alguma realidade ou verdade concretas, mas apenas em relação à própria linguagem, que é socialmente construída. A palavra *masculino*, por exemplo, não nomeia alguma verdade concreta que possa ser observada em seres humanos. Ao invés disso, o significado da palavra só pode ser identificado através de um processo intelectual (desconstrução) que liga masculino a outras palavras, tais como *feminino* ou *andrógino*. Incluído na desconstrução há o argumento de que algumas ideias (como *masculino*) são culturalmente privilegiadas em comparação com outras (como *feminino*) e contribuem para impor uma hierarquia social e OPRESSÃO SOCIAL subjacentes.

Uma vez que o significado da linguagem é fluido e instável, o mesmo acontece com a realidade que nomeamos e explicamos com ela. Derrida via nesse método o forte potencial de usar a desconstrução para mostrar como a linguagem é usada para promover desigualdade e opressão. Em outros campos, no entanto, a desconstrução tem sido usada de maneiras muito diferentes. Algumas escolas de crítica literária, por exemplo, argumentam que é impossível chegar a uma conclusão sobre o que alguma coisa significa, postura esta que, de algumas maneiras, poderia contribuir para garantir a perpetuação do status quo, incluindo a desigualdade e a opressão.

Ver também MODERNISMO E PÓS-MODERNISMO.

Leitura sugerida: Derrida, Jacques 1967: *L'écriture et la différence*. Paris: Seuil / (*1971*): *A escritura e a diferença*. São Paulo: Perspectiva / (*1978*): *Writing and Difference*. Chicago: University of Chicago Press; Londres: Routledge.

desempenho de papel *ver* PAPEL.

desemprego e subemprego Desemprego é a condição de alguém querer trabalhar e não encontrar emprego. Por várias razões reveste-se de interesse sociológico. No primeiro sentido, há diferentes tipos de desemprego, correspondendo a diversas causas. O *desemprego estrutural*, por exemplo, ocorre quando a ESTRUTURA OCUPACIONAL muda (como no caso em que declina o número de empregos em manufatura e aumenta em serviços), tornando obsoletas algumas qualificações e deixando pessoas sem trabalho. O desemprego estrutural pode ocorrer por grande variedade de razões, incluindo inovações tecnológicas ou o fato de empresas decidirem fechar ou relocalizar suas operações em outras regiões ou países.

Outras formas de desemprego incluem o *desemprego voluntário* (que ocorre quando pessoas mudam de emprego por decisão própria); *desemprego sazonal* (quando a mudança das estações reduz a demanda de trabalho agrícola, de recreação e de outros tipos); *desemprego cíclico* (quando empresas dispensam empregados durante recessões, com vistas a cortar custos, preservar os lucros e proteger os interesses dos acionistas). Quase todos esses tipos de desemprego estão ligados à maneira como é organizada a economia. O capitalismo industrial tende a gerar desemprego com o comportamento competitivo e a busca de lucro, que definem o capitalismo como sistema. O socialismo estatal, em contraste, tende a gerar baixos níveis de desemprego porque é menos condicionado pelas exigências da eficiência competitiva e controle de custos.

O desemprego é também sociologicamente importante devido às suas consequências sociais. Essa situação tende, de uma grande variedade de maneiras, a machucar indivíduos, famílias e comunidades. Além disso, costuma ser distribuído de forma desigual pelos diferentes grupos e categorias sociais. Nas sociedades dominadas por brancos é muito mais provável que as populações negras fiquem desempregadas, qualquer que seja seu nível educacional e outras qualificações.

Finalmente, o desemprego é importante na maneira como é medido como fenômeno social. Nos Estados Unidos e na Grã-Bretanha, as estatísticas oficiais definem como desempregados apenas os que não têm emprego e que o procuram ativamente. Essa orientação tende a subestimar a extensão do desemprego ao excluir os que gostariam de trabalhar, mas estão tão desanimados com a falta de oportunidades de emprego que não mais o procuram. Tampouco consegue medir a extensão do *subemprego*, uma condição na qual as pessoas são obrigadas a trabalhar em tempo parcial ou em empregos que não lhes pagam o suficiente para sustentar a si mesmos ou a suas famílias, ou ainda que não lhes permitem utilizar plenamente suas qualificações. À medida que as economias industriais substituem empregos melhor remunerados em manufatura por empregos em serviços com pagamento mais baixo, e à proporção que empresas aumentam sua competitividade recorrendo a trabalhadores em tempo parcial, o problema do subemprego torna-se cada vez mais importante.

Ver também FORÇA DE TRABALHO AGREGADA; MERCADO DE TRABALHO.

Leitura sugerida: Ashton, D.N. 1986: *Unemployment under Capitalism: The Sociology of British and American Labor*. Westport, CT: Greenwood Press • Sinclair, Peter 1997: *Unemployment: Economic Theory and Evidence*. Oxford: Blackwell Publishers • Sullivan, Teresa A. 1978: *Marginal Workers, Marginal Jobs*. Austin: University of Texas Press.

desemprego estrutural *ver* DESEMPREGO E SUBEMPREGO.

desemprego voluntário *ver* DESEMPREGO E SUBEMPREGO.

desemprego sazonal *ver* DESEMPREGO E SUBEMPREGO.

desengajamento, teoria do *ver* TEORIA DO DESENGAJAMENTO.

desigualdade *ver* ESTRATIFICAÇÃO E DESIGUALDADE.

desinteresse, norma de *ver* REGRAS DA CIÊNCIA.

desqualificação A desqualificação é o processo de usar a tecnologia e a fragmentação do trabalho com o objetivo de reduzir a extensão e a profundidade das qualificações possuídas por trabalhadores. Nas primeiras fases do capitalismo industrial, por exemplo, trabalhadores de produção eram em geral altamente qualificados em todas as áreas do processo produtivo. Esse fato, contudo, dava a eles considerável influência e poder porque era difícil substituí-los. Desenvolvendo-se a tecnologia da produção em massa, linhas de montagem foram usadas para, ao mesmo tempo, tornar a produção mais eficiente e fragmentar o processo de trabalho, de modo que cada trabalhador se concentrasse em uma estreita faixa de tarefas simplificadas que exigiam menos treinamento e perícia.

Como resultado, a geração moderna de trabalhadores é substituída mais facilmente, e atender às exigências deles tornou-se menos difícil. A desqualificação parece estar também se disseminando entre os níveis mais baixos de empregos de colarinho-branco, tendência esta relacionada ao aumento do uso de computadores. As profissões liberais são as únicas em geral insensíveis à desqualificação, em parte porque ainda conseguem reter controle sobre as condições e métodos de trabalho.

Há algum desacordo se a desqualificação está de fato ocorrendo ou não, sobretudo de parte daqueles que preveem uma força de trabalho mais altamente qualificada na SOCIEDADE PÓS-INDUSTRIAL.

Ver também ADMINISTRAÇÃO CIENTÍFICA; ALIENAÇÃO; PROLETARIZAÇÃO.

Leitura sugerida: Braverman, Harry 1974: *Labor and Monopoly Capital: the Degradation of Work in the Twentieth Century*. Nova York: Monthly Review Press / (*1981*): *Trabalho e capital monopolista: a degradação do trabalho no século XX*. 3ªed., Rio de Janeiro: Zahar / Guanabara • Wood, Stephen 1982: The Degradation of Work? Londres: Hutchinson.

desvio Desvio é qualquer comportamento ou aparência que violam uma NORMA. Em termos sociológicos, difere de comportamento ou aparência que sejam apenas incomuns em sentido estatístico. É extremamente incomum, por exemplo, mas não um desvio, que alguém seja eleito primeiro-ministro ou presidente de um país. Em contraste, usar drogas ilegais e cometer adultério são comportamentos bastante comuns, a despeito do fato de serem definidos em muitas culturas como desvios.

Conforme observou Émile DURKHEIM, o desvio, do ponto de vista da PERSPECTIVA FUNCIONALISTA, é uma criação cultural porque só através da criação de normas é que existe a possibilidade de elas serem violadas.

Normas e, daí, desvio, são socialmente importantes porque ajudam a definir e regular as FRONTEIRAS dos sistemas sociais. Nossa lealdade comum, visível, às normas de uma cultura nos define como membros da mesma. Mas, de maneira semelhante, os que as violam aguçam a conscientização de fronteiras ao violá-las. Ao fazer isso, reforçam o senso de coesão e integração daqueles que se conformam a elas.

Da PERSPECTIVA DE CONFLITO, o poder de definir normas e, portanto, desvios, é em geral desigualmente distribuído na sociedade. Isso significa que os grupos dominantes podem moldálas para servir a seus interesses, incluindo controle sobre grupos subordinados, às expensas de outros. Os grupos dominantes, na maioria das sociedades, podem usar leis, tribunais, polícia e, em alguns casos, forças militares, para impor normas que protegem suas propriedades e privilégios, em especial o controle da riqueza e das grandes instituições sociais.

Da PERSPECTIVA INTERACIONISTA, desvio e conformidade são criados pelo comportamento do indivíduo em relação a outros e através da maneira de ver e interpretar a aparência e o comportamento dos demais. Todas as formas de desvio — do comportamento criminoso ao ESTIGMA da deformidade física e ao fato de alguém ser simplesmente considerado "esquisito" — ocorrem apenas quando pessoas percebem, interpretam e reagem a comportamento e aparência como sendo desvios.

A criminologia interessa-se principalmente em descrever e explicar padrões de desvio que violam as leis criminais. A sociologia do desvio, porém, adota uma visão mais ampla, que inclui todas as maneiras em que uma pessoa se conforma ou se desvia das expectativas normativas vigentes nos sistemas sociais e como esses tipos de comportamento produzem consequências não só para si mesma e para outras, mas para sistemas sociais como um todo. Na sociologia do desvio, o foco não é apenas no motivo por que indivíduos violam normas, mas como as características de sistemas sociais geram padrões ou taxas de desvio, tais como taxas de homicídio e suicídio ou a taxa de "cola" em uma universidade. As taxas de desvio revestem-se de interesse porque descrevem sistemas sociais e as categorias de pessoas neles incluídas.

A tabela abaixo mostra vários padrões interessantes. Países diferem em taxas de suicídio, mas as diferenças variam com a idade. A da Dinamarca é a mais alta entre todos os homens e mulheres, por exemplo, mas a França possui a mais alta entre homens idosos e o Japão a mais alta entre mulheres velhas. Os homens apresentam taxas uniformemente mais altas do que as mulheres, embora homens na Austrália, Grã-Bretanha, Itália e Estados Unidos tenham uma taxa mais baixa do que a das mulheres na Dinamarca. Essa diferença desaparece em idades mais avançadas, contudo, porque embora as taxas dos homens aumentem muito com o avanço da idade, as das mulheres tendem a declinar.

Tabela 1

Taxas de Suicídio por Sexo e Idade em Países Selecionados

	Todos os homens	75 anos ou mais	Todas as mulheres	75 anos ou mais
Austrália	17,0	39,3	5,4	8,2
Grã-Bretanha	11,5	22,5	5,9	9,7
Canadá	22,3	26,4	6,4	4,6
Dinamarca	37,1	69,1	21,2	27,8
França	28,5	97,9	11,1	24,8
Itália	10,1	37,4	4,6	10,2
Japão	27,6	79,1	13,3	56,9
Suécia	27,8	56,7	11,2	13,1
Estados Unidos	19,2	46,1	5,6	5,3

Fonte: *Statistical Abstract of the United States, U.S. Census Bureau 1987.*

De uma perspectiva sociológica, a explicação para tais padrões está nas condições em que cada uma dessas diferentes populações vive.

Ver também ANOMIA; ASSOCIAÇÃO DIFERENCIAL; CRIME SEM VÍTIMA; ESTRUTURA DE OPORTUNIDADES, DESVIO E; TEORIA DAS ROTULAÇÕES.

Leitura sugerida: Becker, Howard S. 1963: *Outsiders: Studies in the Sociology of Deviance.* Nova York: Free Press; Londres: Macmillan • Downes, D., e P. Rock 1988: *Understanding Deviance.* Oxford: Oxford University Press • Sutherland, Edwin H. e Donald R. Cressey: 1978. *Criminology,* 10ªed. Filadélfia: Lippincott.

desvio aberrante Da forma descrita por Robert K. MERTON em sua teoria do DESVIO, o desvio aberrante é um ato que viola uma lei ou outra norma secretamente, tendo em vista acima de tudo o ganho pessoal. Pode assumir a forma de *desvio inovador*, ou seja, o uso de meios desviantes para atingir metas promovidas pela cultura (como roubar para conseguir sucesso financeiro), ou *retração*, isto é, a retirada da vida social e a rejeição das normas e valores da sociedade. Os que passam a fazer parte da subcultura das drogas, por exemplo, rejeitam não só as regras da vida social, mas os valores que são em geral considerados mais importantes.

Ver também DESVIO NÃO CONFORMISTA; ESTRUTURA DE OPORTUNIDADES, DESVIO E.

Leitura sugerida: Merton, Robert K. 1949 (*1968*): *Social Theory and Social Structure*. Ed. rev. e ampl., Nova York: Free Press.

desvio e estrutura de oportunidades *ver* ESTRUTURA DE OPORTUNIDADES, DESVIO E.

desvio inovador *ver* DESVIO ABERRANTE; DESVIO NÃO CONFORMISTA.

desvio não conformista Da forma descrita por Robert K. MERTON em sua teoria do DESVIO, o do tipo não conformista é o ato cometido abertamente e por interesses sociais, e não de forma secreta, para ganho pessoal. A desobediência civil, por exemplo, é uma violação deliberada da lei com a intenção de provocar prisão e castigo. Tem por finalidade focalizar a atenção pública na necessidade de mudar algum aspecto da vida social, seja pôr fim a uma guerra ou protestar contra o que se considera uma injustiça.

O desvio não conformista pode assumir a forma de *desvio inovador*, ou seja, uma situação em que normas são contestadas, mas não os valores culturais que as sustentam e impõem. Indivíduos podem apoiar a ideia de reduzir o número de crimes, por exemplo, mas ser contra medidas policiais repressivas destinadas a combatê-los. O desvio não conformista pode adotar também a forma de *rebelião*, na qual são rejeitados valores e normas culturais. Em muitas sociedades, por exemplo, acumular riqueza material é atividade altamente apreciada, embora os meios legítimos para consegui-la sejam distribuídos de forma desigual, com o resultado de que numerosas pessoas se sentem frustradas em suas tentativas de satisfazer desejos e necessidades materiais. Uma das reações a essa situação é a rebelião, através da qual indivíduos rejeitam os valores envolvidos e renunciam aos meios legítimos, culturalmente definidos, para atingi-los. Como consequência podem adotar novos valores, tal como levar uma vida de simplicidade, com um mínimo de riqueza material e esforço, ou adotar novos meios para alcançar esses objetivos, como viver em comunas, em que a posse comum e a cooperação são mais apreciadas do que a competição e nas quais não se permite a propriedade privada.

Ver também DESVIO ABERRANTE; ESTRUTURA DE OPORTUNIDADES, DESVIO E.

Leitura sugerida: Merton, Robert K. 1938: "Social structure and anomie". *American Sociological Review* 8: 672-82.

desvio-padrão *ver* VARIÂNCIA.

desvio primário *ver* TEORIA DAS ROTULAÇÕES.

desvio secundário *ver* TEORIA DAS ROTULAÇÕES.

determinismo biológico *ver* DETERMINISMO E REDUCIONISMO.

determinismo cultural *ver* DETERMINISMO E REDUCIONISMO.

determinismo e reducionismo Em termos gerais, determinismo é um modo de pensar que supõe que tudo é, de modo previsível, causado por alguma coisa. Mais especificamente, determinismo descreve qualquer teoria que explique o mundo em termos de alguns fatores estreitamente definidos, com exclusão de todos os demais (prática conhecida também como *reducionismo*). O *determinismo biológico*, por exemplo, argumenta que a fisiologia, a genética e as pressões demográficas determinam como sociedades são organizadas. O *determinismo social* (ou *cultural*) adota a postura oposta, atribuindo a vida social exclusivamente a sistemas sociais, que se supõe estarem além da influência dos aspectos biológicos da existência humana. Ambas as perspectivas implicam que o homem tem relativamente pouco controle ou livre-arbítrio em face de fatores biológicos ou sociais.

A teoria marxista tem sido criticada como sendo uma forma de *determinismo econômico* (conhecida também como *economismo*), ao argumentar que as forças e relações de produção que definem os sistemas econômicos determinam as condições sociais, da religião e literatura ao governo e à vida familiar.

Da perspectiva sociológica, o pensamento determinista/reducionista é falho por sua própria natureza, uma vez que deixa de compreender a complexidade inerente à vida social, que a sociologia tenta abranger e descrever. Na verdade, o surgimento da sociologia no século XIX teve origem em parte na crítica de Émile DURKHEIM à tendência de reduzir os fenômenos sociais à psicologia individual.

Ver também AÇÃO E ESTRUTURA; BASE E SUPERESTRUTURA; INDIVIDUALISMO METODOLÓGICO; SOCIOBIOLOGIA.

Leitura sugerida: Durkheim, Émile 1895: *Les règles de la méthode sociologique*. Paris: Félix Alcan / (*1982*): *The Rules of the Sociological Method*. Nova York: Free Press; Londres: Macmillan • [1924] 1974: *Sociology and Philosophy*. Nova York: Free Press.

determinismo econômico *ver* DETERMINISMO E REDUCIONISMO.

determinismo social *ver* DETERMINISMO E REDUCIONISMO.

díade Uma díade é um relacionamento social que envolve dois participantes. A importância dos números na interação social é frequentemente associada ao sociólogo alemão Georg SIMMEL, que notou, por exemplo, que quando uma díade se transforma em *tríade* (isto é, passa a ter três participantes), a possibilidade de coalizão emerge e, com ela, maior potencial de desequilíbrio de poder.

Ver também COALIZÃO.

Leitura sugerida: Simmel, Georg 1908 (*1965*): "The poor". *Social Problems* 13: 118-40.

dicotomia Dicotomia é uma VARIÁVEL que tem apenas duas categorias, como o sexo ou a resposta (sim ou não) à pergunta, "Você acredita em Deus?". Toda e qualquer variável com várias categorias pode ser convertida em uma dicotomia pela simples combinação das mesmas. A idade, por exemplo, poderia ser condensada em uma dicotomia, com as duas categorias de 0-45 e 46 e mais anos de idade.

Há várias razões para condensar em uma dicotomia uma variável com diversas categorias. Às vezes são tão poucas as observações em algumas categorias que se torna impossível analisá-las — como por exemplo, o número extremamente pequeno de indivíduos com idade de 90-100 em qualquer levantamento típico. Uma das maneiras mais interessantes de adotar esse sistema é que podemos considerar a dicotomia como tendo propriedades de ESCALA DE INTERVALO, desde que ela tenha apenas um intervalo, o que existe entre duas categorias. Uma vez que numerosas técnicas estatísticas sofisticadas podem ser usadas com variáveis de escala de intervalo, isso significa que variáveis de escala baixa, como sexo, podem ser tratadas como escalas de intervalo e incorporadas a análise mais sofisticadas, o que de outra maneira não seria possível.

O perigo com essa prática é que condensar variáveis muitas vezes oculta informações importantes. Se condensamos a variável religião em duas categorias, como "cristã" e "não cristã", por exemplo, amontoamos grupos religiosos que diferem de maneiras profundas. Se essas diferenças são relevantes para as outras variáveis que estão sendo estudadas, o procedimento pode constituir um erro grave.

Ver também ESCALA DE MEDIÇÃO; VARIÁVEL DICOTÔMICA.

diferenciação Diferenciação é um conceito com dois significados diferentes em sociologia, ambos os quais descrevem a estrutura de sistemas sociais. No primeiro sentido, diferenciação é a tendência de sistemas sociais de se tornarem cada vez mais complexos à medida que se desenvolvem, em especial através da especialização. Conforme os governos se expandem, por exemplo, tendem a criar um número cada vez maior de ministérios para cuidar de atividades separadas.

No segundo sentido, diferenciação é o processo social de distinguir pessoas de acordo com o status social que ocupam. A *diferenciação horizontal* refere-se simplesmente a diferenciações entre status sem semelhanças entre si — as expectativas de papel de empregados de escritório, por exemplo, são diferentes das de soldados combatentes. A *diferenciação vertical* adiciona o elemento de hierarquia ao estabelecer distinções baseadas nos volumes de riqueza, poder, prestígio e outras vantagens e recursos valiosos que pessoas recebem em virtude do status que ocupam. O sistema de classes sociais, por exemplo, diferencia algumas pessoas tanto horizontal (diferenças em estilo de vida, comportamento político etc.) como verticalmente (desigualdades de riqueza, poder e prestígio).

Ver também ASSOCIAÇÃO DIFERENCIAL; DIVISÃO DO TRABALHO; ESTRATIFICAÇÃO E DESIGUALDADE; STATUS.

Leitura sugerida: Durkheim, Émile 1893: *De la division du travail social*. Paris: Félix Alcan / (*1978*): *Da divisão do trabalho social*. São Paulo: Abril Cultural / (*1984*): *The Division of Labor in Society*. Nova York: Free Press; Londres: Macmillan.

diferenciação horizontal *ver* DIFERENCIAÇÃO.

diferenciação vertical *ver* DIFERENCIAÇÃO.

difusão Da forma como foi descrita pela primeira vez pelo antropólogo Edward Tylor, difusão é um processo social através do qual conhecimentos e práticas culturais, bem como produtos materiais, são disseminados de um sistema social a outro. A imprensa, por exemplo, foi inventada pelos chineses no século XVI; da China a descoberta espalhou-se pelo resto do mundo e revolucionou a capacidade do homem de armazenar, recuperar e transmitir conhecimento e ideias. Aumentando as oportunidades de interação entre as culturas, o mesmo aconteceu com a taxa de difusão. Desde o desenvolvimento tecnológico das armas nucleares, por exemplo, tem havido um grande esforço para impedir sua difusão além do núcleo de sociedades industriais dominantes.

Ver também MUDANÇA SOCIAL.

Leitura sugerida: Rogers, Everett M. 1983: *Diffusion of Innovations*, 3ªed. Nova York: Free Press • Tylor, Edward 1871 (*1958*): *Primitive Culture*. Nova York: Harper.

dinâmica de grupo Dinâmica de grupo é o processo que efetivamente ocorre quando pessoas interagem entre si. O conceito é importante porque chama atenção para a diferença entre o que acontece e o que poderia se esperar que acontecesse, dadas a cultura e a estrutura do grupo. Um grupo pode ter uma ESTRUTURA DE PODER, por exemplo, que concede AUTORIDADE a certos membros sobre outros. Na prática, contudo, vários membros, que por algum motivo são menos poderosos, podem formar uma COALIZÃO sobre um dado assunto e temporariamente privar do poder aqueles que exercem a autoridade formal. A maneira exata como isso é realizado e como afeta o funcionamento geral do grupo são questões fundamentais no estudo da dinâmica de grupo.

Ver também PAPEL.

Leitura sugerida: Bales, Robert F., e Stephen P. Cohen 1979: *SYMLOG: a System for the Multiple Level Observation of Groups. Nova York: Free Press* • Cartwright, Dorwin, e Alvin Wander, orgs. 1968: *Group Dynamics: Research and Theory*, 3ªed. Nova York: Harper and Row • Hare, A.R. 1976: *Handbook of Small Group Research*, 2ªed. Nova York: Free Press.

direção da relação Direção da relação é a conexão estatística entre duas variáveis que podem ser descritas em termos de sua direção ou forma, ou a maneira padronizada como escores em uma variável variam em relação aos escores da outra.

A *relação linear* assume geralmente a forma de uma linha reta e pode ser *positiva* ou *negativa*. Se os escores em Y tendem a aumentar à medida que aumentam os escores em X, então a relação é descrita como positiva (ou *direta*). Esse é o caso com a relação entre renda (Y) e educação (X). Se os escores em Y tendem a diminuir enquanto aumentam os escores em X, então a relação é negativa (ou *inversa*). Esse é o caso com a relação entre o bom aproveitamento de crianças na escola (Y) e o número de irmãos que têm (X).

A *relação não linear* pode ser *curvilinear* ou *irregular*. As relações irregulares carecem de padrão claro. Se examinamos a maneira como o apoio de pessoas a uma determinada crença difere à medida que a renda cresce, por exemplo, podemos encontrar um padrão irregular alternante de aumentos e reduções que nem se parecem com uma linha reta nem com uma curva.

As relações curvilineares têm sido muito importantes em sociologia. As relações entre status socioeconômico e fecundidade, por exemplo, variam segundo país e período histórico. Em muitos casos elas são lineares (sejam positivas ou negativas), mas em outros assemelham-se a um "U", com os níveis mais altos de fecundidade entre os que estão no topo e na base do sistema de classe. A forma em U é encontrada também no estudo de Émile DURKHEIM sobre o suicídio, no qual as taxas mais altas ocorrem quando o grau de coesão social é muito baixo ou muito alto. A taxa de suicídio foi mais baixa em faixas mais moderadas de coesão.

Na prática, pesquisadores tendem a supor que as relações são lineares, em parte porque as técnicas estatísticas para analisar relações curvilineares não tiveram o mesmo desenvolvimento e são mais complicadas e difíceis de usar e interpretar. Ainda assim, as relações curvilineares figuram entre as mais fascinantes na sociologia.

Ver também ANÁLISE DE REGRESSÃO; INDEPENDÊNCIA ESTATÍSTICA E DEPENDÊNCIA ESTATÍSTICA.

direito *ver* LEI.

direito civil *ver* LEI.

direito criminal *ver* LEI.

direitos cívicos *ver* CIDADÃO E CIDADANIA.

direitos políticos *ver* CIDADÃO E CIDADANIA.

direitos socioeconômicos *ver* CIDADÃO E CIDADANIA.

discriminação *ver* PRECONCEITO E DISCRIMINAÇÃO.

discriminação etária A discriminação etária é o preconceito baseado em diferenças de idade. Ao contrário da maioria das demais formas de preconceito, esta afeta todas as pessoas em uma ou outra época, uma vez que todos passam certo tempo em categorias etárias subordinadas (como a infância) e dominantes (como a meia-idade).

Ver também ENVELHECIMENTO; GERONTOLOGIA; PRECONCEITO E DISCRIMINAÇÃO.

discurso e formação do discurso Discurso é conversa escrita e falada e o pensamento que lhe serve de base. De acordo com Michel FOUCAULT, o discurso é sociologicamente importante porque a maneira como falamos e pensamos sobre o mundo modela o modo como nos comportamos e o tipo de mundo que, como resultado, ajudamos a criar. É através do discurso que construímos o que experimentamos como realidade e, logo que aprendemos a pensar e a falar sobre a realidade de uma maneira particular, não podemos deixar de desligar nossa capacidade de nela pensar em um incontável número de outras maneiras.

Foucault estava especialmente interessado na formação do discurso — de que forma as maneiras de pensar e conversar surgiram na sociedade e como afetam a vida social. Duas áreas eram de interesse especial para ele, a loucura e a sexualidade, ambas as quais considerava socialmente construídas. Não há tais coisas, argumentava ele, como sexualidade ou loucura, exceto na medida em que seres humanos criam ideias sobre elas através da conversa e de outras formas de discurso. Se consideramos a loucura divinamente inspirada, ou má, ou uma patologia de causas biológicas, por exemplo, depende do que o discurso sobre a loucura parece em nossa sociedade. Da mesma forma, se consideramos capitalismo igual a democracia ou sexualidade igual a heterossexualidade, não podemos deixar de moldar a vida econômica e sexual de maneiras que tornam difícil considerar a possibilidade de alternativas democráticas ao capitalismo ou vidas sexuais que sejam igualitárias, *gays* ou lésbicas.

Ver também CULTURA; CONHECIMENTO.

Leitura sugerida: Foucault, Michel 1971: *Madness and Civilization: A History of Insanity in the Age of Reason*. Londres: Tavistock o 1976: *Histoire de la sexualité*, vol.1, *La volonté de savoir*. Paris: Gallimard / (*1977*): *História da sexualidade*. vol.1, *A vontade de saber*. Rio de Janeiro: Graal / (*1981*): *The History of Sexuality.*, vol.1, *An Introduction*. Harmondsworth: Penguin; Londres: Tavistock.

distância *ver* DISTÂNCIA SOCIAL.

distância do papel *ver* PAPÉIS, CONFLITO DE.

distância social Distância social é o grau em que pessoas estão dispostas a aceitar e associar-se com aquelas que têm características sociais diferentes. A má vontade em ser vizinho de uma família de raça diferente, por exemplo, indicaria um alto grau de distância social, ao passo que a disposição de casar com alguém de raça diferente indicaria um nível extremamente baixo.

Uma das maneiras de medir a distância social consiste no uso da *escala de distância social de Bogardus* (assim chamada em homenagem a Emery S. Bogardus, sociólogo americano). A escala baseia-se em uma série de perguntas a entrevistados, como, por exemplo, se estariam ou não dispostos a tolerar vários níveis de distância social — viver no mesmo bairro, convidar para jantar, casar etc. A suposição é que os entrevistados dispostos a tolerar um dado nível de distância tolerarão também níveis mais altos. Em outras palavras, se estão dispostos a casar com alguém de raça diferente, a escala supõe que estariam também dispostos a convidá-los para jantar. Uma escala com essa característica é conhecida como escala de Guttman.

Ver também ESCALA DE ATITUDES; SEGREGAÇÃO E INTEGRAÇÃO.

distribuição Distribuição é um conceito com duas definições básicas em sociologia. Em sentido estatístico é um conjunto de escores, como a idade de pessoas e o número relativo de ocasiões em que cada escore acontece. Nos Estados Unidos, por exemplo, a distribuição da maneira como adultos identificam sua posição na classe social mudou acentuadamente para baixo na segunda metade deste século. Em 1964, 61% consideravam-se na classe média e 35% na classe operária, com os 4% restantes divididos entre as classes alta e baixa. Em comparação, a distribuição de 1993 mostrou que apenas 45% se incluíam na classe média, 45% na classe operária, 7% na classe baixa e 3% na classe alta.

No estudo da desigualdade social, distribuição é o processo de dividir vantagens e recursos sociais e o resultado dele decorrente. Os sistemas de classe e outras formas de desigualdade sistemática não são estáticos. Na verdade, são sistemas correntes de produção e distribuição que afetam não só a vida de pessoas mas moldam sistemas sociais inteiros.

Distribuições figuram ainda com destaque na análise estatística, através do uso de DISTRIBUIÇÃO DE CURVA NORMAL, de QUI-QUADRADOS etc.

Ver também DIFERENCIAÇÃO; DISTRIBUIÇÃO AMOSTRAL; DISTRIBUIÇÃO DE FREQUÊNCIA; ESTRATIFICAÇÃO E DESIGUALDADE; ESTRUTURA ETÁRIA; ESTRUTURA SOCIAL; GRÁFICOS; ÍNDICE DE DISSIMILARIDADE; QUI-QUADRADO.

distribuição amostral Em ESTATÍSTICA, distribuição amostral é uma DISTRIBUIÇÃO matemática teórica de todos os possíveis resultados de AMOSTRAS que podem ser obtidas selecionando-as em uma população. Suponhamos que determinamos a renda MÉDIA de uma amostra de famílias britânicas e usamos esses números para estimar a renda média de toda a população de unidades censitárias do país. A amostra que selecionamos, bem como sua renda média, é apenas uma de um número quase infinito de possíveis amostras e médias de amostras que poderíamos ter escolhido. A distribuição amostral contém todos essas possíveis médias de amostra.

Ao usar distribuições amostrais, temos de ser capazes de estimar as principais características da distribuição: seu valor médio, sua forma e sua VARIÂNCIA (o grau em que amostras na distribuição diferem umas das outras). Uma vez que amostragem envolve erro aleatório, metade das médias da amostra será maior do que a média da população e a outra metade será menor. Desde que esses erros tendem a se cancelar mutuamente, se somássemos todas as possíveis médias da amostra e tirássemos uma média aritmética das mesmas, ela seria igual à média da população que estamos tentando estimar.

A forma da distribuição é determinada a partir de um teorema matemático conhecido como *teorema do limite central*. De acordo com esse teorema, a distribuição amostral de uma dada característica de amostra, como a renda média, terá forma normal se a própria população tiver forma normal no que interessa a essa variável. Uma vez que isso raramente acontece, o teorema proporciona uma posição de reserva: quanto maior a amostra, mais fielmente a distribuição amostral se assemelhará a uma DISTRIBUIÇÃO DE CURVA NORMAL campanular. Isso será verdade qualquer que seja o tipo de população.

A quantidade de variação em uma distribuição amostral é medida por uma estatística conhecida como ERRO-PADRÃO. As distribuições amostrais são de valor inestimável em pesquisa porque servem como ponte estatística entre o que sabemos (os dados coletados em amostras) e o que queremos saber (as características de populações das quais foram retiradas as amostras). Isso é feito através do processo conhecido geralmente como INFERÊNCIA ESTATÍSTICA.

Ver também DISTRIBUIÇÃO DE CURVA NORMAL; ERRO; ERRO AMOSTRAL: ERRO-PADRÃO; ESTATÍSTICA.

Leitura sugerida: Bohrnstedt, George W., e David Knoke 1988: *Statistics for Social Data Analysis*, 2ªed. Ithaca, IL: F.E. Peacock.

distribuição bimodal *ver* MODO.

distribuição de curva normal Em estatística, distribuição de curva normal faz parte de uma família de distribuições que se conforma a uma forma especial que produz uma curva simétrica, campanular (ver Figura 4). Distribuições de curva normal diferem entre si na medida em que se estendem ou se aguçam em pico, dependendo do volume de variação que contêm.

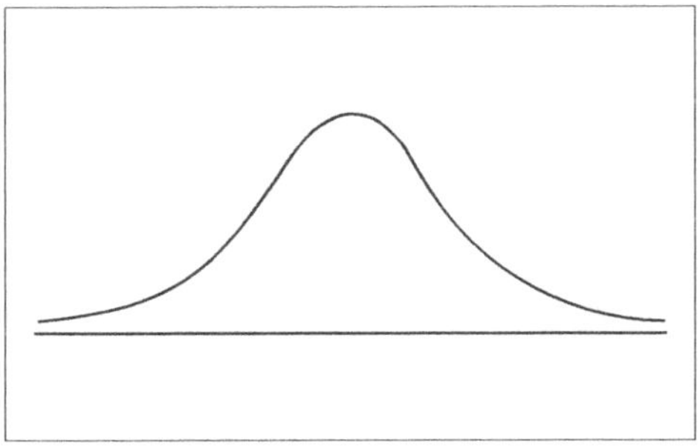

Figura 4. *Distribuição de curva normal.*

As distribuições normais são muito úteis em pesquisas pois se pudermos supor que uma distribuição de escores é normalmente modelada, saberemos que percentagem de casos na distribuição se situa a qualquer dada distância do centro (a média) da distribuição. Em uma distribuição normal, por exemplo, 68% de todos os casos terão escores que se situarão dentro de um desvio-padrão da MÉDIA da distribuição; 95,5% se situarão dentro de dois desvios-padrão; e 99,7% dentro de três. A possibilidade de fazer esses tipos de enunciados é de grande importância na inferência estatística pois permite que os pesquisadores estimem a probabilidade de erro associada ao uso de um resultado de amostra a fim de tirar inferências sobre a população da qual foi extraída.

Embora a forma das distribuições de curva normal mude com maiores ou menores volumes de variação, nem todas as curvas simétricas campanulares são normais. Economistas, em especial, identificam vários graus de *curtose* nas curvas. Elas podem desviar-se da normalidade, por exemplo, por terem um pico agudo demais (*leptocúrticas*) ou niveladas demais (*platicúrticas*). Uma distribuição platicúrtica especializada usada pelos sociólogos é a *distribuição de t de student*, utilizada para estimar médias de população quando o tamanho da amostra é pequeno.

Ver também DISTRIBUIÇÃO AMOSTRAL; ESCORE-PADRÃO; ESTATÍSTICA; SIMETRIA; VARIÂNCIA.

Leitura sugerida: Bohrnstedt, George W., e David Knoke 1988: *Statistics for Social Data Analysis*, 2ªed. Ithaca, IL: F.E. Peacock.

distribuição de frequência Distribuição de frequência é a descrição de uma VARIÁVEL que proporciona a contagem do número de CASOS que se incluem em cada uma de suas categorias. Consideremos, por exemplo, a seguinte declaração: "Seria muito melhor para todos os interessados se o homem fosse o provedor fora de casa e a mulher cuidasse do lar e da família." Da forma medida na Pesquisa Social Geral de 1993, da população adulta dos Estados Unidos, essa variável incluía quatro categorias, com as frequências mostradas na tabela abaixo.

Tabela 2
Distribuição de Frequência

Concorda fortemente	64
Concorda	318
Discorda	491
Discorda fortemente	181
Não sabe	23
Total	1.077 = *n*

Fonte: *James A. Davis e Tom W. Smith, General Social Surveys, 1972-1993: Cumulative Codebook (Chicago: National Opinion Research Center, 1993).*

A tabela representa a frequência de distribuição da variável, com *n* denotando o número total de casos na distribuição. As distribuições de frequência são úteis para dar uma ideia aproximada dos resultados (podemos ver, por exemplo, que uma maioria — 672 em 1.077 — discorda ou discorda fortemente), mas elas podem ser rapidamente convertidas em outras formas para responder a perguntas de natureza sociológica.

Ver também GRÁFICOS; TABULAÇÃO CRUZADA; VARIÁVEL.

distribuição de t de student *ver* DISTRIBUIÇÃO DE CURVA NORMAL.

distribuição leptocúrtica *ver* DISTRIBUIÇÃO DE CURVA NORMAL.

distribuição multimodal *ver* MODO.

distribuição platicúrtica *ver* DISTRIBUIÇÃO DE CURVA NORMAL.

divisão do trabalho Divisão do trabalho é a amplitude de tarefas que são realizadas em um sistema social. Pode variar de todas as pessoas fazerem a mesma coisa a cada pessoa ter um PAPEL especializado. Tem sido há muito tempo um conceito sociológico importante porque é através da divisão do trabalho que a vida social realmente ocorre e a ela todos os indivíduos estão ligados.

O conceito é usado sobretudo no estudo da produção econômica. Nas sociedades de caçadores-coletores, por exemplo, as divisões do trabalho são relativamente simples, uma vez que não é muito grande o número de tarefas a serem feitas. Em comparação, sociedades industriais as têm extremamente complexas, principalmente porque a capacidade de produzir um vasto excedente de alimentos permite que a maioria das pessoas se entregue a uma grande variedade de tarefas que pouco têm a ver com as necessidades da sobrevivência. Da forma exposta pela primeira vez por Émile DURKHEIM, as diferenças na divisão do trabalho afetam de forma profunda aquilo que mantêm coesas as sociedades. Com divisões do trabalho simples, a COESÃO social baseia-se principalmente nas semelhanças das pessoas entre si e no fato de terem um estilo de vida comum. Com as divisões do trabalho complexas, porém, ela tem por fundamento a interdependência que resulta da especialização. Num sentido irônico, as diferenças são o que nos mantêm unidos.

A divisão do trabalho figura também com destaque no estudo da desigualdade social. Do ponto de vista marxista, o capitalismo utiliza uma divisão do trabalho complexa para controlar melhor os trabalhadores. O trabalho é dividido em grande número de tarefas minuciosamente especializadas que requerem apenas o mínimo de treinamento e qualificação. Esse fato permite aos empregadores monitorar e controlar o processo de produção e substituir sem dificuldade os trabalhadores, o que os priva de poder em suas relações com os patrões. A divisão do trabalho é também importante no estudo de formas de desigualdade social por motivo de sexo, raça e outras características, uma vez que os tipos de papéis desempenhados pelas pessoas afetam fortemente a parcela que elas recebem de riqueza, poder e prestígio.

Ver também GEMEINSCHAFT E GESELLSCHAFT; DIVISÃO INTERNACIONAL DO TRABALHO; MERCADO DE TRABALHO; ESTRUTURA OCUPACIONAL; PAPÉIS, ESTRUTURA DE.

Leitura sugerida: Braverman, Harry 1974: *Labor and Monopoly Capital: the Degradation of Work in the Twentieth Century*. Nova York: Monthly Review Press / (*1981*): *Trabalho e capital monopolista: a degradação do trabalho no século XX*. 3ªed., Rio de Janeiro: Zahar / Guanabara • Durkheim, Émile 1893: De la division du travail social. Paris: Félix Alcan / (1978): *Da divisão do trabalho social*. São Paulo: Abril Cultural / (*1984*): *The Division of Labor in Society*. Londres: Macmillan.

divisão internacional do trabalho A divisão internacional do trabalho é o leque de tarefas que existe em diferentes níveis no SISTEMA-MUNDO econômico. No nível empresarial, as EMPRESAS TRANSNACIONAIS frequentemente dividem o processo de produção entre operações em diversos países. A versão europeia do automóvel Ford Escort, por exemplo, é um acoplamento de peças produzidas em cerca de quinze países europeus e norte-americanos.

No nível nacional, a produção é cada vez mais organizada em torno da especialização regional. Peças para aparelhos eletrônicos como computadores, por exemplo, são tipicamente produzidas nos países industriais mais ricos e só então acopladas para formar o produto final nos países do TERCEIRO MUNDO, como México e Malásia. Uma divisão similar do trabalho existe para os têxteis e outras indústrias.

A atual divisão internacional do trabalho reflete o poder das empresas transnacionais em maximizar eficiência e lucros aproveitando-se de condições locais favoráveis como mão de obra barata, impostos baixos, indulgência quanto ao meio ambiente e quanto às leis de segurança do trabalho, além de governos repressores que controlam trabalhadores desestimulando sindicatos.

Ver também COLONIALISMO E IMPERIALISMO; SISTEMA-MUNDO; TEORIA DA DEPENDÊNCIA.

Leitura sugerida: Fröbel, Folker, J. Heinrichs e O. Kreye 1980: *The New Intenational Division of Labor*. Cambridge: Cambridge University Press.

divórcio *ver* CASAMENTO E DIVÓRCIO.

domicílio *ver* LAR.

dupla hermenêutica *ver* HERMENÊUTICA.

E

eclésia Eclésia é um tipo de organização religiosa cujas características culturais e estruturais diferenciam-na de outras formas como IGREJA, DENOMINAÇÃO e SEITA. A eclésia é a maior, mais cerimoniosa e mais poderosa de todas as organizações religiosas.

A filiação a ela é em geral determinada já por ocasião do nascimento do indivíduo e tem caráter quase universal na comunidade onde existe. Adota uma estrutura de poder altamente formal e burocrática e atua por intermédio de um clero bem-preparado. De ritual muito abstrato, é relativamente pouca a exibição de emoção nos seus serviços religiosos. Em comparação com outras formas de organização desse tipo, identifica-se de forma profunda com as instituições dominantes, tais como o Estado e a economia. Na verdade, em algumas sociedades, constitui a instituição política e religiosa dominante.

Exemplos de eclésia incluem a Igreja católica, na Itália, e o islamismo, no Irã.

Ver também BUROCRACIA; CULTO; RELIGIÃO.

ecologia Ecologia é o estudo de relações através das quais as populações das várias espécies afetam e são afetadas pelo ambiente físico em que vivem. Do ponto de vista ecológico, a vida é organizada em *ecossistemas*, que consistem de todas as formas vivas que coexistem em relações recíprocas em um dado ambiente físico. A maneira como o ambiente físico é definido depende inteiramente dos interesses de quem o define. Pode ser tão pequeno como a gota d'água de um tanque, por exemplo, tão grande como uma cidade ou país, ou incluir todo o universo. Na ecologia humana, os ecossistemas são sempre definidos em relação às populações humanas.

Nos ecossistemas, as várias populações ocupam posições funcionais conhecidas como *nichos*. Esses nichos descrevem como elas afetam e são afetadas por outros participantes do sistema, bem como pelo sistema como um todo. A maioria dos nichos não humanos é relativamente simples. As plantas absorvem certos nutrientes, por exemplo, desprendem oxigênio e, quando morrem e se decompõem, fornecem nutrientes para outros seres vivos. Esses nichos mudam com relativa lentidão, uma vez que, na maior parte, estão gravados em códigos genéticos. Os nichos humanos, em contraste, são extremamente complexos, pois suas populações afetam de muitas maneiras diferentes e interdependentes os ecossistemas. Além disso, a cultura torna possível alterar com grande rapidez os nichos humanos, sobretudo através do uso de nova tecnologia.

Em sociologia, o ponto de vista ecológico é utilizado de várias formas. No nível mais baixo, interacionistas podem levar em conta os efeitos de condições físicas sobre as formas tomadas pela interação. Uma sala de aula organizada em círculo, por exemplo, promoverá mais discussões do que outra organizada em filas de cadeiras, todas elas voltadas para a frente. Em um nível mais alto de análise, a sociologia ecológica interessa-se pelos efeitos de fatores físicos, tais como clima e topografia, sobre o desenvolvimento de sistemas sociais, bem como sobre os efeitos destes sobre o ambiente físico. A industrialização e a urbanização, por exemplo, são dois fenômenos sociais que continuam a produzir consequências ambientais, que por seu lado afetam de maneiras complexas e, não raro, imprevisíveis, as sociedades humanas.

Alguns sociólogos argumentam que o ponto de vista ecológico tem o potencial de organizar, ou de fato organiza, grande parte dos interesses básicos dessa ciência. Indícios desse fato podem ser encontrados na construção teórica de Duncan e Schnore, representada pelo acrônimo POET (*population, organization, environment e technology*, em inglês — população, organização, meio ambiente e tecnologia). Partes substanciais, embora certamente não a maioria, da matéria de estudo dos sociólogos podem ser enquadradas em termos dessas quatro classes de variáveis. Outros sociólogos de inclinação ecológica argumentaram que o modelo básico da análise de ecossistemas — que as espécies utilizam variados insumos retirados do ambiente físico para produzir diversos tipos de resultados — pode ser também aplicado vantajosamente a sistemas sociais.

Embora a perspectiva ecológica não seja ainda muito usada no pensamento sociológico, seu lugar na disciplina está assegurado pelo simples fato de que todos os sistemas sociais implicam alguma população de indivíduos que participam dos mesmos, bem como de seus arranjos e ambientes físicos.

Ver também ECOLOGIA URBANA; ESCOLA DE CHICAGO; HOMEOSTASE; MICROECOLOGIA; SUCESSÃO ECOLÓGICA.

Leitura sugerida: Duncan, Otis Dudley 1961: "From social system to ecosystem". *Sociological Inquiry* 31: 140-9 o e L.F. Schnore 1959: "Cultural, behavioral, and ecological perspective in the study of social organizations". *American Journal of Sociology* 65 • Hawley, Amos H. 1986: *Human Ecology: A Theoretical Essay*. Chicago: University of Chicago Press • Namboodiri, K. 1988: "Ecological demography: Its place in sociology". *American Sociological Review* 5(4): 619-33.

ecologia humana *ver* ECOLOGIA.

ecologia urbana Ecologia urbana é uma abordagem que procura compreender como cidades põem em prática o que foi desenvolvido pelo grupo de sociólogos da Universidade de Chicago conhecido como ESCOLA DE CHICAGO. A ideia básica dessa perspectiva é considerar as cidades da mesma maneira que os ecologistas consideram as diversas espécies de vida em relação a seu ambiente natural. Cada espécie faz uso do meio ambiente de maneira própria, o que frequentemente resulta em competição com outras espécies ou membros da mesma espécie. Como resultado, a população de diferentes espécies diminui, aumenta ou se estabiliza de acordo com mudanças climáticas e outras mudanças que afetam o processo de competição. Além disso, se um território extenso o suficiente é examinado, diferentes padrões de distribuição também serão encontrados, com diferentes espécies distribuídas de diversas maneiras nesse espaço.

De acordo com a perspectiva ecológica, um determinado território será utilizado de diversas maneiras por diferentes misturas de formas de vida, e esses padrões mudarão ao longo do tempo através de um complexo processo de adaptação e competição. Ecologistas urbanos sustentam que o crescimento urbano pode ser descrito e compreendido em termos similares, salvo que, em lugar de estudar diferentes espécies de vida, o foco agora se dá sobre categorias sociais de indivíduos que diferem no que diz respeito a características como etnia, classe social e raça. Por exemplo, à medida que as cidades se desenvolvem, fábricas e outros empreendimentos tendem a ser construídos próximos a vias de transporte como rios e ferrovias, o que promoverá habitação para trabalhadores, além de serviços que irão ao encontro de suas necessidades. Considerando que diferentes grupos de trabalhadores se adaptam a esse ambiente, eles irão formar vizinhanças com identidades de classe e étnicas peculiares cuja alocação dependerá em parte da proximidade das várias oportunidades de emprego. Em contrapartida, na medida em que novas populações migrem para a cidade, ou que empreendimentos fechem, se transfiram ou mudem suas características, padrões residenciais poderão mudar através de um processo conhecido como SUCESSÃO ecológica.

Os primeiros ecologistas urbanos consideram as características culturais e estruturais das cidades como secundárias, se não irrelevantes, para o desenvolvimento urbano, visão extremada que eventualmente leva a perspectiva ecológica a perder status na sociologia. Mais recentemente, contudo, ela vem sendo revigorada numa forma menos rigidamente ecológica, sobretudo por Amos Hawley.

Ver também ECOLOGIA; URBANIZAÇÃO E URBANISMO.

Leitura sugerida: Hawley, Amos H. 1981: *Urban Society: An Ecological Approach*, 2ªed. Nova York: Wiley o 1986: *Human Ecology: A Theoretical Essay*. Chicago: University of Chicago Press.

economia Uma economia é um conjunto de dispositivos institucionais através dos quais bens e serviços são produzidos e distribuídos em uma sociedade. A partir de Karl MARX, Max WEBER e Émile DURKHEIM, sociólogos vêm tendo um grande e complexo interesse pelas instituições econômicas, especialmente na medida em que estas se vinculam a aspectos não econômicos da vida social como o Estado, a educação e a família.

Historicamente, as economias variam segundo diversas dimensões, incluindo sua complexidade, a sofisticação de sua TECNOLOGIA, seus valores intrínsecos (cooperação e partilha *versus* exploração e competição, por exemplo), confiança nos MERCADOS, e, sobretudo na tradição marxista, a estrutura de controle sobre os meios de produção e sua relação com o CONFLITO DE CLASSE.

Ver também CLASSE SOCIAL; DETERMINISMO E REDUCIONISMO; DIVISÃO DO TRABALHO; ECONOMIA POLÍTICA; MODO DE PRODUÇÃO.

Leitura sugerida: Durkheim, Émile 1893: *De la division du travail social*. Paris: Félix Alcan / (*1978*): *Da divisão do trabalho social*. São Paulo: Abril Cultural / (*1984*): *The Division of Labor in Society*. Nova York: Free Press • Moore, Wilbert 1955: *Economy and Society*. Nova York: Doubleday • Swedberg, Richard 1990: *Economics and Sociology*. Princeton: Princeton University Press • Weber, Max 1904-05 (*1967*): *A ética protestante e o espírito do capitalismo*. São Paulo: Pioneira / (*1930, 1974*): *The Protestant Ethic and the Spirit of Capitalism*. Nova York: Scribner's; Londres: Allen & Unwin o 1921-22 (*1968*): *Economy and Society: an Outline of Interpretative Sociology*, ed. em 3 vols., Nova York: Bedminster Press (1967); eds. em 2 e 3 vols., Berkeley: University of California Press (1978).

economia central *ver* ECONOMIA DUAL.

economia competitiva *ver* ECONOMIA DUAL.

economia comunal ECONOMIA comunal é um sistema no qual a produção e distribuição de bens e serviços são controlados coletiva e não individualmente. Terra, ferramentas e outros recursos produtivos não são mantidos como propriedade privada, o que significa que nenhum indivíduo ou subgrupo pode usar de poder econômico para acumular riqueza ou obter vantagens sobre os demais. Como tais, a produção e a distribuição da riqueza baseiam-se na posse comum e na cooperação, e não na competição e dominação.

Até agora, a maioria dos exemplos de economias comunais tem sido encontrada nas sociedades HORTELÃ e de CAÇADORES-COLETORES.

Ver também COMUNISMO.

Leitura sugerida: Lenski, Gerhard E., Jean Lenski e Patrick Nolan 1987: *Human Societies: An Introduction*. 5ªed., Nova York: McGraw-Hill.

economia dual Denomina-se economia dual o sistema surgido quando o capitalismo ultrapassou seu estágio formativo, que tinha como base um grande número de firmas relativamente pequenas que concorriam de forma intensa entre si. Desenvolvendo-se o capitalismo e adquirindo aspectos mais oligopolistas e monopolistas, o resultado assumiu a forma de duas economias — monopolista e competitiva —, cada uma delas dotada de tipos característicos de firmas, mecanismos de mercado e mercados de trabalho.

A economia *monopolista* (ou *central*) consiste de empresas grandes, poderosas, cujos produtos ou serviços têm uma procura tão certa que sua posição no mercado é relativamente estável no longo prazo. Os ramos de aço, automóveis, produtos químicos, petróleo e produtos farmacêuticos são exemplos de indústrias centrais. Em contraste, a economia *competitiva* (ou *periférica*) consiste de firmas de tamanho variável, cuja posição de mercado tende a ser altamente competitiva e, por conseguinte, instável. Os exemplos incluem o comércio varejista, as companhias de aviação e pequenos fornecedores de grandes empresas centrais.

A economia dual é sociologicamente importante de várias maneiras. À medida que se desenvolve, por exemplo, o capitalismo tende para a dominação da periferia pelo centro e, com isso, uma concentração cada vez maior de poder econômico e político. Além do mais, as vantagens desfrutadas por trabalhadores no centro tendem a aliená-los de seus companheiros da periferia, com o efeito de solapar o potencial de organização do trabalho em torno de interesses comuns. Os trabalhadores do centro, por exemplo, costumam ser melhor remunerados, é mais provável que sejam sindicalizados e têm maior segurança no emprego do que companheiros de ocupações semelhantes na periferia. Como tais, é menos provável que se identifiquem com os problemas trabalhistas de outros companheiros.

Ver também CAPITALISMO; MERCADO DE TRABALHO; CONQUISTA DE STATUS E NOVO ESTRUTURALISMO.

Leitura sugerida: Averitt, Robert T. 1968: *The Dual Economy: The Dynamics of American Industry Structure*. Nova York: Norton • O'Connor, James 1973: *The Fiscal Crisis of the State*. Nova York: St. Martin's Press / (*1977*): *USA: a crise do estado capitalista*. Rio de Janeiro: Paz e Terra.

economia monopolista *ver* ECONOMIA DUAL.

economia periférica *ver* ECONOMIA DUAL.

economia política Economia política é um conceito que se refere ao funcionamento e interesses interdependentes de sistemas políticos e econômicos, sobretudo em sociedades industriais complexas. Tão forte é essa conexão que se torna virtualmente impossível compreender o funcionamento de um sem levar em conta suas relações com o outro.

Associado principalmente a Karl MARX, o conceito de economia política chama atenção para a maneira como o Estado apoia de forma vigorosa o sistema econômico e, nesse processo, promove e protege os interesses dos que o dominam e com ele mais se beneficiam. Em troca, o Estado depende do sistema econômico para arrecadar recursos. O fato de líderes circularem livremente entre os domínios empresarial e político é apenas um reflexo da relação fundamental entre essas duas esferas básicas de poder.

Ver também POLÍTICA.

Leitura sugerida: Froman, C. 1984: *The Two American Political Systems: Society, Economics, and Politics*. Englewood Cliffs, NJ: Prentice-Hall • Marx, Karl (*1982*): *Para a crítica da economia política*. São Paulo: Abril Cultural / (*1971*): *A Contribution to the Critique of Political Economy*. Londres: Lawrence & Wishart o 1867 (*1974*): *O capital, crítica da economia política*. Rio de Janeiro: Civilização Brasileira / (*1976*): *Capital*, vol.1. Harmondsworth: Penguin.

economismo *ver* DETERMINISMO E REDUCIONISMO.

ecossistema *ver* ECOLOGIA.

educação Em todos os sistemas educacionais, a SOCIALIZAÇÃO assegura que todos os novos membros saibam como deles participar. Em sistemas mais simples, esse treinamento pode ser feito informalmente. Em sistemas mais complexos, como as SOCIEDADES INDUSTRIAIS, o volume de conhecimentos necessários é tão grande e diversificado que treinamento formal, sistemático, torna-se necessário. No uso sociológico, o conceito de educação refere-se a esse treinamento, com vistas a distingui-lo de modos menos formais de socialização. As escolas são as instituições sociais encarregadas de ministrar a educação.

Leitura sugerida: Chapman, Karen 1986: *The Sociology of Schools*. Londres: Tavistock • Mulkey, Lynn M. 1993: *Sociology of Education*. Fort Worth, TX: Harcourt Brace Jovanovich.

efeito de coorte *ver* COORTE.

efeito de interação *ver* ESPECIFICAÇÃO.

efeito direto *ver* EFEITO ESTATÍSTICO.

efeito estatístico Efeito estatístico é a diferença no valor de uma variável associada a uma diferença relacionada com uma ou mais variáveis. Indivíduos com mais anos de escolaridade (uma diferença em educação) tendem a auferir rendas mais altas (diferença em renda) e países com níveis mais altos de pobreza costumam ter taxas de mortalidade mais altas.

São dois os tipos gerais de efeitos estatísticos: *direto* e *indireto* (ver figura 5). O efeito direto não envolve a influência de uma variável adicional que

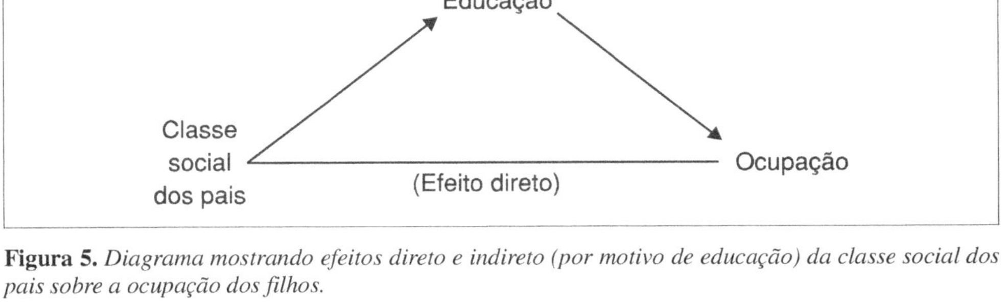

Figura 5. *Diagrama mostrando efeitos direto e indireto (por motivo de educação) da classe social dos pais sobre a ocupação dos filhos.*

ocorre entre as duas variáveis. Ter pais de classe alta, por exemplo, pode exercer um efeito direto sobre a possibilidade de o filho conseguir um bom emprego (através de influência deles junto a empregadores potenciais). O efeito indireto, porém, funciona através de outras variáveis. Ter pais de classe alta pode afetar as aspirações, o desenvolvimento de qualificações e talentos, e o acesso à educação superior, todos os quais podem produzir efeitos diretos sobre a obtenção de bons empregos. Neste sentido, o meio formativo de classe dos pais pode exercer efeitos direto e indireto sobre a ocupação.

Os efeitos estatísticos poderão ou não indicar uma relação causal entre as variáveis. Em alguns casos, a relação é uma FALSIDADE ESTATÍSTICA, e não causal.

Ver também ANÁLISE DE SEQUÊNCIA; DIREÇÃO DA RELAÇÃO; VARIÁVEL INTERVENIENTE.

Leitura sugerida: Rosenberg, Morris 1968: *The Logic of Survey Analysis*. Nova York: Basic Books.

efeito Hawthorne O efeito Hawthorne ocorre quando o conhecimento de sujeitos de que estão participando de um EXPERIMENTO afeta seu comportamento e, portanto, os resultados do mesmo. O nome refere-se à fábrica Hawthorne, da Western Electric Company, onde o efeito foi identificado pela primeira vez pelo sociólogo Elton Mayo e seus colegas que pesquisaram, entre 1927 e 1932, as consequências de condições de trabalho sobre a produtividade. Eles descobriram que, o que quer que fizessem — mudando a iluminação, por exemplo, ou a frequência das pausas para o café —, a produtividade aumentava. Esse fato levou os pesquisadores a concluir que a atenção dada por eles aos trabalhadores produzia um efeito sobre o comportamento dos mesmos. Desde então, esses efeitos experimentais passaram a ser conhecidos como efeitos Hawthorne.

Ver também ERRO.

Leitura sugerida: Roethlisberger, Fritz J., e William J. Dickson 1939 (*1961*): *Management and the Workers: an Account of a Research Program Conducted by the Western Eletric Company.* Hawthorne Works, Chicago; Cambridge, MA: Harvard University Press • Rose, M. 1988: *Industrial Behavior,* 2ª ed. Harmondsworth, Inglaterra: Penguin.

efeito indireto *ver* EFEITO ESTATÍSTICO.

efeito longitudinal *ver* COORTE.

egoísmo Egoísmo é a tendência do indivíduo de focalizar-se intensamente em si mesmo, com exclusão de outras pessoas e sistemas sociais, tais como grupos, comunidades e sociedades. Em sociologia, o conceito mantém a mais estreita ligação com a teoria do suicídio, desenvolvida por Émile DURKHEIM, que argumentou que o suicídio egoístico resulta de baixa coesão social em grupos que enfatizam o individualismo, como os protestantes, em comparação com católicos ou judeus. A teoria de Durkheim tem sido muito criticada, principalmente sobre o fundamento de que as estatísticas oficiais sobre suicídios são viesadas de maneiras que tendem a apoiá-la. Jack Douglas, por exemplo, afirma que grupos de alta coesão são mais bem-sucedidos em esconder o suicídio entre seus membros, o que dá a aparência de baixas taxas.

Leitura sugerida: Douglas, Jack 1967 (*1970*): *The Social Meanings of Suicide*. Princeton, NJ: Princeton University Press • Durkheim, Émile (*1969*): *Le suicide, étude de sociologie*. Paris: Félix Alcan; PUF / (*1982*): *O suicídio*. Rio de Janeiro: Zahar / (*1963*): *Suicide: a Sociological Study*. Nova York: Free Press; Londres: Routledge & Kegan Paul.

eleitoral, comportamento *ver* COMPORTAMENTO ELEITORAL.

elite Elite é qualquer grupo ou categoria em um sistema social que ocupa uma posição de privilégio e dominação. Os exemplos incluem a classe alta, os altos comandos militares, os professores catedráticos em algumas universidades, executivos-chefes de empresas, líderes da religião organizada, altos funcionários de partido na OLIGARQUIA política ou peritos em sistemas sociais que dependem de conhecimentos especializados.

O estudo das elites inclui pesquisas sobre a maneira como elas recrutam seus membros, o quanto podem reunir-se em torno de objetivos comuns e clara conscientização de si mesmas como tais, e como elites diferentes coordenam esforços para promover interesses comuns. Nos sistemas políticos das democracias representativas, por exemplo, o poder é frequentemente distribuído entre uma grande variedade de elites que competem entre si sobre questões específicas, embora tendam a se unir sobre questões fundamentais, tal como se não elites devem poder entrar na competição. O sociólogo C. Wright MILLS argumentou que existe uma elite de poder entre os altos escalões das instituições militares, econômicas e políticas que circula livremente entre uma e outra posição de autoridade e desfruta de outras associações e características formativas comuns, como escolaridade e laços de família.

Essa teoria está ligada ao conceito de *circulação de elites*, do sociólogo italiano Vilfredo PARETO, que se refere à tendência de sociedades de serem governadas por elites, pouco importando quão democráticas suas instituições políticas possam parecer. Na Grã-Bretanha, por exemplo, os altos funcionários do governo são em geral formados por algumas poucas escolas de elite. Nos Estados Unidos, os membros dos gabinetes presidenciais costumam ser recrutados nas classes altas, qualquer que seja o partido político que esteja no poder. Embora uma eleição possa trazer consigo a aparência de mudança, os interesses dos grupos privilegiados raramente são ameaçados, se é que isto acontece, por qualquer um dos partidos.

Ver também CLASSE ALTA; ESTRUTURA DE PODER; OLIGARQUIA; RESÍDUOS E DERIVAÇÕES;

Leitura sugerida: Mills, C. Wright 1956: *The Power Elite*. Nova York e Oxford: Oxford University Press / (*1981*): *A elite do poder*. Rio de Janeiro: Zahar • Pareto, Vilfredo 1916-19 (*1963*): *The Mind and Society: a Treatise on General Sociology*. Londres: Cape; Nova York: Dover.

elite de poder *ver* ESTRUTURA DE PODER.

emergentes, propriedades *ver* PROPRIEDADES EMERGENTES.

emigração *ver* MIGRAÇÃO.

empatia *ver* MENTE.

empírico Um enunciado empírico descreve observações ou pesquisas baseadas em observações concretas. Distingue-se, portanto, de algo baseado apenas em processos mentais, teóricos ou de qualquer outro tipo. "A maioria das pessoas de alta educação vota em eleições nacionais" é um enunciado empírico, baseado em observações concretas da maneira como indivíduos votam. A questão do que entendemos por "pessoas de alta educação", porém, não é uma questão empírica, chegando-se à resposta através de raciocínio abstrato.

Empirismo é um método filosófico baseado na ideia de que a única forma válida de conhecimento é aquela obtida através do emprego dos sentidos. De acordo com esse ponto de vista, se alguma coisa não pode ser observada, então de nada adianta tentar explicar fenômenos naturais ou de qualquer outro tipo.

Ver também EMPIRISMO ABSTRATO; POSITIVISMO; REALISMO; TEORIA.

empirismo *ver* EMPÍRICO.

empirismo abstrato Segundo C. Wright MILLS, empirismo abstrato é a prática de coletar dados sociológicos por si mesmos, sem pensar em formular um arcabouço teórico que lhes daria valor e significado. Mills estava preocupado com a possibilidade de que a sociologia — em especial, com o advento dos computadores de alta velocidade — se transformasse em um campo inundado de informações mas, na maior parte, despojado de ideias. Mills criticava igualmente o que chamava de *teoria geral* — isto é, uma teoria sem dados colhidos no mundo real e que assume forma tão abstrata que pouca significação tem, exceto para os teóricos.

Ver também EMPÍRICO; TEORIA.

Leitura sugerida: Mills, C. Wright 1959: *The Sociological Imagination*. Nova York: Oxford University Press / (*1982*): *A imaginação sociológica*. Rio de Janeiro: Zahar.

emprego *ver* TRABALHO.

empresa transnacional e multinacional Uma empresa transnacional é uma organização comercial que opera além de fronteiras nacionais; uma empresa multinacional faz negócios em mais de um país, vendendo bens no mercado internacional ou tendo fábricas em mais de um país. No caso das transnacionais, o processo de produção e comercialização é coordenado além de fronteiras nacionais, de modo que, por exemplo, peças podem ser produzidas em um local, enviadas a outro para montagem e ainda para outro para a venda final. Esses fatos conferem às transnacionais o potencial de uma enorme flexibilidade, ao transferir várias fases da produção para países com impostos e salários mais baixos ou padrões mais lenientes de controle da poluição ou segurança dos trabalhadores. Essa possibilidade foi muito ampliada pelas revoluções recentes em computadores e telecomunicações.

Ao maximizar a flexibilidade e a diversificação, as transnacionais aumentam a vantagem competitiva em relação a outras empresas e a influência nos países em que operam. O tamanho e o poder dessas empresas tornaram-se tão vastos que elas rivalizam em poder econômico com a maioria das nações, especialmente as do TERCEIRO MUNDO. Entre as 100 maiores unidades econômicas existentes no mundo, por exemplo, metade são países e metade transnacionais. A emergência e crescimento das transnacionais é a última fase na GLOBALIZAÇÃO do CAPITALISMO industrial.

Ver também CONGLOMERADO; DIVISÃO INTERNACIONAL DO TRABALHO; SISTEMA-MUNDO.

Leitura sugerida: Chandler, Alfred D. Jr. 1990: *Scale and Scope: The Dynamics of Industrial Capitalism*. Cambridge: Belknap • Gill, Stephen, e David Law 1988: *The Global Political Economy*. Baltimore: Johns Hopkins University Press.

encontro No estudo da INTERAÇÃO social, o encontro é uma reunião face a face na qual duas ou mais pessoas interagem. Como tal é a unidade primária e o foco da análise.

Ver também PERSPECTIVA INTERACIONISTA.

Leitura sugerida: Goffman, Erving 1961: *Encounters*. Indianápolis: Bobbs-Merrill ○ 1967: *Interaction Ritual: Essays in Face-to-Face Behaviour*. Chicago: Aldine ○ 1971: *Relations in Public: Microstudies of the Public Order*. Nova York: Basic Books.

endogamia *ver* REGRAS DE CASAMENTO.

entrevista A entrevista é o método básico usado na pesquisa de LEVANTAMENTO. Em geral, implica um entrevistador treinado, que faz perguntas face a face ou, cada vez mais, por telefone, anotando as respostas para processo e análise posteriores. As perguntas podem ser *estruturadas* — impressas de uma forma que restringe os respondentes a um dado conjunto de respostas — ou *abertas*, caso em que os entrevistadores fazem sondagens, buscando explicações e detalhes sobre as opiniões ou experiências do entrevistado. Esta última é mais usada em *entrevista em profundidade*, na qual entrevistador e entrevistado podem passar horas juntos em um período de dias ou semanas. Essa técnica é mais usada no método de ESTUDO DE CASO.

Sociólogos agora consideram a entrevista uma situação social por mérito próprio, que precisa ser entendida como tal a fim de se compreender melhor como ela afeta os dados da pesquisa de levantamento. É menos provável, por exemplo, que brancos manifestem crenças racistas se entrevistados por negros, forma esta de viés do entrevistador que opera mesmo quando a atividade se restringe a preencher questionários anônimos na presença de negros. Esse fato se relaciona com a tendência de respondentes de dar o que julgam ser respostas socialmente aceitáveis para produzir boa impressão sobre o entrevistador. Há preocupação, também, com a possibilidade de que a situação de entrevista seja um tanto artificial e, como tal, possa provocar respostas que não reflitam o que pessoas realmente sentem, pensam ou como se comportam. Como resultado dessas descobertas, estudos metodológicos de entrevistas como situações sociais constituem uma área importante da pesquisa sociológica.

Ver também CASO, ESTUDO DE; ERRO; OBSERVAÇÃO PARTICIPANTE; LEVANTAMENTO.

Leitura sugerida: Alreck, Pamela L., e Robert B. Settle 1985: *The Survey Research Handbook*. Homewood, IL: Irwin • Mishler, Elliot G. 1986: *Research Interviewing: Context and Narrative*. Cambridge: Harvard University Press • Schuman, Howard, e Stanley Presser 1981: *Questions and Answers in Attitude Surveys*. Nova York: Academic Press.

entrevista em profundidade *ver* ENTREVISTA.

envelhecimento O envelhecimento cronológico é o processo biológico universal e experiência que afeta todos os indivíduos com a passagem do tempo. Já o envelhecimento social é um processo muito mais complexo, que implica a passagem de uma posição social para outra e, com ela, para novos conjuntos de direitos e responsabilidades, além de uma nova identidade social. Todas as sociedades dividem o curso da vida em uma série de faixas etárias, cada uma das quais ligada a várias ideias culturais sobre quem as pessoas são, o que podem fazer e o que se espera delas em relação a outros indivíduos.

O conceito de envelhecimento pode ainda ser aplicado a populações inteiras. As populações da Europa e da América do Norte, por exemplo, vêm envelhecendo há longo tempo, à medida que as taxas de mortalidade e, em especial, as de natalidade, caem. Esse fato teve como resultado proporções decrescentes de jovens e proporções crescentes de idosos. Na Grã-Bretanha 16% da população têm 65 anos ou mais de idade, em comparação com apenas 4% na Índia. Nos Estados Unidos, os centenários constituem agora a faixa etária em mais rápido crescimento.

Ver também CURSO DE VIDA; ESTRUTURA ETÁRIA; FAIXA ETÁRIA; GERONTOLOGIA; TEORIA DO DESENGAJAMENTO.

Leitura sugerida: Eisenstadt, Shmuel N. 1956: *From Generation to Generation*. Nova York: Free Press • Foner, N. 1984: *Ages in Conflict: A Cross-Cultural Perspective on Inequalities Between Young and Old*. Nova York: Columbia University Press • Riley, Matilda White 1987: "On the significance of age in sociology". *American Sociological Review* 52(1): 1-14.

epidemiologia Epidemiologia é o ramo da ECOLOGIA que estuda como enfermidades, doenças e outras causas de morte e invalidez (tais como acidentes) se espalham e se distribuem entre populações. Focaliza a incidência de condições (o número de novos casos que ocorrem todos os anos), sua prevalência (a soma acumulada de casos existentes em um dado momento numa população, sem referência a quando surgiram pela primeira vez), e os fatores de risco ambientais e de outra natureza que explicam esses padrões.

Um assunto de interesse especial no particular é como as condições se distribuem geograficamente e de acordo com as características sociais, tais como raça, sexo, idade, renda, ocupação e status matrimonial. Ao ser diagnosticada a Aids pela primeira vez, por exemplo, os casos se concentraram entre homossexuais, usuários de drogas e indivíduos que haviam recebido transfusões de sangue, padrão este que forneceu pistas importantes sobre suas origens geográficas e os mecanismos através dos quais estava sendo transmitida de uma pessoa a outra. Analogamente, mapas que mostram a distribuição de várias formas de câncer geram perguntas sobre condições de vida, riscos ocupacionais e características ambientais.

Quando se combina com a perspectiva sociológica, a epidemiologia coloca questões sobre a ligação entre a vida dos seres humanos como organismos biológicos, por um lado, e as características culturais e estruturais de sistemas sociais, por outro. O fato de o hábito de fumar cigarros ser mais comum entre as classes baixa e operária, por exemplo, sugere ligações entre sistemas de classe e distribuição de comportamentos benéficos e destrutivos para a vida. Entre epidemiologistas tem havido a tendência de recorrer a explicações individualísticas desses padrões — considerar o hábito de fumar cigarros, por exemplo, como nada mais do que uma opção pessoal, em vez de procurar verificar como ambientes sociais afetam os padrões de opção. Há, contudo, um grande potencial de progresso, além desses enfoques individualísticos, e de desenvolvimento de uma epidemiologia realmente social.

Ver também TAXA DE MORTALIDADE.

Leitura sugerida: Friedman, Gary D. 1974: *A Primer of Epidemiology*. Nova York: McGraw-Hill • Valanis, Barbara 1986: *Epidemiology in Nursing and Health Care*. Nova York: Appleton-Century-Crofts.

epistemologia Em filosofia, epistemologia é o estudo do conhecimento, da base para conhecer e a maneira como pessoas vêm a saber o que sabem. Às vezes, o termo é aplicado apenas ao que se conhece através de meios científicos, embora seja usado com frequência em sentido geral para referir-se a todos os tipos de conhecimento e ao ato de conhecer.

A epistemologia interessa-se por várias questões ligadas ao ato de conhecer, incluindo a relação entre o conhecedor e o objeto de conhecimento; as variações entre diferentes tipos de conhecimento (científico, espiritual etc.); a natureza da verdade; a possibilidade de compreender a vida social usando apenas dados científicos; a obtenção de qualquer tipo de conhecimento válido sobre qualquer coisa; os métodos mais válidos para adquirir diferentes tipos de conhecimento; e o papel da razão e dos sentidos no ato de conhecer.

Na sociologia, é grande o desacordo sobre a epistemologia mais apropriada para o trabalho sociológico — em outras palavras, a maneira mais apropriada de conhecer a vida social. Os que adotam o método científico, por exemplo, abstêm-se em geral de questionar se técnicas empíricas são adequadas para compreender o mundo social e focalizam-se, em vez disso, em decidir que métodos usarão. A opinião contrária é que para compreender a base subjacente da vida social, o sociólogo tem de dar tanta atenção ao que não pode observar diretamente quanto ao que pode.

Ver também CIÊNCIA; CONHECIMENTO; IDIOGRÁFICO E NOMOTÉTICO; METODOLOGIA; OBJETIVIDADE; ONTOLOGIA; POSITIVISMO; REALISMO; VALIDADE.

Leitura sugerida: Keat, R., e John Urry 1981: *Social Theory as Science*. Londres: Routledge & Kegan Paul.

erro Um dos aspectos mais importantes em qualquer pesquisa consiste em estimar o volume de erro em um dado conjunto de dados. São dois os tipos de erro: o aleatório e o viés. Se o erro é *aleatório*, então todos os padrões possíveis de erro são igualmente prováveis. Se pedimos a entrevistados, por exemplo, que nos digam se foram vítimas de crimes no ano anterior, podemos cometer dois tipos de engano: anotar que foram vitimados quando não foram, ou que não foram quando na verdade foram. Se nosso objetivo, contudo, consiste em estimar a percentagem de pessoas que foram vitimadas, então esses erros não alterarão o resultado, enquanto houver iguais números de ambos os tipos. Se para cada pessoa incorretamente listada como vítima alguém for incorretamente listado como não vítima, os dois erros se cancelarão no longo prazo.

Com o *viés*, no entanto, o erro tende a ser mais sistemático, com o resultado de que alguns padrões de erro tornam-se mais prováveis do que outros. Isso parece de fato acontecer na comunicação de crimes. É muito mais provável que pessoas neguem ter sido vítimas do que alegar falsamente que o foram. Isso significa que se confiamos nos relatórios da polícia como indicadores da incidência real de crimes, os resultados subestimarão seu número.

O viés e o erro aleatório podem criar problemas para os pesquisadores, tanto no processo de medição como no uso de amostras para descrever populações. Entre as duas formas de erro, o viés é muito mais grave por causa de seu potencial de distorção. O erro aleatório, por outro lado, tende a cancelar-se no longo prazo e, se os métodos corretos de pesquisa forem usados, pode ser estimado estatisticamente e, portanto, levado em conta.

Ver também ANÁLISE DE REGRESSÃO; DISTRIBUIÇÃO AMOSTRAL; ENTREVISTA; ERRO AMOSTRAL; ERRO-PADRÃO; ESTATÍSTICA; ESTIMATIVA; MEDIDA.

erro aleatório *ver* ERRO.

erro amostral Erro amostral é aquele que ocorre quando amostras são usadas para gerar inferências sobre as populações de onde são retiradas. Dividem-se em dois tipos: aleatório e de viés. Uma vez que pesquisadores raramente podem saber se uma dada amostra está errada, a ideia de erro amostral aplica-se mais à probabilidade a longo prazo de que os resultados de uma amostra, como a percentagem de pessoas que casaram mais de uma vez, difiram dos correspondentes valores da população em não mais do que uma dada margem de erro.

Até mesmo os melhores modelos de amostra geram certo volume de erro aleatório, um padrão de erros que tendem a se cancelar mutuamente, de modo que o resultado geral ainda reflete de forma precisa o verdadeiro valor. De modo geral, o erro aleatório diminui com tamanhos maiores da amostra e varia diretamente com o volume de variação na população da qual é tirada. Em outras palavras, grandes amostras tendem a ser mais precisas do que as pequenas; além disso, se há um grande volume de variação em alguma característica da população (indivíduos têm idades que variam muito, por exemplo), as amostras usadas para estimar as características da população (tal como a idade média) ficarão mais sujeitas a erro aleatório do que amostras semelhantes tiradas de uma população na qual as pessoas tendem a ser mais parecidas.

Uma vez que ocorre por acaso, o erro aleatório pode ser minimizado através do uso de várias técnicas de amostragem, como a realização de uma grande amostra ou o uso de um modelo de AMOSTRA ESTRATIFICADA. Não podemos, no entanto, eliminá-lo por completo. A inferência estatística, ou o processo de usar resultados de amostra para estimar características de populações, é por essa razão, principalmente, uma questão de tentar estimar o volume de erro aleatório que terá maior probabilidade de ser produzido por um determinado modelo de amostra.

O viés de amostragem é mais grave do que o erro aleatório, já que o padrão de erros é acumulado em uma ou outra direção, o que quer dizer que os erros não tendem a se corrigir mutuamente e, portanto, geram uma distorção autêntica. Um modelo de amostra que usa catálogos telefônicos para fazer seleções, por exemplo, tenderá a produzir amostras que são viesadas para a extremidade mais alta do STATUS SOCIECONÔMICO, uma vez que pessoas que não têm telefone tenderão a ser as mais pobres. O viés é também mais grave do que o erro aleatório porque há poucas maneiras, se é que há alguma, de estimar sua presença em um dado conjunto de dados, motivo pelo qual pesquisadores fazem um grande esforço para planejar amostras que lhe minimizem a possibilidade de ocorrência.

Ver também AMOSTRA; AMOSTRA ESTRATIFICADA; ERRO; ESTATÍSTICA.

Leitura sugerida: Kalton, Graham 1984: *Introduction to Survey Sampling*. Beverly Hills, CA: Sage Publications • Kish, Leslie 1965: *Survey Sampling*. Nova York: Wiley.

erro de medição *ver* ERRO.

erro-padrão O erro-padrão é uma medida estatística do volume de variação em uma DISTRIBUIÇÃO AMOSTRAL. De modo geral é calculado como a raiz quadrada do resultado obtido da divisão da VARIÂNCIA da população pelo tamanho da amostra (transformando-a basicamente em uma espécie de desvio-padrão). Uma vez que o tamanho da amostra está no denominador, o erro-padrão diminui à medida que o tamanho da amostra aumenta.

Desde que a distribuição amostral contém todos os resultados possíveis que poderiam ser obtidos selecionando-se uma amostra de uma determinada população, o erro-padrão é uma quantidade crucial para se tirar inferências das amostras. Se o erro-padrão é grande, as várias amostras diferirão muito da média, que é o valor da população que está sendo estimado. Isso significa que qualquer dada amostra provavelmente conterá um erro considerável. Quanto menor o erro-padrão, contudo, menos variação haverá entre as amostras potenciais e, portanto, menor a probabilidade de que qualquer dada amostra que for selecionada incida em erro por uma margem inaceitável.

Uma vez que amostras são usadas para estimar uma grande variedade de características de população — de médias e percentagens a correlações entre variáveis —, há um número igualmente grande de fórmulas para estimar os erros-padrão correspondentes.

Ver também ERRO; ESTATÍSTICA.

escala de atitudes A escala de atitudes é uma maneira de medir como pessoas veem alguma coisa, seja um grupo de pessoas, uma questão social ou uma experiência de vida, como a morte. Tipicamente, os pesquisadores elaboram uma escala fazendo aos respondentes certo número de perguntas, todas elas relacionadas com a questão em pauta e que os convida a concordar ou discordar de declarações como "Mulheres e homens devem ter igual tratamento perante a lei" ou "Mulheres não devem ter o direito de usar o aborto como uma forma de controle da natalidade". Uma escala é formada reunindo-se as respostas a todas as perguntas em um único escore numérico, conhecido como *índice*. A escala é usada para classificar os respondentes em termos de sua posição no que diz respeito à questão. O apoio aos direitos das mulheres, por exemplo, poderia ser medido por perguntas que abordam muitas dimensões diferentes da questão, do aborto ao emprego, à liderança na igreja, à violência sexual e aos relacionamentos familiares. Altos escores nessa escala poderiam indicar forte apoio aos direitos das mulheres, enquanto que os baixos sugerir forte oposição.

Há diferentes técnicas e procedimentos para decidir que itens devem ser incluídos numa escala. Algumas dependem de painéis de juízes, ao passo que outras utilizam técnicas estatísticas com vistas a determinar que itens se relacionam mais entre si e a questão que está sendo estudada. As escalas mais comuns são as de *Likert*, *Guttman*, e *Thurstone*.

Ver também ANÁLISE DE CONGLOMERADOS; ANÁLISE FATORIAL; DISTÂNCIA SOCIAL; MEDIDA.

Leitura sugerida: Dawes, Robyn M., e Tom L. Smith 1985: "Attitude and opinion measurement". In *Handbook of Social Psychology*, 3ªed., org. por G. Lindzey e E. Aronson. Nova York: Random House • Sudman, Seymour, e Norman R. Bradburn 1983: *Asking Questions: A Practical Guide to Questionnaire Design*. São Francisco: Jossey-Bass.

escala de Bogardus *ver* DISTÂNCIA SOCIAL.

escala de Guttman *ver* DISTÂNCIA SOCIAL; ESCALA DE ATITUDES.

escala de Likert *ver* ESCALA DE ATITUDES.

escala de medição O objetivo da pesquisa empírica é fazer comparações — verificar como crenças diferem de uma religião a outra, por exemplo, ou comparar a fecundidade de pessoas em classes sociais diferentes. Se queremos fazê-las, temos de observar pessoas e sistemas sociais e notar seus variados comportamentos, características, consequências etc. Estas tomam a forma de VARIÁVEIS, de classe, raça e sexo até a complexidade de organizações ou o poder de nações.

As variáveis diferem nos tipos de comparações que podemos fazer com elas, e estas diferenças assumem a forma de quatro diferentes escalas de medição: 1) nominal, 2) ordinal, 3) intervalo e 4) razão. A propriedade *escala nominal* permite-nos classificar variáveis simplesmente em termos de seus nomes, a fim de determinar se são as mesmas ou diferentes. A religião, por exemplo, é uma variável que consiste de categorias tais como muçulmana, cristã, judaica, budista ou hinduísta. A única maneira como pessoas podem ser comparadas nos termos dessa variável é ver se são parecidas — têm a mesma religião — ou são diferentes. Elas não podem ser classificadas, por exemplo, de "alta preferência religiosa" para "baixa preferência religiosa". Todas as variáveis têm essa propriedade de escala nominal (ou *categórica*).

Se a variável tem uma propriedade de *escala ordinal*, podemos classificar as observações em termos de mais alto e mais baixo, mais ou menos, melhor ou pior. Se pedimos a pessoas que classifiquem seu grau de compromisso religioso em termos de "alto", "médio", "baixo" e "nenhum", a resultante variável de quatro categorias teria uma propriedade ordinal, no sentido em que poderíamos ordenar pessoas como tendo compromisso de alto a baixo. Note-se, contudo, que nada podemos dizer sobre quão grande as diferenças são entre as categorias. Não sabemos qual o tamanho da diferença entre "alto" e "médio", por exemplo, ou como essa diferença se compara com a diferença entre "baixo" ou "nenhum". Note-se também que toda variável que tem propriedades de escala ordinal as tem também de escala nominal, o que nos permite categorizar pessoas quanto a ter o mesmo ou diferentes níveis de compromisso religioso.

Se uma variável tem a propriedade de *escala de intervalo*, as distâncias efetivas (ou intervalos) entre as categorias podem ser comparadas. Se usamos a escala Celsius para medir temperatura, por exemplo, podemos dizer que a diferença entre 100 e 150 graus é a metade da diferença entre 200 e 300 graus. Analogamente, podemos dizer que a diferença entre as idades de 20 e 25 é a mesma que existe entre as idades de 50 e 55, ou que a que há entre as idades de 18 e 24 é metade da diferença entre as idades de 30 e 42.

Há, contudo, uma diferença importante entre esses dois exemplos de variáveis com escala de intervalo. Ambos nos permitem comparar categorias, mas, no caso de idade, podemos realmente tomar a razão entre uma escala e outra: podemos dizer que a idade de 30 anos é duas vezes a idade de 15. Com a escala de graus centígrados, porém, não podemos fazer o seguinte: um dia em que a temperatura chega a 30 graus não é duas vezes mais quente do que um dia de 15 graus. A razão disso é que zero grau centígrado não é um ponto zero autêntico. Não representa a ausência de calor (ao contrário da escala Kelvin). Uma idade de zero, contudo, de fato representa um verdadeiro zero, o que nos permite tomar a razão entre uma idade e outra. A variável que nos permite proceder assim tem uma propriedade de *escala de razão*.

Há quatro pontos importantes a notar sobre as escalas de medição: 1) elas são ordenadas de alta a baixa, com as propriedades de escala nominal consideradas como "baixas" e as de escala de razão como "altas"; 2) uma variável é conhecida pelas mais altas propriedades de escala que tem. Assim, religião é uma variável de escala nominal, graus centígrados é uma variável de escala de intervalo e idade é uma variável de escala de razão, mesmo que todas tenham em comum propriedades de escala nominal; 3) a variável que tem uma propriedade de escala terá também abaixo dela todas as outras propriedades. Dessa maneira, uma variável de escala de intervalo tem propriedades de escalas de intervalo, ordinal e nominal; e 4) a adequação de técnicas estatísticas usadas para analisar dados depende da escala de medição das variáveis envolvidas, o que é o motivo por que é tão importante podermos diferenciar uma da outra.

Ver também DICOTOMIA.

escala de Thurstone *ver* ESCALA DE ATITUDES.

escala etária *ver* FAIXA ETÁRIA.

escala-f *ver* AUTORITÁRIA, PERSONALIDADE.

Escola de Chicago Escola de Chicago é o nome dado a um enfoque do trabalho sociológico associado ao Departamento de Sociologia da Universidade de Chicago, fundado em 1892, e que foi o primeiro de seu tipo nos Estados Unidos. É conhecida como "escola" por causa de sua concentração característica em problemas urbanos, seu uso pioneiro de métodos ecológicos e etnográficos, e desenvolvimento de ideias básicas que evoluíram e se transformaram no que é hoje a PERSPECTIVA INTERACIONISTA.

A Escola de Chicago está mais estreitamente ligada a seu fundador, Albion Small (1854-1926), e a seus colegas Ernest W. BURGESS, George Herbert MEAD, Roderick McKenzie, Robert Ezra Park, William I. THOMAS, Louis WIRTH, e Florian ZNANIECKI. Mead e Thomas estudaram principalmente a interação social, em especial na maneira como ela afeta o desenvolvimento da identidade pessoal e o SELF. Mas é o trabalho dos restantes, contudo — os que se concentraram nos problemas do rápido crescimento urbano —, o mais citado como característico da Escola de Chicago.

Os Estados Unidos da passagem do século eram uma região de mudança rápida, imigração maciça, industrialização e urbanização, o que levou os membros da Escola de Chicago a imergir na cidade como se ela fosse um gigantesco laboratório, variando seus estudos dos padrões da ocupação urbana do espaço e de racismo e pobreza à estonteante diversidade de estilos de vida étnicos que coexistiam na mesma comunidade. Eles formularam, por exemplo, uma teoria de crescimento urbano baseada na ideia de que a COMPETIÇÃO pela terra resulta em padrões característicos de seu uso e da composição dos bairros. Observaram também a rica diversidade da vida de pessoas, variando das áreas marginais aos bairros étnicos da rica "Costa Dourada", ao longo das praias do Lago Michigan. A Escola de Chicago, em suma, distinguiu-se por seu corpo substancial de trabalho sociológico e pela dinâmica e compromisso com a compreensão direta de aspectos fundamentais da vida social.

Ver também PERSPECTIVA INTERACIONISTA; ECOLOGIA URBANA; URBANIZAÇÃO E URBANISMO.

Leitura sugerida: Blumer, Herbert 1984: *The Chicago School of Sociology: Institutionalization, Diversity, and the Rise of Sociological Research.* Chicago: University of Chicago Press • Park, Robert E., Ernest Burgess e Roderick D. McKenzie, orgs. 1925: *The City.* Chicago: University of Chicago Press • Zorbaugh, Harvey W. 1929: *The Gold Coast and the Slum: A Sociological Study of Chicago's Near North Side.* Chicago: University of Chicago Press.

Escola de Frankfurt *ver* TEORIA CRÍTICA.

Escola de Relações Humanas A Escola de Relações Humanas é uma teoria que se propõe a explicar o trabalho e a produtividade sob o CAPITALISMO industrial. Baseia-se na ideia de que o comportamento de trabalhadores depende fortemente de seus relacionamentos recíprocos, que grupos de trabalhadores funcionam na base de entendimentos informais, que desempenham um papel tão importante no processo de produção quanto os objetivos e expectativas formais fixados pela administração. Um senso de solidariedade de grupo e trabalho de equipe, por exemplo, podem aumentar a produtividade. Mas a mesma solidariedade pode funcionar para reduzir a produtividade, como acontece quando trabalhadores se defendem de excesso de trabalho estabelecendo e cumprindo padrões mais baixos do que os fixados pela administração.

A Escola de Relações Humanas teve origem na obra de Elton Mayo e seus colegas nos famosos Estudos Hawthorne, assim denominado por causa do nome da fábrica onde realizaram seus experimentos na década de 1930. Ela surgiu em parte como reação aos pressupostos da ADMINISTRAÇÃO CIENTÍFICA de que trabalhadores são motivados principalmente por interesse individual, sob a forma de salários mais altos. Sua influência desapareceu na década de 1960 porque a teoria dava pouca atenção à importância do conflito de classe entre trabalhadores e administração.

Ver também EFEITO HAWTHORNE.

Leitura sugerida: Mayo, Elton 1945: *The Social Problems of an Industrial Civilization.* Cambridge, MA: Harvard University Press; Londres: Routledge and Kegan Paul (1949) • Roethlisberger, Fritz J., e William J. Dickson 1939: *Management and the Workers: an Account of a Research Program Conducted by the Western Eletric Company, Hawthorne Works, Chicago.* Cambridge, MA: Harvard University Press • Rose, M. 1988: *Industrial Behavior,* 2ªed. Harmondsworth, Inglaterra: Penguin.

Escola dos Annales Escola dos Annales é o nome dado a um enfoque da história iniciado em 1929 por um grupo de historiadores franceses que queriam ligar a história à sociologia. Esta orientação trazia para a história, que é muitas vezes escrita sob a forma de uma cronologia de fatos e de pessoas que neles figuraram com destaque, uma maior ênfase nos sistemas sociais, em seus aspectos culturais, estruturais, populacionais e ecológicos, e no papel que desempenham em grandes tendências históricas ao mudar a forma da vida social. Em vez de focalizar-se em líderes e eventos políticos, os membros da Escola dos Annales interessavam-se mais por grandes forças, como o declínio do FEUDALISMO, a industrialização e o crescimento do imperialismo e do CAPITALISMO global. Esse enfoque deu à Escola dos Annales uma ligação sumamente estreita com o pensamento marxista.

Lucien Febvre e Marc Bloch foram as principais figuras dessa escola, sobretudo pelo fato de terem fundado, em 1929, a revista *Annales d'Histoire Économique et Sociale*. O estudo de Bloch sobre a sociedade feudal é uma obra clássica nessa tradição. A mais notável entre obras recentes dessa escola é a história global em vários volumes de Fernand BRAUDEL e os estudos de Immanuel WALLERSTEIN sobre o sistema econômico mundial.

Ver também SISTEMA-MUNDO; SOCIOLOGIA HISTÓRICA.

Leitura sugerida: Bloch, Marc. 1940: *La société féodale*. Paris: Albin Michel / (*1961*): *Feudal Society: Social Classes and Political Organization*. Londres: Routledge & Kegan Paul; Chicago: University of Chicago Press • Braudel, Fernand 1981: *The Structures of Everyday Life: Civilization and Capitalism, 15th-18th Century*. Vol.1. Nova York: Harper and Row o 1983: *The Wheels of Commerce, Civilization and Capitalism, 15th-18th Century*. Vol.1. Nova York: Harper and Row o 1984: *The Perspective of the World: Civilization and Capitalism, 15th-18th Century*. Vol.3. Nova York: Harper and Row • Wallerstein, Immanuel 1974: *The Modern World System*. Nova York e San Diego: Academic Press o 1980: *The Modern World System II. Mercantilism and the Consolidation of the European World Economy, 1600-1750*. Nova York e San Diego: Academic Press o 1989: *The Modern World System III: The Second Era of Great Expansion of the Capitalist World Economy, 1730-1840*. Nova York e San Diego: Academic Press.

escore bruto *ver* ESCORE-PADRÃO.

escore-padrão Em uma DISTRIBUIÇÃO DE CURVA NORMAL, escores individuais são descritos em uma entre duas maneiras. Consideremos a distribuição de escores de QI, que tem a forma de uma curva normal, com uma MÉDIA de 100 e um DESVIO-PADRÃO de 10 pontos. Um escore, tal como 120, é conhecido como *escore bruto*. Podemos descrevê-lo também, porém, em termos de sua distância da média da distribuição. Um escore-padrão (ou *reduzido*) é calculado como a diferença entre ele e a média, dividida pelo desvio-padrão para a distribuição. Neste caso, 120 corresponde ao desvio-padrão de (120-100)/10 = +2,0, o que indica que o escore de 120 está a dois desvios-padrão acima da média. Um escore-padrão de 80 corresponde a (80-100) = -2,0, o que indica que está dois desvios-padrão abaixo da média.

O escore-padrão desempenha um papel fundamental no cálculo de probabilidades associado à INFERÊNCIA ESTATÍSTICA.

Ver também PADRONIZAÇÃO.

Leitura sugerida: Bohrnstedt, George W., e David Knoke 1988: *Statistics for Social Data Analysis*, 2ª ed. Ithaca, IL: F.E. Peacock.

escore reduzido *ver* ESCORE-PADRÃO; PADRONIZAÇÃO.

esfera pública *ver* ESFERA PRIVADA E ESFERA PÚBLICA.

esfera privada e esfera pública As esferas privada e pública são os dois tipos de esferas associados a gênero que se tornou prática comum considerar como dividindo o mundo social. A esfera privada é o estereótipo típico do mundo feminino do lar, da família, do TRABALHO DOMÉSTICO não remunerado; a esfera pública é o mundo supostamente masculino da política e do emprego remunerado. A emergência das duas esferas data da REVOLUÇÃO INDUSTRIAL capitalista, que tirou a produção do lar e levou-a para a fábrica, arrastando nesse processo os homens e deixando esposas e mães atrás para cuidar dos filhos e da casa.

Essa opinião tem sido criticada por intelectuais feministas que argumentam que a cisão privado/público constitui uma ilusão que serve para reforçar a subordinação da mulher sob um regime de PATRIARQUIA. Uma vez que a maioria das mulheres trabalha dentro e fora de casa, e porque a vida de trabalho produz efeitos tão profundos sobre todos os membros da família, induz a erro tratar trabalho e família como sendo mundos distintos e separados. Além disso, mesmo as mulheres que não trabalham por salário fora de casa encarregam-se ainda de importante trabalho produtivo, proporcionando os serviços essenciais que reproduzem a geração seguinte de trabalhadores e mantêm a capacidade de trabalhar da geração corrente. A cisão privado/público ignora também o fato de que as mulheres negras e das classes operária e baixa nunca tiveram o luxo de não trabalhar por salário fora de casa, enquanto ao mesmo tempo cuidavam da maior parte do trabalho doméstico.

Outras argumentam que embora a reconhecida cisão entre as esferas pública e privada talvez não possa refletir com precisão a verdadeira natureza da vida das mulheres, constitui ainda assim uma imagem cultural poderosa que é frequentemente usada para limitar suas vidas e tornar invisível sua produtividade econômica. Neste sentido, a cisão privado/público desempenha um papel ideológico importante na perpetuação da desigualdade entre os sexos.

Leitura sugerida: Thorne, Barrie e Yalom, Marilyn orgs. 1982: *Rethinking the Family*. Nova York: Longman • Zaretsky, Eli 1976: *Capitalism, the Family and Personal Life*. Nova York: Harper.

especificação Na análise estatística da relação entre variáveis, a especificação é a prática de verificar se uma dada relação permanece a mesma em diferentes segmentos de uma população. Isso é conhecido também como *relações condicionais*. A relação entre educação superior e renda nos Estados Unidos é mais forte entre afro-americanos do que entre brancos. A razão disso é que entre os brancos há mais "exceções" à "regra" geral de que, a fim de auferir uma renda mais alta, o indivíduo precisa ter educação mais alta. Entre os afro-americanos, porém, é muito mais difícil auferir renda alta sem educação correspondentemente alta. A educação, portanto, é um meio mais exato de predizer renda entre os negros, e a relação entre as duas variáveis é por isso mesmo mais forte.

Neste caso, o ato de controlar a variável no tocante à raça, a fim de verificar o que acontece à relação entre educação e renda, é chamado de "especificação de raça". A verificação subsequente de que a relação de fato varia em força de uma categoria de pessoas para outra é denominada de *efeito de interação*. Em alguns casos, os efeitos de interação podem assumir também a forma de diferenças reais na direção da relação (positiva em um grupo e negativa em outro) ou a existência de uma relação (positiva ou negativa em um grupo ou inexistente em outro).

Ver também DIREÇÃO DA RELAÇÃO; VARIÁVEL; VARIÁVEL DE CONTROLE.

Leitura sugerida: Bohrnstedt, George W., e David Knoke 1988: *Statistics for Social Data Analysis*, 2ªed. Ithaca, IL: F.E. Peacock • Rosenberg, Morris 1968: *The Logic of Survey Analysis*. Nova York: Basic Books.

espoliação *ver* EXPLORAÇÃO.

Estado Da forma definida por Max WEBER, o Estado é a INSTITUIÇÃO social que mantém monopólio sobre o uso da força. Neste sentido, o Estado é definido por sua autoridade para gerar e aplicar PODER coletivo. Como acontece com todas as instituições sociais, o Estado é organizado em torno de um conjunto de funções sociais, incluindo manter a lei, a ordem e a estabilidade, resolver vários tipos de litígios através do sistema judiciário, encarregar-se da defesa comum e cuidar do bem-estar da população de maneiras que estão além dos meios do indivíduo, tal como implementar medidas de saúde pública, prover educação de massa e financiar pesquisa médica dispendiosa. De uma PERSPECTIVA DE CONFLITO, no entanto, o Estado opera também no interesse dos vários grupos dominantes, como as classes econômicas e grupos raciais e étnicos.

Estado não é a mesma coisa que *governo*, embora os termos sejam muitas vezes usados um pelo outro fora da sociologia e da ciência política. O Estado é uma instituição social, o que significa que consiste de uma forma ou plano social de como várias funções devem ser desempenhadas. O sistema parlamentar, por exemplo, é uma maneira de realizar as várias tarefas de governo, tal como promulgar legislação. O governo, contudo, é um conjunto particular de pessoas que, em qualquer dado tempo, ocupam posições de autoridade dentro do Estado. Neste sentido, os governos se revezam regularmente, ao passo que o Estado perdura e só pode ser mudado com dificuldade e muito lentamente.

Leitura sugerida: Marx, Karl 1845 (*1964*): *Selected Writings in Sociology and Social Philosophy*. Nova York: McGraw-Hill; Harmondsworth: Penguin (*1967*) • Parsons, Talcott 1969: *Politics and Social Structure*. Nova York: Free Press • Weber, Max 1920 (*1982*): *Ensaios de sociologia*. Rio de Janeiro: Zahar / (*1946, 1970*): "Politics as a vocation". In *From Max Weber: Essays in Sociology*, org. e trad. por Hans H. Gerth e C. Wright Mills. Nova York: Oxford University Press (*1946*); Londres: Routledge & Kegan Paul (*1970*).

estado de bem-estar O Estado de bem-estar é um sistema social no qual o governo assume a responsabilidade básica pelo bem-estar de seus CIDADÃOS, providenciando para que o povo tenha acesso a recursos básicos como habitação, serviços de saúde, educação e emprego. O Estado de bem-estar foi inicialmente implantado na Alemanha em fins da década de 1800 e subsequentemente na Grã-Bretanha e na maior parte da Europa ocidental e Escandinávia. Essa modalidade de Estado não se desenvolveu ainda no Japão ou nos Estados Unidos, sendo esta última a única sociedade industrializada que não dispõe de um serviço nacional de assistência médica.

Embora frequentemente associado ao socialismo, o Estado de bem-estar tem sido criticado, do ponto de vista marxista, por administrar o conflito potencial entre trabalhadores e capitalistas. O seguro-desemprego e os programas de garantia de renda para ajuda aos pobres, por exemplo, são considerados mecanismos para enfraquecer os efeitos da exploração capitalista e desarmar o potencial da classe operária para a CONSCIÊNCIA DE CLASSE e a ação revolucionária.

Leitura sugerida: O'Connor, James 1973: *The Fiscal Crisis of the State*. Nova York: St. Martin's Press / (*1977*): *USA: a crise do estado capitalista*. Rio de Janeiro: Paz e Terra • Offe, Claus 1984: Contradictions of the Welfare State, org. por John Keane. Cambridge, MA: MIT Press • Pinker, R. 1979: The Idea of Welfare. Londres: Heinemann Educational Books.

estados, sistema de ver FEUDALISMO.

estatística Estatística é um conjunto de técnicas matemáticas usadas para organizar, analisar e interpretar informações em forma de números. Se queremos saber como o comportamento sexual de adolescentes é afetado colocando anticoncepcionais à disposição dos mesmos, podemos obter informações nesse sentido de adolescentes que diferem no quanto de acesso têm a meios contraceptivos. Poderíamos calcular vários indicadores de atividade sexual, tal como a percentagem dos que são sexualmente ativos ou o número médio de relações sexuais por mês e usá-los para fazer comparações baseadas em acesso diferente a anticoncepcionais. A estatística diz respeito não só ao cálculo de quantidades, como percentagens e médias, mas também a resultados — as próprias percentagens e médias em si, cada uma das quais pode ser mencionada como "uma estatística".

Os estatísticos identificam dois tipos principais dessa ciência: a descritiva e a inferencial. A *estatística descritiva* simplesmente expõe e explica fenômenos que se prestam a ser contados e classificados, tais como a frequência de relações sexuais ou o volume de renda que pessoas auferem todos os anos em uma dada população. Poderíamos, por exemplo, verificar como as práticas sexuais variam de uma classe social a outra a fim de obter alguma pista para o motivo por que as taxas de natalidade variam também entre as classes.

A *estatística inferencial* (ou *indutiva*) preenche as mesmas funções que a descritiva, com a tarefa adicional de chegar a conclusões sobre populações inteiras, usando informações colhidas em uma AMOSTRA, e não em um CENSO. Se queremos saber como o número de amigos que pessoas têm varia dependendo de viverem no interior, em uma cidade grande ou numa metrópole, podemos obter informações de uma amostra de pessoas em cada um desses tipos de comunidade. O que quer que pareça a informação contida em nossa amostra, ainda teremos o problema de usá-la para fazer enunciados sobre aquilo em que estamos realmente interessados, que são as populações mais amplas, das quais foram extraídas as informações — comunidades do interior, cidade pequena e metrópoles em geral. Tudo isso exige um conjunto adicional de técnicas matemáticas, conhecidas como estatística inferencial.

De modo geral, a inferência estatística é usada para estimar características de população (tais como médias, percentagens ou correlações) ou para submeter a teste HIPÓTESES sobre características da mesma. Em ambos os casos, o fundamental no processo é estimar o volume de ERRO associado a qualquer dado resultado ou conclusão.

Ver também ESTIMATIVAS; HIPÓTESE E TESTE DE HIPÓTESE.

Leitura sugerida: Bohrnstedt, George W., e David Knoke 1988: *Statistics for Social Data Analysis*. 2ª ed. Ithaca, IL: F.E. Peacock.

estatística descritiva *ver* ESTATÍSTICA.

estatística indutiva *ver* ESTATÍSTICA.

estatística inferencial *ver* ESTATÍSTICA.

estatística não paramétrica As técnicas estatísticas para uso de uma AMOSTRA para descrever uma POPULAÇÃO frequentemente exigem suposições matemáticas rigorosas e restritivas. Em alguns casos, por exemplo, a DISTRIBUIÇÃO das VARIÁVEIS em questão precisa ter uma forma particular (muitas vezes a de uma CURVA NORMAL) na população, condição esta que pode ser superada apenas se a amostra for muito grande. Os pesquisadores muitas vezes dependem de amostras pequenas, contudo, e com frequência carecem de justificação para supor o que a população parece ser.

A estatística não paramétrica é um grupo de estatísticas que não requer suposições sobre as distribuições de população (e, por esse motivo, em geral é chamada de *estatística de distribuição livre*). A não paramétrica é usada principalmente com variáveis de ESCALA ORDINAL, que assumem a forma de postos. As mais conhecidas dessas técnicas são os testes de Wald-Wolfowitz, Mann-Whitney (ou Wilcoxon) e Kolmogorov-Smirnov.

Ver também DISTRIBUIÇÃO DE CURVA NORMAL; ESTATÍSTICA.

Leitura sugerida: Neave, H.R., e P.L. Worthington 1988: *Distribution-free Tests*. Londres: Unwin Hyman • Siegel, Sidney, e N. John Castellan Jr. 1988: *Nonparametric Statistics for the Behavioral Sciences*. 2ªed. Nova York: McGraw-Hill.

estereótipo O estereótipo é uma crença rígida, excessivamente simplificada, não raro exagerada, aplicada tanto a uma categoria inteira de indivíduos como a cada indivíduo na mesma. (A palavra é tomada de empréstimo do processo de impressão gráfica, no qual uma única impressão é usada para produzir muitas cópias idênticas.) A crença em que pessoas que trabalham em assistência social são indolentes é um estereótipo, como também a crença de que homens não sabem cuidar de crianças.

É importante, porém, distinguir entre estereótipo e *generalização*. A generalização é qualquer declaração descritiva aplicada a uma categoria ou grupo de pessoas como um todo. Um exemplo dela seria uma declaração como, "Nos Estados Unidos, é mais provável que negros cometam crimes violentos do que brancos". Sociólogos frequentemente são obrigados a fazer generalizações porque estão interessados sobretudo em descrever e compreender sistemas sociais e a posição de indivíduos neles (o que equivale a dizer, as categorias em que eles se encartam).

Embora pessoas geralmente se manifestem contra generalizações, como se elas fossem estereótipos, há uma diferença importante entre os dois termos: a generalização não se aplica a indivíduos, mas apenas a conjuntos de indivíduos, tais como grupos e categorias sociais. O fato de que é mais provável que negros cometam crimes violentos do que brancos não significa absolutamente que todos, a maioria ou mesmo muitos negros assim procedam. Todos os que fazem generalizações como se fossem estereótipos, no entanto, tenderão a supor exatamente isso de todo e qualquer negro que encontrarem.

Estereótipos são importantes porque constituem a base do PRECONCEITO, que por sua vez é usado para justificar discriminação e atitudes positivas ou negativas. Neste sentido, é importante saber que os estereótipos podem ser não só positivos, mas também negativos. A opinião estereotipada sobre os judeus como gananciosos, por exemplo, é contrabalançada pela crença igualmente estereotipada de que cristãos não são.

Apesar dos estereótipos serem frequentemente considerados indesejáveis, devido ao papel importante que desempenham na OPRESSÃO SOCIAL baseada em características como raça, sexo, etnicidade e idade, em um aspecto importante eles são essenciais à vida social. Quando ingressamos em uma situação em que não conhecemos nenhum dos indivíduos, por exemplo, temos de possuir alguma base para saber o que esperar dos outros e o que eles devem esperar de nós. A fim de realizar esse propósito, confiamos no que é chamado de o OUTRO GENERALIZADO, ou seja, a maneira como vemos aqueles que ocupam determinados status sociais. Quando consultamos um médico pela primeira vez nada sabemos sobre ele, apenas sobre médicos em geral. Nessa base, contudo, fazemos todos os tipos de suposições sobre esse dado médico, suposições que são, no fundo, estereotípicas.

A diferença fundamental entre estereótipos e generalizações é que ambos produzem tipos muito diferentes de consequências sociais.

Ver também ATITUDE; CONHECIMENTO; CRENÇA; OUTRO; PRECONCEITO E DISCRIMINAÇÃO; STATUS SOCIAL.

Leitura sugerida: Allport, Gordon W. 1954: *The Nature of Prejudice*. Garden City, NY: Doubleday Anchor Books.

estigma O estigma é um rótulo social negativo que identifica pessoas como desviantes, não porque seu comportamento viole NORMAS, mas porque elas têm características pessoais ou sociais que levam outras pessoas a excluí-las. Indivíduos obesos, com defeitos físicos ou desfigurados (sobretudo no rosto) não violaram normas, mas frequentemente são tratados como se o tivessem feito. Esse fato aplica-se também aos que são identificados como homossexuais, doentes mentais ou infectados pelo vírus da AIDS, ou parentes de alguém que seja um traidor ou assassino que violou normas importantes. O estigma também pode ser aplicado a grupos minoritários, tais como negros, judeus e mulheres, cujo único crime consiste simplesmente em fazer parte de uma categoria social estigmatizada.

Ver também PRECONCEITO E DISCRIMINAÇÃO; TEORIA DAS ROTULAÇÕES.

Leitura sugerida: Goffman, Erving 1963: *Stigma: Notes on the Management of a Spoiled Identity.* Englewood Cliffs, NJ: Prentice-Hall • Schur, Edwin M. 1984: *Labeling Women Deviant: Gender, Stigma, and Social Control.* Nova York: Random House.

estilo de vida Estilo de vida é um padrão que inclui os tipos de bens e serviços que pessoas usam; o gosto em música, arte, cinema e outros produtos culturais e a escolha de atividades de lazer. Sociologicamente, o estilo de vida é com frequência estudado em relação a características sociais, tal como classe social. É também de interesse para os que estudam desvio e estilos de vida alternativos; a vida em comunidades rurais, urbanas e suburbanas; e os efeitos dos padrões de estilo de vida sobre a saúde emocional e física.

Ver também ABURGUESAMENTO.

Leitura sugerida: Berkman, Lisa F., e Lester Breslow 1983: *Health and Ways of Living.* Nova York: Oxford University Press • Macklin, Eleanor D., e R.H. Rubin 1983: *Contemporary Families and Alternative Lifestyles.* Beverly Hills, CA: Sage Publications.

estimativa de intervalo *ver* ESTIMATIVAS.

estimativa não viesada *ver* ESTIMATIVAS.

estimativa por ponto *ver* ESTIMATIVAS.

estimativas Em pesquisa sociológica, estimativas são cálculos que utilizam amostras a fim de determinar as características de populações. Poderíamos, por exemplo, perguntar a uma amostra de mulheres se elas foram sexualmente assediadas no trabalho e, em seguida, usar essa informação para estimar a percentagem delas em toda a população que sofreram o mesmo constrangimento. As estimativas assumem duas formas básicas: a *estimativa por ponto* e o *intervalo de confiança.* A primeira usa um único número, como a média ou a percentagem da amostra, como estimativa da média ou percentagem da população. Se 62% das mulheres na amostra comunicaram que foram assediadas, a estimativa por ponto da população seria também de 62%. O interesse pelas estimativas por ponto é que elas são muito precisas. A desvantagem é o fato de ser altamente improvável que sejam exatas, dado o erro aleatório inerente até mesmo ao melhor modelo de amostra. Em outras palavras, é pouco provável que a percentagem de mulheres na população que foram assediadas seja exatamente 62%.

O intervalo de confiança é formado por uma série de escores com um nível de confiança a eles atribuídos sob a forma de probabilidade. Com uma amostra de 1.500 respondentes, por exemplo, poderíamos construir um intervalo de confiança de 99% que estimaria a percentagem de mulheres na população que foram assediadas como se situando entre 62%, com mais ou menos 3%, ou seja, entre 59% e 65%. Embora a estimativa de intervalo não tenha a precisão da estimativa por ponto, podemos supor com maior confiança que reflita acuradamente a população.

As estimativas podem ser caracterizadas como *viesadas* ou *não viesadas.* A estimava será não viesada se puder ser demonstrado matematicamente que, em um conjunto a longo prazo dessas estimativas, o valor médio de todas elas juntas será igual ao valor da população que estamos tentando estimar. Em outras palavras, se imaginamos tirar muitas amostras diferentes e calcular para cada uma delas a percentagem de mulheres que foram assediadas, a percentagem da amostra será uma estimativa não viesada se a média de todas essas percentagens de amostra for de fato igual à percentagem da população.

A estimativa é viesada se o valor médio da amostra não é igual ao valor da população. Se usamos o DESVIO-PADRÃO de amostra, por exemplo, a fim de estimar o desvio-padrão de população, a estimativa tenderá a ser pequena demais porque as amostras tenderão a ser mais homogêneas, isto é, a apresentar menos variação, do que as populações, principalmente porque são menores. A amostra de desvio-padrão, portanto, é um estimador viesado dos desvios-padrão da população.

Ver também ERRO.

estimativa viesada *ver* ESTIMATIVAS.

estratificação e desigualdade Estratificação é o processo social através do qual vantagens e recursos tais como riqueza, poder e prestígio são distribuídos sistemática e desigualmente nas ou entre sociedades. A estratificação difere da simples *desigualdade* porque é sistemática. Baseia-se também em processos sociais identificáveis, através dos quais pessoas são classificadas em categorias, como classe, raça e sexo. Teoricamente, uma sociedade pode ter desigualdades sem ser estratificada, como por exemplo, concedendo oportunidades iguais a todos, mas distribuindo as recompensas na base do desempenho.

De modo geral, as categorias que constituem os sistemas de estratificação assumem uma das três formas seguintes: 1) CASTA, 2) ELITE, 3) CLASSE SOCIAL. Castas são categorias rígidas determinadas por ocasião do nascimento e não permitem mobilidade de uma casta a outra. Sistemas de casta são encontrados na Índia e, até certo ponto, sistemas de subjugação racial existiram, historicamente falando, nos Estados Unidos e na África do Sul. Os estados formaram categorias nos sistemas feudais, especialmente na Europa durante a Idade Média, embora fossem menos rígidos do que as castas e permitissem alguma mobilidade (ainda que muito limitada). Três estados constituíam o núcleo desses sistemas na Europa — o clero (o primeiro estado), a nobreza (o segundo), e o restante das pessoas, dos CAMPONESES aos artesãos (o terceiro estado).

Em contraste com os sistemas de castas e estados, os de classe social dão menos ênfase a características imputáveis, tais como raça e antecedentes familiares, e mais a critérios universalistas, como grau atingido de educação. Dessa forma, permitem mais MOBILIDADE SOCIAL de um nível a outro, embora seja muito limitada a magnitude média da circulação individual. A natureza relativamente aberta dos sistemas de classes é, contudo, relativa na verdade, e ainda ressalvada pelo papel fundamental de fatores como raça, sexo, idade e antecedentes familiares. De fato, um dos maiores desafios aos que estudam sistemas de classe consiste em distinguir claramente a intersecção de classe, raça, sexo, etnicidade e outros fatores que influenciam a distribuição de recursos e vantagens.

Ver também CAMPONESES; CASTA; CLASSE SOCIAL; CURVA DE LORENZ; FEUDALISMO; MOBILIDADE SOCIAL; PERSPECTIVA DE CONFLITO; PERSPECTIVA FUNCIONALISTA; POBREZA; STATUS.

Leitura sugerida: Bendix, Reinhard, e Seymour Martin Lipset, orgs. 1966: *Class, Status, and Power*. Nova York: Free Press • Kerbo, Harold R. 1991: *Social Stratification and Inequality*. 2ªed. Nova York: McGraw-Hill.

estrutura *ver* ESTRUTURA SOCIAL.

estrutura cronológica Em um sistema social, a estrutura cronológica é um método para organizar eventos em alguma relação com a passagem do tempo, variando de reuniões anuais à programação de aulas nas escolas ou à hora em que as crianças vão dormir. A estrutura cronológica funciona de três maneiras básicas: 1) atividades são organizadas em graus variáveis em relação ao tempo; 2) a extensão da participação de indivíduos em sistemas sociais é, em geral, ligada ao tempo: espera-se que a ligação com a família dure por toda a vida, enquanto que se espera que alunos se formem nas escolas em um período razoavelmente previsível; e 3) a existência dos próprios sistemas varia com o tempo: comitês *ad hoc* são criados para funcionar enquanto forem necessários, para uma finalidade específica e relativamente temporária. Já sistemas institucionais, como o Estado e a Igreja, são criados com a intenção de durar indefinidamente.

Ver também ESTRUTURA SOCIAL.

Leitura sugerida: Lauer, R.H. 1981: *Temporal Man: The Meaning and Uses of Social Time*. Nova York: Praeger • Sorokin, Pitirim A., e Robert K. Merton 1937: "Social time: A methodological and functional analysis". *American Journal of Sociology* 42: 615-29 • Zerubavel, Eviatar 1981: *Hidden Rhythms: Schedules and Calendars in Social Life*. Chicago: University of Chicago Press o 1985: *The Seven-Day Week: The History and Meaning of the Week*. Nova York: Free Press.

estrutura de comunicação Uma estrutura de comunicação é o padrão de interação — quem se comunica com quem, com que frequência e por quanto tempo — existente em todos os sistemas sociais. Nas famílias, por exemplo, mães tendem a interagir mais com os filhos do que os pais, sobretudo quando as crianças são muito jovens, padrão este que pode mudar um pouco à medida que elas crescem. Um dos efeitos mais nocivos do divórcio sobre os sistemas familiares é a perturbação da estrutura de comunicação, especialmente entre o cônjuge que deixa a casa e os filhos.

Uma distinção, porém, precisa ser feita entre estruturas de comunicação que são definidas por PAPÉIS e outras que refletem a interação da forma como geralmente ocorre. Nas forças militares, por exemplo, espera-se que o indivíduo limite suas comunicações a ninguém mais altamente situado do que seu superior imediato, sobretudo quando tem uma queixa a fazer. (Ignorar isso é conhecido como "passar por cima de alguém", uma atitude bastante desaconselhável.) Dependendo das circunstâncias, no entanto, poderíamos observar uma unidade militar e descobrir grande variação no tocante a essa expectativa.

Ver também ESTRUTURA SOCIAL.

Leitura sugerida: Bavelas, Alex 1950: "Communication patterns in task-oriented groups". *Journal of the Acoustical Society of America* 22: 725-30 • Leavitt, Harold J. 1951: "Some effects of certain communication patterns on group performance". *Journal of Abnormal and Social Psychology* 46: 38-50.

estrutura de oportunidades, desvio e A estrutura de oportunidades em uma sociedade é a distribuição do acesso aos empregos e outras maneiras de ganhar o sustento e atingir objetivos. Esse conceito desempenha um papel fundamental na teoria do desvio de Robert K. MERTON. Ele afirma que a maioria das sociedades inclui algum grau de consenso sobre os principais valores, tais como os que definem o que se entende por uma "boa vida". Nas sociedades industriais, por exemplo, a riqueza material é muito apreciada, como também o são o poder, o prestígio, o lazer etc. NORMAS definem os meios socialmente legítimos para obter esses valores — aprovando o trabalho árduo como ocupação legítima, por exemplo, bem como a herança, ao mesmo tempo reprovando o roubo, a extorsão, a fraude e coisas semelhantes.

No âmago da teoria de Merton há o argumento de que, se uma cultura promove valores comuns que definem os objetivos do indivíduo, mas a estrutura de oportunidades não proporciona igual acesso a meios legítimos para atingir essas metas, surgirão níveis mais altos de desvio. Será mais provável que pessoas criem meios novos, inovadores e ilegais para atingir as mesmas metas pelas quais todos aspiram. Ou podem rebelar-se de várias maneiras contra o sistema, a fim de protestar contra a estrutura desigual de oportunidades ou contra os próprios valores (como por exemplo, condenando abertamente a riqueza material).

As estruturas de oportunidades promovem também o desvio quando proporcionam igual acesso aos meios legítimos para atingir metas, mas esses meios são inadequados. Se todos podem conseguir emprego em tempo integral, por exemplo, mas muitos deles têm remuneração baixa demais para assegurar o sustento do indivíduo, é provável que, mais uma vez, surja o desvio. De maneiras análogas, as estruturas podem também tornar relativamente disponíveis meios ilegítimos para alcançar objetivos e, dessa maneira, tornar provável que ocorram desvios. Usar estudantes para tirar cópias xerox de páginas de provas, fornecer provas para serem preenchidas em casa ou submeter alunos a exames sem fiscalização, no caso de não haver um código de honra em vigor entre eles, são aspectos da prática universitária que promovem a conduta desonesta, ao tornar mais acessíveis oportunidades ilegítimas.

A teoria de Merton tem grande importância sociológica porque demonstra como o funcionamento normal de um sistema social pode produzir consequências indesejáveis que são em geral associadas a deficiências individuais.

Ver também DESVIO ABERRANTE; DESVIO NÃO CONFORMISTA.

Leitura sugerida: Cloward, Richard A., e Lloyd E. Ohlin 1960: *Delinquency and Opportunity: A Theory of Delinquent Gangs*. Nova York: Free Press • Merton, Robert K. 1938: "Social structure and anomie". *American Sociological Review* 8: 672-82.

estrutura de papéis *ver* PAPÉIS, ESTRUTURA DE.

estrutura de poder Nos sistemas sociais, a estrutura de poder é a distribuição de poder entre indivíduos ou, em níveis mais amplos de análise, entre categorias sociais ou sistemas sociais inteiros, tais como grupos, organizações, comunidades ou sociedades. Para os sociólogos, a dimensão mais importante em que variam as estruturas de poder é o grau de desigualdade na distribuição. Na DEMOCRACIA, por exemplo, o poder é dividido de maneira uniforme. Quanto mais autoritário o sistema, mais concentrado é o poder nas mãos de um número relativamente pequeno de indivíduos.

Em sociedades denominadas democráticas, como as que são encontradas em nações industrializadas, tem havido algum debate sobre como se apresenta realmente a estrutura de poder. Uma das opiniões é que as principais instituições são dominadas por uma *elite de poder*, uma malha estreita de indivíduos altamente colocados cujas famílias, educação, classe, meios ocupacional e cultural proporcionam a base para a circulação fácil de uma esfera de poder a outra e para um consenso geral sobre questões de interesse coletivo. A opinião contrária diz que as sociedades industriais são complexas demais para que uma elite unificada as domine. Em vez disso, as estruturas de poder seriam *pluralísticas*, distribuídas entre uma grande variedade de grupos de interesses que competem entre si, tais como industriais, sindicatos, e entidades cívicas, ambientais, de direitos civis etc. Uma opinião que combina as duas — o *pluralismo de elites* — argumenta que a competição ocorre principalmente entre grupos da elite que, não obstante, tendem a assumir uma posição comum em questões de política social fundamental que afetam sua posição de elite.

Ver também AUTOCRACIA; AUTORITARISMO; DEMOCRACIA; ELITE; PODER.

Leitura sugerida: Kornhauser, William 1966: "'Power elite' or 'veto groups'?" In *Class, Status, and Power*, org. por Reinhard Bendix e Seymour Martin Lipset. Nova York: Free Press • Mills, C. Wright 1965: *The Power Elite*. Nova York e Oxford: Oxford University Press/(*1981*): *A elite do poder*. Rio de Janeiro: Zahar • Riesman, David et al. 1950 (*1966*): *The Lonely Crowd: a Study in the Changing American character*. Nova York: Doubleday Anchor.

estrutura etária A estrutura etária de uma POPULAÇÃO é a distribuição de indivíduos entre as várias idades. No sentido mais simples, ela assume a forma de uma distribuição percentual, mostrando os números relativos de indivíduos de cada idade, frequentemente agrupados em categorias de cinco ou dez anos. Em forma gráfica, a estrutura etária é mostrada como uma *pirâmide etária*, cuja base relativamente larga indica o número de crianças e cujo pico afilado reflete os números crescentes de mortes à medida que as pessoas envelhecem. A população cuja estrutura etária tem uma base muito larga e um pico estreito aguçado é denominada "jovem", enquanto é "velha" a estrutura cuja base não é muito mais larga do que o resto da pirâmide. A maioria dos países não industriais, por exemplo, tem estruturas etárias muito jovens, com tipicamente de 40 a 50% de suas populações abaixo da idade de 15 anos e menos de 5% acima dos 65. Na maioria dos países industriais, as percentagens abaixo de 15 anos são de menos de 20% e de mais de 65 chegam a 18% na Suécia e a baixos 12% nos Estados Unidos.

Embora a estrutura etária reflita os efeitos a longo prazo das taxas de natalidade e mortalidade, as primeiras são as que mais a afetam. Paradoxalmente, é o declínio nas taxas de natalidade, e não de mortalidade, que desempenha o papel mais importante no envelhecimento das populações na Europa e na América do Norte. Isso acontece porque cada novo nascimento equivale a uma pessoa adicional, mas também a um pai potencial, que poderá contribuir com ainda mais crianças para a população. E embora as taxas de mortalidade possam ter declinado espetacularmente nos dois últimos séculos, o maior efeito disso sobre as estruturas etárias tem sido observado entre os muito jovens, e não entre os idosos. Os grandes progressos na expectativa de vida, por exemplo, ocorreram mais por queda na mortalidade infantil do que pelo prolongamento da vida entre os que conseguem chegar a uma idade avançada. Toda criança que sobrevive ao perigoso primeiro ano de vida pode contribuir com muitos anos adicionais para a idade média da população. Em comparação, um indivíduo de 70 anos cuja vida é prolongada por alguns anos por cuidados médicos contribui com um número muito menor de anos adicionais para a média geral.

A estrutura etária é sociologicamente importante porque grande parte da vida social é organizada até certo ponto em torno da idade. Quanto mais crianças houver na população, por exemplo, maior o fardo sobre a população adulta para produzir não só para si mesma, mas também para uma grande população economicamente dependente que precisa ser vestida, alimentada, educada etc. Verificou-se que jovens adultos em pelo menos alguns países industrializados apresentam uma alta e inesperada propensão para comportamento criminoso, o que significa que uma população mais jovem tem mais possibilidade de produzir altas taxas de criminalidade do que terá uma população mais velha (pelo menos no tocante a crimes com maior probabilidade de serem cometidos por jovens). Por outro lado, quanto mais velha a população, mais recursos terá de reservar para despesas como tratamento médico a longo prazo e aposentadoria, e menos recursos serão necessários para o custeio de escolas primárias.

Ver também DEFASAGEM ESTRUTURAL; RAZÃO DE DEPENDÊNCIA.

Leitura sugerida: Coale, Ansley J. 1964: "How a population ages or grows younger". In Population: The Vital Revolution, org. por Ronald Freedman. Nova York: Anchor Books • Shryock, Henry S., e Jacob Siegel and Associates 1976: The Methods and Materials of Demography, org. por E.G. Stockwell. Londres e Nova York: Academic Press.

estrutura ocupacional Em uma sociedade, a estrutura ocupacional é a composição dos diferentes tipos de ocupações que nela existem. Ela descreve também a distribuição de indivíduos entre essas ocupações, o que dá alguma ideia dos tipos de trabalho que predominam. As sociedades industriais, por exemplo, incluem números imensos de ocupações, algumas das quais (como em trabalho burocrático e de vendas) são muito numerosas, ao passo que outras (como neurocirurgiões e dignitários de igrejas) são desempenhadas por um número relativamente pequeno de indivíduos.

Os tipos ocupacionais podem ser categorizados de certo número de maneiras, incluindo distinções entre os vários setores da economia. Em comparação com sociedades agrárias, por exemplo, as industriais têm estruturas mais complexas e mais pesadamente ponderadas na direção da manufatura (o *setor secundário*) e dos serviços (o *setor terciário*) e menos concentradas em agricultura, mineração e outros tipos de trabalho envolvido principalmente na produção de matérias-primas (o *setor primário*). Nestas últimas décadas do século XX, os Estados Unidos vêm perdendo grande número de empregos em manufatura, à medida que sua estrutura ocupacional muda para empregos em serviços.

Sociologicamente, a estrutura ocupacional é também de grande importância nos efeitos que produz sobre a CLASSE SOCIAL e outras formas de desigualdade.

Ver também CLASSE SOCIAL; DEFASAGEM ESTRUTURAL; DESEMPREGO E SUBEMPREGO; DIVISÃO DO TRABALHO; MERCADO DE TRABALHO; MOBILIDADE SOCIAL; PRESTÍGIO; TRABALHADOR DE COLARINHO AZUL E TRABALHADOR DE COLARINHO-BRANCO.

Leitura sugerida: Blau, Peter M., e Otis Dudley Duncan 1967: *The American Occupational Structure*. Nova York: Wiley.

estrutura pluralística de poder *ver* ESTRUTURA DE PODER.

estrutura social Juntamente com o conceito de CULTURA, estrutura social é um conceito definidor crucial para a sociologia como maneira de pensar na vida social. Todos os sistemas sociais a possuem e é este fato que explica grande parte das diferenças entre eles e os padrões de experiência e comportamento humanos que constituem o que conhecemos como vida social.

A estrutura de um sistema social pode ser analisada em termos de duas características, relações e distribuição. As relações ligam entre si as várias partes do sistema e, daí, ao sistema como um todo. As "partes" podem variar das posições que indivíduos ocupam a sistemas inteiros, como grupos, organizações, comunidades e sociedades. As relações que ligam as partes têm características estruturais. Uma unidade militar, por exemplo, é um sistema social que tem FRONTEIRAS que regulam o ingresso e a saída de indivíduos de posições sociais: uma ESTRUTURA DE PAPÉIS, que inclui todas as diferentes tarefas que se espera que pessoas cumpram na DIVISÃO DO TRABALHO; uma ESTRUTURA DE COMUNICAÇÃO, que descreve a frequência e duração da interação entre os diferentes membros da unidade; e uma estrutura sociométrica, cujos padrões de afeição e antipatia ligam pessoas entre si (*ver* SOCIOMETRIA).

A segunda característica estrutural de um sistema social inclui vários tipos de DISTRIBUIÇÃO. O PODER pode ser distribuído igualmente, como nas democracias, ou desigualmente, como na família patriarcal tradicional. De maneiras análogas, podemos descrever a distribuição estrutural de vários outros produtos e recursos da vida social, da riqueza, renda e propriedades a prestígio e acesso à educação e aos serviços de saúde. Podemos também examinar a distribuição de indivíduos entre as várias posições do sistema social — quantos estudantes há por professor, o número de esposas ou maridos em um casamento ou os números relativos de indivíduos nas várias ocupações.

Ver também ESTRUTURA CRONOLÓGICA; ESTRUTURALISMO E PÓS-ESTRUTURALISMO.

Leitura sugerida: Bates, F.L., e W.G. Peacock 1989: "Conceptualizing social structure: The misuse of classification in structural modeling". *American Sociological Review* 54(4): 565-77 • Blau, Peter M., org. 1975: *The Idea of Social Structure: Papers in Honor of Robert K. Merton*. Nova York: Harcourt Brace Jovanovich • Merton, Robert K. 1949 (*1968*): *Social Theory and Social Structure*. Ed. rev. e ampl. Nova York: Free Press.

estruturação *ver* AÇÃO E ESTRUTURA.

estruturalismo e pós-estruturalismo Estruturalismo é um ponto de vista sobre linguagem que supõe haver uma ligação direta entre as palavras e o que acreditamos que as palavras representam. "Sexualidade", por exemplo, é um símbolo que indica alguma coisa real e concreta no mundo externo. Em linguagem sociológica, termos como "estrutura social" ou "cultura" indicam alguma coisa real e concreta que, embora não possamos observar diretamente, afeta profundamente a vida social, em especial ao limitar e restringir o que pessoas pensam, sentem e fazem. Combinando os dois termos, a sociologia é uma perspectiva que defende a existência de estruturas subjacentes inobserváveis, que modelam a vida social e podem ser rotuladas e compreendidas mediante o uso da linguagem.

O pós-estruturalismo, por outro lado, é uma perspectiva baseada na crença em que palavras indicam não alguma realidade externa concreta, mas simplesmente outras palavras que usamos para construir a realidade social. Cometemos o erro de acreditar que essa realidade construída é mais do que é, que tem uma realidade concreta além das palavras que usamos para construir ideias sobre o que é real. Uma vez que são as pessoas que inventam e usam palavras, elas trabalham ativamente para construir a realidade social na qual vivem, em vez de ser meramente limitadas e controladas por uma realidade externa e subjacente. Há também uma tese intermediária que pede a inclusão de elementos de ambas as posições, como, por exemplo, que indivíduos tanto modelam como são modelados pelo ambiente social.

Ver também AÇÃO E ESTRUTURA; DESCONSTRUÇÃO; OBJETIVIDADE.

Leitura sugerida: Giddens, Anthony 1987: "Structuralism, poststructuralism, and the production of culture". In *Social Theory Today*, org. por Anthony Giddens e Jonathan Turner. Stanford, CA: Stanford University Press.

estudo de caso *ver* CASO, ESTUDO DE.

estudo longitudinal Um estudo longitudinal (conhecido também como *estudo de painel*) acompanha a mesma amostra ao longo do tempo e faz repetidas observações. Com levantamentos desse tipo, por exemplo, o mesmo grupo de pessoas é interrogado a intervalos regulares, permitindo que os observadores sigam mudanças ocorridas no tempo e as relacionem com variáveis que poderiam explicar por que as mudanças ocorreram.

A pesquisa longitudinal é valiosa porque permite que os pesquisadores estudem bem de perto os tipos de EXPLICAÇÕES CAUSAIS que geralmente só podem ser obtidas com EXPERIMENTOS. Estudos de mobilidade ocupacional, por exemplo, acompanharam mudanças de ocupação de pessoas durante várias décadas e as relacionaram com fatores tais como educação, família, meio formativo, sexo, raça e padrões de trabalho.

A grande dificuldade (e despesas) desse tipo de pesquisa consiste em manter a integridade da amostra original. Pessoas perdem o interesse, mudam-se para outros locais ou morrem, e isso pode ocasionar deterioração no tamanho da amostra e, com ela, a validade das conclusões extraídas dos dados. Além do mais, o fato de simplesmente pertencer a um painel pode afetar o comportamento, as esperanças e a maneira de pessoas interpretarem a si mesmas e sua vida, isto de maneiras que fazem com que a amostra não seja mais representativa da população.

Uma das maneiras de lidar com o problema de manter o painel consiste em tirar diferentes amostras de grupos etários comparáveis em épocas diferentes. Os pesquisadores, por exemplo, poderiam entrevistar uma amostra de indivíduos de 20-24 anos e, em seguida, entrevistar uma amostra de pessoas de 30-34 anos, dez anos depois. Embora os indivíduos talvez não sejam os mesmos (e, daí, não constituírem um painel), as duas amostras são tiradas de aproximadamente a mesma população, em dois momentos diferentes no tempo (os que tinham 20-24 anos terão 30-34 dez anos depois). Claro que não é possível usar esse modelo para acompanhar mudanças ocorridas em indivíduos isolados, mas é possível seguir mudanças em um nível AGREGADO, o que pode ser extremamente revelador.

Ver também COORTE; DADOS DE CORTE TRANSVERSAL; EXPERIMENTO.

Leitura sugerida: Menard, S. 1991: *Longitudinal Research*. Newbury Park, CA: Sage Publications.

estudo-piloto Um estudo-piloto é um projeto de pesquisa realizado em escala limitada que permite a pesquisadores obter uma ideia mais clara do que querem saber e qual a melhor maneira de descobrir o que pretendem, sem as despesas e o trabalho de um estudo completo. Estudos-piloto, por exemplo, são usados para submeter a teste perguntas de LEVANTAMENTOS e outros INSTRUMENTOS DE MEDIÇÃO e para refinar HIPÓTESES de pesquisa.

Ver também METODOLOGIA.

estudos culturais Os estudos culturais constituem uma área da sociologia que se concentra em saber como a cultura é produzida e experimentada em uma sociedade. Mais especificamente, examina como a cultura é moldada por grandes instituições sociais como o Estado e a economia. De que maneira, por exemplo, o capitalismo molda produtos culturais como a literatura e o cinema, e como a dinâmica social de classe, raça, idade, sexo e relações étnicas afeta a forma como as pessoas os experimentam? De que modo grupos subordinados, como minorias, jovens e classe operária podem dar forma a sua própria CULTURA POPULAR, a despeito do controle da mídia e outros meios de produção cultural por uma ELITE?

Leitura sugerida: Hoggart, Richard 1957: *The Uses of Literacy: Aspects of Working-Class Life with Special Reference to Publications and Entertainment*. Londres: Chatto & Windus • Williams, Raymond 1961: *The Long Revolution*. Nova York: Columbia University Press o 1980: *Problems in Materialism and Culture*. Londres: Verso.

estudos demográficos *ver* DEMOGRAFIA.

ética protestante A ética protestante é uma ética religiosa que enfatiza comportamento rigorosamente controlado, planejamento metódico e trabalho árduo, abnegação, dedicação à vocação e ao sucesso. Ao tentar explicar o contexto cultural no qual se desenvolveu o CAPITALISMO, Max WEBER argumentou que a Reforma Protestante na Europa produziu uma ética que facilitou e deu respaldo às tendências básicas do capitalismo, em especial às que se relacionavam com os investimentos e à acumulação de riqueza. Ao rejeitar a Igreja e seus ritos como meios seguros de salvação, o protestantismo confiou, em vez deles, na autonomia e na responsabilidade individuais que, por seu lado, geraram grande ansiedade e a necessidade de reafirmação de que a salvação pessoal estava garantida. A resposta protestante a essa ansiedade foi promover uma coerência ética e um estilo de vida que ajudaram a criar um ambiente cultural que legitimava e promovia todos os tipos de práticas e valores que permitiriam ao capitalismo florescer.

Por várias razões técnicas, têm sido numerosas as críticas à tese de Weber (tal como se o catolicismo também fornecia ou não algum apoio cultural à prática capitalista). Talvez sua contribuição mais duradoura, contudo, resida simplesmente no argumento de que certos aspectos da cultura afetam de forma profunda a estrutura dos sistemas sociais. Essa tese choca-se de frente com a opinião marxista de que o MODO DE PRODUÇÃO é que molda a cultura, e não o inverso.

Ver também BASE E SUPERESTRUTURA.

Leitura sugerida: Marshall, G. 1982: *In Search of the Spirit of Capitalism: an Essay on Max Weber's Protestant Ethic Thesis*. Londres: Hutchinson.

etnicidade Etnicidade é um conceito que se refere a uma CULTURA e estilo de vida comuns, especialmente da forma refletida na LINGUAGEM, MANEIRAS DE AGIR, formas institucionais religiosas e de outros tipos, na cultura material, como roupas e alimento, e produtos culturais como música, literatura e arte. O conjunto de pessoas que têm em comum a etnicidade é frequentemente denominado de grupo étnico, embora, tecnicamente, o uso de "grupo" seja incorreto no uso sociológico porque um grupo é um sistema social com certo grau de interação regular entre seus membros. Uma etnicidade, contudo, em geral inclui um número grande demais de pessoas para haver uma interação regular entre elas. Por isso mesmo, um termo mais preciso seria coletividade étnica ou categoria étnica.

A etnicidade é sociologicamente importante porque constituiu muitas vezes uma grande causa de coesão ou de conflito social. O nacionalismo, por exemplo, tem com frequência uma forte base étnica, como acontece também com a opressão de minorias. A etnicidade constitui também uma base importante para a formação de subculturas em sociedades complexas.

Ver também CATEGORIA SOCIAL; COLETIVIDADE; CONTATO CULTURAL; MANEIRAS DE AGIR; MINORIA.

Leitura sugerida: Lieberson, Stanley, e M.C. Waters 1988: *From Many Strands: Ethnic and Racial Groups in Contemporary America*. Nova York: Russell Sage Foundation • van den Berghe, Pierre L. 1981: *The Ethnic Phenomenon*. Nova York e Oxford: Elsevier • Peach, P. 1981: *Ethnic Segregation in Cities*. Londres: Croom Helm.

etnicismo *ver* PRECONCEITO E DISCRIMINAÇÃO.

etnocentrismo No seu primeiro sentido, etnocentrismo é uma cegueira para diferenças culturais, a tendência de pensar e agir como se elas não existissem. No segundo sentido, refere-se aos julgamentos negativos que membros de uma cultura tendem a fazer sobre todas as demais.

Conforme a antropologia deixou bem claro, as culturas diferem muito entre si, mas há também grande variação no grau em que pessoas estão conscientes desse fato simples ou querem aceitá-lo. O etnocentrismo pode ser considerado a contrapartida sociológica do fenômeno psicológico do egocentrismo. A diferença é que, em vez de indivíduos se definirem como o centro do universo, em relação ao qual tudo mais deve sua existência e significação, uma cultura inteira é colocada nessa posição elevada. Tal como o egocentrismo, o etnocentrismo é como um prisma, através do qual tudo é percebido e interpretado em relação a um único arcabouço cultural, com exclusão de todas as demais possibilidades. Quando indivíduos que vivem em sociedades industriais supõem que todo mundo sente seu apetite por bens de consumo e instituições políticas democráticas de estilo ocidental, e que os que preferem outras coisas são, por isso mesmo, "primitivos"; quando os descendentes dos imigrantes brancos europeus que ora vivem nos Estados Unidos supõem que foi Colombo, e não os americanos nativos, quem "descobriu" a América do Norte; quando estrangeiros são considerados, por definição, "bárbaros"; ou quando a música "clássica" é definida apenas como a que teve origem na Europa, estamos presenciando as suposições, a cegueira e os juízos de valor inerentes ao etnocentrismo.

Em um sentido importante, o etnocentrismo não é um problema. Trata-se de uma consequência inerente ao fato de pessoas viverem sob a influência de qualquer dada cultura e da realidade socialmente construída que a acompanha. Exatamente da mesma maneira como todo indivíduo é até certo ponto egocêntrico, assim também todos os sistemas sociais promovem até certo ponto uma opinião de si mesmos e do mundo em volta, em relação a si mesmos e à realidade que construíram. Tal como sua contrapartida psicológica, o etnocentrismo torna-se um problema na medida em que distorce a maneira de ver outras culturas, sobretudo quando usado ideologicamente como base para opressão social.

Ver também XENOCENTRISMO.

Leitura sugerida: Sumner, William Graham 1906: *Folkways*. Boston: Ginn.

etnografia e etnologia Um trabalho etnográfico é uma explicação descritiva da vida social e da CULTURA em um dado SISTEMA SOCIAL, baseada em observação detalhada do que as pessoas de fato fazem. Constitui um método de pesquisa associado principalmente a estudos antropológicos de sociedades tribais, mas é também usado por sociólogos, sobretudo em relação a grupos, organizações e comunidades que são parte de sociedades maiores e mais complexas, tais como hospitais, bairros étnicos, gangues urbanas e cultos religiosos.

A etnografia desempenha um papel importante em etnologia, o ramo da antropologia que estuda como as culturas se desenvolvem ao longo da história e se comparam com outras.

Ver também OBSERVAÇÃO PARTICIPANTE.

Leitura sugerida: Gurbrium, Jaber F. 1988: *Analyzing Field Reality*. Newbury Park, CA: Sage Publications.

etnometodologia Da forma como foi criada por Harold GARFINKEL, a etnometodologia (significando "métodos pessoais") é o estudo de como pessoas realmente usam a INTERAÇÃO social para manter um senso contínuo de realidade em uma situação. Uma conversa, por exemplo, é um processo social que requer certas coisas a fim de que os participantes a identifiquem como uma conversa e a mantenham nesse nível. Pessoas se olham enquanto conversam e escutam, inclinam a cabeça ou murmuram palavras, dando sinal de que continua o interesse pela conversação, fazem e respondem a perguntas, revezam-se falando, e assim por diante. Se esses métodos não são bem-usados, a conversa se interrompe e é substituída por uma situação social de tipo diferente. Com o objetivo de colher dados, etnometodólogos utilizam análises de conversas e um rigoroso conjunto de técnicas para observar e registrar sistematicamente o que acontece quando pessoas interagem em ambientes comuns do dia a dia.

Ver também CONTEXTO EXPLICATIVO; EXPLICAÇÃO; MACROSSOCIOLOGIA E MICROSSOCIOLOGIA.

Leitura sugerida: Atkinson, J. Maxwell, e John Heritage, orgs. 1984: *Structures of Social Action: Studies in Conversation Analysis*. Cambridge: Cambridge University Press • Garfinkel, Harold 1967: *Studies in Ethnomethodology*. Englewood Cliffs, NJ: Prentice-Hall • Hilbert, R.A. 1990: "Ethnomethodology and the micro-macro order". *American Sociological Review* 55(6): 794-808 • Livingston, E. 1987: *Making Sense of Ethnomethodology*. Londres: Routledge & Kegan Paul.

etologia Etologia é o estudo de comportamento animal não humano. Sua importância para a sociologia é que observações de espécies não humanas são às vezes usadas em apoio de teorias sobre comportamento humano, em especial as que postulam que a vida social é moldada principalmente por forças biológicas e genéticas. Estudos de primatas, por exemplo, têm com frequência sido usados para argumentar que padrões sociais humanos, tais como dominação masculina, agressividade sexual e outros fenômenos gerados pelo sexo são inatos, e não produtos de sistemas sociais. Com o advento da análise feminista, contudo, grande parte dessa pesquisa é agora controversa e está passando por um período de grande contestação e reinterpretação.

Em alguns casos, a pesquisa etológica tem sugerido o aprendizado como a natureza de grande parte do comportamento humano. Em seus famosos experimentos com macacos, Harlow descobriu que, a menos que jovens fêmeas tomassem conhecimento de modelos adultos, elas nunca desenvolviam as necessárias habilidades e predisposição para serem mães eficientes de seus próprios filhotes.

Ver também SOCIOBIOLOGIA.

Leitura sugerida: Harlow, H.F., e M.K. Harlow 1969: "Effects of various mother-infant relationships on rhesus monkey behaviors". In *Determinants of Infant Behavior*. Vol.4, org. por M. Foss. Londres: Methuen • Hinde, R.A. 1982: *Ethology: its Nature and Relations with Other Sciences*. Oxford: Oxford University Press • Lopreato, Joseph 1984: *Human Nature and Biocultural Evolution*. Boston: Unwin Hyman.

eu *ver* MENTE.

eu ideal *ver* SELF.

evolução social De acordo com alguns dos primeiros teóricos sociais, como Herbert SPENCER, a evolução social é um processo através do qual sociedades se desenvolvem de maneiras previsíveis, que em geral refletem progresso para formas "mais altas" ou quase perfeitas de vida social. Inicialmente, os teóricos evolucionários, que seguiam as ideias de Charles Darwin e suas teorias de evolução biológica, argumentaram que a evolução social consistia de *mudança unilinear*, que seguia um caminho prescrito, como, por exemplo, de formas mais simples para mais complexas de organização social. A *mudança cíclica* é uma variação, desenvolvida por Oswald Spengler e Arnold J. Toynbee, da teoria unilinear. Esses autores afirmaram que as sociedades mudam de acordo com ciclos de ascensão, declínio e queda, exatamente como pessoas nascem, chegam à maturidade, envelhecem e morrem. A teoria da mudança cíclica foi estimulada até certo ponto pelos eventos da guerra de 1914-18, que transformou o que parecera uma nova era de Iluminismo e prosperidade em um pesadelo de carnificina e destruição sem precedentes. Relacionada com a teoria da mudança cíclica, Pitirim SOROKIN propôs a ideia de *mudança imanente*. Argumentava ele que certos elementos, como os valores culturais, desempenham papel importante na direção da mudança nas sociedades. O valor atribuído à acumulação de riqueza material em muitas sociedades, por exemplo, resultou na ênfase na industrialização, comércio externo e outras maneiras de consegui-la. Acreditava Sorokin que, no longo prazo, certos elementos se desenvolviam excessivamente e culminavam em condições extremas, nas quais perdiam sua utilidade e precipitavam a mudança social, como a reação contra o materialismo e o ressurgimento do interesse por valores espirituais.

Um contraste com essas ideias é encontrado na *teoria multilinear*, mais complexa e, na opinião de muitos sociólogos, um enfoque mais realista. Ela de fato identifica algumas tendências sociais como quase universais: o progresso do menor para o maior, do mais simples para o mais complexo, do rural para o urbano, de baixa para alta tecnologia. Mas reconhece que essas mudanças podem acontecer de várias maneiras (talvez com os "estágios" experimentados por algumas sociedades, mas que são "saltados" inteiramente por outras) e com consequências diferentes, algumas das quais apenas podem ser caracterizadas como progresso. Muitos países (não industrializados) do Terceiro Mundo, por exemplo, tornaram-se altamente urbanizados e reduziram muito suas taxas de mortalidade (e tiveram aumento das taxas de crescimento demográfico, em consequência) sem se industrializarem, enquanto países como a China e o Iraque são não industrializados mas, ainda assim, têm acesso à alta tecnologia, como computadores e armas sofisticadas de destruição em massa.

A teoria multilinear relaciona-se com o que é conhecido como *abordagem episódica*, que enfatiza a importância de acasos e circunstâncias históricas, sociais e ambientais excepcionais, que ajudam a explicar um dado curso de mudança social. Embora a teoria episódica fosse inicialmente desenvolvida em oposição à teoria evolucionária, muitos estudiosos argumentam que, sobretudo na teoria multilinear, há espaço para levar em conta os fatores episódicos.

Ver também DARWINISMO SOCIAL; MUDANÇA SOCIAL.

Leitura sugerida: Lenski, Gerhard E., Jean Lenski e Patrick Nolan 1987: *Human Societies, an Introduction to Macrosociology*. 5ªed. Nova York: McGraw-Hill • Giddens, Anthony 1981: *A Contemporary Critique of Historical Materialism*. Vol.1, *Power, Property and the State*. Londres: Macmillan; Berkeley: University of California Press • Sorokin, Pitirim A. 1937-41: *Social and Cultural Dynamics*. 4 vols. Nova York: American Book Company; Englewood Cliffs, NJ: Bedminster Press • Spencer, Herbert 1891: *The Study of Sociology*. Nova York: Appleton o 1896: *The Principles of Sociology*. Nova York: Appleton • Spengler, Oswald 1926: *The Decline of the West*. Nova York: Knopf.

exogamia *ver* REGRAS DE CASAMENTO.

expectativa de vida *ver* TAXA DE MORTALIDADE.

expectativas crescentes *ver* TEORIA DE FRUSTRAÇÃO-AGRESSÃO.

experimento O experimento é um método científico de pesquisa usado para comprovar relações de causa e efeito entre variáveis. Em sua forma mais simples, compara dois grupos de observações, em duas condições idênticas em todos os aspectos, menos em um. O *grupo experimental* é exposto a uma condição que se acredita produzir algum tipo de efeito causal. O *grupo de controle* não é exposto a essa condição. Se as observações resultantes diferem, pode-se concluir que a diferença é causada pelas condições que variaram.

Vamos supor que temos dois grupos de homens. Os grupos são iguais em todos os aspectos, com a exceção de que um grupo assistiu a um filme pornográfico e o outro não. Se observarmos mudança nas atitudes do primeiro grupo em relação a mulheres, mas nenhuma nas atitudes do segundo, podemos concluir que a mudança foi consequência da condição experimental, ou seja, do filme pornográfico.

Na prática, o requisito de que os dois grupos sejam idênticos em tudo, exceto na condição experimental, é impossível de confirmar, uma vez que não há maneira de explicar todas as maneiras em que pessoas poderiam diferir entre si. Experimentadores respondem a esse problema selecionando sujeitos mediante uso de um modelo de amostra aleatória, ou alguma coisa próxima. Supõem em seguida que, no longo prazo, a única diferença sistemática entre os dois grupos seria a condição experimental, e que as outras diferenças não seriam mais do que ERRO aleatório, isento de viés.

Experimentos apropriados a perguntas sociológicas tendem a ser dispendiosos e impraticáveis demais. O método é limitado também pelo artificialismo relativo do ambiente típico de laboratório. Uma solução neste particular é o *experimento de campo* em ambiente não laboratorial. Com o objetivo de submeter a teste a discriminação sexual, por exemplo, experimentadores conduziram estudos nos quais enviaram currículos a empregadores potenciais e lhes pediram que avaliassem os candidatos. Os currículos eram todos iguais, com a exceção de que metade identificou os candidatos como homens e a outra metade como mulheres. A descoberta de que os homens invariavelmente recebiam classificação mais alta justificou a conclusão de que o sexo em si é uma base de discriminação.

Embora o modelo experimental clássico raramente seja usado em sociologia, uma grande variedade de técnicas de análise estatística pode ser usada para chegar bem perto de análises de causa e efeito.

Ver também EFEITO HAWTHORNE; ERRO; ESTATÍSTICA; EXPLICAÇÃO CAUSAL E MODELO CAUSAL; HIPÓTESE E TESTE DE HIPÓTESE; VARIÁVEL.

Leitura sugerida: Blalock, Hubert M. 1964: *Causal Inferences in Nonexperimental Research.* Chapel Hill: University of North Carolina Press • Singleton, Royce A., Bruce C. Straits e Margaret M. Straits 1993: *Approaches to Social Research.* 2ªed. Oxford e Nova York: Oxford University Press.

experimento de campo *ver* EXPERIMENTO.

explicação Em interação social, explicação é aquilo que pessoas oferecem para justificar sua aparência ou comportamento, como, por exemplo, chegar tarde para um encontro ou violar a lei. As explicações variam de desculpas relativamente insignificantes a amigos ("Foi sem querer. Não sei por que fiz isso") a defesas formais contra acusações de crime grave ("Foi legítima defesa. Não tive opção"). As explicações são importantes na sociologia porque constituem parte daquilo que usamos para produzir uma impressão de nós mesmos aos olhos de outras pessoas, através da qual influenciamos sua percepção, expectativas, atitudes e comportamento em relação a nós. O conceito tem sido aplicado principalmente no estudo do desvio, em especial quando pessoas o usam para evitar responsabilidade e castigo por seus atos.

Ver também ATRIBUIÇÃO SOCIAL; DESVIO; PERSPECTIVA INTERACIONISTA.

Leitura sugerida: Mills, C. Wright 1940: "Situated actions and vocabularies of motive". *American Sociological Review* 5: 904-93.

explicação causal e modelo causal A explicação causal é a declaração de que um fenômeno é resultado de um ou mais fenômenos que o precederam no tempo. Qualquer explicação completa de desigualdade social, por exemplo, provavelmente incluiria a ideia de que ocupação produz um efeito causal sobre níveis de renda. O modelo causal leva esse fato um passo adiante, ao descrever relações causais envolvidas em diversas variáveis que atuam juntas. Um modelo usado para explicar diferenças em renda, por exemplo, poderia incluir não só ocupação, mas fatores adicionais, como nível de educação atingido, raça, sexo e idade, meio formativo familiar, características como as ocupações do pai e da mãe, nível educacional atingido pelos mesmos e renda de ambos. O modelo poderia especificar ainda como cada um deles afeta a renda de maneira direta ou indireta. A ocupação, por exemplo, produz um efeito direto sobre a renda, gerentes recebendo salários mais altos do que secretárias. Não obstante, o nível educacional atingido pelos pais terá mais probabilidade de produzir um efeito indireto sobre a renda, talvez por seus efeitos sobre as aspirações educacionais dos filhos.

Em pesquisa, explicações e modelos causais são submetidos a teste através de grande variedade de técnicas estatísticas, incluindo ANÁLISE DE SEQUÊNCIA e ANÁLISE LOG-LINEAR. Mas elas são, de certa maneira, inconclusivas, uma vez que dependem de várias suposições que muitas vezes não podem ser confirmadas. Ainda assim são úteis como instrumento para esclarecer como pensamos sobre um dado problema, pois nos obrigam a especificar como as variáveis se relacionam entre si.

Toda questão da explicação causal nas ciências sociais é também problemática, dada a dificuldade de identificar relações de causa e efeito sem realizar EXPERIMENTOS, o que em geral não é possível em trabalho sociológico. Podemos, por exemplo, confirmar que, quanto mais educadas as pessoas, mais alta tende a ser a renda, mas esse fato não significa que o nível educacional atingido *per se* seja um fator causal. Embora raramente possam provar que existe uma relação causal com as variáveis que tipicamente estudam, os sociólogos podem aproximar-se o suficiente de seus objetivos para contribuir com *insights* importantes para explicar como funciona a vida social.

Ver também ANÁLISE MULTIVARIADA; MODELO.

Leitura sugerida: Blalock, Hubert M. 1964: *Causal Inferences in Nonexperimental Research.* Chapel Hill: University of North Carolina Press o org. 1985: *Causal Models in Experimental and Panel Designs.* Chicago: Aldine • Blalock, Hubert M., e Anne B. Blalock, orgs. 1968: *Methodology in Social Research.* Nova York: McGraw-Hill.

explicação teleológica A explicação teleológica baseia-se na ideia de que as coisas acontecem de certa maneira porque servem a alguma finalidade última ou contribuem para algum objetivo ou ponto final. Neste sentido, pode-se concluir que a causa é um resultado que contribui para que alguma coisa aconteça. Esse raciocínio é muito comum em explicações de comportamento e aparência de animais. A cor do corpo de um animal, por exemplo, pode ser explicada em termos do que parece ser a consequência que produz, como esconder-se de predadores.

A explicação teleológica é especialmente relevante para a PERSPECTIVA FUNCIONALISTA e sua ênfase nos requisitos de sistemas sociais. A teoria do DARWINISMO SOCIAL, de Herbert SPENCER, argumentava que a desigualdade existe porque serve aos interesses da EVOLUÇÃO SOCIAL e do progresso. Talcott PARSONS afirmava que a DIVISÃO DO TRABALHO entre homens e mulheres servia a um objetivo social mais alto, o de assegurar que funções sociais de grande importância seriam desempenhadas eficientemente e que existia por essa razão (e não para dar respaldo ao privilégio e dominação do homem). Fora da sociologia, as explicações teleológicas são muito comuns, considerando a desigualdade de sexos, por exemplo, como manifestação de uma ordem natural ou de uma finalidade divina.

O lugar da explicação teleológica na sociologia continua a ser matéria controversa. Como um dos fundadores da sociologia e da perspectiva funcional, Émile DURKHEIM enfatizava a importância de distinguir entre a função de algum aspecto da vida social e a sua causa, mas esta é uma distinção frequentemente ignorada.

Leitura sugerida: Durkheim, Émile 1895: *Les règles de la méthode sociologique*. Paris: Félix Alcan / (*1982*): *The Rules of the Sociological Method*. Nova York: Free Press; Londres: Macmillan • Ryan, A. 1970: *The Philosophy of the Social Sciences*. Londres: Macmillan • Turner, Jonathan H. 1986: *The Structure of Sociological Theory*. 4ª ed. Chicago: Dorsey Press; 5ª ed., Belmont, CA: Wadsworth (*1991*).

exploração A exploração é um conceito básico no estudo da OPRESSÃO SOCIAL, sobretudo da perspectiva marxista. Ocorre quando um grupo pode tomar para seu uso o que é produzido por outro. A escravidão, por exemplo, é um sistema de exploração baseado na propriedade do escravo pelo senhor e, daí, de tudo que ele produz. Na opinião de Karl MARX, o CAPITALISMO é também um sistema de exploração, só que não baseado na propriedade dos que produzem, como na escravidão, mas de máquinas e de outros meios de produção.

O conceito de exploração pode ser ampliado para incluir formas não econômicas, como a exploração sexual de mulheres pelos homens no regime de PATRIARQUIA. A autoridade de homens como maridos, empregadores e outras formas de autoridade lhes dá uma base socialmente legítima, da qual podem coagir e obter concordância sexual da parte de mulheres. Em um sentido mais amplo, o corpo e a sexualidade de mulheres são explorados pela publicidade e pelos meios de entretenimento da mídia capitalistas.

Ver também COLONIALISMO E IMPERIALISMO.

expulsão Expulsão é uma medida demográfica usada para controlar pessoas, obrigando-as a deixar um dado território. Numerosas tribos nativas norte-americanas nos Estados Unidos, por exemplo, foram removidas à força de suas terras ancestrais para que brancos pudessem explorar e lucrar com recursos tais como terra e ouro. Em seguida à Guerra Civil nos Estados Unidos, ouviram-se apelos para que fosse resolvida a "questão racial" enviando-se à força os negros para a África.

Neste século, o genocídio perpetrado pela Alemanha nazista contra os judeus e outros grupos étnicos foi inicialmente descrito como nada mais do que expulsão de populações, da Alemanha e de outros países ocupados, para a Europa Oriental. Mais recentemente, grupos étnicos inteiros foram expulsos de algumas sociedades africanas como resultado de pressões econômicas, guerra civil e outros tipos de desordem. Em vários países europeus, com maior destaque na França, movimentos sociais têm pedido a expulsão de populações de imigrantes, a maioria não branca, a fim de aliviar a concorrência por empregos e outros recursos.

Ver também GENOCÍDIO.

extensão média de geração *ver* GERAÇÃO.

F

facticidade Facticidade é o estado de vivenciar e pensar no mundo externo como se ele tivesse realidade concreta, e não como sendo, na maior parte, concebido como produto da vida social. Tendemos, por exemplo, a experimentar sistemas sociais, como a família, como se fossem sólidos, "como coisas", mesmo que eles sejam, antes e acima de tudo, ideias abstratas — criações culturais — sobre relacionamentos, expectativas, valores etc. Vivemos, na maior parte, sem perceber as origens sociais da realidade que experimentamos e de sua natureza frequentemente arbitrária, conforme revelam comparações com outras sociedades. Em suma, tendemos a supor que o mundo é, na verdade, exatamente o que parece ser, da forma identificada e interpretada através de termos de referência culturalmente definidos.

Ver também FENOMENOLOGIA E SOCIOLOGIA FENOMENOLÓGICA.

Leitura sugerida: Berger, Peter L., e Thomas Luckmann 1967: *The Social Construction of Reality: a Treatise in the Sociology of Knowledge.* Garden City, NY: Doubleday; Londres: Allen Lane / (*1995*): *A construção social da realidade.* 12ªed., Petrópolis: Vozes.

faixa etária Faixa etária é um espaço de tempo culturalmente definido — tais como os períodos de infância e adolescência —, considerado como uma situação social que afeta a maneira como pessoas são vistas e tratadas e o que delas se espera. As sociedades diferem muito no número dessas categorias que incluem em suas culturas — de apenas três entre os Nupe, da Nigéria, a cerca de 28 na cultura Nandi, no Quênia.

As faixas etárias são muitas vezes denominadas de *escalas etárias* ou *grupos etários*. Embora a primeira seja um termo aceitável, a última é imprópria, uma vez que grupo é um conjunto de pessoas que interagem de formas padronizadas e se consideram como a ele pertencentes. Esse fato certamente não é verdade no tocante a faixas etárias, exceto as menores sociedades tribais.

Ver também CATEGORIA SOCIAL; COORTE; DISCRIMINAÇÃO ETÁRIA; ENVELHECIMENTO.

falácia ecológica *ver* NÍVEL DE ANÁLISE.

falsa consciência *ver* CONSCIÊNCIA E FALSA CONSCIÊNCIA DE CLASSE.

falsidade estatística Na análise da relação entre VARIÁVEIS, a falsidade estatística ocorre quando se descobre que duas variáveis estatisticamente relacionadas entre si não guardam uma relação causal. Suponha que tenhamos determinado que, quando o nível de consumo de sorvete aumenta em uma comunidade à beira-mar, o mesmo acontece com o número de afogamentos. Antes de concluirmos que a relação estatística indica causa e efeito — que sorvete causa afogamento — poderemos introduzir como controle uma terceira variável, tal como quantas pessoas nesse período praticam natação. Poderíamos então concluir que o aumento do consumo de sorvete reflete o início do verão e, com ele, o aumento do número de nadadores. E é isto, e não o consumo de sorvete, que causa o aumento do número de afogamentos. Concluiríamos, portanto, que a relação entre consumo de sorvete e afogamentos é uma falsidade estatística, apenas estatística e de maneira alguma causal. A terceira variável que usamos como controle — o volume de praticantes de natação — é denominada de *variável insignificante*.

A falsidade estatística é uma interpretação muito importante e frequentemente ignorada na análise estatística, porque amiúde constitui a diferença entre o que é causal e o que não é. Educadores, por exemplo, dizem muitas vezes que educação universitária associa-se a pensamento liberal e interesse por assuntos públicos. Não está claro, contudo, se esse fato é efeito da educação *per se* ou uma relação espúria. É bem possível que os jovens que têm maior probabilidade de chegar a um nível superior de educação sejam originários de famílias que valorizam as próprias características mais comumente associadas a indivíduos formados em universidades.

O analista alerta e consciencioso pensará sempre na possibilidade de falsidade estatística e fará todo o possível para identificar possíveis variáveis insignificantes.

Ver também VARIÁVEL DE CONTROLE.

Leitura sugerida: Rosenberg, Morris 1968: *The Logic of Survey Analysis.* Nova York: Basic Books.

falsificacionismo Da forma desenvolvida pelo filósofo Kark POPPER, o falsificacionismo é um enfoque científico baseado na convicção de que é impossível provar realmente qualquer coisa. Ao contrário, a ciência avança apenas gerando HIPÓTESES formuladas de tal maneira que é possível submetê-las a teste (prática esta que, acreditava Popper, separa a ciência da não ciência). Quando submetida a teste, a hipótese é ou não refutada, mas a incapacidade de refutá-la não a torna necessariamente verdadeira. O que é aceito como conhecimento, então, é uma teoria ou descoberta que, até o momento, ninguém conseguiu ainda refutar.

Embora grande volume de trabalho científico se desenvolva dessa maneira, há proposições-chave que tornam a ciência possível, mas que ainda assim não podem ser submetidas a teste, começando com a opinião de que tudo tem uma causa que pode ser descoberta através do método científico. Além do mais, o fato de uma hipótese ser considerada refutada ou não depende frequentemente da prática de juízos de valor, que transcendem os resultados de testes empíricos.

Ver também EMPÍRICO; HIPÓTESE E TESTE DE HIPÓTESE; POSITIVISMO.

Leitura sugerida: Feyerabend, Paul 1971: *Against Method.* Londres: New Left Books / (*1985*): *Contra o método.* Rio de Janeiro: Francisco Alves • Popper, Karl R. 1934 (*1959*): *Logic of Scientific Discovery.* Londres: Hutchinson / (*1985*): *A lógica da pesquisa científica.* São Paulo: Cultrix.

família Como INSTITUIÇÃO social, a família é definida pelas funções sociais que se espera que ela cumpra: reproduzir e socializar os jovens, regular o comportamento social, agir como grande centro de trabalho produtivo, proteger os filhos e proporcionar apoio emocional aos adultos, servindo como origem de *status atribuído*, como etnicidade e raça. Embora a forma das instituições familiares varie muito de uma sociedade ou período histórico a outros, as funções básicas da família parecem ser razoavelmente constantes e quase universais.

Há uma diferença entre a família como instituição e as famílias individuais existentes em qualquer dado tempo na sociedade. Como instituição é um modelo abstrato que descreve sua organização e atividades. Em muitas sociedades, por exemplo, a instituição descreve um ambiente seguro e protegido para os filhos, mesmo que a realidade da vida em algumas delas inclua muitas vezes maus-tratos e descaso. A incapacidade de perceber a brecha entre ideais e realidade tem consequências sociais importantes. Nos Estados Unidos numerosos programas assistenciais do governo baseiam-se em um modelo de família no qual pais e filhos vivem juntos, o pai é o principal provedor e a mãe permanece em casa, cuidando da prole. Na realidade, porém, apenas uma pequena parte das famílias americanas corresponde a esse modelo.

Como sistemas sociais, as famílias variam em suas características estruturais, o que, por seu lado, acarreta grandes variações na vida familiar. A *família nuclear*, por exemplo, consiste dos pais e filhos naturais ou adotados residentes na mesma casa, e ausência de outros parentes. Este modelo é principalmente associado à vida em sociedades industriais, onde as mobilidades geográfica e econômica andam de mãos dadas: quanto menor a unidade familiar, mais facilmente ela pode reagir a oportunidades econômicas em lugares distantes. A família nuclear está associada também a isolamento social e à falta de contato com parentes e, como resultado, a uma grande variedade de problemas, como a sobrecarga de papéis. Neste particular, o modelo de família nuclear é comparado principalmente com a *família extensa* — pais, filhos e vários tipos de parentes vivendo sob o mesmo teto —, que é em geral considerada como a forma dominante e um tanto idealizada de vida familiar em sociedades não industriais. A pesquisa, no entanto, sugere que, ao longo da história, o modelo de família nuclear, e não a extensa, é que predominou. Além disso, mesmo em sociedades individualistas como a dos Estados Unidos, a família nuclear é mais extensa do que em geral se supõe. Embora fisicamente separada de parentes, ela mantém com eles laços regulares e contatos frequentes através de visitas, troca de correspondência e telefonemas.

A dissolução de famílias por morte e divórcio gera três estruturas adicionais, com efeitos importantes sobre a vida familiar. A *família mista* (conhecida também como *composta* ou *fundida*) conta com uma estrutura de papéis na qual pelo menos um dos pais foi antes casado e que inclui filhos de um ou ambos os casamentos. Isso significa que o sistema tradicional de laços de sangue entre pais e filhos é complicado por um ou mesmo dois conjuntos de relações afins. Este fato é sociologicamente interessante porque pode gerar estruturas complexas em grupos muito pequenos, criando numerosas oportunidades de conflito. Pais afins, por exemplo, descobrem muitas vezes que competem pela afeição das crianças com pais biológicos ausentes ou se sentem excluídos dos laços entre seu cônjuge e os filhos naturais do mesmo.

Em alguns países onde é frequente o divórcio, o mesmo acontece com a formação de famílias compostas. Trata-se, por exemplo, de uma das formas de estrutura familiar em crescimento mais rápido nos Estados Unidos, onde aproximadamente metade de todos os casamentos é de novos casamentos pelo menos para um dos cônjuges e um sexto de todas as crianças vive com um pai afim.

Outro tipo de família em rápida expansão em sociedades onde há alta taxa de divórcio é a *família de pais solteiros*, que sociologicamente tem grande importância devido à falta de modelos de papel adulto proporcionado por ambos os sexos, ao potencial de tensão nervosa do pai residente e a tendência para a pobreza, em especial em famílias dirigidas por mulheres.

Famílias mistas e de pais solteiros são frequentemente (embora nem sempre) também *famílias divorciadas*, no sentido em que pelo menos um de seus membros passou por um divórcio. Como resultado, formam-se laços complexos com pais, crianças e ex-cônjuges não residentes. Alguns sociólogos argumentam que a família divorciada deveria ser reconhecida como um tipo distinto de estrutura familiar, cujos relacionamentos complexos e, não raro, conflituosos afetam profundamente a natureza da vida familiar.

Ver também CASAMENTO E DIVÓRCIO; INSTITUIÇÃO; LAR; PARENTESCO.

Leitura sugerida: Sussman, Marvin B., e Suzanne K. Steinmetz, orgs. 1987: *Handbook of Marriage and the Family*. Nova York: Plenum Press.

família composta *ver* FAMÍLIA.

família de pais solteiros *ver* FAMÍLIA.

família divorciada *ver* FAMÍLIA.

família extensa *ver* FAMÍLIA.

família mista *ver* FAMÍLIA.

família nuclear *ver* FAMÍLIA.

fascismo Na forma como apareceu na Europa na primeira metade deste século, o fascismo teve caráter de IDEOLOGIA e MOVIMENTO SOCIAL e, na Itália e na Alemanha nazista, de forma de governo. Como ideologia, o fascismo combatia o individualismo, o liberalismo, o marxismo e o CAPITALISMO selvagem, praticado puramente com objetivo de ganho privado. Para substituí-los, o fascismo defendia o primado do grupo, em especial da nação-estado, como o núcleo que definia e proporcionava alicerce à vida social e individual. O ESTADO, frequentemente dominado por um líder carismático visto como corporificação da identidade nacional, procurava obter controle sobre quase todos os aspectos da vida social, da família à economia, religião e educação. A fim de justificar e atingir esses fins, os Estados fascistas dependiam fortemente de ideologias racistas e de supremacia, e faziam uso extenso de forças militares e da polícia e o potencial de ambas as instituições em vigilância, violência, terrorismo e eliminação de massa de toda e qualquer oposição.

Ver também AUTORITARISMO; NACIONAL, NAÇÃO-ESTADO; NACIONALISMO.

Leitura sugerida: Kitchen, Martin 1976: *Fascism*. Londres: Macmillan • Woolf, S.J., org. 1968: *The Nature of Fascism*. Nova York: Random House.

fato *ver* FATO SOCIAL.

fato social De acordo com Émile DURKHEIM, o fato social é uma característica cultural e estrutural de sistemas políticos que experimentamos como externa a nós e que exerce uma influência e autoridade que equivalem a mais do que a soma das intenções e motivações de indivíduos que por acaso participem desses sistemas em um determinado tempo. Uma "empresa", por exemplo, existe como sistema que envolve pessoas que nela trabalham, mas de várias formas é independente delas. A empresa pode ir à falência ou desaparecer por completo, mas esse fato não significa que as pessoas que nela trabalham terão o mesmo destino. A empresa, então, com uma cultura e estrutura que a definem como sistema, é um conjunto de fatos sociais que limitam e moldam a vida das pessoas que dela fazem parte. Até certo ponto, a sociologia teve origem como reação a uma perspectiva individualística, psicológica, da vida humana (UTILITARISMO) que dominou o pensamento europeu no século XIX. Durkheim argumentava em especial que a natureza coletiva da sociedade e da vida social não podia reduzir a experiência do indivíduo ou representações da mesma, que experimentar a lei como indivíduo, por exemplo, não poderia explicar a lei como fenômeno social.

Durkheim afirmava ainda que os fatos sociais deveriam ser considerados como algo a ser examinado e compreendido em grande parte como se fossem coisas, que só podiam ser explicadas em relação a outros fatos sociais. Essa foi uma das grandes contribuições ao que se tornaria a moderna sociologia.

Ver também AÇÃO E ESTRUTURA; ATOMISMO E HOLISMO; INDIVIDUALISMO METODOLÓGICO; SOCIOLOGIA INTERPRETATIVA.

Leitura sugerida: Durkheim, Émile 1895: *Les règles de la méthode sociologique*. Paris: Félix Alcan / (*1982*): *The Rules of the Sociological Method.* Nova York: Free Press; Londres: Macmillan o [1924] 1974: *Sociology and Philosophy*. Nova York: Free Press.

fecundidade e fertilidade Demógrafos definem fecundidade como o potencial biológico de reprodução e fertilidade como o número de filhos que pessoas efetivamente têm. Embora em teoria o conceito se aplique a homens e mulheres, na prática o destaque tem sido dado principalmente às mulheres, não sem alguma crítica de parte dos que argumentam que taxas de natalidade não podem ser compreendidas sem que se dê atenção aos papéis social e biológico dos homens na reprodução.

Se queremos compreender níveis e tendências de TAXAS DE NATALIDADE, é importante a distinção entre fertilidade e fecundidade uma vez que ambas são afetadas por fatores sociais diferentes e, portanto, não devem ser confundidas uma com a outra. Na verdade, um dos principais interesses da demografia consiste em compreender os fatores sociais que mantêm a fertilidade humana em geral bem abaixo de seu potencial de fecundidade.

Leitura sugerida: Bulatao, Rodolfo, e Ronald D. Lee, orgs. 1983: *Determinants of Fertility in Developing Countries*. Nova York: Academic Press • Coale, Ansley, e Susan C. Watkins, orgs. 1988: *The Decline of Fertility in Europe*. Princeton: Princeton University Press • Knodel, John. 1988: *Demographic Behavior in the Past.* Cambridge: Cambridge University Press.

feminilidade *ver* SEXO E GÊNERO.

feminismo O feminismo pode ser definido de duas maneiras principais. No sentido mais restrito é um conjunto complexo de ideologias políticas usadas pelo movimento feminista para promover a causa da igualdade das mulheres com os homens e pôr fim à teoria sexista e à prática de opressão social. Em sentido mais amplo e mais profundo, constitui uma grande variedade de enfoques usados para observar, analisar e interpretar as maneiras complexas como a realidade social dos sexos e a desigualdade entre eles são construídas, impostas e manifestadas, desde em ambientes institucionais mais vastos aos detalhes do dia a dia da vida das pessoas. Esses enfoques geram não só teorias sobre as vidas psicológica, espiritual e social e suas consequências — da música, literatura e ritual religioso a padrões de violência e distribuição desigual de renda, saúde e poder —, mas também metodologias de pesquisas distintas, que frequentemente se chocam com métodos consagrados, como o método científico. Parte da crítica feminista às práticas padronizadas de pesquisa é que elas servem ao *status quo*, ao tornarem quase invisíveis as experiências e pontos de vista das mulheres.

A maior parte do pensamento e pesquisa feministas fundamenta-se em uma ou mais de três perspectivas distintas, embora relacionadas: 1) liberal; 2) socialista, ou marxista; e 3) radical. Tal como o pensamento liberal em geral, o feminismo liberal teve origem no período da história europeia conhecido como Iluminismo. A premissa central do Iluminismo era que a sociedade justa é aquela que resulta das livres opções de indivíduos educados, conscientes — ou "iluminados". Por extensão, os liberais argumentam que os problemas sociais surgem principalmente da ignorância e das limitações sociais à liberdade de escolha.

Da perspectiva liberal, a desigualdade de sexos tem origem principalmente em uma socialização que força pessoas a crescer com ideias distorcidas e prejudiciais sobre homens e mulheres, e em ideias culturais que restringem a liberdade do indivíduo de resolver livremente como levar sua vida. As soluções liberais em geral focalizam-se em mudar ideias e práticas culturais, em reescrever os livros usados nas escolas, reformar os códigos legais e tornar ilegal a discriminação.

Embora o feminismo liberal seja o enfoque feminista dominante na maioria das sociedades industriais modernas, não são poucos os seus críticos. Em especial, o feminismo liberal carece de qualquer tipo de análise histórica que explique as origens da desigualdade dos sexos ou de uma análise sociológica que a relacione com o contexto institucional mais amplo. Em vez disso, o enfoque feminista liberal geralmente aceita como dados os principais aspectos das sociedades patriarcais, como o capitalismo, o militarismo, os sistemas jurídicos voltados para julgamento de litígios, a competição e a hierarquia. Esses sistemas mais amplos não são considerados como problemáticos: o problema é a falta de acesso das mulheres às posições neles existentes. Dessa maneira, a feminista liberal lutaria para que mulheres pudessem ser comandantes militares ou chefes de empresas, mas de modo geral não consideraria a guerra ou o capitalismo empresarial em si como problemas que precisassem de análise feminista.

Ao contrário do feminismo liberal, o socialista, ou marxista, estabelece uma conexão causal direta entre capitalismo e a subordinação patriarcal das mulheres. Segundo essa perspectiva, as mulheres constituem uma classe explorada no modo capitalista de produção, exploradas tanto pelos maridos dentro das famílias quanto pelos empregadores no mercado de trabalho. Nas famílias, as mulheres contribuem com grande volume de trabalho gratuito ou pelo que equivale a salário de subsistência (os maridos fornecem alimento, abrigo etc.), sistema este que algumas autoras consideram igual à escravidão. No mercado de trabalho, as mulheres entram com o trabalho barato e podem ser exploradas porque são consideradas principalmente como esposas e mães e, portanto, não merecem salários condignos.

A crítica mais forte ao feminismo marxista é que ignora o fato de que a patriarquia é anterior em milhares de anos ao capitalismo e, como tal, não pode ser compreendida como por ele gerado. E ignora também o fato de que a dominação masculina continuou em países como a China e a União Soviética. E como argumentam feministas socialistas, um enfoque puramente marxista dá muito pouca atenção à reprodução como forma importante de produção nas sociedades. Em ambos os casos, contudo, o papel do capitalismo na patriarquia é importante porque, como modo dominante de produção no mundo moderno, molda a dominação masculina de maneiras que precisam ser explicadas como parte de uma compreensão mais profunda da desigualdade dos sexos. Na patriarquia tradicional, por exemplo, os homens dominam em parte as mulheres ao controlar a terra e os meios de produção, especialmente nas fazendas familiares. Sob o capitalismo industrial, porém, a maioria das pessoas nem possui terra nem capital, o que significa que os homens têm que encontrar outras maneiras de impor sua dominação (tais como controle dos empregos e salários e, com estes, da renda familiar). A dominação masculina permanece, mas em uma forma alterada que também afeta os homens.

Da perspectiva feminista radical, a desigualdade dos sexos não se deve nem à ignorância nem à falta de liberdade ou ao capitalismo, mas, sim, ao trabalho coletivo de homens para dominar, controlar e explorar as mulheres. Desse ponto de vista, o problema fundamental da análise feminista radical consiste em compreender como a subordinação das mulheres é imposta e mantida, as consequências que produz e como pode ser abolida. Isso inclui analisar como o domínio pelo homem das principais instituições sociais lhes permite moldar o mundo de maneiras que reforçam seu domínio coletivo. Desse modo, ao contrário do feminismo liberal, o radical considera o capitalismo, o militarismo, a hierarquia e a competição manifestações de valores e crenças patriarcais básicos, e veículos através dos quais os homens mantêm a dominação. A violência contra as mulheres, a heterossexualidade compulsória e a organização da vida tradicional são todas consideradas como meios para assegurar o domínio masculino através da subordinação e da dependência das mulheres.

Uma das principais críticas ao feminismo radical é que o mesmo associa-se muitas vezes ao pensamento essencialista, de acordo com o qual a patriarquia e a opressão das mulheres radicam-se em tendências masculinas inerentes de dominação e agressão. E não consegue também explicar convincentemente as variações no status das mulheres que são frutos de etnicidade, raça e classe social. Como acontece com qualquer tipo de pensamento que envolve perspectivas múltiplas, a análise feminista é mais poderosa quando combina elementos de todos os vários métodos.

Ver também PATRIARQUIA; SEXO E GÊNERO.

Leitura sugerida: Hooks, Bell 1984: *Feminist Theory: From Margin to Center.* Boston: South End Press • Lovell, Terry org. 1990: *British Feminist Thought.* Oxford: Blackwell Publishers • Ton, Rosemarie 1989: *Feminist Thought: A Comprehensive Introduction.* Boulder, CO: Westview Press.

feminismo liberal *ver* FEMINISMO.

feminismo marxista *ver* FEMINISMO.

feminismo radical *ver* FEMINISMO.

feminismo socialista *ver* FEMINISMO.

feminização e masculinização Feminização é um processo no qual alguns aspectos da vida social mudam para uma concentração crescente na mulher. Uma ocupação, por exemplo, torna-se feminizada na medida em que o número de mulheres que nela trabalham torna-se maioria. Analogamente, a pobreza está se tornando feminizada nos Estados Unidos, uma vez que as mulheres (mães solteiras e seus filhos, em particular) formam um segmento cada vez maior da população empobrecida.

A masculinização é menos comum pois é menos provável que homens assumam ocupações dominadas por mulheres, já que elas são em geral consideradas de menor valor cultural em sociedades patriarcais dominadas. Uma exceção notável é encontrada nas artes da cura, onde a posição dominante das parteiras e curandeiras foi suplantada pela profissão médica, dominada pelos homens já há vários séculos.

Ver também PATRIARQUIA.

fenomenologia e sociologia fenomenológica Fenomenologia é o estudo da experiência humana consciente na vida diária. Da forma inicialmente formulada por Alfred SCHUTZ, a sociologia fenomenológica constitui o estudo da ligação entre consciência humana e vida social, entre a forma assumida pela vida social, por um lado, e a maneira como pessoas percebem, pensam e falam sobre ela, por outro.

Baseia-se na ideia da *construção social da realidade* através de INTERAÇÃO entre indivíduos que utilizam SÍMBOLOS para se interpretar reciprocamente e atribuir significado a percepções e experiências. Quando uma mulher, por exemplo, diz a um homem, "Eu amo você. Quer casar comigo?", suas palavras desempenham um papel fundamental na construção do que ambos experimentarão como realidade. Responda ele, "Caso. Eu amo você também", ou "Não, eu amo outra pessoa" ou ainda "Não, obrigado", tais palavras fazem um mundo de diferença na realidade social resultante. No primeiro caso, por exemplo, a conversa pode tornar-se parte da construção social a longo prazo de um relacionamento matrimonial, com expectativas complexas, entendimentos e sentimentos (que, é claro, podem mudar para outra realidade se, algum dia, ela disser "Eu não amo mais você").

A sociologia fenomenológica considera sua tarefa principal o estudo do que Schutz chamou de o *mundo da vida* — a corrente de rotinas diárias, interações e eventos aceitos como coisas naturais e considerados não só como origem da experiência individual, mas também das formas assumidas por grupos e sociedades.

Ver também CONHECIMENTO; DESCONSTRUÇÃO; DISCURSO E FORMAÇÃO DO DISCURSO; ETNOMETODOLOGIA; INTERAÇÃO; OBJETIVIDADE.

Leitura sugerida: Berger, Peter L., e Thomas Luckmann 1961: *The Social Construction of Reality: a Treatise in the Sociology of Knowledge.* Garden City, NY: Doubleday; Londres: Allen Lane / (*1995*): *A construção social da realidade.* 12ªed., Petrópolis: Vozes • Schutz, Alfred 1932 (*1967*): *The Phenomenology of the Social World.* Evanston, IL: Northwestern University Press; Londres: Heinemann (*1972*) / (*1979*): *Fenomenologia e relações sociais.* Rio de Janeiro: Zahar • Schutz, Alfred, e Thomas Luckmann 1974: *The Structures of the Life-World.* Londres: Heinemann.

fertilidade *ver* FECUNDIDADE.

fetichismo das mercadorias Em sua análise do capitalismo, Karl MARX descreveu o fetichismo das mercadorias como a tendência de tratá-las como fetiches, ou seja, objetos dotados de propriedades mágicas que lhes conferem uma vida própria. Agimos, por exemplo, como se bens e serviços tivessem um valor natural em comparação com outros no mercado; como se dinheiro, ouro e outros bens fossem "preciosos" por sua própria natureza; como se as mercadorias pudessem perseguir-se umas às outras e se atraírem entre si, como acontece quando a inflação é explicada como "dinheiro demais caçando mercadorias de menos". O problema com esse tipo de pensamento é que ele tende a obscurecer os relacionamentos sociais subjacentes entre pessoas, que constituem a origem real daquilo que atribuímos às mercadorias. Não teríamos que comprar e vender em mercados competitivos, por exemplo, se organizássemos a vida de modo cooperativo, baseado na propriedade e trabalho comuns.

Leitura sugerida: Abercrombie, Nicholas 1980: *Class, Structure, and Knowledge*. Oxford: Blackwell Publishers • Geras, Norman 1971: "Essence and appearence: aspects of fetshism in Marx's *Capital*". *New Left Review* 65: 69-86.

feudalismo O feudalismo foi um sistema político e econômico que prevaleceu sobretudo na Europa durante a Idade Média, embora existisse também em várias formas, em outras ocasiões, em diversas partes do mundo. Basicamente, feudalismo é um núcleo de relações sociais organizadas em torno da agricultura e do controle da terra. Na Europa, a terra era controlada por senhores militarmente poderosos que conseguiam apoio militar de nobres de categoria inferior em troca do controle que lhes concedia sobre um território especificado. Esse controle incluía o direito de apropriar-se para uso próprio de parte do que era produzido pelos camponeses, que viviam presos à terra por tradição, e pelo monopólio das armas e perícia em seu uso exercido pela nobreza. Os camponeses eram dominados pela nobreza local, mas, ainda assim, exerciam algum controle sobre os meios e processos de produção e possuíam direitos tradicionais ao uso da terra. Cada parte da terra, com seus camponeses residentes e nobres governantes, constituía um *castelo*, que era um sistema social relativamente autônomo e autossuficiente.

Como sistema de estratificação, o feudal incluiu várias categorias sociais distintas, ou *estados*, cada uma das quais ocupava uma posição em um sistema hierárquico rígido, que regulava rigorosamente a mobilidade de um estado a outro. Cada estado possuía um conjunto próprio de regras relativas a aparência e comportamento dentro do mesmo e era subordinado às leis dos estados mais altos, os quais, por seu lado, incumbiam-se em geral da proteção dos estados que lhes eram inferiores. A maioria dos sistemas feudais consistia de três estados — a nobreza, o clero e os comuns —, embora, durante os primeiros estágios do capitalismo e até o fim do período feudal, emergisse um quarto estado, à medida que mercadores urbanos e artesãos se diferenciavam mais dos camponeses dos castelos. As pequenas cidades e a atividade capitalista que nelas ocorria desenvolveram-se finalmente a tal ponto que lideraram a desintegração do feudalismo.

Ver também CAPITALISMO; ESTRATIFICAÇÃO E DESIGUALDADE.

Leitura sugerida: Bloch, Marc 1940: *La société féodale*. Paris: Albin Michel / (*1961*): *Feudal Society: Social Classes and Political Organization*. Londres: Routledge & Kegan Paul; Chicago: University of Chicago Press • Holton, Robert J. 1985: *The Transition from Feudalism to Capitalism*. Londres: Macmillan • Weber, Max 1921-22 (*1967*, *1978*): *Economy and Society: an Outline of Interpretative Sociology*, ed. em 3 vols., Nova York: Bedminster Press (1967); eds. em 2 e 3 vols., Berkeley: University of California Press (1978).

fim da ideologia, teoria do A teoria do fim da ideologia foi elaborada na década de 1950 por Daniel BELL, Seymour LIPSET e outros sociólogos, postulando que o clima político e econômico das sociedades capitalistas industriais estava mudando de maneiras que dariam fim ao conflito entre trabalhadores e capitalistas. Bell acreditava, por exemplo, que à medida que as sociedades industriais se concentrassem mais em fornecer serviços do que em produzir bens, os estilos de administração mudariam também. As habilidades de comunicação e as relações entre indivíduos, por exemplo, seriam mais importantes em ocupações de serviço do que na indústria, onde a relação entre trabalhador e máquina tem importância suprema. Com a mudança de ênfase, para as relações humanas nos ambientes de trabalho, afirmava Bell, eles seriam determinados mais por negociação e consenso do que por jogos de poder e tentativas autoritárias de controlar os trabalhadores. Esse fato se refletiria nos processos políticos mais amplos da sociedade como um todo, à medida que os trabalhadores participassem cada vez mais da política partidária e de eleições, substituindo os métodos mais conflituosos e agressivos do passado. A expansão dos sistemas de bem-estar também desempenha um papel no argumento de Bell, no qual a ajuda do governo em tempos de crise econômica tiraria grande parte do aspecto desagradável das relações administração-trabalhador e eliminaria um dos grandes motivos dos conflitos de classe.

Embora pudesse ter havido alguma verdade nessa tese na década de 1950, pouco apoio houve para a mesma nas décadas que desde então se sucederam. O conflito trabalho-administração, a exploração dos trabalhadores em serviços e a inquietação civil por causa de desigualdade racial, trabalhadores imigrantes e numerosas outras guerras civis, ou não, sugerem, sem exceção, que a polarização em torno de ideologias conservadoras, liberais e radicais está longe do fim, embora a intensidade do debate pareça, de fato, ter diminuído um pouco, especialmente depois do fim da União Soviética.

Ver também SOCIEDADE PÓS-INDUSTRIAL.

Leitura sugerida: Bell, Daniel 1961: *The End of Ideology*. Nova York: Collier Books • Waxman, C.I., org. 1986: *The End of Ideology Debate*. Nova York: Funk and Wagnalls.

***folk*, sociedade de** *ver* SOCIEDADE DE FOLK.

folkway *ver* MANEIRAS DE AGIR.

força da relação *ver* MEDIDA DE ASSOCIAÇÃO.

força de trabalho *ver* TRABALHO E FORÇA DE TRABALHO.

força de trabalho agregada

A força de trabalho é em geral definida como a população economicamente ativa e produtiva numa sociedade, o que inclui tanto os que estão empregados como os que procuram ativamente emprego. De modo geral, "empregado" refere-se apenas aos que trabalham por dinheiro, seja sob a forma de salário ou de participação nos lucros.

Feministas e outros teóricos condenam essa definição porque ela deixa de fora números imensos de indivíduos que realizam trabalho economicamente produtivo. Esse fato é verdadeiro sobretudo no caso do trabalho doméstico realizado por mulheres em todos os tipos de sociedades, bem como o trabalho de muitos homens em sociedades não industriais. Quando pessoas constroem sua própria casa, por exemplo, carregam a água que consomem ou cuidam dos filhos, a maioria das sociedades não conta esse trabalho como economicamente produtivo porque ele não gera troca de dinheiro. Se as mesmas pessoas contratam alguém para construir sua casa, abastecê-las de água ou cuidar de seus filhos, porém, esse trabalho é considerado como economicamente produtivo. Como resultado, grande volume de trabalho produtivo é tornado invisível não apenas para os cientistas sociais, mas para os formuladores da política pública. Isso, por sua vez, gera um quadro distorcido sobre o grau de produtividade real na sociedade, suas necessidades e que recursos de fato possui.

Ver também DESEMPREGO E SUBEMPREGO; MERCADO DE TRABALHO; TRABALHO E FORÇA DE TRABALHO.

Leitura sugerida: Hauser, Philip M. 1949: "The labor force and gainful workers: concept, measurement, and comparability". *American Journal of Sociology* 54: 338-55 • Waring, Marilyn 1988: *If Women Counted: A New Feminist Economics*. São Francisco: HarperSanFrancisco.

forças de produção *ver* MODO DE PRODUÇÃO.

fordismo *ver* ADMINISTRAÇÃO CIENTÍFICA.

fronteira

A fronteira é um ponto ou limite que distingue um sistema ou grupo social de outro e identifica e estabelece quem deles pode participar. Unidades militares, por exemplo, distinguem-se umas das outras por uniformes e insígnias; comunidades utilizam frequentemente placas rodoviárias para marcar seus limites; e pessoas podem ocupar o status de estudantes universitários apenas depois de satisfazer certos critérios de admissão.

Fronteiras estruturais variam em clareza e abertura. Enquanto os uniformes usados por equipes esportivas claramente distinguem seus membros de não membros, é muito difícil identificar em um teatro, por exemplo, quem ocupa a posição social de advogado. Em um tribunal, contudo, a posição física dos advogados em relação aos demais participantes do julgamento, bem como o comportamento que adotam, indicam sua posição, assim como as fronteiras que os separam dos demais.

Quanto mais abertas as fronteiras, mais fácil será para alguém cruzá-las e participar de sistemas sociais. Fronteiras de família, por exemplo, costumam ser de penetração muito difícil, como também as da maioria das profissões liberais e as da cidadania na maioria dos países. Em comparação, as fronteiras de ônibus públicos são inteiramente abertas, exigindo apenas a apresentação de um tíquete ou o pagamento da passagem, e as de lugares públicos, como calçadas e prédios municipais, o são ainda mais — e é, na verdade, justamente isso que as torna "públicas".

As fronteiras são importantes em sociologia por muitas razões, desde a maneira como o grau de intimidade é regulado em relacionamentos sociais à hostilidade nacionalista a estrangeiros e à forma como as classes e raças dominantes mantêm seus privilégios ao excluir membros de grupos inferiores dos bairros onde moram, das ocupações que preenchem e de posições de influência e autoridade em instituições.

Ver também ESTRUTURA SOCIAL; SISTEMA SOCIAL.

fundamentalismo O fundamentalismo é um movimento religioso que enfatiza a verdade absoluta de aspectos essenciais — ou "fundamentais" — da fé, em especial os radicados em textos sagrados como a Bíblia cristã ou o Corão islâmico. Os fundamentalistas cristãos, por exemplo, acreditam que a Bíblia é a palavra de Deus, cujos relatos — como o fato de Jonas ter sido engolido por uma baleia ou a separação das águas do mar Vermelho — são literalmente verdadeiros, e não metafóricos ou alegóricos.

O fundamentalismo é sociologicamente importante não só por causa de seu lugar excepcional entre as religiões, mas porque se estende com facilidade pelo reino político. No Oriente Médio (no Irã, por exemplo) e nos Estados Unidos, o fundamentalismo religioso desempenha um papel considerável em movimentos políticos conservadores e no nacionalismo.

Ver também MILENARISMO; RELIGIÃO.

Leitura sugerida: Marsden, George M. 1982: *Fundamentalism and American Culture: the Shaping of Twentieth-century Evangelicalism, 1870-1925*. Carry, NC: Oxford University Press • Mortimer, Edward 1982: *Faith and Power: The Politics of Islam*. Londres: Faber and Faber.

G

gemeinschaft* e *gesellschaft De acordo com Ferdinand TÖNNIES, sociólogo alemão do início deste século, as relações em sistemas sociais variam ao longo de um contínuo, baseadas em relações *gemeinschaft*, por um lado, e *gesellschaft*, por outro. As relações *gemeinschaft* (ou de "comunidade") repousam em uma cultura relativamente homogênea e tendem a ser íntimas, informais, cooperativas e imbuídas do senso de obrigação moral para com o grupo mais frequentemente associado a parentesco. Essas relações são típicas das sociedades de CAÇADORES-COLETORES, HORTELÃ e outras relativamente pequenas e pré-industriais.

Em contraste, as relações *gesellschaft* tendem a ser formais, orientadas para objetivos, heterogêneas, baseadas em interesse individual, em competição e em DIVISÃO DO TRABALHO complexa. Esses são os tipos de relações encontradas com mais frequência em sociedades AGRÁRIAS e INDUSTRIAIS avançadas. Um tema importante na análise sociológica tem sido o impacto da industrialização sobre essas relações, em especial no nível de sociedades e comunidades.

Ver também COESÃO; RELAÇÃO PRIMÁRIA E RELAÇÃO SECUNDÁRIA.

Leitura sugerida: Tönnies, Ferdinand 1887: *Gemeinschaft und Gesellschaft* / *(1955)*: *Community and Association*. Londres: Routledge & Kegan Paul; East Lancing, MI: University Press.

generalização *ver* ESTEREÓTIPO.

generalização de status *ver* STATUS, GENERALIZAÇÃO DE.

generalização empírica *ver* TEORIA.

gênero e papel dos gêneros *ver* SEXO E GÊNERO.

genocídio Genocídio é a tentativa sistemática de eliminar todos os membros de uma dada categoria social, em geral definida por características como raça, etnicidade, religião ou nacionalidade. O Holocausto imposto pela Alemanha nazista aos judeus da Europa, a destruição das tribos americanas nativas nos Estados Unidos, o massacre turco de mais de um milhão de armênios entre 1917 e 1919, e o assassinato de milhões de pessoas no Camboja na década de 1970 são exemplos de políticas de genocídio contra populações, com vistas a promover os interesses da opressão social, acumulação de riqueza e poder e outros interesses coletivos.

Ver também EXPULSÃO; OPRESSÃO SOCIAL.

Leitura sugerida: Chalk, F., e K. Jonassohn 1990: *The History and Sociology of Genocide*. New Haven, CT: Yale University Press • Kuper, Leo 1989: *The Roots of Evil: The Origins of Genocide and Other Group Violence*. Cambridge: Cambridge University Press.

geografia No que interessa à sociologia, geografia é o estudo dos aspectos físicos da terra, na medida em que eles afetam e são afetados por sociedades e outros sistemas sociais. No sentido mais simples, a geografia trata de variações na vida social que ocorrem de um lugar a outro. Certos autores sustentam que há uma relação causal entre geografia e vida social, afirmando que fatores como terra e clima afetam as características dos sistemas sociais. O antropólogo Marvin Harris, por exemplo, defende a tese de que o tabu cultural dos hindus contra o consumo de carne de vaca tem por origem uma combinação de sistema agrícola que dependia do gado como grande recurso econômico e um clima de secas e fomes recorrentes, durante os quais comer o gado como medida de curto prazo produziria consequências desastrosas no futuro. Esse aspecto da religião hinduísta, argumenta Harris, foi produto de uma interação complexa de elementos geográficos, econômicos e culturais.

A importância da geografia para a vida social fez com que ela se associasse frequentemente a várias ciências sociais, com o resultado de surgirem os ramos da geografia cultural, geografia política e geografia econômica.

Ver também MATERIALISMO CULTURAL.

Leitura sugerida: Harris, Marvin 1974: *Cows, Pigs, Wars, and Witches*. Nova York: Random House o 1977: *Cannibals and Kings: The Origins of Cultures*. Nova York: Random House • 1985: *Riddles of Food and Culture*. Nova York: Simon and Schuster.

geração No sentido mais limitado, uma geração é um grupo de indivíduos que ocupam a mesma posição em um sistema de parentesco. Todos os netos de um dado conjunto de avós, por exemplo, pertenceriam à mesma geração na família. Os demógrafos usam esse enfoque para definir geração como o número de anos transcorridos entre o nascimento de um grupo de pessoas e o nascimento de seus filhos. Esta orientação é conhecida mais tecnicamente como *extensão média de geração*, calculada como idade média das mães quando dão à luz a primeira filha. Os valores numéricos da extensão média de geração variam, em limites muito estreitos, em torno de 29 anos.

Em sentido mais amplo e menos preciso, uma geração é um conjunto de indivíduos nascidos aproximadamente na mesma época, tais como os que nasceram durante a Grande Depressão ou na década de 1980. O problema com esse uso está na palavra "aproximadamente" na oração anterior, porquanto a definição de quando começa e termina uma geração torna-se inteiramente arbitrária. Poderíamos, por exemplo, definir os nascidos na década de 1940 como uma geração, mas, com igual facilidade, traçar a linha em torno do período de 1948 a 1956. Uma maneira comum de resolver o problema consiste em definir gerações em termos de eventos e períodos históricos importantes, tais como a Depressão e o período que se seguiu à Segunda Guerra Mundial.

Sociologicamente, geração é um conceito importante no estudo da mudança social porque cada uma delas vivencia e interpreta a sociedade e suas instituições de maneira ligeiramente diferente. Este fato, por sua vez, atua como causa constante de mudança.

Ver também COORTE; FAIXA ETÁRIA.

Leitura sugerida: Eisenstadt, Shmuel N. 1956: *From Generation to Generation*. Nova York: Free Press • Mannheim, Karl 1952: *Essays on the Sociology of Knowledge*., org. por P. Kecskemeti: Londres: Routledge & Kegan Paul • Schuman, Howard, e J. Scott 1989: "Generations and collective memories". *American Sociological Review* 54(3): 359-81.

gerontocracia A gerontocracia é um sistema social dominado por pessoas idosas, que ocupam posições de autoridade, em especial de natureza política. Quase todos os líderes de nações são idosos, por exemplo, como também acontece com a maioria dos que detêm os mais altos cargos nas grandes instituições sociais, tais como igrejas, universidades e tribunais de justiça.

O fato de indivíduos poderosos serem idosos não significa, em especial, que o sejam como grupo, nem também que as instituições por eles dominadas sejam dirigidas de maneiras que tendam a favorecê-los e a seus interesses. Na verdade, a maioria dos idosos nas sociedades industriais sofre declínio de autoridade e padrão de vida quando se aposenta de empregos remunerados.

Ver também ENVELHECIMENTO; GERONTOLOGIA.

gerontologia A gerontologia é o estudo do envelhecimento como processo biológico, psicológico e social, sobretudo porque cria problemas para pessoas idosas. A gerontologia social trata de grande variedade de questões, incluindo as definições culturais de "velhice", a experiência de envelhecer, que varia através de culturas e historicamente, o declínio do status social e bem-estar financeiro experimentado pelos idosos em muitas sociedades e a ligação entre envelhecimento biológico, por um lado, e a maneira como a idade é encarada, interpretada e tratada em sistemas sociais, por outro. O interesse pela gerontologia social aumentou muito em décadas recentes, na medida em que as populações de sociedades industriais incluem proporções cada vez maiores de idosos. Nos Estados Unidos, por exemplo, os centenários constituem a faixa etária em mais rápido crescimento.

Ver também DISCRIMINAÇÃO ETÁRIA; ENVELHECIMENTO; ESTRUTURA ETÁRIA; GERONTOCRACIA.

Leitura sugerida: Binstock, Robert H., e Linda K. George, orgs. 1990: *Handbook of Aging and the Social Sciences*., 3ª ed. Nova York: Academic Press.

gesellschaft *ver* GEMEINSCHAFT E GESELLSCHAFT.

gesto Gesto é um movimento corporal com significado simbólico em uma dada cultura. Apertar a mão, inclinar ou sacudir a cabeça, ajoelhar-se, piscar, sorrir, curvar-se, fazer uma mesura e estalar os dedos para chamar o garçom são gestos com significado simbólico em numerosas culturas. Como acontece com a linguagem, o mesmo movimento pode ter diferentes significados em diferentes situações. A mão erguida, por exemplo, pode significar um voto, um adeus ou um alô, uma saudação, ou pedido de atenção e permissão para falar. Se o indivíduo faz esse gesto com o punho fechado, pode significar também desafio. A linguagem de sinais usada por indivíduos com problemas de audição é uma combinação particular de gestos que se revestem da mesma complexidade de expressão ligada em geral à palavra falada e escrita.

Ver também SÍMBOLO.

ginocentrismo *ver* MATRIARQUIA.

ginocracia *ver* MATRIARQUIA.

globalização A globalização é um processo no qual a vida social nas sociedades é cada vez mais afetada por influências internacionais com origem em praticamente tudo, de laços políticos e de comércio exterior à música, estilos de vestir e meios de comunicação de massa comuns a vários países.

Talvez a forma mais poderosa de globalização seja a econômica, na qual o planejamento e o controle expandem-se de um foco de interesse relativamente estreito — como uma empresa isolada que negocia em base regional ou nacional — para um foco global, no qual o mundo inteiro serve como fonte de trabalho, de matérias-primas e de mercados. Quando os negócios são realizados em nível local, por exemplo, os problemas das relações com os trabalhadores, a obtenção de matérias-primas e outros bens, o transporte e venda dos produtos finais ocorrem todos no mesmo ambiente social. Na economia globalizada, porém, as EMPRESAS TRANSNACIONAIS operam simultaneamente em muitos países diferentes e exploram em vantagem própria as variações nas condições locais. Se trabalhadores em uma sociedade industrial mais afluente, como a Grã-Bretanha ou Estados Unidos, por exemplo, entram em greve para conseguir remuneração mais alta ou melhores condições de trabalho, a empresa transnacional pode simplesmente transferir suas atividades para outro país, onde os trabalhadores são mais condescendentes e têm expectativas mais baixas. Nas indústrias de serviço, tais como atividade bancária e seguros, esse resultado pode ser também obtido apenas transferindo o trabalho de um para outro computador.

A globalização econômica é importante não só porque complica as relações econômicas, mas porque concentra ainda mais o poder econômico e debilita a posição dos trabalhadores sob o CAPITALISMO industrial.

Ver também SISTEMA-MUNDO; TEORIA DA DEPENDÊNCIA.

Leitura sugerida: Worsley, Peter 1984: *The Three Worlds: Culture and World Development.* Londres: Weidenfeld & Nicolson; Chicago: University of Chicago Press.

golpe de Estado Em sistemas políticos em mutação, o golpe de Estado é uma ação súbita através da qual um líder ou governo são substituídos por outros mediante emprego de força. Essa ação é costumeiramente praticada por facções das forças militares porque, em numerosas sociedades, em especial no Terceiro Mundo, os militares têm monopólio dos instrumentos de força.

Uma vez que esses golpes concentram-se mais na mudança de governos do que na natureza do ESTADO em si como instituição social, eles tendem a gerar apenas um nível pequeno e, muitas vezes, temporário, de MUDANÇA SOCIAL, se é que alguma.

Ver também ESTADO; INSTITUIÇÃO; REBELIÃO POLÍTICA; REVOLUÇÃO.

Leitura sugerida: Luttwak, E. 1969: *Coup d'État: a Practical Handbook.* Londres: Allen Lane; Nova York: Knopf • Malaparte, C. 1948: *Technique of the Coup d'État.* Paris: Grasset.

governo *ver* ESTADO.

gráfico de barras *ver* GRÁFICOS.

gráfico em árvore *ver* GRÁFICOS.

gráficos Gráficos são meios visuais usados por sociólogos para apresentar dados. Variáveis de escala nominal e ordinal, como raça, fé religiosa ou nível de educação atingido, por exemplo, podem ser apresentadas em um *gráfico de barras*, que utiliza barras horizontais e verticais para indicar a percentagem ou número de casos em cada categoria, conforme mostrado na Figura 6. Às vezes, a área, e não a altura da barra, é usada para indicar a percentagem ou o número de casos.

Uma variação do gráfico de barras é o *histograma*, constante da Figura 7, que mostra distribuições nas variáveis de escala de intervalo e de razão, tais como educação, renda ou idade. A diferença pode ser vista na maneira como as barras são separadas no gráfico de barras (refletindo o fato de que cada barra representa uma categoria distinta, tal como raça) e ligadas no histograma (refletindo a natureza contínua dessas variáveis). Se os pontos médios no alto de cada barra forem ligados por uma linha, o resultado é o *polígono de frequência* mostrado na Figura 7. Percentagens cumulativas, ou frequências, são mostradas pela *ogiva* na Figura 8, que no caso de cada escore ao longo do eixo horizontal mostra a percentagem ou número de casos que produzem esse escore ou menos que ele.

Uma das técnicas de gráficos mais engenhosa é o *gráfico em árvore*, que mostra não só a distribuição de escores, mas também cada escore individual. O primeiro dígito de cada escore é representado no eixo vertical e, o segundo, mostrado nas linhas orientadas para a direita. A Figura 9 mostra que, entre 100 mulheres, uma entrou na menopausa à idade de 19 anos (segunda linha), cinco na casa dos 20 anos (às idades de 25, 26, 27, 28 e 29 anos). A beleza do gráfico em árvore é o volume de informações que mostra, do rápido quadro exibido pelos gráficos em barra e histogramas à frequência de cada escore.

Todas as representações gráficas devem ser construídas e interpretadas com cuidado, uma vez que decisões sobre como são desenhadas produzem efeitos notáveis sobre a maneira como são interpretadas. Se as escalas vertical e horizontal forem desenhadas sem guardar proporção entre si, por exemplo, tendências ao longo do tempo e diferenças entre categorias podem parecer maiores ou menores do que realmente são.

Leitura sugerida: Tufte, Edward R. 1982: *The Visual Display of Quantitative Information*. Chesire, CT: Graphics Press.

grupo O grupo é um sistema social que envolve interação regular entre seus membros e uma identidade coletiva comum. Isso significa que o grupo tem um senso de "nós" que permite que seus

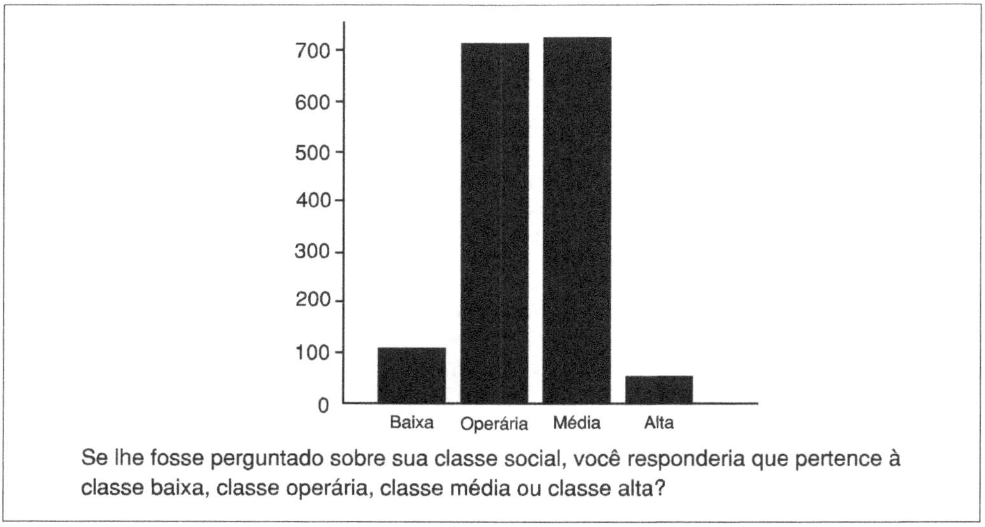

Figura 6. *Gráfico de barras mostrando o número de entrevistados em um levantamento, identificando-os com as classe baixa, operária, média ou alta.* Fonte: *General Social Survey (1993). Analisado a partir de dados brutos.*

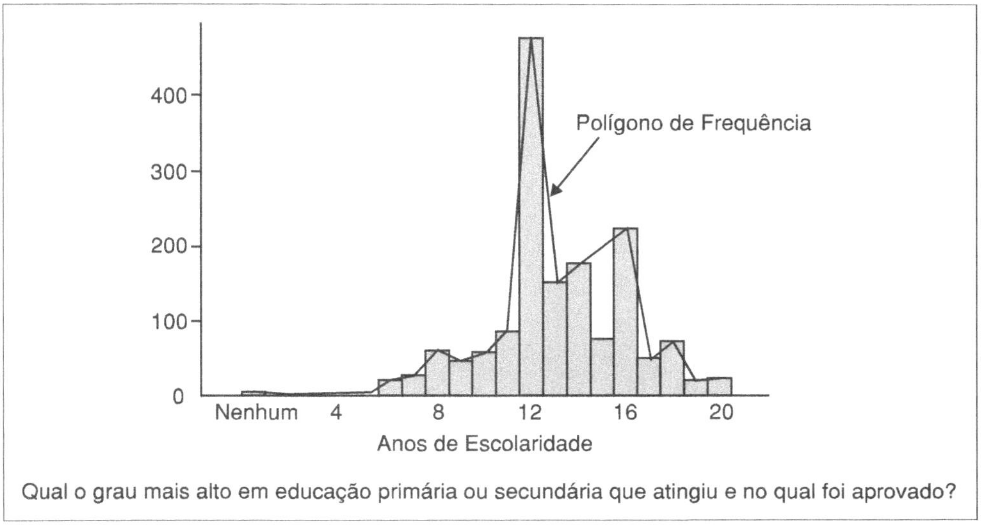

Figura 7. *Histograma e polígono de frequência de distribuição de anos de escolaridade.* Fonte: *General Social Survey (1993). Analisado a partir de dados brutos.*

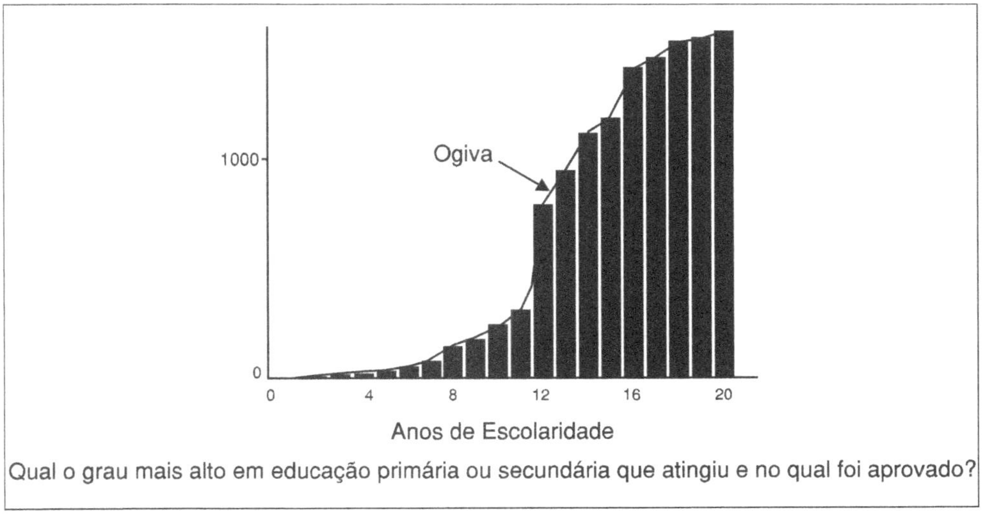

Figura 8. *Ogiva mostrando a distribuição cumulativa de anos de escolaridade.*

membros se considerem como pertencendo a uma entidade separada. Um time de futebol, por exemplo, é um grupo em virtude das interações regulares entre seus membros — de jogarem em equipe a manterem contatos sociais em outras ocasiões — e do senso comum de identidade que o distingue de outros times e de indivíduos que não praticam o futebol. O reconhecimento de que o grupo existe poderá ou não ser reconhecido por estranhos a ele.

A quantidade de interação e de senso de "nós" existentes varia de um grupo a outro, o que significa que nem sempre é claro se um dado sistema social conta com o suficiente de ambas as características para qualificar-se como grupo. Uma maneira de contornar esse problema consiste em evitar pensar no "grupo" como uma categoria distinta, na qual todos os sistemas se enquadram ou não, e pensar em sistemas sociais como tendo

0	
1	9
2	56789
3	34445556788888899999
4	01111222233344445555667777788889999
5	0000111112222223333333444444555556789
6	01
7	
8	
9	

Figura 9. *Gráfico hipotético em árvore, mostrando a distribuição da idade de ingresso na menopausa de 100 mulheres.*

graus variáveis de "espírito de grupo", variando do envolvimento profundo e forte senso de identidade normalmente associados à família, a associações de bairros ou círculos "fechados" de amigos (todos os quais podem ser considerados como grupos) a um grupo de pessoas que viajam juntas em um ônibus na mesma cidade e que não constituem absolutamente um grupo. Os grupos variam também na frequência e profundidade com que interagem, por quanto tempo sobrevivem e nas razões porque pessoas neles ingressam e deles participam.

Uma das consequências mais importantes do senso de identidade comum do grupo é que os membros tendem a se considerar como "de casa" e os não membros como "de fora", fenômeno este descrito por William Graham SUMNER como pertencimento e não pertencimento (*in-group/out-group*). Ele afirmava que essas distinções sempre levam à hostilidade entre fronteiras de grupo — de guerra tribal ao tipo de sentimentos exaltados que com frequência surgem em provas esportivas, especialmente entre os torcedores. Há prova abundante, no entanto, baseada na vida diária, que embora conflitos sociais muitas vezes impliquem grupos opostos, isso não significa que os sentimentos de lealdade que membros desenvolvem em relação a seus grupos criem inevitavelmente atitudes hostis para com estranhos.

O grupo é um conceito sociológico valioso porque desempenha um papel relevante e complexo na vida social. A filiação a um grupo, por exemplo, constitui parte importante da identidade social do indivíduo. Como tal, os grupos são agentes fundamentais do controle social sobre o indivíduo, pois é neles que podem ser aplicadas mais diretamente pressões sociais pela conformidade, em especial quando aqueles que se desviam arriscam-se, como resultado, a perder sua qualidade de membros.

Os grupos são ainda importantes por causa das consequências sociais que produzem. É neles que ocorrem muitas das atividades sociais mais relevantes, da socialização e cuidado das crianças nas famílias à produção de bens, ao culto religioso, à educação formal, aos movimentos sociais, à pesquisa científica, à política e à guerra. A atenção à maneira como os grupos funcionam, portanto, é essencial para compreender bem a vida social.

Ver também AGREGADO; CATEGORIA SOCIAL; COLETIVIDADE; DINÂMICA DE GRUPO; GRUPO DE REFERÊNCIA; ORGANIZAÇÃO FORMAL; PENSAMENTO ORIENTADO PELO GRUPO; RELAÇÃO PRIMÁRIA E RELAÇÃO SECUNDÁRIA.

Leitura sugerida: Bales, Robert F. 1950: *Interaction Process Analysis: a Method for the Study of Small Groups*. Cambridge, MA: Addison-Wesley • Cartwright, Dorwin, e Alvin Zander, orgs. 1968: *Group Dynamics: Research and Theory*, 3ªed. Nova York: Harper and Row • Olmstead, Michael, e Paul A. Hare 1978: *The Small Group*, 2ªed. Nova York: Random House • Sumner, William Graham 1906: *Folkways*. Boston: Ginn.

grupo de controle *ver* EXPERIMENTO.

grupo de interesse Um grupo de interesse (ou *de pressão*) é uma organização que tem por finalidade influenciar a distribuição e o uso de poder político na sociedade. Isso é feito principalmente influenciando-se representantes eleitos — prática conhecida como *lobbying* — mediante fornecimento de informações que promovem um dado ponto de vista, oferecimento de apoio para reeleição (ou ameaça de combater a reeleição do candidato). Grupos ambientais, por exemplo, regularmente enviam testemunhas para depor em audiências públicas sobre questões que afetam o meio ambiente, fazem campanhas contra ou a favor de candidatos dependendo das posições ambientais dos mesmos, procuram encontros com deputados para discutir a legislação e fazem passeatas de protesto destinadas em parte a chamar a atenção de detentores de cargos políticos. De maneiras similares, numerosas associações de ramos da indústria usam lobistas para tentar influenciar a legislação que afeta seus interesses, tais como leis que dispõem sobre a instalação de equipamento para reduzir a poluição ou que tornam mais rigorosas as leis sobre a segurança dos trabalhadores.

Alguns grupos de interesse, como os que são contra ou a favor do aborto, existem principalmente para fazer o *lobby* desses pontos de vista. Nos casos de outras organizações, como sindicatos, empresas ou forças militares, o *lobby* é secundário a uma grande variedade de outras atividades. Em ambos os casos, os grupos de interesse diferem profundamente dos partidos políticos, cujo principal objetivo consiste em pôr seus membros em posições de autoridade política, e não em influenciar os que já estão no poder.

Leitura sugerida: Berry, Jeffrey M. 1984: *The Interest Group Society*. Glenview, IL: Scott, Foresman • Held, David 1987: *Models of Democracy*. Cambridge, Inglaterra: Polity Press.

grupo de pares *ver* GRUPO DE REFERÊNCIA.

grupo de pressão *ver* GRUPO DE INTERESSE.

grupo de referência Da forma como foi descrito inicialmente por Herbert H. Hyman, o grupo de referência é um conjunto de indivíduos que usamos como padrão de comparação, pouco importando se fazemos ou não parte desse grupo. Os grupos de referência aos quais pertencemos são conhecidos como *grupos de pares*. Utilizamos grupos de referência para avaliar o valor ou desejabilidade relativos de nossa aparência, pensamentos, sentimentos e comportamento; como origem de modelos que imitamos, não raro na esperança de tornarmo-nos membros desse grupo; e como fonte de expectativas que podemos usar para julgar a adequação de nossa aparência e comportamento.

Para um médico, por exemplo, outros médicos constituem o grupo de referência mais importante. Que preços de consulta ele deve cobrar? É aceitável usar calça *jeans* no consultório? É aceitável manter contato sexual com pacientes? Quais e quantos cursos de atualização deve fazer depois de deixar a faculdade de medicina? Se um médico é incompetente, outro que conhece esse fato deve informar às autoridades? Eu sou competente como médico? Essas são algumas das perguntas que um médico mais gostaria de responder em relação a outros médicos como grupo de referência.

Não é incomum que nos orientemos na mesma ocasião por mais de um grupo de referência, sobretudo quando estão em jogo grupos a que não pertencemos. Estudantes de medicina, por exemplo, usam outros estudantes como grupos de referência, além do grupo de referência de médicos que já exercem a profissão e em cujas fileiras têm esperança de por fim ingressar.

O conceito de grupo de referência é importante para compreender SOCIALIZAÇÃO, CONFORMIDADE e como as pessoas se veem e se avaliam, especialmente em relação ao SELF. Quando estudantes que estão entre os primeiros de sua classe passam a estudar em uma universidade altamente reputada, por exemplo, eles talvez se vejam como menos capazes ou confiantes do que antes, não porque tenham interpretado mal suas habilidades reais mas porque têm, nesse momento, um novo grupo de referência, cujos membros são tão capazes quanto eles, se não mais.

Ver também SOCIALIZAÇÃO ANTECIPATÓRIA.

Leitura sugerida: Hyman, Herbert H., e Eleanor Singer, orgs. 1968: *Readings in Reference Group Behaviour*. Nova York: Free Press • Merton, Robert K., e Alice S. Rossi 1949 (*1968*): "Contributions to the theory of reference group behavior". In *Social Theory and Social Structure*, rev. e amp. por Robert K. Merton. Nova York: Free Press • Singer, Eleanor: 1981: "Reference groups and social evaluations". In *Social Psychology: Sociological Perspectives*, org. por Morris Rosenberg e Ralph H. Turner, 66-93. Nova York: Basic Books.

grupo etário *ver* FAIXA ETÁRIA.

grupo experimental *ver* EXPERIMENTO.

grupo pequeno *ver* RELAÇÃO PRIMÁRIA E RELAÇÃO SECUNDÁRIA.

gueto *ver* SEGREGAÇÃO E INTEGRAÇÃO.

guilda Anterior e contemporânea das primeiras fases da industrialização, a guilda era uma associação formada por artífices e artesãos como maneira de transmitir conhecimentos a aprendizes, proporcionar ajuda mútua, impor padrões de qualidade e controlar os que tinham permissão para praticar o ofício. As guildas frequentemente dispunham de grande poder nas comunidades, e a filiação a elas era razão de privilégios.

Leitura sugerida: Thrupp, Sylvia L. 1963: "The gilds". In *The Cambridge Economic History of Europe from the Decline of the Roman Empire*. vol.3, 230-80. Cambridge: Cambridge University Press.

Guttman, escala de *ver* DISTÂNCIA SOCIAL; ESCALA DE ATITUDES.

H

hegemonia Da forma desenvolvida pelo marxista italiano Antonio GRAMSCI, hegemonia é um conceito que se refere a uma forma particular de dominação na qual uma classe torna legítima sua posição e obtém aceitação, quando não apoio irrestrito, dos que se encontram abaixo. Até certo ponto, toda dominação baseia-se em coerção e no potencial de uso da força. Este tipo de poder, no entanto, é relativamente instável. Para que a dominação seja estável, a classe governante precisa criar e manter estilos de ampla aceitação de pensar sobre o mundo que definam sua dominação como razoável, justa e no melhor interesse da sociedade como um todo.

As sociedades socialistas, por exemplo, assentavam-se em parte, até bem recentemente, no pressuposto de que a elite política representava e agia nos melhores interesses da classe operária. Dessa maneira, a crítica da elite era considerada como um ataque à própria sociedade e, por conseguinte, dificilmente tolerável. De modo semelhante, a cultura capitalista inclui a crença em que aquilo que é bom para a empresa é bom para a sociedade como um todo, e que trabalho árduo e talento são os principais determinantes do sucesso. Nesse tipo de sistema de crenças, a classe dominante pode depender menos da força como maneira de manter o domínio e defender seus interesses, embora a polícia e outros meios de coerção jamais possam ser inteiramente abolidos.

Hegemonia, então, refere-se tanto aos mecanismos e bases sociais da dominação quanto ao fato da própria dominação. Como conceito, focaliza atenção em como dominação e subordinação são definidas como parte da estrutura normal da sociedade e incluídas no arcabouço institucional dos principais aspectos da vida social, desde a família à educação e à religião organizada.

Ver também CLASSE ALTA; IDEOLOGIA.

Leitura sugerida: Anderson, Perry 1977: "The antinomies of Antonio Gramsci". *New Left Review* 100 (novembro de 1976-janeiro de 1977): 5-80 • Gramsci, Antonio 1929-35 (*1971*): *Selections from Prison Notebooks*; org. por S. Hoare e G. Nowell Smith. Londres: Lawrence & Wishart; Nova York: International.

hermenêutica Hermenêutica (do grego, significando "interpretar ou tornar claro") é o campo de estudo dedicado ao problema de como conferir significado a um produto cultural, tal como uma obra de arte ou um trabalho de literatura. O conceito foi a princípio aplicado às interpretações da Bíblia, em especial devido à sua história como objeto de repetidas revisões, refundições, cópia e tradução. Atualmente, contudo, é aplicado a qualquer elemento da cultura.

Segundo a perspectiva hermenêutica, não podemos dizer o que alguma coisa significa partindo simplesmente da própria coisa. Temos que examinar também o contexto no qual ela foi produzida e o contexto no qual estamos nesse momento tentando extrair sentido da mesma. Compreender o que um documento como a Magna Carta ou a Constituição dos Estados Unidos significam, por exemplo, depende inteiramente de uma decisão subjetiva sobre que tipo de marco de referência usar. Tentamos imaginar o que tinham em mente aqueles que redigiram a Constituição? Interpretamos o documento em termos das condições sociais que vigoravam naquele momento (incluindo, por exemplo, a aceitabilidade da escravidão e a exclusão de negros e mulheres da frase "Todos os homens são criados iguais?"). Ou a interpretamos como aplicando-se às atuais condições sociais? As respostas a essas perguntas não podem deixar de ser subjetivas, o que implica que o significado não é fixo nem previsível. Esse fato torna o significado e a vida social sobre a qual ele repousa difíceis de identificar com qualquer grau de certeza.

Como perspectiva da vida social, a hermenêutica contesta as aplicações do método científico porque argumenta que não há realidade objetiva "lá fora" que possa ser compreendida em termos estritamente científicos. Em vez disso, há uma realidade mais subjetiva, mais fluida, que exige diferentes tipos de métodos a fim de que se possa captá-la e entendê-la. Giddens, por exemplo, utiliza a expressão *dupla hermenêutica* para referir-se aos dois fatores que afetam a maneira como sociólogos interpretam a vida e o comportamento social. Em primeiro lugar, se queremos compreender o comportamento de indivíduos, temos que saber alguma coisa sobre o que eles pensam que estão fazendo e por que, como extraem sentido do ambiente em que vivem e da ação de outras pessoas. Em segundo lugar, quando observamos a vida social, utilizamos também conceitos como PAPEL e SISTEMA SOCIAL, que ajudam a explicar o que está acontecendo. É improvável, contudo, que indivíduos que participam da vida social usem esses termos para descrever e interpretar seu próprio comportamento. Um homem acusado de assediar sexualmente uma colega de trabalho, por exemplo, poderia estar consciente apenas dos sentimentos pessoais que tem por ela. Já o sociólogo poderia também levar em conta a diferença entre os sexos em comunicação e o sistema social orientado para o homem no qual tudo isso aconteceu. O conceito de dupla hermenêutica chama atenção para o fato de que qualquer explicação da vida social depende de ambos os tipos de conhecimento — o conhecimento de como pessoas extraem sentido de suas próprias vidas e o conhecimento que sociólogos trazem para os fatos que observam.

Ver também CIÊNCIA; CULTURA; EMPÍRICO; POSITIVISMO.

Leitura sugerida: Bauman, Zygmunt 1978: *Hermeneutics and Social Science*. Londres: Hutchinson • Giddens, Anthony 1984: *The Constitution of Society: an Outline of the Theory of Structuration*. Cambridge: Polity; Berkeley: University of California Press • Ricoeur, Paul 1981: *Hermeneutics and the Human Sciences*. Cambridge: Cambridge University Press.

hierarquia Hierarquia é um sistema social no qual o poder é distribuído entre diferentes camadas, pouca ambiguidade havendo sobre quem tem autoridade sobre quem. Quanto mais hierárquico um sistema, maior o número de camadas e, de modo geral, maior a distância entre o topo e a base.

Hierarquia é um conceito importante porque descreve mudanças históricas profundas no papel do poder na vida social e como ela é organizada. À medida que as sociedades tornam-se mais complexas, por exemplo, e mais focalizadas em controle e dominação como fins em si mesmos, o poder transforma-se cada vez mais na capacidade de controlar eventos, recursos e pessoas, organizando-se em forma hierárquica. Esse fato pode ser identificado em virtualmente todas as áreas da vida social, da política e economia à religião e educação.

Ver também AUTORIDADE; BUROCRACIA; PODER.

hipótese de nulidade *Ver* HIPÓTESE E TESTE DE HIPÓTESE.

hipótese e teste de hipótese Hipótese é uma predição sobre a relação existente entre variáveis. Baseia-se em geral, embora nem sempre, em expectativas teóricas sobre como as coisas funcionam. Ao pensar em fatores sociais que promovem a mobilidade social ascendente, por exemplo, poderíamos formular a hipótese de que quanto mais alto o nível de educação do indivíduo, maior mobilidade ascendente ele terá em comparação com seus pais.

Na inferência estatística, as hipóteses em geral assumem uma de duas formas: substantiva e de nulidade. A *hipótese substantiva* representa uma expectativa real — como em "a educação aumenta a probabilidade de mobilidade ascendente". Com vistas a chegar a uma conclusão se a hipótese substantiva é ou não confirmada pelos fatos, torna-se necessário submeter a teste uma hipótese correlata, denominada *hipótese de nulidade*. Esta hipótese prediz sempre a ausência de relação entre duas variáveis, como em "a educação não produz efeito sobre a mobilidade social". Note-se que a hipótese "a educação promove a mobilidade descendente" seria uma hipótese substantiva, mesmo sendo o "oposto" de nossa primeira hipótese desse tipo. As hipóteses de nulidade sempre predizem que nenhuma relação existe entre variáveis.

A lógica do teste é de tal ordem que testamos a hipótese substantiva supondo que a hipótese de nulidade é a verdadeira. Comparamos em seguida a hipótese de nulidade com a prova concreta e usamos técnicas estatísticas para estimar a probabilidade de obter tal evidência, se a hipótese de nulidade for verdadeira. Se a probabilidade é muito pequena — tal como 0,001 ou 1 em mil — concluiríamos que a suposição de que a hipótese de nulidade é verdadeira é tão incompatível com a prova que temos que rejeitá-la em favor da substantiva.

Ao rejeitar a hipótese de nulidade, há uma probabilidade de erro (que a tenhamos rejeitado quando ela é, de fato, verdadeira) que é igual à probabilidade que calculamos. Essa probabilidade é conhecida como *nível de significância* do teste de hipótese. Em nosso exemplo acima, diríamos que rejeitamos a hipótese de nulidade no nível de 0,001 de significância. Isso significa que, ao rejeitar a de nulidade em favor da substantiva, corremos uma probabilidade de 0,001 de cometer um erro.

A palavra "significância" pode induzir a erro se seu significado estatístico preciso for ignorado. Dizer, por exemplo, que dois grupos são "significantemente diferentes" ou que a educação produz um "efeito significante" sobre a mobilidade ascendente significa apenas que confiamos em que os dois grupos não são exatamente os mesmos ou que o efeito da educação sobre a mobilidade não é exatamente de zero. Se as diferenças ou efeitos são ou não significantes no sentido de serem maiores ou mais importantes só pode ser verificado estimando-se a magnitude da diferença ou do efeito. Em si mesmo, o teste de hipótese não atinge esse objetivo.

Ver também ESTATÍSTICA; INDEPENDÊNCIA ESTATÍSTICA E DEPENDÊNCIA ESTATÍSTICA; MÉTODO HIPOTÉTICO-DEDUTIVO; VARIÁVEL.

Leitura sugerida: Bohrnstedt, George W., e David Knoke 1988: *Statistical for Social Data Analysis*, 2ªed. Ithaca, IL: F.E. Peacock • Brown, Steven R., e Lawrence E. Melamed 1990: *Experimental Design and Analysis*. Newbury Park, CA: Sage Publications.

hipótese substantiva *ver* HIPÓTESE E TESTE DE HIPÓTESE.

hipotético-dedutivo, método *ver* MÉTODO HIPOTÉTICO-DEDUTIVO.

histograma *ver* GRÁFICOS.

historicismo Historicismo tem dois significados. No primeiro, abrange a ideia de que a história pode ser contada em termos de leis ou princípios fixos que explicam a mudança social. O conhecimento desses modelos permite-nos não só compreender o passado mas também prever o futuro.

No segundo sentido, historicismo é um ponto de vista que argumenta que qualquer aspecto da vida social só pode ser compreendido no contexto do período histórico em que ocorreu. Esse enfoque implica que todos e quaisquer aspectos da vida social, de ideias culturais ao caráter estrutural de relações e instituições sociais são, sem exceção, historicamente "relativos" e não podem ser comparados com períodos históricos diferentes.

Ver também HERMENÊUTICA.

Leitura sugerida: Popper, Karl R. 1957: *The Poverty of Historicism*. Londres: Routledge & Kegan Paul.

holismo *ver* ATOMISMO E HOLISMO.

homeostase Homeostase é um conceito amplamente usado cujo significado geral quer dizer manter as coisas semelhantes ao que são ou como são. Em biologia, homeostase refere-se à tendência de um organismo de manter certo grau de estabilidade ao, por exemplo, equilibrar o nível de vários elementos químicos existentes no corpo ou as variações de temperatura de uma parte do corpo com outra. Em ECOLOGIA, homeostase é a tendência de ecossistemas de manter equilíbrio entre as diferentes formas de vida, tal como o número relativo das várias plantas e espécies animais em um habitat físico. Em sociologia, o conceito de homeostase tem sido usado em especial por teóricos funcionalistas como parte do argumento de que as sociedades são organizadas de maneiras que tendem para formas relativamente estáveis, baseadas, entre outras coisas, em consenso geral sobre valores e normas.

Em suas aplicações ecológicas e sociológicas, o conceito de homeostase é controverso. O funcionalismo, por exemplo, vem sendo criticado há muito tempo por teóricos do conflito por supor um nível de consenso e estabilidade que não existe. Mais recentemente, alguns ecologistas argumentaram que os ambientes físicos não retornam a condições estáveis previsíveis, mas, sim, que passam por um processo de mudança contínua.

Ver também ECOLOGIA; PERSPECTIVA FUNCIONAL.

Leitura sugerida: Cannon, Walter B. 1939 (*1963*): *The Wisdom of the Body*, ed. rev. e ampl. Nova York: Norton.

I

idealismo Baseado na obra de Platão, Kant e Hegel, o idealismo é uma maneira de compreender a relação entre seres humanos e o mundo tal como é vivenciado por eles. De acordo com o idealismo, a realidade consiste primariamente no modo como indivíduos nela pensam, e isso depende de ideias e teorias humanas. O homem não é uma lousa branca na qual a realidade grava impressões de si mesma. É, ao contrário, um sujeito ativo que utiliza ideias e outros elementos da cultura para construir o que julga ser a realidade.

Os primeiros marxistas argumentavam que os idealistas entendiam a situação ao contrário, que condições materialistas, como o MODO DE PRODUÇÃO, modelam o pensamento, e não o oposto. Hoje, contudo, numerosos marxistas adotam uma visão mais equilibrada, refletindo a importância sociológica do papel ativo desempenhado pelo homem no uso corrente de ideias para construir a realidade.

Ver também BASE E SUPERESTRUTURA; DETERMINISMO E REDUCIONISMO; MATERIALISMO.

Leitura sugerida: Benton, Ted 1977: *Philosophical Foundations of the Three Sociologies*. Londres: Routledge & Kegan Paul; Nova York: Routledge.

identidade social *ver* SELF.

ideologia Ideologia é um conjunto de CRENÇAS, VALORES e ATITUDES culturais que servem de base e, por isso, justificam até certo ponto e tornam legítimos o status quo ou movimentos para mudá-lo. Do ponto de vista marxista, a maioria das ideologias reflete os interesses de grupos dominantes, como maneira de perpetuar sua dominação e privilégios. Este fato é especialmente verdadeiro no caso de sistemas opressivos, que requerem justificação detalhada para que continuem a existir. O racismo branco, por exemplo, inclui ideias sobre diferenças raciais que são usadas para convalidar e defender privilégios dos brancos. Existem ideologias semelhantes em apoio à opressão por motivo de sexo, classe, etnia e religião.

Em sentido mais geral, a cultura de todos os sistemas sociais inclui uma ideologia que serve para explicar e justificar sua existência como estilo de vida, seja uma ideologia com raízes na família, que define a natureza e a finalidade da vida familiar, ou uma ideologia religiosa que serve de base e prega um sistema de vida em relação a forças sagradas.

A ideologia pode servir também como base para movimentos em prol de mudança social. Do movimento verde de preservação ambiental ao feminismo radical, MOVIMENTOS SOCIAIS dependem de conjuntos de ideias que explicam e justificam seus objetivos e métodos.

Ver também CONHECIMENTO; CONSCIÊNCIA E FALSA CONSCIÊNCIA DE CLASSE; HEGEMONIA; IMAGEM DE CLASSE.

Leitura sugerida: Apter, David E., org. 1964: *Ideology and Discontent*. Nova York: Free Press • Mannheim, Karl 1952: *Essays on the Sociology of Knowledge*, org. por P. Kecskemeti. Londres: Routledge & Kegan Paul • Marx, Karl, e Friedrich Engels. 1845-46 (*1986*): *A ideologia alemã*. São Paulo: Hucitec / (*1970*): *The German Ideology*. Londres: Lawrence & Wishart.

ideologia dominante, tese da *ver* TESE DA IDEOLOGIA DOMINANTE.

idiográfico e nomotético Os métodos idiográfico e nomotético constituem duas maneiras diferentes de compreender a vida social. O método é idiográfico (significando "descrever o particular ou singular") se focaliza casos ou eventos isolados. Os etnógrafos, por exemplo, descrevem sistemas sociais inteiros, como sociedades ou organizações, observando os menores detalhes da vida diária e construindo nessa base um retrato geral do todo. Historiadores, da mesma forma, utilizam costumeiramente esse enfoque.

O método é nomotético (significando "estabelecer leis") se focaliza enunciados gerais que explicam os padrões sociais mais amplos que formam o contexto de eventos isolados ou o comportamento e a experiência do indivíduo. Uma análise do modo como o capitalismo industrial molda a vida social, por exemplo, seria típico do enfoque nomotético. Embora o trabalho sociológico tenda mais para o nomotético do que para o idiográfico, combina também frequentemente os dois ao tentar explicar os lineamentos mais vastos de sistemas sociais e a experiência dos indivíduos que deles fazem parte.

Ver também ETNOGRAFIA E ETNOLOGIA; ETNOMETODOLOGIA.

igreja Na sociologia da religião, uma igreja é um tipo de organização religiosa que se distingue por suas características estruturais. A filiação é em geral atribuída por ocasião do nascimento da criança e inclui indivíduos de uma larga faixa de meios formativos de CLASSE SOCIAL. Possui estrutura burocrática e líderes treinados, com autoridade claramente definida. Os rituais costumam ser abstratos, com pouca exibição de emoção durante os serviços religiosos. Em relação a outras grandes instituições, como o ESTADO, as igrejas tendem a apoiar o status quo e as categorias e grupos sociais dominantes.

Exemplos de igrejas incluem a Igreja da Inglaterra, a Igreja Católica fora da Itália, a Igreja Grega Ortodoxa e as Igrejas Metodista, Episcopal e Luterana nos Estados Unidos.

Ver também BUROCRACIA; CULTO; DENOMINAÇÃO; ECLÉSIA; RELIGIÃO; SEITA.

Leitura sugerida: Becker, Howard 1950: *Systematic Sociology*. Nova York: Wiley • Troeltsch, Ernst 1912 (*1956*): *The Social Teachings of the Christian Churches*. Londres: Allen and Unwin • Weber, Max 1922 (*1963*): *The Sociology of Religion*. Boston: Beacon.

imagem autoprojetada (*front*) Na PERSPECTIVA TEATRAL concebida por Erving GOFFMAN, a imagem autoprojetada consiste de todos elementos que o indivíduo reúne para criar uma impressão de si mesmo aos olhos de outras pessoas que lhe servem de plateia. Ela inclui a aparência física (vestuário, maquiagem, penteado, postura), mas também características como maneira de falar (a maneira de acentuar palavras e escolha de vocabulário, por exemplo) e de vários "adereços", como a marca do carro que o indivíduo usa, os tipos de alimentos que come às refeições etc. Juntos, esses elementos desempenham um papel de suma importância na maneira como o indivíduo se apresenta aos outros, o que, por seu lado, afeta profundamente as expectativas e o comportamento dos demais na interação social.

Ver também CONSUMO CONSPÍCUO; PAPEL; PERSPECTIVA TEATRAL; SELF.

Leitura sugerida: Goffman, Erving 1959: *The Presentation of Self in Everyday Life*. Garden City, Nova York: Doubleday / (*1995*): *A representação do eu na vida cotidiana*. 6ªed., Petrópolis: Vozes.

imagem de classe Imagem de classe é o nome dado à maneira como pessoas veem as diferentes CLASSES SOCIAIS e as relações entre elas. Embora possa ser aplicada às opiniões de todas as classes, da alta à baixa, da capitalista à operária, o trabalho sociológico concentra-se principalmente na maneira como membros da última veem o sistema de classes. A classe operária tende a usar três modelos para compreender o sistema: 1) o modelo de poder; 2) o modelo de prestígio; e 3) o modelo do dinheiro. O modelo de poder identifica duas classes básicas, a classe operária e a classe alta. Esta última controla a riqueza e exerce grande poder sobre todos os que lhe estão abaixo. O modelo de prestígio distingue as classes com menos clareza, como categorias separadas, classificando as pessoas em termos do prestígio associado a características como ocupação e educação, ao longo de um contínuo que corre de cima para baixo. O mundo é visto não tanto como "nós" e "eles", engalfinhados em um conflito eterno, mas como uma competição de todos contra todos por posições e vantagens. O modelo do dinheiro focaliza-se menos no prestígio e no conflito de classe e mais nas diferentes maneiras como indivíduos têm acesso ao dinheiro e nos estilos de vida que ostentam, como resultado. Dessa perspectiva, alguns têm mais, outros têm menos e, pouco importando o quanto têm, podem tomar decisões sobre como gastá-lo que afetarão sua posição de classe.

Ver também CONSCIÊNCIA E FALSA CONSCIÊNCIA DE CLASSE.

Leitura sugerida: Bott, E. 1957: *Family and Social Network*. Londres: Tavistock • Bulmer, Martin, org. 1975: *Working-Class Images of Society*. Londres:

Routledge and Kegan Paul • Goldthorpe, J.H., D. Lockwood, F. Bechhofer e J. Platt 1969: *The Affluent Worker in the Class Structure*. Cambridge: Cambridge University Press • Lockwood, David 1966: "Sources of variation in working class images of society". *Sociological Review* 14: p.249-67.

imagem de espelho *ver* SELF.

imigração *ver* MIGRAÇÃO.

imperativo funcional (Denominado também de *pré-requisito funcional.*) Da forma concebida por vários teóricos, imperativos ou pré-requisitos funcionais estendem-se da comunicação e de maneiras comuns de pensar, estabelecer metas e regular comportamento para se adaptar ao ambiente físico e explorá-lo de forma eficaz. Da PERSPECTIVA FUNCIONALISTA, as sociedades sobrevivem e funcionam apenas se certas tarefas forem realizadas. Sem reprodução e socialização, por exemplo, não haveria oferta de novos membros capazes de participar da vida social e, como resultado, as sociedades deixariam de existir.

A crítica à perspectiva funcionalista concentra-se com frequência no fato de a mesma depender dos conceitos de imperativos e pré-requisitos. Um dos problemas é que esses conceitos prestam-se facilmente para levar à ideia errônea de que sociedades têm necessidades e são, de alguma maneira, capazes de agir de maneira intencional para atendê-las — ou, em outras palavras, que sociedades são como pessoas. O segundo problema é a tendência a supor que todas as características de uma sociedade têm que ter, para existir, alguma "boa" razão ligada a uma ou mais de suas necessidades vitais. Esse problema desvia a atenção de outras questões, como a capacidade de grupos dominantes de moldar a sociedade de maneiras que promovem seus estreitos interesses, e não o funcionamento da sociedade como um todo.

Ver também PERSPECTIVA DE CONFLITO; PERSPECTIVA FUNCIONALISTA; TEORIA DA CONVERGÊNCIA.

Leitura sugerida: Gouldner, Alvin W. 1970: *The Coming Crisis of Western Sociology*. Nova York: Avon • Malinowski, Bronislaw 1944: *A Scientific Theory of Culture and other Essays*. Chapel Hill: University of North Carolina Press / *(1983)*: *Uma teoria científica da cultura*. Rio de Janeiro: Zahar • Parsons, T. 1937: *The Structure of Social Action*. Nova York: McGraw-Hill o 1951: *The Social System*. Glencoe, IL: Free Press; Londres: Routledge & Kegan Paul.

imperialismo *ver* COLONIALISMO E IMPERIALISMO.

império *ver* SISTEMA-MUNDO.

incesto, tabu do *ver* TABU.

incorporação Incorporação é um processo social através do qual as organizações das classes operárias como SINDICATOS são integradas em sistemas mais amplos como o Estado e os conglomerados empresariais. Em lugar de identificar-se a si próprios como *outsiders* trabalhando contra o status quo e as classes dominantes, os membros da classe operária progressivamente encaram a si próprios como meros cidadãos dentre outros cidadãos, vivendo em meio a instituições estabelecidas como partidos políticos.

Já se argumentou que a incorporação provavelmente extinguirá com os privilégios de classe ao estender o poder político à classe operária. Marxistas, entretanto, veem a incorporação como uma vitória das classes dominantes, uma vez que estimula as pessoas da classe operária a aceitar o tipo de mudança superficial que as principais instituições irão tolerar.

Ver também CONSCIÊNCIA DE CLASSE E FALSA CONSCIÊNCIA; IMAGEM DE CLASSE; TESE DA IDEOLOGIA DOMINANTE; HEGEMONIA.

independência de média *ver* INDEPENDÊNCIA ESTATÍSTICA E DEPENDÊNCIA ESTATÍSTICA.

independência estatística e dependência estatística No trabalho sociológico, dependência e independência estatísticas são ideias aplicadas às relações entre eventos e VARIÁVEIS. Dois eventos são independentes entre si se a ocorrência de um não produz efeito algum sobre a probabilidade de que o outro ocorra. Se jogarmos para o alto uma moeda, por exemplo, a probabilidade é de 50% de que o resultado será cara. Se tiramos cara no primeiro lance (o evento número um), a probabilidade de conseguir o mesmo resultado no segundo lance será ainda de 50% (evento número 2). Em outras palavras, como eventos, o primeiro e o segundo lançamentos são estatisticamente independentes entre si.

Se duas variáveis são independentes entre si, saber o valor de uma delas nada nos diz sobre o valor da outra. Se as variáveis de renda e educação são independentes entre si, conhecer o grau de educação de alguém nada nos informa sobre sua renda mais provável. A probabilidade de que indivíduos formados em faculdade tenham uma renda — digamos, de US$50.000 anuais — é a mesma para todo mundo. A educação, em suma, nenhuma diferença faz para a renda, e as duas variáveis são estatisticamente independentes entre si.

Mas como todos sabemos, a educação faz, de fato, uma diferença, o que quer dizer que a probabilidade de passar por várias mudanças de renda depende muito do nível de educação alcançado pelo indivíduo. Neste caso, dizemos que as duas variáveis são estatisticamente *dependentes* entre si e, portanto, guardam uma *relação* (ou são "relacionadas"). A palavra "estatisticamente" é usada como uma ressalva, dado o fato de que se duas variáveis são relacionadas no sentido estatístico, isso não significa que uma cause a outra.

A independência estatística pode assumir duas formas diferentes: a *independência estocástica* e a *independência de média*. Na primeira, cada categoria de uma variável é independente de todas as outras. No caso de pessoas com educação superior, por exemplo, as probabilidades associadas a cada possível nível de renda serão as mesmas tanto para elas quanto para quaisquer outras pessoas, qualquer que seja o nível de educação atingido.

Se educação e renda são independentes de média, contudo, só a renda média será a mesma para cada categoria educacional. A diferença é que as médias poderiam ser as mesmas, sem que as probabilidades associadas a níveis particulares de renda fossem também as mesmas. Com a independência de média, por exemplo, duas categorias educacionais poderiam ter a mesma renda média, digamos, de US$20.000 anuais. No primeiro grupo, porém, todos podem auferir a mesma renda de US$20.000 (resultando em uma média de US$20.000), ao passo que, no segundo grupo, metade poderia ter rendas de US$40.000 e a outra metade nenhuma renda (resultando também em uma renda geral média de US$20.000). Neste caso, as duas variáveis são independentes de média, uma vez que cada categoria de variáveis apresenta a mesma renda média, mas elas não são estocasticamente independentes. De modo geral, se duas variáveis são independentes de média, elas não são por necessidade estocasticamente independentes. Mas, se o são, terão que ser também independentes de média.

A distinção entre independência de média e estocástica tem importância especial na ANÁLISE DE REGRESSÃO, já que uma das deficiências dessa técnica é sua incapacidade de distinguir entre as duas.

Ver também DIREÇÃO DA RELAÇÃO; MÉDIA; MEDIDA DE ASSOCIAÇÃO.

independência estocástica *ver* INDEPENDÊNCIA ESTATÍSTICA E DEPENDÊNCIA ESTATÍSTICA.

índice *ver* ESCALA DE ATITUDES.

índice de dissimilaridade Índice de dissimilaridade é uma estatística usada para medir a diferença geral entre duas distribuições percentuais. O índice é expressado como uma percentagem que vai de 0 a 100 e que indica a percentagem de casos em uma distribuição que teria que ser redistribuída a fim de igualar-se exatamente à outra distribuição. Tem sido usado como medida de segregação racial, com resultados que mostram que cerca de 80% a 90% de indivíduos nos Estados Unidos teriam que mudar de residência a fim de tornar a população racialmente integrada. Tem sido usado também para medir a segregação ocupacional, especialmente por motivo de sexo.

O índice é computado pondo-se lado a lado as duas distribuições percentuais e, em seguida, verificando-se a diferença entre cada par de valores correspondente. Algumas diferenças serão positivas e outras, negativas. A soma das diferenças positivas e negativas pode ser usada para construir o índice. Ambas produzirão o mesmo valor numérico (os sinais de menos são ignorados, uma vez que o índice é sempre positivo). O índice pode ser usado em combinação com um TESTE DE ADEQUAÇÃO.

Ver também QUI-QUADRADO.

Leitura sugerida: Taeuber, Karl E. 1965: "Residual segregation". *Scientific American* 213(2): 42-50.

índice de Gini *ver* CURVA DE LORENZ.

individualismo Individualismo é uma maneira de pensar em como pessoas se relacionam com sistemas sociais e na natureza dos próprios sistemas. No primeiro sentido, o individualismo surgiu como doutrina na França de princípios do século XIX e defendeu a primazia dos interesses individuais sobre os da sociedade. Essa tese provocou grande controvérsia na época, e até certo grau de horror, ante a possibilidade de pôr um fim à obediência e ao CONTROLE SOCIAL e dar início ao caos. Desde então, arraigou-se nas culturas das sociedades capitalistas industriais do Ocidente, nos Estados Unidos em particular.

No segundo sentido, refere-se à ideia de que sistemas sociais são constituídos primariamente de indivíduos e podem ser compreendidos em termos de suas opções, características e interesses. Como tal, choca-se com a premissa sociológica central de que os sistemas sociais são mais do que a soma de suas partes e que existem independentemente dos indivíduos que deles participam.

Ver também ATOMISMO E HOLISMO; FATO SOCIAL; INDIVIDUALISMO METODOLÓGICO; SOCIEDADE CIVIL.

Leitura sugerida: Abercrombie, Nicholas, Stephen Hill e Bryan S. Turner 1986: *Sovereign Individuals of Capitalism*. Londres: Allen and Unwin • Heller, Thomas C., Morton Sosna e David E. Wellbery 1986: *Reconstructing Individualism*. Stanford: Stanford University Press • Lukes, Steven 1973: *Individualism*. Oxford: Blackwell Publishers.

individualismo metodológico Individualismo metodológico é o método para compreender a vida social que considera os sistemas sociais como nada mais do que um conjunto de indivíduos. Desse ponto de vista, a única coisa de que necessitamos para compreender sistemas sociais são as características individuais e a dinâmica psicológica das pessoas que deles participam. Para compreender a guerra, por exemplo, deveríamos estudar soldados e políticos, e não exércitos e nações.

Ao negar a existência de sistemas sociais como algo mais do que a soma de suas partes, o individualismo metodológico opõe-se de forma direta ao pensamento sociológico (e é, às vezes, chamado pejorativamente de *psicologismo*). Na verdade, Émile DURKHEIM formulou a PERSPECTIVA FUNCIONALISTA como reação à tendência geral de reduzir todos os fenômenos sociais a termos psicológicos. O debate é hoje menos acirrado porque a psicologia e a sociologia reconhecem em geral que indivíduos e contextos sociais estão estreitamente relacionados e que a compreensão completa de um jamais pode ser conseguida sem levar o outro em conta. O debate focaliza-se hoje principalmente em como indivíduos e sistemas sociais se relacionam entre si.

Ver também AÇÃO E ESTRUTURA; ATOMISMO E HOLISMO; DETERMINISMO E REDUCIONISMO; UTILITARISMO.

Leitura sugerida: Lukes, Steven 1968 (*1977*): "Methodological individualism reconsidered". In *Essays in Social Theory*. Londres: Macmillan.

indutivo, raciocínio *ver* MÉTODO HIPOTÉTICO-DEDUTIVO.

inferência estatística *ver* ESTATÍSTICA.

instituição Uma instituição é um conjunto duradouro de ideias sobre como atingir metas reconhecidamente importantes na sociedade. A maioria das sociedades conta com algumas formas de instituições de tipo familiar, religioso, econômico, curativo e político que definem o âmago de seu sistema de vida.

Instituições diferem entre si por tratarem de funções sociais diferentes. A família, por exemplo, tem por finalidade trazer filhos ao mundo e criá-los, protegê-los e socializá-los. As instituições políticas, em contraste, destinam-se a gerar, organizar e aplicar o poder coletivo, com vistas a atingir metas tais como manter a ordem e a estabilidade social, defendê-las contra ameaças externas, solucionar litígios e aplicar a lei e, dependendo da sociedade, proteger os grupos dominantes e seus interesses. É importante estabelecer uma distinção entre instituições e suas manifestações concretas — famílias individuais de famílias como instituição, por exemplo, ou governo e Estado. As famílias nesse caso são influenciadas pela maneira como a sociedade as define como instituição, muito embora a vida no dia a dia talvez pouco faça para lembrar esse modelo. De maneira análoga, o Estado é a instituição que fornece o esquema como o governo deve ser exercido, embora cada grupo de ocupantes de cargos que constituem um governo específico possa seguir em graus diferentes essas diretrizes. Em 1814, Napoleão Bonaparte fez sua famosa declaração ao Senado francês: *"l'État c'ést moi"* (o Estado sou eu). Essa declaração teve consequências extraordinárias, uma vez que Napoleão identificava-se como o maior componente da própria sociedade e, dessa forma, colocava-se de maneira a transcender limitações que, em condições normais, se aplicariam à sua conduta e aos usos que desse ao poder.

Tal como a maioria dos aspectos da vida social, instituições são experimentadas como externas aos indivíduos que delas participam. Mas são também moldadas e mudadas por essa participação. A família nos Estados Unidos, por exemplo, ainda é definida institucionalmente em termos da família nuclear, mas, à medida que famílias de um único pai crescem rapidamente em números e homossexuais exigem reconhecimento social para casamentos *gay* e status de pais, é inevitável que a própria instituição mude, ainda que lentamente.

Ver também ECONOMIA; EDUCAÇÃO; FAMÍLIA; POLÍTICA; ECONOMIA POLÍTICA; RELIGIÃO; CIÊNCIA.

instituição social *ver* INSTITUIÇÃO.

instituição total Da forma definida por Erving GOFFMAN, a instituição total é um sistema social isolado, fechado, tal como prisões, hospitais de doentes mentais, conventos, internatos ou acampamentos militares, que têm como objetivo principal controlar a maioria, se não todos os aspectos da vida dos que deles participam. A maneira como as instituições totais conservam seu poder sobre a vida de pessoas, as consequências que geram para elas e os sistemas sociais, e o modo como as pessoas se adaptam às limitações impostas por essas circunstâncias são, sem exceção, questões de interesse sociológico.

Ver também CERIMÔNIA DE DEGRADAÇÃO.

Leitura sugerida: Goffman, Erving 1961: *Asylums: Essays on the Social Situation of Mental Patients and Other Inmates.* Garden City, Nova York: Anchor Books.

instrumento de medição *ver* MEDIDA.

integração *ver* SEGREGAÇÃO E INTEGRAÇÃO.

interação Interação é o processo que ocorre quando pessoas agem em relação recíproca em um contexto social. Embora esse fato possa parecer óbvio, o conceito de interação repousa sobre uma distinção importante entre ação e comportamento.

Comportamento inclui tudo que o indivíduo faz, de se coçar a escrever um romance ou jogar futebol. *Ação*, contudo, é um comportamento intencional baseado na ideia de como outras pessoas o interpretarão e a ele reagirão. Na interação social, percebemos outras pessoas e situações sociais e, baseando-nos nelas, elaboramos ideias sobre o que é esperado e os valores, crenças e atitudes que a ela se aplicam. Nessa base, resolvemos agir de maneiras que terão os significados que queremos transmitir.

Quando entramos em uma loja, por exemplo, grande parte do que fazemos baseia-se no reconhecimento de que estamos em uma situação de comércio e no conhecimento do que se espera dos vários atores que participam dessas situações. Quando apontamos para artigos que queremos comprar, perguntamos o preço, dizemos como vamos pagar etc., fundamentamos nossas ações no que pensamos que elas significarão para as outras pessoas que participam da situação. E é esse processo mental radicado em significado que distingue ação de comportamento e que ocupa lugar central na interação como processo social.

O método geral para compreender o que fazemos em termos do significado que atribuímos ao nosso comportamento e ao do nosso semelhante é conhecido como *teoria da ação*. O desenvolvimento dessa teoria está ligado principalmente a Max WEBER e ao conceito que propôs de *verstehen* ("compreensão", em alemão). Argumentava Weber que não podemos compreender o que pessoas fazem sem ter alguma ideia de como elas, de forma subjetiva, interpretam seu próprio comportamento. Esse *insight* básico pede aos sociólogos que incluam a empatia no método que usam para compreender a vida social, juntamente com outros métodos científicos mais objetivos.

Ver também METODOLOGIA; PERSPECTIVA INTERACIONISTA.

Leitura sugerida: Mead, George Herbert 1938: *The Philosophy of the Act.* Chicago: University of Chicago Press • Schutz, Alfred 1932 (*1972*): *The Phenomenology of the Social World.* Londres: Heinemann / (*1979*): *Fenomenologia e relações sociais.* Rio de Janeiro: Zahar • Weber, Max 1921-22 (*1967, 1978*): *Economy and Society.* Nova York: Bedminster Press.

interação social *ver* INTERAÇÃO.

interacionismo simbólico *ver* PERSPECTIVA INTERACIONISTA.

intercepção-y *ver* ANÁLISE DE REGRESSÃO.

interesse de classe Segundo a argumentação de Karl MARX, o interesse de classe é formado pela estrutura das relações que ligam capitalistas, meios de produção e trabalhadores, gerando prioridades diferentes para cada classe. Sob o CAPITALISMO, por exemplo, os capitalistas possuem e controlam os meios de produção; os trabalhadores usam esses meios para produzir bens em troca de salário. Os capitalistas dependem em parte, para obter riqueza, da capacidade de pagar aos trabalhadores salários que equivalem a menos do que o valor dos bens que eles produzem, de modo que possam apropriar-se da diferença (sob a forma de lucro). Os trabalhadores, por seu lado, prosperam na medida em que podem conservar para si uma parte tão grande quanto possível do valor do que produzem.

Da perspectiva marxista, os capitalistas têm interesse em explorar tanto quanto possível os trabalhadores, mas sem oprimi-los, o que poderia fazer com que eles se revoltassem ou deixassem de trabalhar. Os trabalhadores têm interesse em aumentar os salários e outras formas de compensação, bem como o controle sobre o processo de produção. Quando esses interesses são mutuamente contraditórios — como é inerente aos interesses de classe, segundo Marx — o resultado é o conflito social.

Um dos problemas com o conceito de interesse de classe consiste em chegar à conclusão se alguma coisa constitui ou não um interesse desse tipo, mesmo que membros de uma dessas classes estejam inconscientes do fato. Marx, por exemplo, afirmava que uma verdadeira classe social nem mesmo existe, a menos que seus membros estejam conscientes de si mesmos como classe. Analogamente, pode-se argumentar que os interesses de classe tornam-se reais apenas através de uma classe consciente de si mesma, e que, a não ser assim, ela não existe de qualquer outra maneira, em qualquer sentido objetivo. Ou podemos afirmar ainda que os interesses de classe são determinados objetivamente — que o fato da automação resultar em perda de empregos, por exemplo, é contrário aos interesses da classe operária, exista ou não uma classe operária consciente de si mesma.

Ver também CLASSE SOCIAL; CONSCIÊNCIA E FALSA CONSCIÊNCIA DE CLASSE; CONTRADIÇÃO; MATERIALISMO.

Leitura sugerida: Marx, Karl 1847 (*1985*): *A miséria da filosofia*. São Paulo: Global / (*1847*): *The Poverty of Philosophy*. Moscou: Progress Publishers; Paris: A. Frank o 1852 (*1986*): *O 18 Brumário*. Rio de Janeiro: Paz e Terra / (*1973*): "The eighteenth brumaire of Louis Bonaparte". In *Surveys from Exile*. Harmondsworth: Penguin.

internalização Internalização é um processo através do qual identificamos aspectos de nossa cultura como partes de nós mesmos, especialmente em relação a ideias como valores e normas, que orientam decisões sobre aparência e comportamento. Quando crianças aprendem atitudes patrióticas em relação ao país, por exemplo, ou dão valor a trabalho árduo, ao sucesso financeiro ou à crença em Deus, elas tendem a obter um senso de direitos adquiridos nessas ideias e sentimentos na medida em que as tornam suas.

A internalização é um processo fundamental para manter os sistemas sociais, uma vez que leva o indivíduo a regular seu comportamento de acordo com formas aceitas, sem ter que ser monitorado e corrigido por autoridades externas, tarefa esta impossível, exceto nos sistemas menores e mais simples. Em contraste, a coerção é um meio muito menos eficaz de controle social.

Ver também CONTROLE SOCIAL; PODER; SOCIALIZAÇÃO.

intersubjetividade Intersubjetividade (significando "entre sujeitos") é a condição da vida social que torna possível a indivíduos compartilhar entendimentos e expectativas com outras pessoas. A maneira como isso é realizado reveste-se de grande interesse para os sociólogos que utilizam a PERSPECTIVA INTERACIONISTA.

Ver também CONHECIMENTO; DEFINIÇÃO DA SITUAÇÃO; MENTE; OUTRO.

Leitura sugerida: Berger, Peter L., e Thomas Luckmann 1961: *The Social Construction of Reality: a Treatise in the Sociology of Knowledge*. NY: Doubleday; Londres: Allen Lane / (*1995*): *A construção social da realidade*. 12ªed., Petrópolis: Vozes • Habermas, Jürgen 1981 (*1984, 1989*): *The Theory of Communicative Action*, vol.1. Boston: Beacon Press; Cambridge: Polity • Schutz, Alfred 1932 (*1967*): *The Phenomenology of the Social World*. Evanston, IL: Northwestern University Press; Londres: Heinemann (*1972*) / (*1979*): *Fenomenologia e relações sociais*. Rio de Janeiro: Zahar.

intervalo de confiança *ver* ESTIMATIVAS.

isolamento racial *ver* SEGREGAÇÃO E INTEGRAÇÃO.

J

jargão *ver* CÓDIGOS DE LINGUAGEM.

jogo de soma zero Jogo de soma zero é um termo geral usado para designar uma situação social na qual o sucesso de uma pessoa tem que ocorrer às expensas de outra. Quando o sistema de dar notas em uma escola, por exemplo, é feito em base de curva, de modo que apenas uma certa percentagem de estudantes tirará um 10 e a outra percentagem terá que ter zero, o sistema de notas transforma-se em um jogo de soma zero. Analogamente, uma vez que as economias industriais modernas são tão competitivas e a distribuição da riqueza e da renda tão desigual, elas são, em certos aspectos, jogos de soma zero.

O conceito de jogo de soma zero é útil para compreender como indivíduos escolhem entre exploração, COMPETIÇÃO E COOPERAÇÃO como maneiras de interagir.

Ver também TEORIA DA ESCOLHA RACIONAL.

Leitura sugerida: Thurow, Lester C. 1980: *The Zero-Sum Society: Distributions and the Possibilities for Economic Change*. Nova York: Basic Books • Von Neumann, John, e Oskar Morgenstern 1964: *The Theory of Games and Economic Behavior*, 3ªed. Nova York: Wiley; (*1944*): Princeton, NJ: Princeton University Press • Zagare, F.C. 1984: *Game Theory: Concepts and Applications*. Beverly Hills, CA: Sage Publications.

jogos, teoria dos *ver* TEORIA DA ESCOLHA RACIONAL.

justiça No sentido mais simples, justiça é um conceito que se refere à equidade e ao processo de pessoas conseguirem aquilo que merecem. Em sentido jurídico, por exemplo, a justiça consiste em tratar a todos de acordo com a lei, em garantir os direitos civis e seguir de forma coerente e imparcial as normas prescritas. A justiça distributiva ou social, contudo, implica ideias menos precisas sobre o que é justo, em especial na distribuição de recursos e recompensas, como a riqueza. A sociedade justa, por exemplo, é aquela que garante igualdade de oportunidade ou igualdade de resultados? E qual a relação entre justiça para o indivíduo e os interesses coletivos?

Em uma obra que exerceu profunda influência, o filósofo John Rawls argumentou que a igualdade deveria prevalecer, a menos que a desigualdade servisse aos melhores interesses de todos. Negar às crianças o direito à livre expressão na escola, por exemplo, tem sido defendido como maneira de criar um ambiente de aprendizagem organizado, negando-se a elas, dessa forma, direitos iguais e servindo aos interesses de todos simultaneamente (incluindo o direito de aprender dos que são silenciados). Robert Nozick, por outro lado, afirma que a justiça é feita quando é minimizada a interferência na liberdade individual, em especial em relação ao ESTADO.

Leitura sugerida: Moore, Barrington 1978: *Injustice: The Social Causes of Obedience and Revolt*. Londres: Macmillan • Nozick, Robert 1974: *Anarchy, State, and Utopia*. Nova York: Basic Books; Oxford: Blackwell / (*1991*): *Anarquia, estado e utopia*. Rio de Janeiro: Zahar • Rawls, John 1971 (*1973*): *A Theory of Justice*. Oxford: Oxford University Press; Cambridge, MA: Harvard University Press.

L

laissez-faire *Laissez-faire,* um termo francês que em tradução aproximada significa "permissão para fazer", conta com duas principais definições sociológicas. No tocante à ECONOMIA POLÍTICA, tem sua origem devido a um francês obscuro chamado Legendre que, quando perguntado sobre o que o Estado poderia fazer pelos empresários, respondeu, em essência: "Deixar que façamos". Mas é também associado à descrição de Adam Smith sobre o papel ideal do ESTADO em relação ao CAPITALISMO, que implica nada fazer e deixar que os capitalistas e os mercados regulem a si mesmos. Segundo o capitalismo do *laissez-faire*, a competição (concorrência) assegura que os bens que indivíduos querem comprar serão produzidos em abundância e vendidos aos preços que estão dispostos a pagar.

O conceito de *laissez-faire* é usado também para descrever estilos de LIDERANÇA, especialmente em pequenos grupos. Em contraste com os líderes democráticos e autoritários, os do *laissez-faire* lideram pouco e participam o mínimo possível, não oferecendo orientação nem avaliação, método este que pode, porém, dependendo da situação, gerar ansiedade entre os que querem orientação.

Leitura sugerida: Lippitt, R., e R.K. White 1947: "An experimental study of leadership and group life". In *Readings in Social Psychology*, org. por T.M. Newcomb e E.L. Hartley. Nova York: Holt, Rinehart and Winston • Viner, Jacob 1927 (*1958*): "Adam Smith and *laissez-faire*". In *The Long View and the Short: Studies in Economic Theory and Policy* 213-45. Glencoe, IL: Free Press.

lar Como unidade de análise sociológica, um lar consiste de uma ou mais pessoas que compartilham de circunstâncias comuns de vida, em especial quando vivem sob o mesmo teto e/ou dividem instalações para preparo de alimentos. Como tal difere de uma família, que é organizada principalmente em torno de laços de parentesco. A maioria das famílias (embora não todas) assume também a forma de lar; mas em algumas sociedades, como nos Estados Unidos, um número crescente de lares não constitui unidades familiares. Na verdade, o tipo de lar em mais rápido crescimento é o de indivíduos solteiros que vivem sozinhos.

À medida que diminui o papel central da família na vida social nas sociedades industriais, o lar torna-se um centro cada vez mais importante da pesquisa sociológica sobre a forma assumida pela vida privada.

Ver também FAMÍLIA; PARENTESCO.

Leitura sugerida: Santi, Lawrence L. 1987: "Change in the structure and size of american households". *Journal of Marriage and the Family* 49: 833-7.

lazer *ver* ÓCIO.

legitimação Legitimação é o processo através do qual um sistema social ou algum aspecto do mesmo vêm a ser aceitos como justos e são em geral apoiados pelos que deles participam. Uma vez que é difícil manter por muito tempo um sistema pela coerção, a maneira mais eficaz para conservar a COESÃO social consiste em fazer com que as pessoas acreditem no sistema e o aceitem como é.

A legitimação é obtida de uma grande variedade de maneiras, começando com a SOCIALIZAÇÃO na infância. Quando crianças fazem a saudação à bandeira do país no início de cada dia, por exemplo, ou leem livros de história que raramente, se é que alguma vez, criticam o sistema político ou econômico, elas tendem a se identificar com esses sistemas e aceitá-los como legítimos, ainda que diante de consequências indesejáveis ou mesmo horríveis. Da mesma forma que são ensinadas a respeitar a autoridade, começando com a dos pais e professores, elas tenderão também a aceitar como legítimas todas as formas de autoridade sob as quais vivem.

A legitimação é um conceito crucial no estudo da AUTORIDADE e da ESTRATIFICAÇÃO social, porque desempenha um importante papel não só na estabilidade de sistemas sociais de todos os tipos, mas, acima de tudo, na perpetuação da desigualdade e da opressão social.

Ver também CONSCIÊNCIA E FALSA CONSCIÊNCIA DE CLASSE; HEGEMONIA; IDEOLOGIA.

Leitura sugerida: Barker, Rodney 1990: *Political Legitimacy and the State*. Nova York e Oxford: Oxford University Press • Mann, Michael 1986: *Sources of Social Power, vol.1: A History of Power from the Beginning to A.D. 1760*. Nova York e Cambridge, Inglaterra: Cambridge University Press • Weber, Max 1921-22 (*1967, 1978*): *Economy and Society: an Outline of Interpretative Sociology*, ed. em 3 vols., Nova York: Bedminster Press (*1967*); eds. em 2 e 3 vols., Berkeley: University of California Press (1978).

lei Leis são normas que incluem sanções formais — castigos ou recompensas codificados, cuja observância é em geral reservada a indivíduos em posições de autoridade. O castigo por roubo com arrombamento, por exemplo, é especificado em códigos legais, bem como as regras que definem quem pode prender e punir arrombadores, em que circunstâncias e adotando que procedimentos.

Sociologicamente, é útil estabelecer uma distinção entre direito criminal e direito civil. O *direito criminal* proíbe comportamentos como assassinato, fraude ou profanação de objetos ou locais sagrados. Em contraste, o *direito civil* é usado para regular relações sociais, tais como dirimir litígios ou compensar alguém que foi injustamente tratado, sofreu ferimentos ou prejuízos por negligência de alguém. Dependendo da área da vida social envolvida, o direito civil assume numerosas formas, como direito comercial, constitucional, da família, processual (que regulamenta o funcionamento e procedimentos dos tribunais) etc.

DURKHEIM argumentava que à medida que as sociedades se tornam mais complexas e refinadas, o direito civil cresce em importância às expensas do direito criminal. Na pequena sociedade tribal, por exemplo, a maioria das leis é de natureza criminal porque a estrutura relativamente simples das relações entre pessoas pode ser tratada informalmente através da cultura comum. Nas sociedades industriais, contudo, a DIVISÃO DO TRABALHO é tão complexa e as culturas são tão heterogêneas que códigos formais tornam-se necessários para lidar com relações que envolvem indivíduos que mal se conhecem e pouco têm em comum, exceto o tipo de interdependência existente entre compradores e vendedores de mercadorias, entre patrões e empregados, ou entre dois motoristas que batem numa estrada. Há uma ligação, portanto, entre os tipos de normas que predominam em uma sociedade e a natureza dos laços coesivos que a mantêm como um todo.

Ver também COESÃO; NORMA.

Leitura sugerida: Durkheim, Émile 1893: *De la division du travail social*. Paris: Félix Alcan / (*1978*): *Da divisão do trabalho social*. São Paulo: Abril Cultural / (*1984*): *The Division of Labor in Society*. Nova York: Free Press; Londres: Macmillan • Reasons, Charles E., e Robert M. Rich 1978: *The Sociology of Law*. Toronto: Butterworths.

lei de ferro da oligarquia *ver* OLIGARQUIA.

levantamento (*survey*) No sentido mais geral, um levantamento é um método usado para coletar informações de uma AMOSTRA de uma POPULAÇÃO ou, no caso do CENSO, de toda a população. Tem sido amplamente usado na sociologia desde o rápido desenvolvimento da pesquisa empírica que se seguiu à Segunda Guerra Mundial, especialmente nos Estados Unidos. Em estudos de indivíduos, as informações são colhidas através de questionários, que os respondentes preenchem pessoalmente, ou em entrevistas face a face. Embora esteja havendo uso crescente de entrevistas por telefone, essa técnica é mais empregada em levantamentos de opiniões sobre assuntos políticos e comerciais do que na pesquisa sociológica séria. No estudo de grupos e organizações, não é raro usar dados existentes, tais como registros de atividades de empresas.

Os dados dos levantamentos têm vários usos básicos. Em primeiro lugar, são usados para descrever uma população (por exemplo, a maioria das pessoas nos Estados Unidos se considera pertencente à classe operária ou da baixa). Os usos descritivos dos dados de levantamentos estendem-se virtualmente a todos os aspectos da vida social, de pesquisa de opinião antes de eleições a taxas de desemprego, práticas sexuais, como as pessoas usam seu tempo e condições de saúde em países diferentes. O segundo uso consiste no estudo de relações entre VARIÁVEIS, especialmente as que têm a ver com causa e efeito. Quanto maior a comunidade onde vivem as pessoas, por exemplo, mais provável é que elas manifestem tolerância com a diversidade cultural e as várias formas de desvios. Esse fato é especialmente verdadeiro no caso dos que passam os anos de infância em grandes comunidades. Se uma relação estatística entre variáveis medidas em um único levantamento é ou não causal é virtualmente impossível de demonstrar de forma conclusiva, embora analistas tenham criado uma grande variedade de técnicas que contribuem para minimizar essa limitação.

Sejam usados para finalidades descritiva ou em análise causal, os levantamentos são cada vez mais usados para identificar tendências. Nos Estados Unidos, organizações como o National Opinion Research Center (NORC), de Chicago, e o University of Michigan's Survey Research Center (SCR) realizam levantamentos anuais que incluem numerosos dados que são pesquisados em base recorrente. A General Social Survey do NORC inclui o aspecto adicional de convidar sociólogos a acrescentar suas próprias perguntas às que são feitas todos os anos, isso a um custo muito inferior ao que seria necessário para que fizessem um levantamento nacional próprio. Esse tipo de combinação de recursos expandiu em muito o acesso de sociólogos individuais a levantamentos nacionais de alta qualidade.

Levantamentos nacionais regulares tornam possível identificar tendências não só no tocante a itens isolados, como maneiras de ver a desigualdade social ou atitudes em relação ao aborto, mas também relações entre variáveis, tais como diferenças sexuais em atitudes quanto à desigualdade de gêneros. Esses tipos de dados são em seguida disseminados amplamente e com poucas despesas através de várias associações, como o Roper Center, da Universidade de Connecticut.

A principal vantagem dos levantamentos sobre os outros métodos de pesquisa é que eles permitem a coleta de grandes volumes de informações de amostras representativas ou, no caso de populações menores, de censos. A principal deficiência dos levantamentos é que sua ampla cobertura torna difícil obter informações em profundidade, tais como histórias detalhadas da vida de indivíduos ou explicações de suas opiniões sobre o mundo e questões sociais. Quando querem esse tipo de informações, os sociólogos tendem a confiar em métodos de pesquisa menos representativos, embora mais profundos, tais como a OBSERVAÇÃO PARTICIPANTE e a ENTREVISTA EM PROFUNDIDADE.

Ver também ANÁLISE SECUNDÁRIA; ESTATÍSTICA; EXPERIMENTO.

Leitura sugerida: Alreck, P.L., e R.B. Settle 1985: *The Survey Research Handbook*. Homewood, IL: Irwin • Hyman, Herbert H. 1972: *Secondary Analysis of Sample Survey*. Nova York: Wiley • Schuman, Howard e Stanley Presser 1981: *Questions and Answers in Attitude Surveys*. Nova York: Academic Press.

liberalismo *ver* CONSERVADORISMO E LIBERALISMO.

liderança Liderança é a capacidade de influenciar o que acontece em sistemas sociais. Na maioria dos casos, ela se baseia em alguma forma de AUTORIDADE legítima associada a uma posição social, tais como as de gerente ou presidente, mas não necessariamente. Sociólogos interessam-se em particular pelas circunstâncias em que a liderança surge em grupos, bem como pela maneira como certos indivíduos são designados como líderes. É mais provável que eles surjam durante crises, e os que mais participam — como, por exemplo, os que mais falam em discussões de grupos — serão com maior probabilidade os que se tornarão líderes.

Ver também ESTRUTURA DE PODER; PODER.

Leitura sugerida: Fiedler, Fred E. 1967: *A Theory of Leadership Effectiveness*. Nova York: McGraw-Hill • Pfeffer, J. 1981: *Power in Organizations*. Marshfield, MA: Pitman.

Likert, escala de *ver* ESCALA DE ATITUDES.

linguagem No âmago de todas as culturas encontramos a linguagem, o conjunto de palavras e regras de sintaxe e gramática que determinam como palavras devem ser usadas a fim de transmitir um dado significado. A linguagem é fundamental porque é através dela que conseguimos criar o significado da experiência, dos pensamentos, dos sentimentos, da aparência e do comportamento humanos. Neste sentido, ela nos permite criar a própria realidade, substituindo a experiência direta por palavras. Quando lemos um jornal, usamos palavras para criar na mente aquilo que em seguida consideramos ser conhecimento do que está acontecendo no mundo. O mesmo acontece em conversas, nas quais pessoas usam palavras para representar quem são, ou no diálogo interior, no qual pensam e refletem sobre a realidade de si mesmas.

A linguagem possui diversos usos na vida social. No sentido mais comum, é o meio que nos permite armazenar, manipular e transmitir conhecimento. As *comunidades linguísticas* — o conjunto dos que compartilham de uma língua comum — contribuem também para definir as FRONTEIRAS culturais de comunidades mais amplas, tais como tribos, grupos étnicos, regiões e nações. O mesmo acontece também até certo ponto em ocupações, como direito, ciência, medicina (e sociologia) cujo jargão especializado as separa de estranhos.

Em alguns casos, tipos particulares de fala, conhecidos como *linguagem performativa*, são ações significativas em si mesmas. Quando um noivo e uma noiva pronunciam a palavra "aceito" no momento apropriado, em uma típica cerimônia matrimonial cristã, eles, na verdade, praticam um ato significativo que muda a natureza do relacionamento social entre ambos. O mesmo pode ser dito de frases como "prometo", "juro", "você está despedido", "desisto" e, até certo ponto, "queira desculpar" ou "te amo" (especialmente quando ditas pela primeira vez). Na linguagem performativa, *dizer* é *fazer*.

O interesse sociológico pela linguagem estende-se por um vasto terreno, da análise de significado, conversas, questões sobre a construção social da realidade, importância no processo de SOCIALIZAÇÃO e formação da identidade até o papel que desempenha na desigualdade e na opressão social.

Ver também ETNOMETODOLOGIA; MENTE; PERSPECTIVA INTERACIONISTA; SEMIÓTICA.

Leitura sugerida: Bloomfield, Leonard 1933: *Language*, ed. rev. Nova York: Holt, Rinehart & Winston • Farb, Peter 1973: *Word Play: What Happens When People Talk*. Nova York: Knopf • Spender, Dale 1980: *Man-made Language*. Londres: Routledge and Kegan Paul • Whorf, Benjamin L. 1956: *Language, Thought and Reality*. Cambridge: MIT Press.

linguagem formal *ver* CÓDIGOS DE LINGUAGEM.

linguagem performativa *ver* LINGUAGEM.

lobbying *ver* GRUPO DE INTERESSE.

log-linear, análise *ver* ANÁLISE LOG-LINEAR.

longitudinal, estudo *ver* ESTUDO LONGITUDINAL.

lucro De modo geral, lucro é o excesso resultante de uma troca econômica quando o preço daquilo que é vendido é maior do que o que custou ao vendedor para fornecê-lo ou produzi-lo.

A importância social do lucro foi desenvolvida ao máximo sob o CAPITALISMO. Nas primeiras fases, a busca capitalista pelo lucro assumia a forma de vender mercadorias por mais do que seu custo. Bens como especiarias, por exemplo, eram comprados em seu local de origem e em seguida transportados para regiões onde não existiam e podiam, por conseguinte, obter um preço mais alto do que o pago pelo mercador. Ou mercadorias armazenáveis, como grãos, podiam ser estocadas até que surgisse escassez (causada por seca ou quaisquer outras condições) e serem em seguida levadas ao mercado, onde a escassez do produto tornava possível pedir e obter preço mais alto.

À medida que o sistema se desenvolvia, os capitalistas foram além da mera compra e venda do que outros produziam e adquiriram a propriedade e o controle dos meios de produção, tais como ferramentas e fábricas. Segundo Karl MARX, esse fato deu ao capitalismo poder para extrair uma nova forma de lucro. Uma vez que os trabalhadores não possuem nem controlam os meios de produção, eles dependem dos patrões, que compram seu tempo em troca de salários. Os empregadores exploram essa dependência pagando aos trabalhadores apenas uma parte do valor do que eles produzem e conservam o resto — a *mais-valia* — para si mesmos sob a forma de lucro. Esse sistema forma a base para a acumulação de grande riqueza tanto por indivíduos e famílias quanto por instituições como empresas, fundações, universidades, e assim por diante.

Ao contrário de outras formas de lucro, a mais-valia tem origem na estrutura das relações entre trabalhadores, capitalistas e meios de produção, todos os quais definem o capitalismo avançado como um sistema econômico. Trata-se, portanto, de uma forma de lucro exclusivamente capitalista.

Ver também TRABALHO E FORÇA DE TRABALHO; VALOR ECONÔMICO.

Leitura sugerida: Braverman, Harry 1974: *Labor and Monopoly Capital: the Degradation of Work in the Twentieth Century*. Nova York: Monthly Review Press / (*1981*): *Trabalho e capital monopolista: a degradação do trabalho no século XX*. 3ª ed. Rio de

Janeiro: Zahar/Guanabara • Marx, Karl 1867 (1974): O capital, crítica da economia política. Rio de Janeiro: Civilização Brasileira / (*1976*): *Capital*, vol.1. Harmondsworth: Penguin.

lumpemproletariado ver CLASSE SOCIAL.

luta de classe *ver* CONFLITO DE CLASSE E LUTA DE CLASSE.

M

macrossociologia e microssociologia Sociólogos frequentemente estabelecem uma distinção entre macrossociologia, que trata da vida social na escala mais ampla de organizações, comunidades e sociedades inteiras, e microssociologia, que focaliza o mundo face a face da interação social. Há, contudo, aqueles que argumentam que essa distinção é obscura, se não falsa, porque aquilo que se identifica como macroelementos da vida social é construído através do que ocorreu no micronível. A entidade conhecida como ESTADO, por exemplo, resulta, em última análise, de padrões de interações entre indivíduos.

Leitura sugerida: Hilbert, R.A. 1990: "Ethnomethodology and the micro-macro order". *American Sociological Review* 55(6): 794-808 • Lenski, Gerhard, E., Jean Lenski, e Patrick Nolan 1991: *Human Societies: an Introduction to Macrosociology*. 6ª ed. Nova York: McGraw-Hill.

mais-valia *ver* LUCRO.

maneiras de agir Da forma descrita por William Graham SUMNER, as maneiras de agir (*folkways*) de sistemas sociais formam um conjunto de NORMAS que governam as práticas, costumes e hábitos aceitos em geral e que constituem a estrutura da vida cotidiana. As maneiras à mesa, a aceitação do lugar numa fila em vez de querer passar à frente dos que chegaram primeiro, a manifestação de respeito quando uma pessoa se dirige a outra e o uso de trajes apropriados em encontros sociais figuram todos entre as maneiras de agir de uma sociedade. Em comparação com outras normas, as maneiras de agir tendem a envolver questões relativamente banais de comportamento e aparência e acarretam SANÇÕES também suaves. Além disso, são poucas as restrições às pessoas que podem legitimamente punir outras por violar as maneiras de agir. Essas características diferenciam-nas das LEIS e MORES.

Leitura sugerida: Sumner, William Graham 1906: *Folkways*. Boston: Ginn.

marca étnica Uma marca étnica é qualquer característica cultural reconhecível, como linguagem ou estilos peculiares de vestir, que identifica membros de uma dada ETNICIDADE. Essas marcas incluem também regras que regulam o casamento e outras formas de vínculos sociais que afetam as fronteiras que separam povos diferentes, de etnicidades diferentes. Elas são importantes porque, à medida que declinam em número e eficácia, o mesmo acontece com a identidade étnica a elas vinculadas. Quando filhos de imigrantes aprendem a língua do país de adoção, o idioma, os costumes e os estilos de trajar antes usados podem mudar também, o que pode resultar em casamentos com membros de grupos étnicos diferentes e em perda de identidade étnica.

Ver também REGRAS DE CASAMENTO.

marginal *ver* TABULAÇÃO CRUZADA.

masculinidade *ver* SEXO E GÊNERO.

masculinização *ver* FEMINIZAÇÃO E MASCULINIZAÇÃO.

massa *ver* COMPORTAMENTO COLETIVO.

materialismo Materialismo é um conceito que, em sociologia, tem dois significados. O primeiro refere-se ao valor cultural atribuído à acumulação de posses materiais, processo este no qual pessoas baseiam seu senso de identidade, de bem-estar e de posição social na posse de coisas.

No segundo sentido, materialismo é um método para compreender a vida social que se fundamenta na ideia de que todos os aspectos da vida humana — biológicos, psicológicos, sociais, históricos etc. — possuem uma base material originária da reprodução humana e da produção econômica de bens e serviços. O materialismo considera a produção e a reprodução como processos sociais essenciais, que influenciam muito, se é que não determinam, o caráter básico dos sistemas sociais, os padrões de vida a eles associados, e os padrões de mudança histórica e desenvolvimento (enfoque este conhecido como *materialismo histórico*).

Da perspectiva materialista, os aspectos não materiais da vida social — incluindo a linguagem, as crenças, a estrutura de relações e as instituições, tais como a família, a religião e o Estado — são formados a partir da maneira como a sociedade é organizada em torno das atividades básicas de produção e reprodução e inevitavelmente a refletem. Essas atividades não têm existência autônoma, independente, que determine as condições materiais de vida. Ao contrário, é o processo de gerar condições materiais que é o mais importante na vida social.

O enfoque materialista tem caráter fundamental na obra de Karl MARX. Uma de suas aplicações mais conhecidas é a teoria de mudança social conhecida como *materialismo dialético*. Neste caso, Marx associa o materialismo ao conceito de uma dialética — a luta entre ideias opostas sobre forças sociais (tese e antítese) — que resulta em uma nova síntese. Marx argumentava que os sistemas sociais mudam através de um processo contínuo, no qual contradições internas socialmente geradas criam tensão, que leva a alguma forma de solução. Os interesses contrários de trabalhadores e capitalistas, por exemplo, geram tensão nas sociedades capitalistas industriais e isso acarreta a mudança social. Marx acreditava que essa mudança assumiria a forma de revolução, prognóstico este que até agora não se consumou, pelo menos nas sociedades industriais. Não obstante, sua predição mais geral, de que contradição gera mudança, tem resistido muito bem. Como exemplo, a formulação de grande variedade de programas sociais para apaziguar a classe operária — de programas de bem-estar social, seguro-desemprego e assistência médica à regulamentação da segurança no trabalho e acordos com sindicatos — pode ser, sem exceção, interpretada como reação social às contradições inerentes aos interesses de diferentes classes.

Ver também BASE E SUPERESTRUTURA; CONSUMO CONSPÍCUO; DETERMINISMO E REDUCIONISMO.

Leitura sugerida: Marx, Karl 1845 (*1980*): *Teses sobre Feuerbach*. São Paulo: Alfa-Ômega / (*1967*): "Theses on Feuerbach (8th thesis)". In Friedrich Engels, *Ludwig Feuerbach and the End of Classical German Philosophy*. Nova York: International Publishers.

materialismo cultural Materialismo cultural é a teoria que explica aspectos da cultura (as crenças religiosas, por exemplo) como sendo adaptações às condições físicas ou materiais de vida em uma dada sociedade, em especial na medida em que se relacionam com a geografia, o clima e a população. Vinculado principalmente ao trabalho do antropólogo Marvin Harris, o materialismo cultural tem sido aplicado a uma larga faixa de fenômenos físicos, da guerra e supremacia masculina ao canibalismo e à proibição aos judeus de comer carne de porco. Harris argumenta que o status sagrado da vaca entre os hindus constitui adaptação a condições climáticas. Durante as frequentes e prolongadas secas na Índia, famílias podem ter se sentido tentadas, como último recurso, a comer seus animais de tração. No longo prazo, porém, essas medidas desesperadas teriam sido catastróficas, uma vez que os camponeses não poderiam cultivar as culturas de que precisariam para sobreviver quando voltassem as chuvas. Por esse motivo, diz Harris, o gado foi inicialmente protegido por razões práticas relacionadas com as necessidades da existência material.

Ver também ADAPTAÇÃO; ECOLOGIA; POPULAÇÃO.

Leitura sugerida: Harris, Marvin 1974: *Cow, Pigs, Wars, and Witches*. Nova York: Random House o 1977: *Cannibals and Kings: The Origins of Cultures*. Nova York: Random House o 1979: *Cultural Materialism*. Nova York: Random House.

materialismo dialético *ver* MATERIALISMO.

materialismo histórico *ver* MATERIALISMO.

matriarquia Matriarquia é um sistema social organizado em torno do princípio de dominação pela mãe. Uma vez que mãe é um status familiar, o conceito aplica-se principalmente a sistemas familiares, embora, em sociedades tribais onde família e sociedade constituem a única e mesma coisa, possa aplicar-se também à estrutura de poder nesse nível. Em sociedades onde a família é uma instituição relativamente sem importância, dedicada acima de tudo ao atendimento de necessidades pessoais, a dominação feminina na sociedade em geral assumiria a forma de *ginocracia* — governo de mulheres — e não governo de mães.

Tudo isso é teórico, porém, uma vez que não há prova consistente de que tenha existido uma sociedade ou sistema familiar matriarcal. Mesmo nas sociedades onde vigora a descendência matrilinear (apenas através de parentesco com o lado da mãe), a estrutura de poder é igualitária ou dominada formalmente pelo pai ou alguma outra figura masculina, como o irmão da mãe. Há crescente prova arqueológica de que, durante muitos milhares de anos nas eras paleolítica e neolítica, as sociedades eram *ginocêntricas* — isto é, organizadas em torno do reconhecido poder reprodutivo da mulher e de símbolos femininos baseados nesse poder, especialmente nos casos representados pela adoração de deusas. Mas isso não significa que o alto valor atribuído à feminilidade incluísse a dominação de mulheres sobre homens e sobre a sociedade como um todo.

Cabe notar que embora as mulheres sejam as figuras de autoridade nas famílias de pais solteiros que estão aumentando rapidamente em número em algumas sociedades industriais, ninguém considera essas famílias como matriarcais. Para que o fossem, precisariam de apoio de uma cultura que definisse o domínio das mulheres como desejável e legítimo, mesmo que um homem se tornasse membro do lar. O domínio feminino nessas famílias é, em suma, principalmente uma questão de domínio por omissão, e não por intenção social, desde que elas existem em PATRIARQUIAS, onde o domínio do homem e a sujeição das mulheres constituem a regra.

Leitura sugerida: Bamberger, J. 1974: "The myth of matriarchy: Why men rule in primitive society". In *Women Culture, and Society*, org. por M.Z. Rosaldo e L. Lamphere, 263-80. Stanford: Stanford University Press • Eisler, Riane 1987: *The Chalice and the Blade*. Nova York: Harper and Row.

matrifocalidade Matrifocalidade é um conceito que se refere a lares formados por uma ou mais mulheres adultas e seus filhos, sem a presença dos pais. Famílias de pais solteiros chefiadas por mulheres, por exemplo, são matrifocais, uma vez que a vida da família no dia a dia gira em torno da mãe.

Ver também MATRIARQUIA; REGRAS DE CASAMENTO.

matriz de correlação *ver* CORRELAÇÃO.

média Tal como a MEDIANA e a MODA, a média é uma medida estatística do escore médio em uma DISTRIBUIÇÃO. É calculada somando-se todos os escores e dividindo-se a soma resultante pelo número de escores na distribuição. Dessa maneira, se três famílias têm 1, 5 e 6 filhos, respectivamente, o número médio de crianças é de (1+5+6)/3 = 4.

A média tem a vantagem de levar em conta todos os escores na distribuição. Em consequência, podemos, entre outras coisas, trabalhar da frente para trás, da média para o total. Se sabemos que o número médio de filhos em três famílias é 4, podemos trabalhar de frente para trás e descobrir o número total combinado de filhos nas três famílias, que é de 4x3 = 12. Neste sentido, a média é a mais representativa de todas as medidas de média.

Se queremos usar a média para indicar o escore "típico" em uma distribuição, contudo, ela se torna menos útil quando a distribuição tem um número pequeno de escores extremamente altos ou baixos. Se dez famílias têm números de filhos que variam de três a quatro, por exemplo, a média cairá em algum ponto entre três e quatro filhos e refletirá muito bem o escore "típico". Se duas famílias têm 20 filhos, contudo, a média do grupo subirá para mais do que cinco, número este que não representa fielmente a família típica no grupo.

A média pode ser usada apenas com variáveis cujas categorias assumem naturalmente a forma numérica, tais como renda, idade na ocasião do casamento e anos de escolaridade. Não pode ser usada com outros tipos de variáveis, mesmo que o pesquisador possa atribuir números às suas categorias, para fins de cálculo.

Ver também ESTATÍSTICA MEDIANA; MODA; VARIÁVEL.

Leitura sugerida: Bohrnstedt, George W., e David Knoke 1988: *Statistics for Social Data Analysis*, 2ª ed. Ithaca, IL: F.E. Peacock

mediana Assim como a MÉDIA e a MODA, a mediana é uma medida estatística do valor médio em uma DISTRIBUIÇÃO de escores. É o escore do caso intermediário na distribuição quando eles são organizados em ordem do mais alto ao mais baixo. O caso intermediário é o que divide a distribuição pela metade, com um número igual de casos com escores acima e abaixo do mesmo. Se três famílias têm 1, 5 e 6 filhos, respectivamente, por exemplo, a mediana da distribuição é de 5 filhos, já que esse é o escore do caso do meio. Se a distribuição tem um número par de escores (como em 1, 5, 6, 8), a mediana é calculada como a média aritmética do par intermediário de escores: (5+6)/2 = 11/2 = 5,5.

A fim de identificar a mediana, os escores devem ser postos em ordem numérica. De outra maneira, o valor da mediana torna-se inteiramente arbitrário, pois há um número infindável de maneiras de organizar os escores na lista. Se organizássemos os três escores acima como 1, 6, 5, por exemplo, o caso intermediário na lista seria 6, mas não seria o caso intermediário no sentido de dividir a distribuição pela metade, uma vez que há dois escores que são mais baixos que 6, mas nenhum que seja mais alto.

A mediana não leva em conta todos os escores na distribuição. Na verdade, usa apenas um escore (se as três famílias tivessem 0, 5 e 20 filhos, a mediana ainda continuaria a ser 5). A mediana é em geral considerada, contudo, a melhor medida do escore médio, se estamos interessados em dar uma ideia do escore "típico" em uma distribuição, sobretudo quando há relativamente poucos escores muito altos ou baixos. Neste sentido, a mediana é superior à média como medida do escore médio.

A mediana pode ser usada apenas para sumariar distribuições de variáveis com propriedades de escala ordinal ou, em outras palavras, cujos escores podem ser organizados em ordem de postos, do alto para baixo. Variáveis que assumem naturalmente a forma de números (como renda, semanas de desemprego e anos de escolaridade) têm propriedades ordinais, como acontece também com variáveis que incluem alguma dimensão de "mais" e "menos", tal como classe social (alta, média, baixa etc.). A mediana não pode ser usada com variáveis que carecem dessa propriedade. As categorias de filiação religiosa (como muçulmana, xintoísta, cristã, judaica, budista), por exemplo, não contam com uma ordem de postos natural.

Ver também MÉDIA; MODA; PERCENTIL; ESTATÍSTICA; VARIÁVEL.

Leitura sugerida: Bohrnstedt, George W., e David Knoke 1988: *Statistics for Social Data Analysis.* 2ª ed. Ithaca, IL: F.E. Peacock.

medicalização Medicalização é o processo social através do qual uma experiência ou condição humana são culturalmente definidas como patológicas e tratáveis pela medicina. Em muitas sociedades industriais, por exemplo, a obesidade, o comportamento criminoso, o abuso de álcool e drogas, a hiperatividade infantil e o abuso sexual foram definidos como problemas médicos que são, como resultado, cada vez mais passados aos cuidados e tratamento de profissionais do ramo.

No que interessa à sociologia, o processo é socialmente muito importante porque concede à profissão médica autoridade para definir as respostas sociais apropriadas a várias condições e comportamentos e, com ela, certo grau de controle sobre as mesmas. Em casos raros, um fenômeno é desmedicalizado, com aconteceu na década de 1970, quando a Associação de Psiquiatria dos Estados Unidos votou a favor da exclusão da homossexualidade da categoria de doença mental.

Leitura sugerida: Turner, B.S. 1987: *Medical Power and Social Knowledge.* Beverly Hills, CA: Sage Publications.

medição discreta Em pesquisa, medição discreta é o método de fazer observações sem conhecimento dos que estão sendo observados. Uma maneira de avaliar os efeitos da integração racial nas escolas, por exemplo, consiste em comparar o aproveitamento acadêmico de estudantes educados em escolas cujas populações estudantis variam em grau de heterogeneidade racial.

As medições discretas têm a finalidade de minimizar os efeitos de um grande problema na pesquisa social: como o conhecimento pelo sujeito do projeto de pesquisa gera variações em comportamento que, de outra maneira, não ocorreriam e que, por conseguinte, distorcem os resultados obtidos. Quando pessoas são entrevistadas, observadas ostensivamente ou mesmo preenchem questionários anônimos, é impossível evitar medir não só o que os pesquisadores estão tentando descobrir, mas também as reações dos sujeitos ao ambiente e à interação da pesquisa. A principal deficiência da medição discreta é o número muito limitado de informações que podem ser obtidas dessa maneira. Por essa razão, são usadas em geral como fonte suplementar de informações.

Ver também EFEITO HAWTHORNE.

Leitura sugerida: Webb, E.J. 1966: *Unobtrusive Measures: Nonreactive Research in the Social Sciences.* Chicago: Rand McNally.

medida Medida é um processo de importância fundamental na pesquisa sociológica, através do qual observamos o mundo e registramos os resultados para interpretação e análise. Para fazer isso, precisamos de um conjunto de procedimentos que especifiquem exatamente como observar.

Se nosso tema é raça, por exemplo, poderíamos perguntar: "A que raça você acha que pertence?", ou poderíamos dar aos entrevistadores um conjunto de categorias e lhes pedir que examinassem cada entrevistado e decidissem por si mesmos qual a categoria apropriada a cada um deles. Ambos os procedimentos são conhecidos como *instrumentos de medição*, e o processo de formular um deles com o objetivo de medir um conceito denomina-se *operacionalização*. Os instrumentos acima são duas maneiras de operacionalizar o conceito de raça.

É importante ter em mente que em geral há muitas maneiras diferentes de operacionalizar o mesmo conceito, inclusive no caso de características aparentemente tão claras como raça. Além das duas mencionadas acima, por exemplo, poderíamos consultar também as certidões de nascimento de pessoas como maneira de medir raça ou perguntar a vizinhos e amigos. Ou poderíamos pedir aos entrevistados que listassem suas árvores genealógicas e determinassem a raça a que pertencem na base de uma fórmula que leva em conta os números relativos de ancestrais com várias características raciais. Todas elas dariam, ao que tudo indica, resultados diferentes (pessoas podem se ver de maneira inteiramente diferente de como as veem o entrevistador), motivo pelo qual se torna tão importante o processo de operacionalização. O problema não é tanto o de medir "corretamente" um conceito, quanto o de ser claro sobre como o conceito está sendo definido na prática e como este fato afetará a interpretação posterior dos resultados da pesquisa.

Ver também CODIFICAÇÃO; CONFIABILIDADE; ERRO; ESCALA DE MEDIÇÃO; MEDIÇÃO DISCRETA; VALIDADE; VARIÁVEL.

Leitura sugerida: Blalock, Hubert M. 1982: *Conceptualization and Measurement in the Social Sciences*. Newbury Park, CA: Sage Publications • Miller, Delbert C. 1991: *Handbook of Research Design and Social Measurement*. Newbury Park, CA: Sage Publications.

medida de associação A medida de associação é uma quantidade estatística utilizada para indicar a *força da relação* entre duas VARIÁVEIS. Há um grande número dessas medidas, que variam nas circunstâncias em que podem ser usadas, bem como em sua interpretação. Em especial, se uma medida pode ou não ser usada depende da ESCALA DE MEDIÇÃO das variáveis envolvidas na relação.

Propositadamente, as medidas de associação assumem valores que variam de -0,1 a +1,0, nos quais os sinais positivo e negativo indicam apenas a DIREÇÃO DA RELAÇÃO, e não a força da associação. Enquanto que no uso matemático normal o número negativo é mais baixo em valor do que o positivo, neste caso sinal e número são independentes: valores de -0,65 e +0,65 indicam relações igualmente fortes.

O valor de 1,0 (qualquer que seja o sinal) indica uma relação perfeita, na qual conhecer o escore da variável X (tal como educação) permite-nos prever o escore da variável Y (como renda), sem cometer erros. As relações podem ser ou condicional ou matematicamente perfeitas. Se a relação é matematicamente perfeita, a capacidade de prever scores de Y é perfeita para cada valor de X. Se a relação é condicionalmente perfeita, a capacidade de prever escores de Y é perfeita para alguns, mas não para todos os valores de X. Um valor de 0,00 significa que as duas variáveis são independentes entre si.

Ver também ASSOCIAÇÃO PARCIAL; CORRELAÇÃO; CORRELAÇÃO ORDENADA; INDEPENDÊNCIA ESTATÍSTICA E DEPENDÊNCIA ESTATÍSTICA.

Leitura sugerida: Bohrnstedt, George W., e David Knoke 1988: *Statistics for Social Data Analysis*. 2ª ed. Ithaca, IL: F.E. Peacock • Costner, Herbert L. 1965: "Criteria for measures of association". *American Sociological Review* 30: 341-53.

megalópole A megalópole (ou megacidade, ou ainda *conurbação*) é uma área geográfica tão densamente povoada que forma uma imensa área urbana que se estende de uma cidade pequena ou grande para a próxima sem uma clara interrupção entre elas. Exemplos incluem Londres, Cidade do México e o "corredor Noroeste", que se estende de Washington a Boston.

Ver também URBANIZAÇÃO E URBANISMO.

Leitura sugerida: Dogan, Mattei, e John D. Kasarda, orgs. 1988: *The Metropolis Era: A World of Giant Cities*, vol.1. Newbury Park, CA: Sage Publications.

meio de produção *ver* CAPITAL; MODO DE PRODUÇÃO.

melting pot Inspirado pelo título da peça de 1909 de Israel Zangwill sobre a vida na América, *melting pot* é um conceito que se refere à crença comum, mas errônea, de que grupos étnicos e raciais na América se uniram para formar uma cultura e uma identidade nacional comuns. Esse fato é verdade em grau considerável no que diz respeito a imigrantes europeus, cujas culturas e origens raciais são relativamente semelhantes à população e cultura inglesas dominantes. A guetização e opressão de grupos minoritários, no entanto, junto ao rápido crescimento de populações não brancas e que não falam o inglês, perpetuam as divisões raciais e étnicas, sobretudo em grandes áreas metropolitanas como Nova York, Chicago e Los Angeles.

Ver também CONTATO CULTURAL.

Leitura sugerida: Zangwill, Israel 1909 (*1933*): *The Melting Pot*. Nova York: Macmillan.

mente De acordo com George Herbert MEAD, o conceito de *mente* e os conceitos correlatos de *eu* e *mim* são elementos de importância fundamental na perspectiva interacionista simbólica, que estuda a maneira como pessoas se desenvolvem e se transformam em seres sociais capazes de interagir e possuir um forte senso de SELF.

Mead considerava o *self* como possuindo dois aspectos distintos: o eu e a mente. O eu é pré-verbal e experimenta as coisas sem a reflexão e o pensamento que a linguagem torna possíveis. Fome e sede, medo, dor, saciedade, quente, frio, desejo de contato humano — todos esses estados são elementos da vida humana que podem existir sem linguagem ou pensamento baseado na linguagem. Bebês, por exemplo, podem sentir fome sem pensar e refletir sobre a fome e no que gostariam de fazer a esse respeito. Uma vez que bebês não têm ainda a capacidade da linguagem, Mead argumentaria que seus *selves* consistiriam inteiramente de eus.

A transição que transforma alguém em ser social é tornada possível pela capacidade de usar a linguagem a fim de pensar em nós mesmos e nos demais, a refletir sobre nós mesmos como se fôssemos alguma outra pessoa, a imaginar o que outras pessoas pensam, incluindo o que esperam de nós. Mead chamava de mente essa capacidade de usar a linguagem. Já o aspecto do *self* que usa a mente para refletir sobre si mesma ele denominava de mim. O mim usa a mente para conduzir um diálogo interior consigo mesmo, incluindo comentários sobre aquilo que experimenta de uma forma mais direta (o eu). Isso significa que a *empatia* — a capacidade de tornarmo-nos conscientes da vida interior de outrem — depende da existência da linguagem, como acontece com qualquer percepção consciente de nós mesmos como *selves*. Sem linguagem, não podemos pensar ou refletir e, sem pensamento e reflexão, não haveria as tais coisas que conhecemos como *self* e OUTROS. Tudo o que restaria seria a experiência direta, pelo eu, de estímulos e sentimentos.

Mead contribuiu muito para lançar os alicerces do interacionismo simbólico, a perspectiva sociológica que se focaliza na importância da linguagem na construção social do *self* e da vida social.

Leitura sugerida: Mead, George Herbert 1934 (*1962*): *Mind, Self, and Society*. Chicago: University of Chicago Press.

mercado O mercado é um mecanismo social para troca de bens e serviços. Pode ter existência concreta em um dado tempo e local, como mercado de aldeia ou mercado de ações, ou referir-se a um padrão social geral, através do qual trocas são feitas, tais como MERCADO DE TRABALHO ou mesmo "mercado matrimonial". Os mercados baseiam-se em certos princípios, como COMPETIÇÃO, "negócio justo", lucro e obtenção de vantagens sobre outras pessoas ("Que o comprador se cuide"), que os distinguem de outros modelos de troca, tais como a posse comunal e a cooperação.

O surgimento e o crescimento das economias de mercado ao longo da história possuem grande interesse para os sociólogos devido à profunda influência que exercem sobre a vida em comum, em especial no tocante à desigualdade social. Nas sociedades dominadas pelo mercado, por exemplo, observa-se a tendência de medir mérito em termos de valor monetário. O valor que atribuímos a um tipo particular de trabalho depende em grande parte de quanta renda ele gera, e o trabalho não remunerado (como o trabalho doméstico) frequentemente nem é considerado como trabalho. Os mercados servem também como mecanismos importantes através dos quais classe, sexo e desigualdade e opressão racial são implementadas e perpetuadas. Os privilégios masculinos, por exemplo, dependem em parte da capacidade de limitar o acesso das mulheres às várias ocupações no mercado de trabalho e em controlar o quanto elas recebem pelo que fazem.

Ver também CLASSE SOCIAL; MERCADO DE TRABALHO; OPORTUNIDADES DE VIDA; SISTEMA-MUNDO, SITUAÇÃO DE MERCADO.

Leitura sugerida: Swedberg, Richard 1987: "Economic sociology: Past and present". *Current Sociology* 35: 1-22 • Weber, Max. 1921-22 (*1967, 1978*): *Economy and Society: an Outline of Interpretative Sociology*, ed. em 3 vols., Nova York: Bedminster Press (1967); eds. em 2 e 3 vols., Berkeley: University of California Press (1978) • White, Harrison 1981: "Where do markets come from?". *American Journal of Sociology* 87: 517-47.

mercado de trabalho O mercado de trabalho é um conjunto de mecanismos sociais através dos quais trabalho é comprado e vendido. Com a ascensão do CAPITALISMO industrial nos séculos XVIII e XIX, o trabalho humano tornou-se não apenas um meio de produzir bens para uso e troca, mas uma MERCADORIA a ser vendida em troca de salário. Esse fato aumentou a relevância da ideia de mercado de trabalho.

À medida que o capitalismo se desenvolvia, a forma e natureza desses mercados tornaram-se importantes para manter a relação desigual entre capitalistas e trabalhadores. O conceito de *segmentação do mercado de trabalho*, por exemplo, refere-se à tendência dos mesmos (e com eles a classe trabalhadora) se dividirem em tipos diferentes de empregos. Os empregos no *mercado de trabalho primário* tendem a ser altamente especializados e remunerados, possuem linhas claras de promoção e oferecem graus de treinamento e segurança no emprego mais altos do que a média, aos trabalhadores (os quais, ao contrário da maioria, tendem a ser sindicalizados). O mercado primário divide-se ainda em dois segmentos menores: o *mercado primário independente* e o *primário subordinado*. Os empregos do primário independente incluem níveis relativamente altos de criatividade e autonomia e envolvem a tomada de decisões, solução de problemas e iniciativa individual. Cientistas, professores universitários, políticos, advogados, chefes de polícia e executivos de empresas operam no mercado de trabalho primário independente.

Embora compartilhando de muitos dos benefícios "primários" dos empregos primários independentes, os empregos do primário subordinado costumam ser mais rotineiros e enfatizam disciplina, confiabilidade e obediência à autoridade. Exemplos incluem policiais, programadores de computadores, operários especializados, oficiais subalternos das Forças Armadas e caixas de banco.

Em acentuado contraste com o mercado de trabalho primário, o *mercado de trabalho secundário* inclui empregos de baixa remuneração, prestígio e segurança limitados e pouca oportunidade oferecem em matéria de qualificações ou promoções. Não estimulam hábitos de trabalho estáveis, é grande o giro de pessoal e os sindicatos são fracos ou não existem. Essas ocupações incluem empregados de lanchonetes, balconistas, trabalhadores braçais, babás, motoristas de ônibus e táxis, operários de linha de montagem e garçons.

O conceito de segmentação do mercado de trabalho está mais ligado ao argumento marxista de que ela serve aos interesses do capitalismo, ao tornar mais fácil controlar os trabalhadores. Isso é conseguido criando-se divisões na classe operária, de tal modo que indivíduos em vários segmentos do mercado de trabalho tendem a se dissociar dos trabalhadores de segmentos menos privilegiados. Até certo ponto, por exemplo, trabalhadores do mercado de trabalho primário são relativamente bem-remunerados e, por isso mesmo, pouco sentem em comum com os que pertencem ao mercado secundário, e é improvável que se juntem a eles para agir no interesse dos trabalhadores como classe. Tal coisa aconteceu com a chamada *aristocracia do trabalho* dos operários especializados na Grã-Bretanha, no início do século.

O conceito de segmentação do mercado de trabalho é ainda útil para compreendermos como características como educação, raça e sexo afetam resultados obtidos em função da ocupação e, com eles, a desigualdade social. Ter educação superior, por exemplo, "rende" muito mais no mercado de trabalho primário independente do que no mercado secundário. Uma vez que mulheres e outras minorias costumam ser restringidas, por preconceito e discriminação, às ocupações dos mercados de trabalho primário e secundário, esse fato prejudica sua capacidade de utilizar certos recursos, como educação, para melhorar de vida.

Ver também ABURGUESAMENTO; CAPITALISMO; CONQUISTA DE STATUS E NOVO ESTRUTURALISMO; ECONOMIA DUAL; TRABALHO E FORÇA DE TRABALHO.

Leitura sugerida: Averott, Robert T. 1968: *The Dual Economy: The Dynamics of American Industry Structure*. Nova York: Norton • Hobsbawm, E. 1964: "The labour aristocracy". In *Labouring Men*. Londres: Weidenfeld and Nicolson • Reich, Michael,

D.M. Gordon e Robert C. Edwards 1973: "A theory of labor market segmentation". *American Economic Review* 63 (maio).

mercado de trabalho dual *ver* MERCADO DE TRABALHO.

mercado de trabalho interno *ver* CONQUISTA DE STATUS E NOVO ESTRUTURALISMO.

mercado de trabalho primário *ver* MERCADO DE TRABALHO.

mercado de trabalho primário independente *ver* MERCADO DE TRABALHO.

mercado de trabalho primário subordinado *ver* MERCADO DE TRABALHO.

mercado de trabalho secundário *ver* MERCADO DE TRABALHO.

mercado de trabalho segmentado *ver* MERCADO DE TRABALHO.

mercado, situação de *ver* SITUAÇÃO DE MERCADO.

mercadoria Uma mercadoria é qualquer bem ou serviço produzido para venda ou para ser trocado por alguma outra coisa em um sistema de mercado. Se cultivamos tomates para consumo próprio, o tomate não é uma mercadoria, mas se os plantamos para vender ou trocar por bens ou serviços, tais como roupas ou serviços dentários, eles se transformam em mercadoria.

Desse ponto de vista, nada é inerentemente uma mercadoria. Ela existe apenas através de sua posição em relação a mercados e ao processo de troca. Uma das mudanças mais importantes trazidas pela emergência do capitalismo industrial, por exemplo, foi que o trabalho tornou-se uma mercadoria que as pessoas vendem nos mercados em troca de salário. Esse fato estende-se mesmo a serviços outrora prestados como partes da vida familiar, como o cuidado de crianças. Ao nos aproximarmos do século XXI, os serviços de cuidado de crianças estão adquirindo o caráter de mercadorias em muitas sociedades industriais. Um número crescente de famílias depende da renda de ambos os pais e procura serviços comerciais de cuidado de crianças a fim de preencher algumas deficiências nesse particular, pelo menos entre as classes mais abastadas, que podem custeá-los.

A transformação de bens e serviços em mercadorias é importante porque traz consigo uma dependência cada vez maior de mercados para satisfazer necessidades básicas, e isso, por seu lado, torna pessoas dependentes da capacidade de ganhar dinheiro, em geral vendendo trabalho em troca de salários. Nas sociedades não industriais, as famílias tendem a ser relativamente autossuficientes no sentido em que produzem a maior parte do que consomem. Progredindo a industrialização, contudo, ela assume a produção de quase todos os bens consumidos pela família, do preparo do pão e fabricação caseira de manteiga à produção de tecidos. Como resultado, uma parte cada vez maior das necessidades básicas só pode ser atendida através de relações com os mercados, e famílias que anteriormente viviam de acordo com padrões estáveis de vida, ainda que modestos, podem descobrir de repente que foram reduzidas à pobreza e que não dispõem mais de meios de sustento.

Ver também FETICHISMO DA MERCADORIA; TRABALHO E FORÇA DE TRABALHO; TROCA ECONÔMICA; VALOR ECONÔMICO.

Leitura sugerida: Rubin, Isaak I. [1928] 1973: *Essays on Marx's Theory of Value*. Montreal: Black Rose; Detroit: Black and Red / *(1980)*: *A teoria marxista do valor*. São Paulo: Brasiliense.

meritocracia Meritocracia é um sistema social no qual o sucesso do indivíduo depende principalmente de seu mérito — de seus talentos, habilidades e esforço. A ideia de meritocracia tem servido como IDEOLOGIA, baseada no argumento de que a desigualdade social resulta de mérito desigual, e não de preconceito, discriminação e opressão. Serviu também como orientação para a mudança, em especial no sistema educacional britânico.

Os principais elementos para compreender a meritocracia incluem uma maneira válida de medir mérito e proporcionar oportunidade igual nele baseado, sistema este que cria também a mais alta barreira para ingresso. Argumentam os críticos, por exemplo, que séculos de desigualdade e opressão social colocaram as minorias raciais e as classes baixas em uma situação inerentemente desprevilegiada, na qual elas parecem sempre carecer de mérito. Além disso, a definição de talento e capacidade é viesada em favor de grupos privilegiados que estabelecem padrões que refletem a si mesmos e seus interesses e meios formativos.

Ver também CAPITAL CULTURAL; CÓDIGOS DE LINGUAGEM; CURRÍCULO OCULTO; PRECONCEITO E DISCRIMINAÇÃO.

Leitura sugerida: Collins, Randall 1979: *The Credential Society: An Historical Sociology of Education*. Nova York: Academic Press • Krauze, R., e K. Slonczynski 1986: "How far to meritocracy?", *Social Forces* 63: 623-42 • Young, Michael 1958: *The Rise of the Meritocracy*. Londres: Thames and Hudson.

método hipotético-dedutivo O método hipotético-dedutivo é um tipo de pesquisa que começa com uma teoria sobre como as coisas funcionam e dela deriva hipóteses que podem ser submetidas a teste. Trata-se de uma forma de *raciocínio dedutivo*, no sentido em que começa com princípios, pressupostos e ideias gerais e trabalha a partir deles para enunciados mais particulares sobre o que o mundo parece ser e como de fato funciona. As hipóteses são em seguida submetidas a teste, reunindo-se e analisando-se dados e, idealmente, a teoria é confirmada ou refutada pelos resultados. Neste enfoque, a teoria é frequentemente vista como um conjunto formal de pressupostos e proposições relacionadas entre si de forma lógica e linear e que conduz a hipóteses específicas.

Na prática, a pesquisa raramente se desenvolve dessa maneira rígida e lógica, com uma teoria formal servindo de ponto de partida. Na maior parte do tempo, o processo de pesquisa é uma mistura de observação concreta e especulação teórica. Quase sempre, fazemos observações do mundo (realizando levantamentos, por exemplo, ou analisando estatísticas levantadas por governos), concebemos algumas ideias que poderiam explicá-las e formulamos hipóteses passíveis de testes a partir das mesmas, que levam a uma segunda rodada de coleta de dados, e assim por diante. Neste sentido, o processo combina raciocínio dedutivo, que passa de ideias gerais para observações específicas, com raciocínio *indutivo*, que começa com observações e, baseadas nelas, elabora afirmações de natureza mais geral.

Ver também EMPIRISMO ABSTRATO.

Leitura sugerida: Collins, H.M. 1985: *Changing Order: Replication and Induction in Scientific Practice*. Beverly Hills, CA: Sage Publications • Zetterberg, Hans 1954: *On Theory and Verification in Sociology*, 3ªed. Totowa, NJ: Bedminster Press.

metodologia Em pesquisa sociológica, metodologia refere-se a práticas e técnicas usadas para reunir, processar, manipular e interpretar informações que podem ser usadas para testar ideias e teorias sobre a vida social. Historicamente, discutiu-se se a sociologia poderia ou deveria aspirar a ser uma CIÊNCIA como um modelo para conduzir pesquisas, sobretudo na medida em que o único meio para demonstrar relações de causa e efeito — O EXPERIMENTO — é difícil senão impossível para se usar com a maior parte dos problemas sociológicos. A sociologia não pode identificar leis da vida social como análogas às leis da física, em parte porque a vida social é bastante complexa, mas também porque considerações éticas, entre outras, impossibilitam os tipos de condições controladas e de manipulações experimentais tão características das ciências físicas. A despeito disso, a sociologia é quase científica em seus compromissos com elementos básicos do método científico, especialmente aqueles relacionados à OBJETIVIDADE, a reunião sistemática da evidência, a REPLICAÇÃO dos resultados pesquisados e as normas que governam o trabalho científico.

Ver também PERSPECTIVA COMPARADA; ANÁLISE DE CONTEÚDO; EXPERIMENTO; INDIVIDUALISMO METODOLÓGICO; OBJETIVIDADE; OBSERVAÇÃO PARTICIPANTE; AMOSTRA; CIÊNCIA, ANÁLISE SECUNDÁRIA; ESTATÍSTICA; LEVANTAMENTO.

Leitura sugerida: Singleton, Royce A., Bruce C. Straits e Margaret M. Straits 1993: *Approaches to Social Research*. 2ª ed. Oxford e Nova York: Oxford University Press.

métodos de pesquisa *ver* METODOLOGIA.

microecologia A microecologia é um campo de estudo que focaliza níveis individuais de interação social. Relaciona-se com a ECOLOGIA humana, que em geral trata de grandes questões de população e meio ambiente físico. Toda interação envolve certo número de pessoas e um ambiente físico de algum tipo, condições estas que afetam a maneira como pessoas interpretam o que está acontecendo e como se comportam e parecem em relação umas às outras.

Como todo estudante de faculdade sabe, os padrões de participação em aula diferem substancialmente em um seminário pouco numeroso e em uma classe de 500 indivíduos, e uma classe de oito alunos pode comportar-se de modo muito diferente em um espaço pequeno, um tanto congestionado, e em um auditório imenso (daí o princípio geral de que uma maneira de criar senso de intimidade no grupo consiste em escolher um espaço que seja ligeiramente pequeno para alojá-lo com conforto).

As dimensões físicas da interação social entram também em jogo no modo como os atores se posicionam no espaço. O espaço mais alto ocupado por juízes, conferencistas e padres, por exemplo, focaliza a atenção e reforça a autoridade dos que o ocupam. As câmaras do Parlamento britânico são organizadas de maneira que oradores rivais se encaram por meio de um espaço relativamente estreito, em sistema muito diferente do Congresso americano, onde os representantes são organizados em forma semicircular, com a atenção focalizada principalmente na frente do salão. O primeiro caso empresta uma dimensão física à oposição política e ao debate, enquanto a última cria uma atmosfera mais difusa, na qual oradores individuais, e não partidos e facções, se revestem de importância suprema. Da perspectiva microecológica, não é o assunto trivial que pode parecer quando às vezes negociadores discutem sobre a forma da mesa à qual se sentarão.

Uma das aplicações mais interessantes dos princípios microecológicos à interação social reside em considerações de natureza social em arquitetura e desenho de interiores. A possibilidade de pessoas iniciarem uma conversa em um terminal de aeroporto ou na sala de espera de um hospital, por exemplo, depende muito de como o espaço é construído e como os assentos e outros focos de atenção são dispostos. Observações semelhantes podem ser feitas sobre tudo neste particular, de projetos habitacionais a prisões e linhas de montagem em fábricas.

Ver também ECOLOGIA; INTERAÇÃO; POPULAÇÃO.

Leitura sugerida: Sommer, Robert 1969: *Personal Space: The Behavorial Analysis of Design*. Englewood Cliffs, NJ: Prentice-Hall.

microssociologia *ver* MACROSSOCIOLOGIA E MICROSSOCIOLOGIA.

mídia *ver* COMUNICAÇÃO DE MASSA E MÍDIA.

migração Migração é o movimento físico de indivíduos dentro e entre sistemas sociais. É importante pelos efeitos que produz sobre áreas que perdem migrantes através de *emigração* e áreas que os recebem por *imigração*. A migração, por exemplo, constitui um componente relevante do crescimento demográfico — em especial em regiões de baixa fertilidade, como a Europa e a América do Norte — e, historicamente, tem sido a principal causa da urbanização. Afeta também de forma profunda a composição social de populações e, por esse motivo, desempenha com frequência um papel importante em relações raciais, étnicas e de classe.

Historicamente, o estudo sociológico de padrões de migração tem se focalizado em "fatores de expulsão" e em "fatores de atração" — ou seja, condições sociais e de outros tipos que levam indivíduos a deixar uma área e ser atraídos por outra. A pesquisa corrente sobre esse tópico tem usado métodos mais complexos, que levam em conta processos em escala mais ampla, tais como a demanda internacional de trabalho e a movimentação de capitais através de fronteiras nacionais.

Leitura sugerida: Fielding, A.J. 1989: "Migration and urbanization in Western Europe since 1950". *Geographical Journal* 155: 60-9 • Davis, Kingsley 1974: "The migrations of human populations". *Scientific American* 231: 92-105 • Lee, Everett S. 1966: "A theory of migration". *Demography* 3: 47-57 • Long, Larry H. 1988: *Migration and Residential Mobility in the United States*. Nova York: Russell Sage Foundation • Ravenstein, E.G. 1889: "The laws of migration". *Journal of the Royal Statistical Society* 52: 245-301.

migração de talentos A migração de talentos é uma situação que ocorre quando indivíduos talentosos e altamente qualificados migram de um local para outro, sobretudo em busca de educação superior e/ou emprego. Ocorre com frequência quando jovens migram de países do Terceiro Mundo para a Europa e Estados Unidos a fim de receber educação universitária e, em seguida, neles permanecem após a formatura, em vez de voltar para casa. O resultado é uma grave perda de recursos humanos nas sociedades não industriais. A emigração de indivíduos qualificados e talentosos, porém, tem sido também um problema para algumas sociedades avançadas, incluindo a Grã-Bretanha.

Ver também MIGRAÇÃO; SISTEMA-MUNDO.

Leitura sugerida: Bechhofer, F., org. 1969: *Population Growth and the Brain Drain*. Edimburgo: Edinburgh University Press.

milenarismo Milenarismo é um movimento organizado em torno de uma grande variedade de ideias religiosas e semirreligiosas que afirmam que alguma coisa milagrosa acontecerá e libertará um grupo de pessoas de condições atuais indesejáveis. Esses movimentos incluem a crença fundamentalista cristã na volta final de Cristo para governar por 1.000 anos (um milênio), da forma profetizada pela Bíblia; os "cultos das cargas" melanésios (nos quais a queda de aviões na selva durante a Segunda Guerra Mundial gerou a crença em que riquezas cairiam do céu se os nativos construíssem grandes modelos de aviões); os cultos de Dança dos Espíritos de tribos americanas no século XIX, que previam o fim do domínio branco e a volta de civilizações nativas em vias de desaparecimento; e o movimento anabatista na Europa do século XVI. É mais provável que movimentos milenaristas surjam em ocasiões de sublevação social ou rápida mudança, e entre os que sofrem privações e opressão.

Ver também CULTO; FUNDAMENTALISMO.

Leitura sugerida: Cohn, N. 1957: *The Pursuit of the Millenium*. Londres: Palladin; (*1970*): Nova York: Oxford University Press • Lanternari, Vittorio 1963: *The Religions of the Oppressed: a Study of Messianic Cults*. Nova York: Knopf • Worsley, Peter 1957 (*1970*): *The Trumpet Shall Sound: a Study of "Cargo" Cults in Melanesia*. Londres: McGibbon & Kee.

minimax, solução *ver* TEORIA DA ESCOLHA RACIONAL.

mínimos quadrados *ver* ANÁLISE DE REGRESSÃO.

minoria Minoria é uma categoria de indivíduos considerados merecedores de tratamento desigual e humilhante simplesmente porque são identificados como a ela pertencentes. Minorias são em geral definidas em termos de características atribuídas de status, tais como raça, sexo e meios formativos étnicos ou religiosos, bem como de status adquirido, como orientação sexual. Ao contrário das minorias numéricas, as sociais podem constituir a maioria, como acontece com os negros na África do Sul e as mulheres em virtualmente todas as sociedades.

Nos sistemas de estratificação, as minorias são importantes porque, em contraste com a desigualdade de classe, a mobilidade ascendente para elas é extremamente difícil, uma vez que as características em que se baseia a posição de minoria não podem ser mudadas, embora possam ser ocultadas e disfarçadas em graus variáveis. De modo geral, quanto mais visíveis as características que definem a posição de minoria, mais difíceis de remediar são os termos da desigualdade social. Nos Estados Unidos, por exemplo, a desigualdade de sexos e racial continua a ser um problema grave, ao passo que a desigualdade étnica desapareceu de modo geral.

Ver também OPRESSÃO SOCIAL; PRECONCEITO E DISCRIMINAÇÃO.

Leitura sugerida: Memmi, Albert 1964: *Dominated Man*. Nova York: Orion Press • Simpson, G.E., e J.M. Yinger 1953 (*1985*): *Racial and Cultural Minorities: an Analysis of Prejudice and Discrimination*, 5ªed. Nova York: Harper & Row • Wirth, Louis 1945: "The problem of minority groups". In *The Science of Man in the World Crisis*, org. por Ralph Linton. Nova York: Columbia University Press.

misoginia Misoginia é uma atitude cultural de ódio às mulheres simplesmente porque elas são mulheres. Trata-se de uma parte fundamental do preconceito e da ideologia sexistas e, como tal, constitui uma base importante para a opressão das mulheres em sociedades dominadas pelos homens. A misoginia se manifesta de várias maneiras diferentes, de piadas e pornografia à violência e ao autodesprezo que mulheres podem ser ensinadas a sentir em relação ao próprio corpo.

Ver também ATITUDE; PATRIARQUIA; PRECONCEITO E DISCRIMINAÇÃO.

Leitura sugerida: Dijkstra, B. 1987: *Idols of Perversity: Fantasies of Feminine Evil*. Nova York: Oxford University Press • Dworkin, Andrea 1974: *Woman Hating*. Nova York: E.P. Dutton.

mito Um mito é uma história sobre experiência humana envolvendo o SAGRADO. Nos sistemas de crenças religiosas, o mito é muitas vezes usado para explicar as origens de tradições religiosas, como nas narrativas sobre o nascimento, vida e morte de Jesus, ou a difícil jornada espiritual de Buda. É usado também para ilustrar as muitas maneiras como valores e crenças religiosas fundamentais se aplicam às experiências da vida diária. Em suma, o mito serve frequentemente como uma maneira ritualística de afirmar um senso comum do "de onde viemos e como chegamos aqui".

Em sentido relacionado e mais amplo, pode ser usado para legitimar sociedades inteiras. Mitos heroicos sobre figuras decisivas na formação de nações-estado (tais como heróis revolucionários), por exemplo, desempenham papel importante na glorificação e perpetuação de arranjos sociais correntes.

O antropólogo Claude LÉVI-STRAUSS argumentava que a função principal do mito pouco tem a ver com a explicação ou justificação da realidade social, mas serve, sim, para corporificar categorias linguísticas básicas, que são fundamentais para qualquer compreensão cultural da realidade. Dualidades como amor/ódio, homem/mulher, bem/mal, alto/baixo situam-se no núcleo da ordem cultural que usamos para extrair sentido da realidade. O mito, de acordo com Lévi-Strauss, aplica-se a essas categorias de maneiras que as reafirmam como forma legítima de pensar sobre o mundo.

Leitura sugerida: Durkheim, Émile 1912 (*1968*): *Les formes élémentaires de la vie religieuse*. Paris: Félix Alcan / (*1973*): *As formas elementares da vida religiosa*. São Paulo: Abril Cultural / (*1976*): *The Elementary Forms of the Religious Life: a Study in Religious Sociology*. Nova York: Free Press; Londres: Allen & Unwin • Lévi-Strauss, Claude 1964 (*1970-81*): *Introduction to a Science of Mythology*, 4 vols. Londres: Cape.

mobilidade *ver* MOBILIDADE SOCIAL.

mobilidade competitiva *ver* MOBILIDADE PATROCINADA E MOBILIDADE COMPETITIVA.

mobilidade patrocinada e mobilidade competitiva A mobilidade patrocinada e a competitiva são duas maneiras diferentes de como a educação se relaciona com a MOBILIDADE SOCIAL. Em um sistema fundamentado na mobilidade patrocinada, os estudantes são escolhidos com base em caráter promissor, meio formativo de classe e outros critérios e assim podem continuar na escola, com apoio financeiro e de outros tipos. No sistema de mobilidade competitiva, todos os estudantes podem continuar e competir entre si por todo o processo educacional.

Nas sociedades industriais a educação constitui um dos fatores mais importantes da mobilidade social. Isso significa que o acesso desigual à educação desempenha um papel relevante na geração da desigualdade social e nos sistemas de classe.

A mobilidade competitiva é mais comum nos Estados Unidos, onde há maiores recursos educacionais e é menor a necessidade de selecionar estudantes em níveis educacionais mais baixos. Já a mobilidade patrocinada é mais comum na Europa e no Japão, embora menos na Grã-Bretanha desde o declínio do critério de seleção para ingresso nas escolas públicas. Por trás dessa aparente diferença, contudo, observa-se o fato de que nos sistemas escolares frequentemente há grande volume de desigualdade de classe, raça e sexo na distribuição de ajuda, atenção e recursos educacionais. Esse fato, por seu lado, contribui para taxas desiguais de mobilidade e progresso social.

Ver também CURRÍCULO OCULTO.

Leitura sugerida: Turner, Ralph H. 1960: "Sponsored and contest mobility and the school system". *American Sociological Review* 25: 855-67.

mobilidade de circulação *ver* MOBILIDADE SOCIAL.

mobilidade estrutural *ver* MOBILIDADE SOCIAL.

mobilidade intergerações *ver* MOBILIDADE SOCIAL.

mobilidade intragerações *ver* MOBILIDADE SOCIAL.

mobilidade social Mobilidade social é o movimento ascendente ou descendente em sociedades estratificadas. Pode ser *intergerações* (comparando indivíduos com seus pais) ou *intragerações* (comparando posições ao longo do tempo de vida de indivíduos), embora a primeira tenha muito mais interesse para os sociólogos do que a última.

A medição e análise dos padrões de mobilidade dependem muito da maneira como é medida a posição da CLASSE SOCIAL. Na Europa e nos Estados Unidos, estudos de mobilidade em geral definem a classe em termos de prestígio ocupacional, sobretudo pela forma como é medida pela distinção entre empregos de colarinho-branco e de colarinho azul. Pouca atenção é dada a renda, riqueza, poder ou propriedade e controle dos meios de produção (nem, até bem recentemente, a pesquisa incluía a mobilidade entre as mulheres). Esse fato cria problemas porque o prestígio ocupacional é apenas uma das dimensões da desigualdade e, aos olhos de numerosos sociólogos, sem maior importância. Cria problemas também porque ignora o topo do sistema de estratificação, a classe alta, cuja posição não depende do prestígio ocupacional nem é por ele definida.

De modo geral, os padrões de mobilidade ascendente e descendente têm duas causas, radicadas na estrutura dos sistemas sociais. A *mobilidade estrutural* é causada por um deslocamento na distribuição das ocupações. Na Europa e nos Estados Unidos ocorre uma tendência ascendente geral no prestígio ocupacional simplesmente porque empregos de colarinho azul, de baixo prestígio, estão desaparecendo e sendo substituídos por ocupações de colarinho-branco de nível baixo. Com menos empregos de colarinho azul disponíveis para os filhos de pais com empregos desse tipo, a única alternativa ao desemprego é algum grau de mobilidade ascendente.

A *mobilidade de circulação* inclui todo movimento ascendente e descendente devido a outros fatores que não mudanças na estrutura ocupacional. Esta forma de mobilidade é conhecida também como *mobilidade de troca* porque os que sobem são frequentemente substituídos pelos que descem.

Os padrões de mobilidade são muitas vezes mostrados em tabelas, que assumem duas formas diferentes. Tabelas de ingresso examinam um grupo de trabalhadores e identificam suas origens, tais como a percentagem de trabalhadores homens não manuais qualificados cujos pais têm ocupações de prestígio mais baixo. A tabela de saída pode examinar uma geração de mães e identificar as posições de classe de suas filhas, como a percentagem de mães com ocupações não manuais inferiores cujas filhas têm empregos não manuais superiores. Essas tabelas dão uma ideia do equilíbrio entre as mobilidade ascendente e descendente, das origens de classe nas quais há o menor e o maior volume de mobilidade ascendente e descendente e dos padrões de recrutamento, através dos quais as várias classes vão buscar seus atuais membros.

Sociedades diferem no grau em que seus sistemas de estratificação são abertos ou fechados. O sistema de CASTAS, por exemplo, não permite mobilidade, ao passo que o sistema de classes permite mobilidade abaixo do nível da classe alta. De modo geral, a pesquisa da mobilidade nas sociedades capitalistas industriais descobriu que, embora haja uma considerável mobilidade estrutural e de circulação, ela costuma envolver movimentos relativamente pequenos e pouco efeito produz, se é que produz, sobre a estrutura geral de classes.

Ver também CASTA; ESTRATIFICAÇÃO E DESIGUALDADE; MOBILIDADE PATROCINADA E MOBILIDADE COMPETITIVA; TRABALHADOR DE COLARINHO AZUL E TRABALHADOR DE COLARINHO-BRANCO.

Leitura sugerida: Blau, Peter M., e Otis Dudley Duncan 1967: *The American Occupational Structure*. Nova York: Wiley • Kurz, K., e W. Muller 1987: "Class mobility in the industrial world". *Annual Review of Sociology* 13: 417-42 • Mach, B., e W. Wesolowski 1986: *Social Mobility and Social Structure*. Londres e Nova York: Routledge and Kegan Paul.

mobilidade social, teoria clássica da *ver* TEORIA CLÁSSICA DA MOBILIDADE SOCIAL.

moda Tal como a MÉDIA e a MEDIANA, a moda é uma medida estatística do escore médio em uma DISTRIBUIÇÃO. Trata-se, simplesmente, do escore mais comum. Se dez famílias têm 0, 1, 2, 2, 2, 2, 3, 3, 4 e 6 filhos, respectivamente, o número modal de crianças seria 2, uma vez que mais famílias têm dois filhos do que qualquer outro número. Algumas distribuições não têm absolutamente uma moda (como em 9, 1, 8, 3, 2, 6, 12, 4, 7, 5) ou têm mais do que uma (como em 0, 1, 2, 2, 2, 3, 4, 5, 5, 5). A distribuição com duas modas é chamada de *bimodal* ou, em termos mais gerais, *multimodal*.

Tal como a mediana, a moda ignora a maioria dos escores numa distribuição, concentrando-se apenas no que ocorre com mais frequência. Ao contrário da média e da mediana, contudo, uma de suas vantagens é que pode ser usada com qualquer tipo de variável, mesmo com as que apenas nomeiam categorias, como preferência por partido político, tipo de sociedade (industrial, agrária, etc.) ou etnicidade.

Ver também ESTATÍSTICA; MÉDIA; MEDIANA; VARIÁVEL.

Leitura sugerida: Bohrnstedt, George W., e David Knoke 1988: *Statistics for Social Data Analysis*, 2ª ed. Ithaca, IL: F.E. Peacock.

modelo Um modelo é uma representação abstrata, tal como uma analogia, que nos ajuda a pensar com mais clareza sobre alguma coisa. Quando George Herbert MEAD escreveu que a vida social assemelhava-se a um jogo, ele chamou atenção para a importância de regras e interpretações que têm de ser aprendidas e internalizadas para que pessoas possam participar. Com isso, contudo, ele não quis dizer que a vida social de fato *é* um jogo, pois, de muitas maneiras, fica claro que isso não acontece (uma vez que grande parte da vida social não envolve necessariamente ganhadores e perdedores, por exemplo).

O trabalho sociológico emprega modelos de vários tipos. Um deles é a PERSPECTIVA TEÓRICA, cujo conjunto de pressupostos básicos sobre a vida social e seu funcionamento servem como principais diretrizes para o pensamento e a pesquisa. Relacionada com a mesma temos a ideia de Max WEBER sobre um TIPO IDEAL, um modelo que simplifica ao máximo a realidade a fim de destacar alguns de seus aspectos mais importantes. Outro tipo de modelo é usado para representar relações estatísticas e teóricas entre variáveis, como na ANÁLISE DE SEQUÊNCIA e outras formas de ANÁLISE MULTIVARIADA. Ao tentarmos compreender como funciona a estratificação social, por exemplo, poderíamos criar um modelo que ligaria uma variável como renda a um grande número de variáveis, tais como nível de educação atingido, ocupação, raça e sexo. Como acontece com todos os modelos, o grau em que ele reflete a realidade é de grande interesse. Mas isso não é tudo o que importa, porque modelos também podem ser úteis como uma forma de "jogo" criativo e desvendar novas linhas de pensamento. Neste sentido, a construção de modelos é tanto um processo contínuo como um produto acabado.

Ver também EXPLICAÇÃO CAUSAL E MODELO CAUSAL.

Leitura sugerida: Blalock, Hubert M., org. 1985: *Causal Models in Experimental and Panel Designs*. Chicago: Aldine • Kaplan, Abraham 1964: *The Conduct of Inquiry*. São Francisco: Chandler.

modernismo e pós-modernismo Modernismo é uma visão particular das possibilidades e direção da vida social, com origens no Iluminismo e baseada em fé no pensamento racional. Da perspectiva modernista, a verdade, a beleza e a moralidade existem como realidades objetivas que podem ser descobertas, conhecidas e compreendidas através de meios racionais e científicos. Essa opinião não só torna o progresso inevitável, mas fornece uma base para o aumento do controle sobre a condição humana e maior liberdade individual.

O pós-modernismo rejeita a visão modernista argumentando, em primeiro lugar e acima de tudo, que verdade, beleza e moralidade não têm existência objetiva além do que pensamos, escrevemos e falamos sobre elas. Da perspectiva pós-modernista, a vida social não é uma realidade objetiva, à espera que se descubra como funciona. Em vez disso, o que experimentamos como vida social é, na verdade, apenas a maneira como nela pensamos, e há muitas e mutáveis formas de fazer isso. Não há sociedades, comunidades ou famílias que existam como entidades fixas, mas apenas como um fluxo contínuo de conversas, modelos abstratos, histórias e outras representações que perpassam por todos os níveis da vida social, de conversas íntimas entre amantes aos produtos da mídia. Embora alguns elementos no fluxo sejam "privilegiados" ou recebam maior peso e legitimidade social do que outros, em última análise uma versão da realidade, da beleza ou da moralidade não é pior nem melhor do que outra.

De acordo com esse ponto de vista, a meta do Iluminismo de intencionalmente criar um mundo melhor a partir de alguma verdade cognoscível é uma ilusão. Na verdade, se fosse assim, a própria sociologia, além de outras ciências sociais e físicas, não teria mais razão para existir. Alguns sociólogos, no entanto, adotam uma ideia menos radical das implicações do pós-modernismo para a sociologia. Essa visão, por exemplo, abala nossa confortável suposição de que há uma relação clara e fixa entre como pensamos em vida social e vida social como uma realidade concreta e cognoscível. Pode nos tornar mais conscientes do grau em que a capacidade humana de pensar de forma simbólica nos habilita a criar na mente o que experimentamos como vida social e existência humana. E esse fato inevitavelmente gera questões importantes sobre nossas ideias sobre a verdade.

O debate entre as perspectivas modernista e pós-modernista é muito controvertido, uma vez que toca o núcleo de pressupostos básicos que se encontram na raiz de nossas tentativas de compreender e lidar com o mundo e a maneira como o experimentamos.

Ver também CONHECIMENTO; DESCONSTRUÇÃO; ESTRUTURALISMO E PÓS-ESTRUTURALISMO.

Leitura sugerida: Baudrillard, Jean 1983: *In the Shadow of the Silent Majorities*. Nova York: Semiotext(e) • Bauman, Zygmunt 1988: "Is there a postmodern sociology?" In *Postmodernism*, número especial de *Theory, Culture, and Society* 52(2-3): 217-38 • Lyotard, Jean-François 1979: *La condition postmoderne*. Paris: Minuit (*1986*): *O pós-moderno*. Rio de Janeiro: José Olympio / (*1984*): *The PostModern Condition*. Mineápolis: University of Minnesota Press.

modernização, teoria da *ver* TEORIA DA MODERNIZAÇÃO.

modo de produção Conceito fundamental da análise marxista, o modo de produção é a maneira como uma sociedade é organizada para produzir bens e serviços. Consiste de dois aspectos principais: as *forças produtivas* e as *relações de produção*.

As forças produtivas incluem todos os elementos que são reunidos na produção — da terra, matérias-primas, combustível, qualificações e trabalho humano a maquinaria, ferramentas e fábricas. Juntamente com o trabalho, na sociologia as partes mais importantes das forças produtivas são os *meios de produção* — ou seja, as ferramentas e maquinaria usadas para transformar matérias-primas em produtos acabados.

Uma vez que produção é uma atividade social, todo modo de produção também deve incluir um conjunto de relações sociais — as relações de produção —, através das quais as forças produtivas são usadas e define-se o que fazer com os resultados. Esse processo inclui não só relações entre indivíduos, mas também as relações deles com as forças produtivas — se eles são proprietários da terra ou dos meios de produção, por exemplo, ou se recebem salário para usar meios que pertencem a outras pessoas.

Um dado modo de produção consiste de um conjunto particular de forças produtivas combinadas com certas relações de produção. No sistema escravista anterior à Guerra Civil nos Estados Unidos, por exemplo, a produção era predominantemente agrícola e as forças produtivas eram voltadas sobretudo para a terra, o trabalho humano e uma tecnologia relativamente simples. Na economia escravista, as relações de produção concentravam-se na posse de escravos, que usavam meios de produção de propriedade de seus senhores. Estes tinham autoridade também para se apropriar de tudo o que os escravos produziam, incluindo seus filhos.

Sob o FEUDALISMO, as relações de produção tinham caráter muito diferente. A nobreza não possuía os meios de produção, mas tinha direito a parte do que era produzido nas terras sobre as quais exercia autoridade. Os servos eram politicamente submetidos à nobreza, mas tinham direito de usar a terra e eram os donos de seus próprios meios de produção.

Sob o CAPITALISMO industrial, as relações de produção e as forças produtivas são muito diferentes das que vigoravam nas sociedades escravista e feudal. Essas forças incluem tecnologia sofisticada, através da qual a produção é principalmente industrial e não agrária, dependente de insumos maciços de energia de fontes como combustíveis fósseis e energia nuclear. As relações de produção implicam a posse dos meios de produção por uma classe capitalista, controle dos mesmos por uma classe gerencial, e uma grande classe de trabalhadores que os utilizam para produzir bens em troca de salário.

O conceito de modo de produção é crucial para a análise marxista, segundo a qual o mesmo serve de base e molda as instituições sociais e, através delas, os aspectos mais relevantes da vida social. O alto valor cultural atribuído à acumulação de bens, por exemplo, é mais comum nas sociedades capitalistas industriais por causa da importância decisiva do lucro e da expansão nesse modo de produção.

Ver também CAÇADORES-COLETORES, SOCIEDADE DE; CAPITAL HUMANO; SOCIEDADE AGRÁRIA; SOCIEDADE HORTELÃ; SOCIEDADE INDUSTRIAL E INDUSTRIALIZAÇÃO; SOCIEDADE PÓS-INDUSTRIAL.

Leitura sugerida: Lenski, Gerhard E., Jean Lenski e Patrick Nolan 1991: *Human Societies*. 6ª ed. Nova York: McGraw-Hill • Marx, Karl 1859 (*1982*): *Para a crítica da economia política*. São Paulo: Abril Cultural / (*1971*): *A Contribution to the Critique of Political Economy*. Londres: Lawrence & Wishart; (*1970*): Nova York: International Publishers.

monogamia *ver* REGRAS DE CASAMENTO.

monogamia serial *ver* REGRAS DE CASAMENTO.

monopólio Monopólio é o mercado de um dado produto ou serviço controlado por um único indivíduo ou empresa. No início da expansão capitalista, não era incomum que reis concedessem monopólios sobre várias mercadorias, tais como a importação de chá para a Grã-Bretanha. Esse fato dava aos comerciantes o potencial de cobrar qualquer preço que o mercado suportasse e, como resultado, auferir lucros imensos. Hoje, monopólios são concedidos em áreas como utilidades públicas e, às vezes, o potencial de abuso resultante é contrabalançado pela criação de organismos encarregados de regulamentar tarifas e serviços. Em outros casos, o monopólio é consequência da competição, como acontece no mercado de jornais na maioria das cidades dos Estados Unidos, onde não há absolutamente competição.

Os marxistas argumentam que a tendência dos mercados evoluírem para o monopólio é inerente ao CAPITALISMO como sistema econômico e que vem aumentando desde fins do século XIX. Uma vez que a concorrência é ameaçadora para as empresas, elas tendem a se proteger e aumentar seus lucros tentando controlar mercados pela expulsão ou absorção de firmas concorrentes. O movimento para o CAPITALISMO MONOPOLISTA é acompanhado por aumento dos laços entre os interesses econômicos e estatais, incluindo a compra de material bélico; o uso da política externa para promover vantagens competitivas; leis que desencorajam as greves; programas de pensões e seguro-desemprego que aliviam os efeitos negativos do capitalismo (e, portanto, tornam menos provável que trabalhadores se revoltem); subsídios do governo para ajudar empresas falidas; e o uso da política pública para regulamentar as taxas de juros, o fluxo de moeda e outros aspectos dos mercados financeiros.

Ver também ECONOMIA DUAL; OLIGOPÓLIO.

Leitura sugerida: Baran, Paul A., e Paul M. Sweezy 1966: *Monopoly Capitalism*. Nova York: Monthly Review Press / (*1978*): *Capitalismo monopolista*. 3ªed., Rio de Janeiro: Zahar • Braverman, Harry 1974: *Labor and Monopoly Capital: the Degradation of Work in the Twentieth Century*. Nova York: Monthly Review Press / (*1981*): *Trabalho e capital monopolista: a degradação do trabalho no século XX*. 3ªed., Rio de Janeiro: Zahar/Guanabara.

monoteísmo ver RELIGIÃO TEÍSTA.

moralidade ver MORES.

morbidez No estudo de populações, a EPIDEMIOLOGIA e a DEMOGRAFIA distinguem entre mortalidade (morte) e morbidez (condições de má saúde). A morbidez é sociologicamente importante porque, além de seus efeitos sobre a mortalidade, afeta também a vida social, ao limitar as capacidades do indivíduo e produzir tensão geral, de famílias a sistemas de tratamento médico.

Ver também TAXA DE MORTALIDADE.

Leitura sugerida: Shryock, Henry S., Jacob Siegel, et al. 1976: *The Methods and Materials of Demography*. Londres e Nova York: Academic Press.

mores Os mores de uma sociedade são um conjunto de NORMAS que definem as ideias mais fundamentais sobre o que é considerado certo e errado, louvável e repugnante, bom e mau, virtuoso e pecaminoso em comportamento humano. Os mores são importantes não só porque regulam o comportamento, mas porque a visão moral sobre a qual se baseiam constitui uma grande fonte de COESÃO e de continuidade sociais em comunidades humanas. Normas que proíbem o incesto, o assassinato, a traição e outras formas de deslealdade, o abandono das obrigações familiares e a profanação de símbolos religiosos e civis são todas elas parte dos mores da maioria das sociedades. Devido à sua importância, os mores assumem tipicamente a forma de leis, com fortes sanções tais como prisão, exílio, ostracismo e execução.

Do ponto de vista sociológico, o comportamento moral possui quatro características básicas: 1) jamais tem o interesse pessoal do ator como objetivo principal; 2) inclui um aspecto de comando, o que faz com que todas as pessoas sintam obrigação de fazer o que é certo; 3) é vivenciado como sendo desejável e dele se tira certa satisfação e prazer; e 4) é considerado como sagrado, no sentido em que sua autoridade é experimentada como além de controle humano. O assassinato, por exemplo, não pode ser legalizado sem romper a estrutura moral da sociedade ou então precisa ser apresentado como outra coisa que não homicídio. Em suma, ao contrário de outros tipos de normas, os mores são considerados imutáveis e inerentes à vida social, e não como uma criação social sujeita a mudança.

Ver também COESÃO; CONSCIÊNCIA COLETIVA; LEI; MANEIRAS DE AGIR; NORMA.

Leitura sugerida: Sumner, William Graham 1906: *Folkways*. Boston: Ginn.

mortalidade *ver* TAXA DE MORTALIDADE.

mortalidade neonatal *ver* TAXA DE MORTALIDADE INFANTIL.

movimento de reforma *ver* MOVIMENTO SOCIAL.

movimento de resistência *ver* MOVIMENTO SOCIAL.

movimento social Um movimento social é um esforço coletivo contínuo e organizado que se concentra em algum aspecto de MUDANÇA SOCIAL. Um *movimento de reforma* tenta melhorar condições em um sistema social, mas sem modificar seu caráter fundamental. Um exemplo comum seriam as campanhas para igualar o encargo dos impostos na sociedade. O movimento de reforma contrasta radicalmente com um movimento revolucionário, cuja finalidade é alterar as características estruturais ou culturais básicas de um sistema — como, por exemplo, tentando tornar socialista uma economia de mercado capitalista. Um *movimento de resistência* é organizado não para promover mudança social, mas, sim, para combatê-la. Nos Estados Unidos, por exemplo, surgiu um movimento de resistência para impedir mudanças nas leis que garantem às mulheres o direito ao aborto.

Os movimentos sociais sempre despertaram grande interesse sociológico porque constituem uma grande fonte de mudança e conflito sociais.

Ver também REVOLUÇÃO; TEORIA CLÁSSICA DO MOVIMENTO SOCIAL; TEORIA DA MOBILIZAÇÃO DE RECURSOS; TEORIA DO PROCESSO POLÍTICO.

Leitura sugerida: Turner, Ralph H., e Lewis M. Killian 1957: *Collective Behavior*. Englewood Cliffs, NJ: Prentice-Hall • Zurcher, Louis A., e David A. Snow 1981: "Collective behavior: Social movements". In *Social Psychology: Sociological Perspectives*, org. por Morris Rosenberg e Ralph H. Turner. Nova York: Basic Books.

mudança *ver* MUDANÇA SOCIAL.

mudança cíclica *ver* EVOLUÇÃO SOCIAL.

mudança imanente *ver* EVOLUÇÃO SOCIAL.

mudança multilinear *ver* EVOLUÇÃO SOCIAL.

mudança social Mudança social é qualquer alteração nas características culturais, estruturais, demográficas ou ecológicas de um sistema social, como uma sociedade. O interesse sociológico em explicar e prever padrões de mudança tem origem nos séculos XVIII e XIX e na sublevação social que acompanhou a REVOLUÇÃO INDUSTRIAL e as revoluções políticas que cercaram o desenvolvimento da democracia. Embora esses primeiros trabalhos se concentrassem em formular leis universais que explicariam a complexidade da mudança social, elas foram desde então abandonadas em favor de teorias mais estreitamente focalizadas em aspectos particulares da vida social, como política, religião, economia, tecnologia e família.

No fundo, a atenção à mudança social é inerente a todo trabalho sociológico simplesmente porque os sistemas sociais estão sempre em processo de mudança. Em outras palavras, se queremos compreender como sistemas sociais funcionam e se mantêm, precisamos, em algum nível, compreender como eles mudam ou se dissolvem.

Ver também CONFLITO DE CLASSE E LUTA DE CLASSE; COORTE; DEFASAGEM CULTURAL; DIFUSÃO; SOCIOLOGIA HISTÓRICA; TEORIA DA MODERNIZAÇÃO; REBELIÃO POLÍTICA; REVOLUÇÃO; EVOLUÇÃO SOCIAL; DEFASAGEM ESTRUTURAL; SUCESSÃO ECOLÓGICA; SISTEMA-MUNDO.

Leitura sugerida: Boudon, Raymond 1986: *Theories of Social Change*. Cambridge: Polity Press • Giddens, Anthony 1984: *The Constitution of Society: an Outline of the Theory of Structuration*. Cambridge: Polity; Berkeley: University of California Press • Smelser, Neil J. 1958: *Social Change in the Industrial Revolution*. Londres: Routledge and Kegan Paul.

mudança unilinear *ver* EVOLUÇÃO SOCIAL.

multiculturalismo O multiculturalismo é um movimento que ocorre principalmente nos Estados Unidos e que tem como objetivo a elevação e valorização de meios formativos étnicos diferentes. Podemos observar esse movimento em currículos escolares que incluem as contribuições de pessoas não brancas à história; no uso de várias línguas na vida pública (como nas cédulas eleitorais e em anúncios públicos); e em programas empresariais destinados a treinar gerentes para trabalharem mais eficientemente com trabalhadores de meios formativos variados. O multiculturalismo tem sido promovido como parte da solução a uma antiga opressão étnica e racial. Mas vem sendo criticado por conservadores como desvalorização do que consideram o núcleo fundamental dos padrões e da sabedoria atribuídos à civilização branca ocidental. Outros argumentam que, na verdade, constitui apenas uma maneira de desviar a atenção da desigualdade básica de riqueza e poder que o multiculturalismo pode disfarçar, mas pouco fazer para remediar.

Ver também CONTATO CULTURAL; MINORIA; PRECONCEITO E DISCRIMINAÇÃO.

multidão *ver* COMPORTAMENTO COLETIVO.

multinacional, empresa *ver* EMPRESA TRANSNACIONAL E MULTINACIONAL.

mundo da vida *ver* FENOMENOLOGIA E SOCIOLOGIA FENOMENOLÓGICA.

N

nação central *ver* SISTEMA-MUNDO.

nação-estado *ver* NACIONAL, NAÇÃO-ESTADO, NACIONALISMO.

nacional, nação-estado, nacionalismo Nação é uma sociedade que ocupa um dado território e inclui senso de identidade, história e destino comuns.

A nação-estado é a nação governada por um ESTADO, cuja autoridade coincide com as fronteiras da nação. Até o século XIX, o mundo não era organizado em termos de nações-estado, consistindo, em vez disso, em um conjunto diversificado de grupamentos étnicos, com fronteiras políticas relativamente fluidas, ao invés dos limites geográficos relativamente rígidos e controle administrativo associados ao Estado moderno. Isso acontecia sobretudo porque havia poucos, se é que havia, Estados poderosos o suficiente para administrar e controlar nações. Em contraste, o mundo moderno é na maior parte organizado sob a forma de nações-estado.

O nacionalismo é um processo social através do qual nações-estado são formadas, conjugando identidades nacionais e controle político. A antiga Iugoslávia, por exemplo, não formava um todo étnico coerente e só dava essa impressão devido ao poder unificador do Estado comunista que governou o país de fins da Segunda Guerra Mundial até princípios da década de 1990. Quando o governo caiu, contudo, as velhas identidades étnicas reafirmaram seus direitos e geraram movimentos nacionalistas com vistas a criar Estados políticos cuja autoridade coincidiria com as identidades étnicas. Cada grupo étnico, em suma, formaria um Estado, com autoridade sobre um território e população claramente definidos. Variações desse processo ensejaram a proliferação de novas nações, desde que a Segunda Guerra Mundial desestabilizou os impérios coloniais na África e na Ásia.

O nacionalismo tornou-se uma força crescentemente poderosa no mundo, servindo como base não só de identidade social coletiva, mas de mobilização e ação política, sobretudo através de guerras.

Leitura sugerida: Giddens, Anthony 1985: *The Nation-State and Violence*. Cambridge: Polity Press; Berkeley: University of California Press • Kamenka, Eugene, org. 1973: *Nationalism, the Nature and Evolution of an Idea*. Londres: Edward Arnold • Smith, Anthony D. org. 1979: *Nationalist Movements in 20th Century*. Londres: Macmillan.

nacionalismo *ver* NACIONAL, NAÇÃO-ESTADO, NACIONALISMO.

não pertencimento *ver* GRUPO.

neoestruturalismo *ver* CONQUISTA DE STATUS E NOVO ESTRUTURALISMO.

nicho *ver* ECOLOGIA.

nível de análise Em pesquisa, nível de análise é uma medida do tamanho e complexidade de unidades que estão sendo observadas. No trabalho sociológico, o nível mais baixo de análise é o indivíduo isolado (como nas entrevistas em levantamentos), subindo daí para os AGREGADOS, tais como grupos, organizações, comunidades, sociedades, regiões e o mundo todo. A distinção entre os vários níveis de análise é importante porque o que se observa realmente varia, dependendo do nível da análise, e porque erros graves podem ser cometidos se generalizamos de um nível para outro.

As observações variam de um nível a outro porque, como demonstraram Paul LAZARSFELD e Herbert Menzel, unidades diferentes têm propriedades diferentes. Uma comunidade, por exemplo, pode ter propriedades que são identificadas a partir de observações das pessoas que nela vivem (como a renda familiar média ou a percentagem dos que votam nas eleições). Pode ter também propriedades que não dependem de informações sobre indivíduos, tais como se a economia é primariamente industrial ou orientada para serviços. Indivíduos podem ter também uma grande variedade de propriedades, como as baseadas exclusivamente em observações dos mesmos (tais como anos de escolaridade ou número de filhos) ou outras que derivam de sua relação com o ambiente social (como se seus filhos estudam em escolas racialmente integradas).

A percepção do nível de análise é ainda importante devido à tentação de fazer generalizações de um nível para outro, o que resulta em vários tipos de falácias. A mais famosa destas é a *falácia ecológica*, que ocorre se diferenças observadas entre agregados, como comunidades, são usadas para inferir que diferenças comparáveis existem entre indivíduos. Suponhamos que reunimos dados mostrando que comunidades cujos residentes têm níveis médios relativamente elevados de educação formal tendem a apresentar também altas taxas de suicídio. Se disso inferimos que indivíduos altamente educados têm maior probabilidade de cometer suicídio que os menos educados, estamos cometendo uma falácia ecológica, porquanto diferenças entre agregados não podem ser usadas para tirar inferências sobre diferenças entre os indivíduos que os constituem. Em alguns casos, o padrão vigente entre indivíduos talvez seja o oposto do observado no nível agregado, enquanto que, em outros, o padrão pode ser o mesmo, mas as diferenças muito menores. Note-se, ainda, que a falácia ecológica opera em ambas as direções: se duas variáveis se relacionam no nível individual, isto não significa que se relacionarão no nível agregado.

Ver também MACROSSOCIOLOGIA E MICROSSOCIOLOGIA.

Leitura sugerida: Alker, Hayward R. 1969: "A typology of ecological fallacies". In *Quantitative Ecological Analysis in the Social Sciences*, org. por Mattei Dogan e Stein Rokkan. Cambridge: MIT Press • Lazarsfeld, Paul F., e Herbert Menzel 1969: "On the relation between individual and collective properties". In *A Sociological Reader on Complex Organizations*, org. por Amatai Etzioni. Nova York: Holt, Rinehart and Winston • Robinson, William S. 1950: "Ecological correlation and behavior of individuals". *American Sociological Review* 15: 351-7.

nomotético *ver* IDIOGRÁFICO E NOMOTÉTICO.

norma No uso diário, a norma é um padrão considerado pela maioria das pessoas como prática habitual, em sentido estatístico. Fazer três refeições diárias, por exemplo, é considerado norma na maioria das sociedades ocidentais.

Em sociologia, no entanto, a norma é uma regra cultural que associa o comportamento ou a aparência do indivíduo a recompensas ou castigos (SANÇÕES). Como tais, normas geram consequências sociais que produzem o efeito de regular a aparência e o comportamento. As consequências são artificiais, no sentido em que não resultam naturalmente da própria ação. Alguém, por exemplo, que comete calúnia ao afirmar falsamente em público que um dado indivíduo é um ladrão e um mentiroso está, na verdade, apenas falando e, como tal, produzindo ruídos e certas impressões na mente dos ouvintes. Nada há de inerente em tal ato que resulte em julgamento do indivíduo em um tribunal e o obrigue a pagar indenização à parte ofendida — opção esta tornada possível apenas por causa de normas legais que permitem ao indivíduo recorrer a juízo quando acredita que um dado ato de fala é calunioso. Como as regras, as normas estabelecem uma vinculação entre um ato (falar caluniosamente), por um lado, e sanções sociais (ser processado e condenado a pagar uma indenização), por outro. Nem o comportamento nem a sanção constituem a norma. Na verdade, a norma é toda a regra que liga as duas.

As normas cumprem uma grande variedade de finalidades sociais. Regulam o comportamento e a aparência e, dessa maneira, contribuem para criar padrões reconhecíveis que distinguem um sistema ou situação social de outros. Assim, ajudam a definir e manter fronteiras que separam os de dentro dos de fora, uma vez que a conformidade visível a normas é sinal de filiação a um sistema social, e a violação das mesmas poderia levar o indivíduo a ser excluído ou expulso. As normas dão respaldo também a VALORES culturais, ao associar sanções às alternativas entre as quais pessoas resolvem como se comportar. Dessa maneira, as normas transformam o que em sua ausência seria considerado apenas uma forma desejável de comportamento em uma expectativa concreta, que encerra consequências sociais reais.

Normas definidas no sentido sociológico podem proibir aparências e comportamentos que são, a despeito delas, muito comuns. Grande percentagem de adolescentes e jovens adultos em muitas sociedades industriais, por exemplo, usaram drogas ilegais, como maconha, e uma percentagem ainda maior de indivíduos abaixo da idade legal relativa à bebida experimentou o álcool. Os limites de velocidade nas estradas são habitualmente violados pela grande maioria dos motoristas e o adultério é muito comum, mesmo que proibido por lei. Uma das descobertas mais notáveis dos estudos de Kinsey sobre o comportamento sexual nos Estados Unidos foi que grandes percentagens de adultos se entregam a práticas sexuais como masturbação e sexo oral, mesmo que elas sejam em geral consideradas como violações de normas culturais que regulam a expressão sexual, incluindo numerosas leis estaduais que proíbem várias formas de sodomia. Exemplos como esses destacam a importância da distinção entre normas como regras culturais abstratas e os padrões concretos de aparência e comportamento que vemos na vida diária.

Ver também CONFORMIDADE; DESVIO; MANEIRAS DE AGIR; MORES; PAPEL.

Leitura sugerida: Blake, Judith, e Kingsley Davis 1964: "Norms, values, and sanctions". In *Handbook of Modern Sociology*, org. por Robert E.L. Faris. Chicago: Rand-McNally • Durkheim, Émile 1893: *De la division du travail social*. Paris: Félix Alcan / (*1978*): *Da divisão do trabalho social*. São Paulo: Abril Cultural / (*1984*): *The Division of Labor in Society*. Nova York: Free Press; Londres: Macmillan ● 1924 (*1974*): *Sociology and Philosophy*. Nova York: Free Press ● Gibbs, Jack P. 1965: "Norms: The problem of definition and classification". *American Journal of Sociology* 70: 586-94.

norma do ceticismo organizado *ver* REGRAS DA CIÊNCIA.

norma de desinteresse *ver* REGRAS DA CIÊNCIA.

norma de reciprocidade *ver* RECIPROCIDADE.

norma de socialização *ver* REGRAS DA CIÊNCIA.

norma emergente, teoria da *ver* TEORIA DA NORMA EMERGENTE.

novo estruturalismo *ver* CONQUISTA DE STATUS E NOVO ESTRUTURALISMO.

O

objetividade Objetividade pode ser definida de duas maneiras. Na primeira, é a ausência de viés (tendenciosidade) quando se fazem ou interpretam observações. Significa, por exemplo, formular em um levantamento perguntas que não encorajem os entrevistados a nos dizer o que queremos ouvir; levar em conta todas as informações confiáveis que se relacionam com a pesquisa e não apenas aquelas que confirmam nossa opinião; e avaliar e interpretar a prova de acordo com critérios claros, que levariam outros pesquisadores a chegar a resultados semelhantes. Este tipo de objetividade tem sido considerado há muito tempo como um ideal em sociologia, embora não sem provocar alguma controvérsia. Muitos dos primeiros sociólogos americanos, por exemplo, eram membros do clero que queriam utilizar os *insights* sociológicos para melhorar o mundo através de uma aplicação clara, e tendenciosa, dos valores que apoiavam. Esta tradição continua forte em muitas partes do mundo, em especial na esfera da SOCIOLOGIA MARXISTA.

No segundo sentido, objetividade é uma situação na qual nossas representações do mundo — os dados que coletamos, as palavras que escrevemos e dizemos, os quadros que pintamos — correspondem realmente às condições reais. Com vistas a obter esse tipo de objetividade, temos que descrever o mundo sem interferência das maneiras como nele pensamos e conceitualizamos; em suma, de forma direta e "pura". É duvidoso que esse tipo de objetividade seja possível nas ciências sociais, uma vez que parte tão grande do que estudamos — de sistemas sociais aos papéis que desempenhamos na vida — é socialmente construída e, portanto, inobservável sem uso de ideias que são em si socialmente formuladas. De muitas maneiras, poderíamos dizer o mesmo até sobre as ciências físicas. É mais fácil lidar com os efeitos do viés, embora sempre dentro de limites. O mero processo de selecionar um problema de pesquisa, por exemplo, constitui parte de um inescapável juízo de valor sobre o que consideramos mais importante ou interessante.

Ver também CIÊNCIA; EMPÍRICO; ESTRUTURALISMO E PÓS-ESTRUTURALISMO; FENOMENOLOGIA E SOCIOLOGIA FENOMENOLÓGICA; IDEALISMO; POSITIVISMO; RELEVÂNCIA DO VALOR, ISENÇÃO DE VALOR E NEUTRALIDADE VALORATIVA.

observação participante Observação participante é um método de pesquisa no qual o observador realmente toma parte no fenômeno social que estuda. Em um estudo clássico de hospitais de doenças mentais, por exemplo, os pesquisadores, sob falsos pretextos, conseguiram ser internados, de modo a observar como os pacientes, inclusive eles próprios, eram tratados. Os pesquisadores descobriram que logo que foram rotulados como mentalmente doentes, a equipe do hospital interpretou seu comportamento nesses termos. O fato de tomarem extensas notas, parte integral do trabalho de pesquisa, era interpretado nos registros do hospital como "comportamento de tomar notas", acreditando-se que refletia seu estado mental patológico.

Embora a observação participante esteja mais ligada à pesquisa antropológica em sociedades tribais, ela é usada por sociólogos em uma grande variedade de ambientes, de processos relativos a grupos pequenos e instituições maiores ao estudo de interações entre homens e mulheres. A principal vantagem desse método é que permite que os pesquisadores estudem o comportamento social da maneira como ele realmente ocorre. A principal desvantagem é que, na medida em que os pesquisadores se envolvem no que estudam, podem desenvolver interesses, fidelidades e pontos de vista que influenciam suas observações e interpretações, sem que se deem conta disso. Dessa maneira, como acontece com muitas estratégias de pesquisa, os principais pontos fortes da observação participante são também seus pontos fracos mais claros.

Ver também METODOLOGIA

Leitura sugerida: Jorgensen, D.L. 1989: *Participant Observation: A Methodology for Human Studies*. Newbury Park, CA: Sage Publications • Rosenhan, D.L. 1973: "On being sane in insane places". *Science* 179, 4070: 1-9.

ócio Ócio é o tempo passado fora do TRABALHO e usado em recreação, recuperação, relaxamento e outras atividades desse tipo. Do ponto de vista sociológico, o ócio é socialmente produzido, tanto em seu conteúdo — o que pessoas fazem em vez de trabalhar — como no acesso ao mesmo como recompensa e recurso intencional. Estudos neste particular incluem atenção ao papel que desempenha na vida familiar; o acesso desigual ao ócio por motivo de sexo, raça, classe social e idade; sua transformação em mercadoria sob o CAPITALISMO e como é sacrifícado pelas exigências do trabalho.

Ver também CONSUMO CONSPÍCUO.

Leitura sugerida: Parker, Stanley 1971: *The Future of Work and Leisure*. Nova York: Praeger • Roberts, Kenneth 1970: *Leisure*. Londres: Longman.

ocupação *ver* TRABALHO.

ogiva *ver* GRÁFICOS.

oligarquia Oligarquia é um sistema social sob controle político de uma pequena elite. De acordo com a *lei de ferro da oligarquia*, formulada por Robert MICHELS, ela é inevitável em sociedades grandes e complexas. Esses sistemas tornam-se oligárquicos porque 1) as pessoas em geral preferem que outras tomem decisões por elas; 2) a complexidade do sistema torna impossível que elas conheçam o suficiente para participar inteligentemente do processo decisório e, como resultado, tornam os líderes cada vez mais indispensáveis; e 3) os que obtêm autoridade pouca vontade têm de renunciar aos privilégios e prestígio resultantes e, dessa maneira, tendem a consolidar e estender seu poder, com vistas a conservá-lo. Como consequência, os objetivos do líder tendem a substituir os objetivos do povo e o poder torna-se cada vez mais concentrado.

Embora a teoria de Michels se baseasse no estudo de sindicatos, ela produziu um efeito profundo sobre o pensamento a respeito de sistemas mais amplos, em especial sobre o Estado.

Ver também AUTOCRACIA; AUTORITARISMO; ESTADO; FASCISMO.

Leitura sugerida: Michels, Robert 1911 (*1949, 1962*): *Political Parties: a Sociological Study of the Oligarchical Tendencies of Modern Democracy*. Nova York: Free Press.

oligopólio O oligopólio é um mercado para um produto ou serviço controlado por um número relativamente pequeno de indivíduos ou empresas. Na maioria das sociedades industriais, por exemplo, um punhado de empresas controla o fornecimento de produtos e serviços tão diversificados como petróleo, gás natural, cigarros, cerveja, cereais para desjejum, alumínio, café, viagens aéreas, refrigerantes, filmes e bombons.

O oligopólio é um conceito importante na análise das instituições econômicas porque chama atenção para a tendência do capitalismo de expulsar a concorrência à medida que o poder econômico se torna concentrado. Na indústria automobilística, por exemplo, o mercado oligopolista virtualmente eliminou a concorrência de preço entre as montadoras. Os marxistas argumentam que a tendência para o oligopólio e o afastamento dos mercados livres é inerente ao capitalismo e uma de suas maiores CONTRADIÇÕES como sistema econômico. A forma mais extrema de controle concentrado de mercado é o MONOPÓLIO.

ontologia A ontologia, um dos campos da filosofia, estuda a questão do que realmente existe e não existe. Tem relevância para o pensamento sociológico porque parte muito grande daquilo em que acreditamos que serve de base à vida social é abstrato e não pode ser observado diretamente. Se podemos inquirir, por exemplo, se sociedades existem ou não independentemente das pessoas que delas participam é uma pergunta ontológica. A maneira como respondemos a essas perguntas determina o modo como focalizamos o problema de compreender a vida social e, portanto, forma a base sobre a qual repousa todo trabalho sociológico.

Ver também CONHECIMENTO; EPISTEMOLOGIA; FATO SOCIAL; SOCIOLOGIA INTERPRETATIVA.

Leitura sugerida: Keat, R., e John Urry 1981: *Social Theory as Science*. Londres: Routledge and Kegan Paul • Ryan, A. 1970: *The Philosophy of the Social Sciences*. Londres: Macmillan.

operacionalização *ver* MEDIDA.

opinião pública Opinião pública consiste das ideias agregadas de membros de uma população sobre vários assuntos. Poderia, por exemplo, ser expressada como a percentagem de adultos que aprovam o desempenho de um líder político, ou a percentagem dos que são favoráveis à legalização de drogas, como a cocaína ou a maconha. Ela interessa principalmente a parlamentares eleitos, como orientação tanto sobre a maneira como o eleitorado define seus interesses como uma forma de evitar ofender eleitores. Interessa também, contudo, aos que procuram algum padrão com o qual comparar suas próprias opiniões.

Embora a opinião pública reflita muitas vezes ideias culturais, como VALORES e ATITUDES, ela se distingue de CULTURA. A opinião pública é medida como a simples soma de ideias individuais em um dado tempo, ao passo que a cultura é parte do sistema social no qual as opiniões individuais tomam forma. A opinião pública radica-se em indivíduos e em suas mutáveis percepções e julgamentos pessoais. A cultura, por outro lado, constitui parte importante de sistemas sociais inteiros que, sociologicamente, não podem ser reduzidos às características dos indivíduos que deles participam.

Ver também ATOMISMO E HOLISMO; FATO SOCIAL.

Leitura sugerida: Ginsberg, Benjamin 1986: *The Captive Public: How Mass Opinion Promotes State Power*. Nova York: Basic Books • Neuman, W. Russell 1986: *The Paradox of Mass Politics*. Cambridge: Harvard University Press.

oportunidades de vida Da forma usada por Max WEBER, oportunidade de vida é um termo usado para descrever diferenças de classe social. Weber definia CLASSE SOCIAL quanto ao acesso de pessoas a bens e serviços, em especial na medida em que eram distribuídos através de MERCADOS. Incluíam eles bens materiais, como alimento e habitação; serviços, como tratamento médico, proteção policial e contra incêndios, educação pública; e produtos culturais, como arte, música e conhecimento. Weber, note-se, não incluiu em sua definição de classe o poder e o prestígio, que discutiu como dimensões separadas da desigualdade (PARTIDO e STATUS).

As oportunidades de vida são influenciadas acima de tudo pela distribuição dos recursos, tais como renda e riqueza (herdada, conquistada ou obtida por algum outro meio), qualificações ocupacionais e educação. Dependendo da sociedade, são afetadas também por características atribuídas, como sexo, raça e etnicidade.

Leitura sugerida: Weber, Max 1920 (*1982*): *Ensaios de sociologia*. Rio de Janeiro: Zahar / (*1946, 1970*): *From Max Weber: Essays in Sociology*. Org. e trad. por Hans H. Gerth e C. Wright Mills. Nova York: Oxford University Press.

opressão *ver* OPRESSÃO SOCIAL.

opressão institucional *ver* OPRESSÃO SOCIAL.

opressão social Opressão social é um conceito que descreve uma relação de dominação e subordinação entre grupos ou categorias de indivíduos, na qual o grupo dominante beneficia-se com o abuso, a exploração e a injustiça sistemáticos praticados contra o grupo subordinado. A relação entre brancos e negros nos Estados Unidos e na África do Sul, entre classes sociais em muitas sociedades industriais, entre homens e mulheres na maioria das sociedades, entre protestantes e católicos na Irlanda do Norte — todas elas contêm elementos de opressão social, no sentido em que a organização da vida social permite que os que dominam oprimam outros indivíduos.

Uma vez que descreve relações entre grupos e categorias sociais, a opressão social não deve ser confundida com comportamento opressivo da parte de indivíduos. Um branco, por exemplo, talvez não participe de forma ativa de comportamento opressivo contra negros ou mulheres, mas, ainda assim, beneficia-se com a opressão geral contra os mesmos simplesmente porque é branco. Neste sentido, todos os membros de categorias dominante e subordinada são atores na opressão social, quaisquer que sejam suas atitudes ou comportamento individuais.

A opressão social torna-se *institucionalizada* quando sua imposição está tão impregnada na vida social do dia a dia que não é facilmente identificada como tal e nem requer preconceito consciente ou atos públicos de discriminação. Nos Estados Unidos, por exemplo, o sistema de pagamento de fiança em casos criminais opera como *racismo institucionalizado* ao discriminar contra acusados negros, que em geral têm menos capacidade do que brancos de pagar fiança. Uma vez que acusados mantidos presos durante os julgamentos têm maior probabilidade de serem condenados, o sistema de pagamento de fiança produz o efeito de viesar o sistema judiciário contra os que não podem pagá-la e, portanto, perpetua a desigualdade.

O *sexismo institucionalizado* opera de maneiras semelhantes. Especificações físicas mínimas para vários empregos, por exemplo, tendem a excluir mulheres e beneficiar homens, mesmo que os requisitos pouca relação tenham com o que o emprego efetivamente requer. Especificações de altura para bombeiros nos Estados Unidos excluem muito mais mulheres do que homens. Não obstante, desde que americanos e europeus tendem a ser mais altos do que japoneses, as mesmas especificações tornariam inelegíveis numerosos bombeiros japoneses que, aparentemente, fazem excelente trabalho na extinção de incêndios no Japão.

Ver também CLASSE SOCIAL; EXPLORAÇÃO; INSTITUIÇÃO; MINORIA; PRECONCEITO E DISCRIMINAÇÃO.

Leitura sugerida: Fanon, Franz 1961 (*1980*): *Os condenados da terra*. Rio de Janeiro: Civilização Brasileira / (*1983*): *The Wretched of the Earth*. Harmondsworth, Inglaterra: Penguin • Frye, Marilyn 1983: *The Politics of Reality: Essays in Feminist Theory*. Trumansburg, NY: Crossing Press.

ordem *ver* ORDEM SOCIAL.

ordem de nascimentos A ordem de nascimentos é a classificação dos filhos na família, da forma determinada pela data de nascimento de cada um. A pesquisa sugere que a ordem de nascimentos pode afetar o desenvolvimento da criança em uma grande variedade de maneiras, da personalidade aos empregos que ela mais tarde obtém. Talvez seja mais provável, por exemplo, que primogênitos procurem a companhia de outras pessoas quando sob *stress*, conformem-se com a pressão social e busquem posições de poder. Há uma estranha tendência para que líderes importantes sejam primogênitos ou filhos únicos.

Leitura sugerida: Ernst, C., e J. Angst 1983: *Birth Order: Its Influence on Personality*. Nova York: Springer-Verlag.

ordem de relação Na análise estatística de relações entre VARIÁVEIS, a ordem de relação é o número de VARIÁVEIS DE CONTROLE incluídas. Suponhamos que começamos com a relação entre duas variáveis: o tamanho de populações de comunidades e a taxa de crimes violentos. Esse é o tipo mais simples de relação que pode existir porque não há variáveis de controle e daí ser chamada de relação de ordem zero. Se instituímos controle levando em conta uma variável adicional, como o número de policiais *per capita*, o resultado é uma relação de primeira ordem, porque introduzimos uma variável de controle na relação inicial de duas variáveis. Se acrescentamos em seguida uma segunda variável de controle, tal como a percentagem da população que vive na pobreza, temos uma relação de segunda ordem.

Ver também VARIÁVEL DE CONTROLE; VARIÁVEL.

Leitura sugerida: Rosenberg, Morris 1968: *The Logic of Survey Analysis*. Nova York: Basic Books.

ordem social Ordem social tem vários significados, embora relacionados. No primeiro sentido, é a COESÃO social, através da qual sistemas são mantidos integrados, o que constitui um dos interesses básicos da PERSPECTIVA FUNCIONALISTA. No segundo sentido, é às vezes sinônimo de controle social, de meios institucionais e de outros métodos usados para assegurar que indivíduos obedeçam a normas e sustentem valores. No terceiro sentido, refere-se aos padrões relativamente previsíveis de comportamento e experiência que caracterizam a vida nos próprios sistemas (referidos também como *organização social*). Se combinássemos todos esses significados, poderíamos dizer que todo sistema social é uma ordem social que inclui algum grau de ordem social que é mantida através da ordem social.

organização *ver* ORDEM SOCIAL; ORGANIZAÇÃO FORMAL.

organização formal Uma organização formal é um sistema social estruturado em torno de metas específicas e que, em geral, consiste de vários grupos ou subsistemas inter-relacionados. É dirigida de acordo com normas estabelecidas de forma clara e rigidamente impostas. Empresas, a Igreja Católica, os sistemas judiciários, as reitorias de universidades e as forças militares exibem as propriedades das organizações formais.

A *burocracia* é o tipo mais complexo e altamente desenvolvido de organização formal. Da forma como foi desenvolvido por Max WEBER, o conceito se refere a uma organização na qual o poder é distribuído em uma HIERARQUIA rígida, com nítidas linhas de autoridade. A DIVISÃO DO TRABALHO é complexa, o que implica dizer que pessoas se encarregam de tarefas minuciosamente especializadas e trabalham sob regras e expectativas definidas de forma clara, em geral escritas. São mantidos registros por escrito e gerentes se especializam em supervisionar o sistema. O cumprimento dos objetivos da organização tem precedência sobre o bem-estar dos indivíduos, e a racionalidade impessoal é valorizada como base para a tomada de decisões à luz desses objetivos.

Weber acreditava que o modelo burocrático se disseminaria principalmente porque é a maneira mais eficiente de lidar com tarefas complexas e coordenar divisões de trabalho complicadas. Embora isso seja verdade até certo ponto, alguns sociólogos posteriores argumentaram que a natureza da burocracia torna-a ineficiente, se não mesmo contraproducente, em uma grande variedade de maneiras. A mesma rigidez que lhe dá senso de previsibilidade e estabilidade, por exemplo, torna também difícil que enfrente situações imprevisíveis e radicalmente novas. E estimula também empregados a seguir cegamente as regras, mesmo quando isso pode prejudicar os objetivos da organização.

A burocracia é talvez uma das inovações sociais mais importantes surgidas nos últimos séculos, já que uma faixa crescente de atividades sociais assume organização burocrática. O crescimento da burocracia resultou em concentrações extremas de poder em níveis sempre maiores de organização social, talvez melhor exemplificados nos Estados modernos e nas empresas transnacionais. Concentrando-se o poder nas burocracias, elas se tornam grandes núcleos de controle social, opressão e conflito.

Nas organizações formais, indivíduos muitas vezes participam de redes de *relações informais*, nas quais expectativas são menos rigidamente definidas e menos focalizadas em objetivos específicos. Amizades de escritório (e animosidades), por exemplo, com frequência desempenham uma parte importante no desempenho de papéis mais formais.

Ver também ASSOCIAÇÃO COORDENADA DE MODO IMPERATIVO; AUTORIDADE; RACIONALIZAÇÃO; RELAÇÃO PRIMÁRIA E RELAÇÃO SECUNDÁRIA.

Leitura sugerida: Albrow, Martin 1970: *Bureaucracy*. Londres: Macmillan • Kamenka, Eugene 1989: *Bureaucracy*. Oxford: Blackwell Publishers • Rheinstein, M., org. 1954: *Max Weber on Law in Economy and Society*. Cambridge: Harvard University Press • Weber, Max 1920 (*1958*): "Bureaucracy". In *From Max Weber: Essays in Sociology*, org. e trad. por Hans H. Gerth e C. Wright Mills. Nova York: Oxford University Press / (*1982*): *Ensaios de sociologia*. Rio de Janeiro: Zahar.

organização social *ver* ORDEM SOCIAL.

outro O outro é um conceito no estudo da vida social através do qual definimos relacionamentos. Nas relações conosco, existem dois tipos distintos de outro que, do ponto de vista sociológico, diferem principalmente no tipo de conhecimento que temos sobre eles. O primeiro é o que o psiquiatra Harry Stack Sullivan chamou de *outro significativo*, alguém sobre quem temos algum grau de conhecimento específico. Uma vez que conhecemos alguma coisa sobre eles como indivíduos, damos atenção ao que percebemos como sendo seus pensamentos, sentimentos ou expectativas pessoais. Poderíamos, por exemplo, saber que o dono do armazém da esquina gosta muito de crianças, que não gosta quando alguém pede para usar o telefone, ou que costuma pôr o dedo na balança na hora de pesar alguma coisa. Como "outro", o dono do armazém é significativo no sentido em que prestamos atenção não só ao que donos de armazéns provavelmente são em geral, mas ao que sabemos sobre esse indivíduo em particular.

Note-se que "significativo" não implica que a pessoa seja importante; na verdade, "específico" e "particular" são talvez termos mais precisos, especialmente quando comparados com o conceito de "outro generalizado", de George Herbert MEAD. Experimentamos o outro generalizado como sendo uma posição social abstrata e o papel que a acompanha. Quando entramos em um armazém sem nenhum conhecimento particular sobre o dono, nossas expectativas baseiam-se apenas em conhecimento de donos de armazém e fregueses em geral, e no que comumente esperamos que aconteça quando iniciamos uma interação desse tipo. Desta maneira, quando interagimos com esse dono de armazém, nossa única base de conhecimento é o outro generalizado.

Muitos relacionamentos sociais fundamentam-se em ambos os tipos de conhecimento. Podemos saber algumas coisas sobre nosso dono do armazém em particular (exatamente como ele pode saber alguma coisa particular a nosso respeito), mas a maior parte do conhecimento de que dependemos quando interagimos baseia-se em nosso entendimento dessa situação social, das posições que envolve e dos papéis que a acompanham.

Os conceitos de outro significativo e generalizado têm importância especial no estudo da SOCIALIZAÇÃO, através da qual aprendemos a nos orientar inicialmente no tocante aos outros significativos e às suas expectativas particulares (em especial sob a forma do que pais e amigos esperam) e, em seguida, às expectativas mais generalizadas corporificadas nos sistemas sociais. É apenas através de nossa capacidade de compreender os outros generalizados, por exemplo, que podemos realmente representar PAPÉIS.

Ver também MENTE; SELF; STATUS.

Leitura sugerida: Mead, George Herbert 1934: *Mind, Self, and Society*. Chicago: University of Chicago Press • Sullivan, Harry Stack 1953: *The Interpersonal Theory of Psychiatry.* Nova York: Norton.

outro generalizado *ver* OUTRO.

outro significativo *ver* OUTRO.

outros *ver* GRUPO.

P

padronização Padronização é uma técnica estatística que fornece diferentes unidades de medição, uma base comum para fins de comparação. Percentagens, por exemplo, são usadas no lugar de frequências brutas para comparar grupos de tamanhos diferentes. Nos Estados Unidos, há muito mais brancos pobres do que negros pobres, mas isso se deve ao fato de que, no total, os brancos são muito mais numerosos. Uma vez que as duas categorias têm tamanhos diferentes, a única maneira de compará-las consiste em contrastar a percentagem de cada grupo pobre, dividindo seu número pelo tamanho da população apropriada. Padronizando dessa forma, descobrimos que é duas vezes maior a probabilidade de negros serem pobres do que brancos.

Na REGRESSÃO múltipla e na ANÁLISE DE SEQUÊNCIA, a padronização é usada para tornar os coeficientes de regressão comparáveis entre si, dividindo-se cada um deles pelo desvio-padrão de sua variável. O resultado disso consiste em padronizar as unidades de medição, de modo que os efeitos das diferentes variáveis independentes sobre as dependentes possam ser comparados. Isso seria impossível de outra maneira, uma vez que as unidades — ienes, anos de escolaridade, número de empregos anteriores exercidos, e assim por diante — não seriam as mesmas e, daí, não poderiam ser comparadas entre si. Esses coeficientes padronizados são denominados, na análise de regressão, de coeficientes de regressão padronizados; na análise de sequência, têm o nome de *pesos beta*.

Demógrafos usam extensamente a padronização, em especial quando comparam taxas de natalidade e mortalidade de populações que diferem em tamanho ou, sobretudo, em composição etária. O uso de taxas estabelece padronização no caso do tamanho de população ao dividir o número de eventos em um dado ano — tal como óbitos — pelo tamanho da mesma. Mesmo que as populações sejam do mesmo tamanho, contudo, comparações de taxas podem induzir a erro, se outros fatores relacionados com os óbitos — como composição etária — não forem levados em conta. Esse fato é ilustrado pelas taxas de mortalidade no Reino Unido e nos Estados Unidos, mais altas do que no México. A taxa não se deve a piores condições de saúde ou menor longevidade, mas sim a diferenças na estrutura etária: a população do México tem uma proporção muito mais alta de crianças e muito mais baixa de idosos. Uma vez que é muito mais provável a morte de idosos, toda sociedade cuja estrutura etária é mais velha tenderá a ter maior número de óbitos todos os anos, mesmo que as taxas de mortalidade nessa sociedade sejam mais baixas em todas as idades.

Se queremos padronizar taxas de mortalidade, tomamos taxas específicas à idade no caso de cada população e as aplicamos à mesma estrutura etária. As taxas resultantes, denominadas taxas padronizadas por idade, refletirão então apenas diferenças em mortalidade, e não a estrutura etária. Embora essa técnica em geral torne possíveis as comparações, não se trata de um método à prova de erros. A escolha de uma estrutura etária para padronizar, por exemplo, é algo arbitrária e pode fazer uma grande diferença na magnitude relativa das taxas padronizadas resultantes. Além disso, os próprios números não têm significado intrínseco, uma vez que dependem muito da estrutura etária escolhida para padronização. Esse tipo de padronização é um procedimento delicado, exigindo grande cuidado e conhecimento especializado.

Ver também ESCORE-PADRÃO; TAXA DE MORTALIDADE.

painel *ver* ESTUDO LONGITUDINAL.

palco e bastidor No enfoque denominado perspectiva teatral da interação social, formulado por Erving GOFFMAN, o palco e o bastidor (conhecidos também como zonas de frente e de fundo) são conceitos que descrevem a relação entre os papéis desempenhados por atores sociais em um dado momento e as várias audiências (plateias) que os mesmos requerem. Quando representamos um papel em relação a uma audiência, o papel ocorre no palco. Simultaneamente, há numerosos papéis que não estamos representando e estes são chamados de papéis de bastidor. Uma cirurgiã que também seja mãe, por exemplo, inclui em sua vida não apenas enfermeiras, pacientes e outras pessoas que tratam de saúde, mas também membros da família. Quando está operando, este papel é de palco; embora seja ainda mãe nesse momento, o papel de mãe recua para os bastidores. Mais tarde, quando volta para casa, o papel de mãe passa ao palco e o de cirurgiã para os bastidores.

Esses conceitos são úteis porque chamam atenção para a importância de separar os vários papéis que representamos e as audiências para os quais os vivemos. A capacidade de assumir um papel de bastidor, por exemplo, permite-nos encontrar algum alívio das pressões do papel. Além disso, podem surgir conflitos se temos que representar simultaneamente para duas plateias (como acontece quando membros da família aparecem para ver a mamãe operar ou, ainda pior, se ela tem que operar um membro da própria família).

Uma das soluções para esse problema é o que Goffman chamou de *segregação de audiência*, que consiste em alguém certificar-se de que o comportamento em relação a uma audiência permanece desconhecido de outra. Políticos que têm de satisfazer muitos diferentes colégios eleitorais a fim de ser reeleitos podem usar essa técnica, como fazem os bígamos que não querem que uma esposa saiba da existência da outra. Mas a técnica é usada também em circunstâncias menos extremas e mais comuns. Adolescentes, por exemplo, frequentemente tentam segregar seus amigos dos pais porque as expectativas de ambos podem colidir.

A distinção entre papéis de palco e de bastidor é semelhante à que existe entre status manifesto e latente.

Ver também PAPÉIS, CONFLITO DE; PAPEL; PERSPECTIVA TEATRAL; STATUS.

Leitura sugerida: Goffman, Erving 1959: *The Presentation of Self in Everyday Life*. Garden City, Nova York: Doubleday / (*1995*): *A representação do eu na vida cotidiana*. 6ªed., Petrópolis: Vozes.

pânico moral Pânico moral é uma resposta social extrema à percepção de que a situação moral da sociedade deteriora-se a um ritmo desastroso. Quase sempre, esses pânicos são promovidos por notícias na mídia reforçadas por servidores de várias instituições, como o Estado. Numerosos sociólogos, sobretudo na Grã-Bretanha, interpretam o pânico moral como um artifício usado para desviar a atenção pública de problemas sociais básicos e justificar um aumento do CONTROLE SOCIAL sobre a classe operária e outros segmentos potencialmente rebeldes da sociedade. Desse ponto de vista, por exemplo, o pânico moral deflagrado por assaltos nas ruas da Grã-Bretanha na década de 1970 pode ser considerado como parte de um trabalho político para debilitar o Estado de bem-estar social, à custa de membros das classes baixa e operária, que eram os alvos do aumento do controle policial. Dessa maneira, a resistência das minorias e dos pobres era considerada não como conflito político ou de classe, mas como atos ilegais individuais que exigiam medidas repressivas.

O conceito de pânico moral também tem sido aplicado a tendências da cultura jovem, reações a Aids, abuso de drogas e ao vandalismo na Grã-Bretanha.

Ver também AMPLIAÇÃO DE DESVIO.

Leitura sugerida: Cohen, Stanley 1972: *Folk Devils and Moral Panics*. Oxford: Blackwell Publishers • Hall, S., C. Critcher, T. Jefferson, J. Clarke e B. Roberts 1978: *Policing the Crisis: Mugging, the State, and Law and Order*. Londres: Macmillan • Pearson, Geoffrey 1983: *Hooliganism: A History of Respectable Fears*. Londres: Macmillan.

panteísmo *ver* RELIGIÃO TEÍSTA.

papéis de bastidor *ver* PALCO E BASTIDOR.

papéis de palco *ver* PALCO E BASTIDOR.

papéis, conflito de O conflito de papéis ocorre quando indivíduos são confrontados com expectativas de papéis contrárias ou incompatíveis nos vários STATUS sociais que ocupam em suas vidas. Um comandante militar de campo que recebe ordem de lançar tropas em uma operação arriscada pode se sentir atormentado entre o dever de obedecer a oficiais superiores e a obrigação de proteger a vida de seus soldados. De maneira semelhante, um pai pode sentir obrigações conflitantes com empregadores que exigem total dedicação ao trabalho e com os filhos, que precisam de cuidados quando estão doentes.

O conflito de papéis assume várias formas diferentes. Nos casos acima, as expectativas associadas a dois papéis diferentes — oficial subordinado e comandante, empregado e pai — são contraditórias e geram tensão no indivíduo que tem de resolver a contradição. Quando essa situação envolve papéis associados a dois status diferentes, como empregado e pai, o resultado é conhecido como *tensão de status*. Quando ambos os papéis conflitantes são associados ao mesmo status — oficial militar, por exemplo — a consequência é denominada *tensão no desempenho de papéis*.

O conflito pode ocorrer também quando pessoas discordam sobre quais são as expectativas no tocante a um dado papel. Empregadores e secretárias, por exemplo, podem discordar se os deveres secretariais incluem serviços pessoais, como apanhar roupa na tinturaria. Em outro sentido, o conflito pode ocorrer quando alguém simplesmente sente dificuldade em satisfazer expectativas porque seus deveres são obscuros, difíceis demais ou desagradáveis.

Há uma grande variedade de reações para resolver ou minimizar os efeitos do conflito de papéis. A primeira consiste em decidir que papel é mais importante e então violar as expectativas associadas ao outro papel. A segunda seria abandonar um dos status conflitantes (o indivíduo poderia pedir as contas se o emprego interferisse demais nas suas responsabilidades de pai). A terceira seria participar da *segregação de papel*, a prática de separar uns dos outros vários parceiros de papel (médicos, por exemplo, frequentemente se recusam a tratar de membros da própria família). A quarta reação implica o que Erving GOFFMAN chamou de *distância de papel*, ou o método usado para minimizar a tensão associada a um papel desagradável. Gerentes, por exemplo, que têm que dispensar grande número de empregados a fim de reduzir custos, podem recorrer a uma grande variedade de técnicas para se dissociarem dessa obrigação. Uma das maneiras consiste em usar eufemismos, tais como *downsizing*, "dar uma oportunidade lá fora", ou "não prender a pessoa no emprego", que disfarçam a realidade do que está acontecendo. Oficiais militares utilizam a distância de papel de maneiras semelhantes quando se referem a pessoas como "alvos fáceis" ou a baixas civis como "danos colaterais".

A distância de papel também pode assumir a forma de desempenhá-lo ao mesmo tempo em que a pessoa se comporta de maneira distraída. O uso de humor macabro por cirurgiões, quando fazem uma operação especialmente complicada em salas de emergência, pode ser uma forma de distância de papel que minimiza a tensão emocional do trabalho.

Juntamente com os conceitos de status e papel, o conflito desempenha uma função importante ao chamar atenção para a conexão existente entre experiência e comportamento individual e as características culturais e estruturais de sistemas sociais, de onde emerge o potencial de conflito e tensão.

Ver também PAPEL; STATUS.

Leitura sugerida: Goffman, Erving 1961: *Encounters*. Indianápolis: Bobbs-Merrill • Merton, Robert K. 1968: *Social Theory and Social Structure*, ed. ampl. Nova York: Free Press • Van Snell, M., A.P. Brief e R.S. Schuler 1981: "Role conflict and role ambiguity: Integration of the literature and directions for future research". *Human Relations* 34: 43-71.

papéis, estrutura de Uma estrutura de papéis é o conjunto de PAPÉIS coletivamente incluídos em todos os sistemas sociais. A família, por exemplo, tem uma estrutura de papéis que inclui relacionamentos entre cônjuges, entre pais e filhos e entre parentes, bem como relacionamentos mais distantes com parentes mais longínquos, tais como primos e avós.

As estruturas de papel diferem em conteúdo e complexidade. Salas de aula em faculdades diferem de repartições públicas pois envolvem papéis diferentes, sendo professor e estudante qualitativamente diferentes de chefe de seção e ministro. Essas estruturas diferem ainda em complexidade, porém, uma vez que a classe de faculdade envolve apenas dois papéis cujas ligações são relativamente simples, ao passo que a repartição implica muitos papéis diferentes que se interligam de numerosas maneiras.

A estrutura de papéis influencia mais do que qualquer outra característica estrutural o que realmente acontece nos sistemas sociais pois afeta de forma direta aos padrões de comportamento dos que deles participam.

Ver também DIVISÃO DO TRABALHO; ESTRUTURA SOCIAL.

papel Um papel é um conjunto de ideias associadas a um STATUS social, que definem sua relação com outra posição. O papel de professor, por exemplo, é construído em torno de um conjunto de ideias sobre professores em relação a estudantes: CRENÇAS sobre quem são eles, VALORES relacionados com os objetivos que se supõe que busquem atingir, NORMAS relativas a como se espera que pareçam e se comportem, ATITUDES sobre suas predisposições emocionais em relação ao trabalho e aos estudantes. O papel de estudantes inclui em geral a crença em que sabem menos do que os professores; que o valor de aprender é bom como um fim em si mesmo; e a expectativa de que chegarão a tempo às aulas, se esforçarão, aprenderão o que lhes for designado e manterão uma atitude de respeito com os professores e colegas. Não se espera que estudantes e professores se aproximem sexualmente, que dinheiro troque de mãos em pagamento de notas mais altas ou que os mestres sejam cruéis ou sarcásticos.

Uma vez que o papel é um conjunto de ideias ligadas a um status social, deve ser separado do que as pessoas efetivamente fazem como ocupantes do status, no que é conhecido como *desempenho de papel.* Esta distinção tem importância especial no interacionismo simbólico, que enfatiza a importância da criatividade no comportamento social. Tal como os músicos de jazz, o indivíduo pode prestar atenção à uma "partitura" geral, mas, no processo, improvisar um bocado.

Juntamente com o conceito de status, o papel é um elemento básico de construção de sistemas sociais, porquanto em graus consideráveis estes podem ser considerados uma rede de status e papéis a eles associados. O papel é ainda um conceito importante porque é através dele que indivíduos se encaixam nos sistemas sociais.

Ver também ATOMISMO E HOLISMO; PAPÉIS, ESTRUTURA DE; PAPEL, PARCEIRO DE; SISTEMA SOCIAL; STATUS.

Leitura sugerida: Biddle, Bruce J. 1979: *Role Theory: Expectations, Identities, and Behaviors.* Nova York: Academic Press • Heiss, J. 1981: "Social roles". In *Social Psychology: Sociological Perspectives*, org. por Morris Rosenberg e Ralph H. Turner. Nova York: Basic Books • Linton, Ralph 1936: *The Study of Man.* Nova York: Appleton-Century-Crofts • Mead, George Herbert 1934: *Mind, Self, and Society.* Chicago: University of Chicago Press.

papel de desempenho *ver* PAPEL EXPRESSIVO E PAPEL DE DESEMPENHO.

papel expressivo e papel de desempenho Da maneira formulada por Robert F. Bales em seus estudos de processos coletivos, os conceitos de papel expressivo e de desempenho (ou *instrumental*) descrevem duas maneiras de participar de relacionamentos sociais. Em grupos, por exemplo, líderes expressivos prestam atenção ao modo como cada integrante se sai, administram conflitos, apaziguam sentimentos feridos, estimulam o bom humor e cuidam de um incontável número de pequenas coisas que contribuem para que haja bons sentimentos entre o grupo. Em contraste, os líderes de desempenho, ou instrumentais, cuidam mais de atingir quaisquer objetivos que sejam importantes para o grupo, seja providenciar o preparo da refeição numa família ou cumprir os termos de um contrato comercial. Como descobriram Bales e seus colegas, os papéis expressivos e de desempenho influenciam profundamente o que acontece em grupos, como os membros são afetados e a forma pela qual atingem seus objetivos.

Ver também COESÃO.

Leitura sugerida: Bales, Robert F. 1950: *Interaction Process Analysis: a Method for the Study of Small Groups.* Cambridge, MA: Addison-Wesley.

papel instrumental *ver* PAPEL EXPRESSIVO E PAPEL DE DESEMPENHO.

papel sexual *ver* SEXO E GÊNERO.

papel, distância de *ver* PAPÉIS, CONFLITO DE.

papel, parceiro de Um parceiro de papel é o ocupante de um STATUS social em relação ao qual o papel de uma pessoa é definido. O papel de mãe, por exemplo, é definido em relação ao papel de filho, o que transforma este em parceiro de papel da mãe e, pela mesma razão, a mãe em parceira de papel do filho.

Quando ocupamos um status social é bastante comum descobrir que estamos relacionados a vários parceiros de papel. Um advogado, por exemplo, mantém relações com juízes, clientes, advogados da parte contrária e seus clientes, policiais, colegas, testemunhas e numerosos serventuários da justiça. Embora todas essas relações estejam ligadas à ocupação do status de advogado, o papel ou comportamento deste em relação a um juiz vai diferir muito do assumido com o cliente ou com o advogado da parte contrária.

Se todos os vários papéis associados à ocupação de um dado status são combinados, o resultado é um *conjunto de papéis*. Isso significa que cada status inclui um conjunto de papéis que consiste de uma série de papéis desempenhados em relação a diferentes parceiros de papel.

Leitura sugerida: Merton, Robert K. 1968: *Social Theory and Social Structure*, ed. ampl. Nova York: Free Press.

papel-modelo Um papel-modelo refere-se a alguém de quem esperamos exemplos de como nos comportar no desempenho de um papel. A pesquisa sobre papéis-modelo focaliza principalmente a SOCIALIZAÇÃO da criança, a imitação do comportamento de adultos e de outros modelos, e o papel de professores na escola e no sucesso na profissão, em especial no que diz respeito a mulheres e minorias. Os papéis-modelo diferem de indivíduos-referência. Os primeiros se concentram em uma atividade específica, enquanto os segundos são generalizados para numerosas áreas da vida social.

Leitura sugerida: Bandura, Albert, e Richard H. Walters 1963: *Social Learning and Personality Development*. Nova York: Holt, Rinehart and Winston • Jung, John 1986: "How useful is the concept of role model? A critical analysis". *Journal of Social Behavior and Personality* 1: 525-36 • Speizer, Jeanne J. 1981: "Role models, mentors, and sponsors: The elusive concepts". *Signs* 6: 692-712.

paradigma *ver* PERSPECTIVA TEÓRICA.

parceiro de papel *ver* PAPEL, PARCEIRO DE.

parentes fictícios *ver* PARENTESCO.

parentesco O parentesco é a mais universal e fundamental de todas as relações humanas — aquelas que se baseiam em laços de sangue, casamento ou adoção (embora algumas sociedades reconheçam variedades de *parentes fictícios*, pessoas que são tratadas "como se fossem da família", mesmo que tecnicamente não se relacionem com ela de acordo com as regras tradicionais de parentesco). Nas pequenas sociedades tribais, o parentesco é a base de toda a organização social. Em outras palavras, o grupo de parentesco e a sociedade são a única e mesma coisa. Tornando-se as sociedades mais complexas, o parentesco passa a responder por uma parte cada vez menor da vida social. As SOCIEDADES AGRÁRIAS, por exemplo, incluem muitas unidades familiares diferentes, cujos interesses podem colidir não só entre si, mas com os da sociedade como um todo. A distribuição de riqueza, poder e prestígio depende muito de laços familiares. Nas sociedades industriais, em comparação, o parentesco é um laço relativamente secundário, exceto pelo fato de que é através dele que ocorre grande parte da socialização e que pessoas atendem a necessidades emocionais básicas. Afora isso, contudo, as grandes instituições sociais — econômicas, políticas, religiosas, e assim por diante — são organizadas sem qualquer conexão específica com parentesco.

Existem dois tipos principais de parentesco: 1) os que se baseiam em laços de sangue, que marcam a *descendência* e, 2) os que têm como fundamento o casamento, a adoção, ou outras ligações (conhecidas como laços de *afinidade*). A descendência é em geral traçada através dos parentes consanguíneos da mãe (*matrilinear*), do pai (*patrilinear*) ou de ambos (descendência bilateral). No sistema matrilinear, por exemplo, a criança é aparentada com a mãe e uma linha de mães que retroage no tempo a partir dela, bem como de seus parentes masculinos e femininos. Mas não há relação de parentesco com o pai e nenhum de seus parentes, incluindo a mãe do pai. O filho de uma mulher é aparentado com ela, mas não os filhos dele. Eles traçarão sua descendência através da mãe e da linha de mães que retroage no tempo a partir dela. Na descendência patrilinear, esse sistema é invertido.

O parentesco é socialmente importante devido à sua conexão com direitos e deveres sociais, poder, herança de propriedades, e assim por diante. Este fato é verdadeiro sobretudo em sociedades menores, não industriais, nas quais o parentesco constitui parte importante da organização social, mas muito menos relevante nas sociedades industriais. Por essa razão, o parentesco tem em geral mais interesse para antropólogos do que para sociólogos.

Ver também FAMÍLIA; REGRAS DE CASAMENTO.

Leitura sugerida: Farber, Bernard 1981: *Conceptions of Kinship*. Nova York: Elsevier • Goody, Jack 1983: *The Development of the Family and Marriage in Europe*. Nova York: Free Press • Murdock, George

Peter 1949: *Social Structure*. Nova York e Londres: Macmillan.

partido político O partido político é uma organização que busca obter poder sobre a definição de políticas públicas, colocando seus membros em posições de autoridade dentro do ESTADO, normalmente através de eleições e nomeações. Como GRUPO DE INTERESSE, o partido também usa seus recursos para influenciar os que já estão no poder, bem como o eleitorado. O interesse sociológico por partidos concentra-se em várias questões, incluindo como são organizados e controlados: de que maneira funcionam como elo entre os cidadãos e o Estado, moldando os interesses de cada um deles; como o número de partidos é estabelecido na sociedade e como o poder é distribuído entre eles; de que forma características sociais, como classe e raça, afetam a filiação aos partidos: em que medida os detentores de cargos estão sujeitos à disciplina partidária; e como os partidos mobilizam pessoas e recursos para a ação política.

Leitura sugerida: Beyme, Klaus von 1985: *Political Parties in Western Democracies*. Gower, Inglaterra: Aldershot • Lawson, Kay, org. 1980: *Political Parties and Linkage*. New Haven: Yale University Press • Sartori, Giovanni 1976: *Parties and Party Systems: a Framework for Analysis*. Cambridge: Cambridge University Press / *(1982)*: *Partidos e sistemas partidários*. Rio de Janeiro: Zahar.

partido, concepção weberiana de *ver* CLASSE SOCIAL.

patriarquia Rigorosamente falando, patriarquia é um sistema social no qual sistemas familiares ou sociedades inteiras são organizados em torno da ideia de domínio do pai. Uma vez que pai é um status familiar, a patriarquia é mais forte em sociedades onde a família constitui a instituição social principal, através da qual riqueza, prestígio e poder são transmitidos de uma geração a outra. Argumentam alguns autores que a patriarquia é um arranjo relativamente novo, cujas origens datam de cerca de 7.000 anos.

Em sociedades de classe industriais, a família é relativamente secundária como origem de riqueza, poder e prestígio e, como consequência, a posição de pai deixou de servir como fundamento de poder social considerável. Isso não significa o fim do domínio do homem e da opressão das mulheres, apenas a mudança da posição de pai para outras, fora da família — na política, na economia e em outras instituições que ofuscaram a importância fundamental da família na maioria das áreas da vida social. A nova ordem de política de sexos é *androcrática* (baseada no princípio da dominação do homem) e *androcêntrica* (que dá a maior atenção e importância ao homem e ao que ele faz).

Ver também MATRIARQUIA.

Leitura sugerida: Eisler, Riane 1987: *The Chalice and the Blade*. São Francisco: HarperSanFrancisco • Fisher, Elizabeth 1980: *Woman's Creation: Sexual Evolution and the Shaping of Society*. Nova York: McGraw-Hill • Lerner, Gerda 1986: *The Creation of Patriarchy*. Nova York: Oxford.

pauperismo *ver* PRIVAÇÃO.

pesquisa-ação *ver* SOCIOLOGIA APLICADA.

pensamento orientado pelo grupo (*groupthink*) Proposto originalmente por Irving Janis, o pensamento orientado pelo grupo é um processo através do qual o desejo de consenso pode resultar em decisões medíocres. Em vez de objetar a decisões medíocres e arriscar-se a perder o senso de solidariedade do grupo, seus membros podem permanecer em silêncio e, dessa forma, manifestar apoio.

Ver também DINÂMICA DE GRUPO; PROCESSO.

Leitura sugerida: Janis, Irving 1982: *Victims of Groupthink*. Boston: Houghton-Mifflin.

pequena burguesia *ver* CLASSE MÉDIA.

percentagem *ver* TABULAÇÃO CRUZADA.

percentil O percentil é um escore que retira uma dada percentagem de casos de uma DISTRIBUIÇÃO de escores. Em um exame universitário, por exemplo, se o 98º percentil é um escore de 88, isso significa que 98% dos escores restantes ficam abaixo de 88. A MEDIANA é equivalente ao 50º percentil.

Embora o percentil possa ser usado para localizar um escore em uma distribuição, em termos de colocação relativa ele nada nos diz sobre em quanto um escore é melhor do que outro. Se é pequena a diferença entre os escores mais alto e mais baixo na distribuição, por exemplo, o escore que se situa no 98º percentil pode aproximar-se muito em valor real de um escore que cai para o 40º lugar.

Ver também MEDIANA.

Leitura sugerida: Bohrnstedt, George W., e David Knoke 1988: *Statistics for Social Data Analysis*, 2ªed. Ithaca, IL: F.E. Peacock.

periferia urbana Descrita pela primeira vez nos Estados Unidos em fins da década de 1980, a periferia urbana é um SUBÚRBIO que deixou para trás o padrão histórico de servir principalmente como comunidade-dormitório de indivíduos que trabalham numa cidade. A periferia urbana dispõe agora de uma base comercial e manufatureira própria — não raro sob a forma de sede de grandes empresas — que concorre com o CENTRO URBANO, abandonado por muitas empresas, e frequentemente acelera sua decadência. As periferias urbanas são completas: possuem parques industriais e prédios comerciais, shopping centers e grandes hotéis e restaurantes.

Leitura sugerida: Hartshorn, T.A., e P.O. Muller 1987: *Suburban Business Centers: Employment Implications*. US Department of Commerce. Washington: Government Printing Office.

periodicidade *ver* AMOSTRA SISTEMÁTICA.

perspectiva comparada Na pesquisa sociológica, a perspectiva comparada (ou *transcultural*) tem por base a ideia de que uma sociedade (ou outro sistema social) não pode ser inteiramente compreendida se não for comparada com outras sociedades ou sistemas. Desenvolvido em forma mais completa por antropólogos, o método comparativo é especialmente útil para explicar como mudam e se desenvolvem os sistemas sociais. É tentador, por exemplo, concluir que o padrão de mudança em nossa própria sociedade reflete tendências humanas universais, até que o comparamos com outras sociedades e descobrimos a rica variedade de padrões que caracterizam a vida social humana.

A principal limitação da perspectiva comparada é que, exatamente porque sociedades diferem de tantas maneiras, elas nem sempre podem ser comparadas com proveito. Comparar taxas de MOBILIDADE SOCIAL, por exemplo, é difícil porque a posição relativa das várias ocupações difere muitas vezes de uma sociedade a outra. Em outro exemplo, a harmonia social relativa e a COESÃO de sociedades tribais são com frequência citadas como uma lição para as sociedades industriais modernas, dilaceradas por conflitos. As diferenças fundamentais entre os dois tipos de sociedade, porém, são tão imensas e abrangentes que não está claro o que se poderia fazer com essas comparações.

Ver também RELATIVISMO CULTURAL.

Leitura sugerida: Kohn, M. org. 1989: *Cross-National Research in Sociology*. Beverly Hills, CA: Sage Publications • Tilly, Charles 1984: *Big Structures, Large Processes, and Huge Comparisons*. Nova York: Russell Sage Foundation.

perspectiva transcultural *ver* PERSPECTIVA COMPARADA.

perspectiva de conflito A perspectiva de conflito constitui um dos principais enfoques teóricos do pensamento e da análise sociológicos. Embora tenha sua origem na obra de Karl MARX e sua crítica do CAPITALISMO, a perspectiva de conflito desenvolveu-se desde então ao longo de várias linhas de questionamento que abrangem praticamente tudo, do mundo da política às relações e interação interpessoal.

De modo geral, a perspectiva de conflito supõe que a vida social é moldada por grupos e indivíduos que lutam ou concorrem entre si por recursos e recompensas variados, do que resultam distribuições peculiares de riqueza, poder e prestígio nas sociedades e em outros sistemas sociais. Estes, por sua vez, moldam não só os padrões da vida e das interações diárias, mas também outros, mais importantes, tais como os raciais, étnicos e de desigualdade de classe, além das relações entre nações e regiões do mundo.

O conflito social tem origem nos muitos e diferentes aspectos da vida social. Marx, por exemplo, argumentava que a maioria dos conflitos era de natureza econômica e surgia devido à detenção e ao controle desigual da propriedade, em especial da propriedade produtiva (os meios de produção). Já Max WEBER defendia uma tese mais ampla, abrangendo não só as relações econômicas, mas também fatores como raça, etnicidade e religião. Ralf DAHRENDORF sustentava que o conflito centraliza-se principalmente na questão do poder, no conflito entre quem controla pessoas e as que são controladas, sobretudo no contexto de organizações complexas, tais como BUROCRACIAS e grandes empresas.

Qualquer que seja o foco particular da explicação, a perspectiva de conflito chama atenção para uma dinâmica importante na qual sistemas sociais promovem e servem como ambientes de luta entre interesses diversos e competitivos. Essa perspectiva destaca também as diversas consequências do conflito, que variam da OPRESSÃO SOCIAL à COESÃO social.

Ver também COESÃO; COMPETIÇÃO E COOPERAÇÃO; CONTRADIÇÃO.

Leitura sugerida: Collins, Randall 1975: *Conflict Sociology: Toward an Explanatory Science.* Nova York: Academic Press • Coser, Lewis A. 1956: *The Functions of Social Conflict.* Nova York: Free Press • Dahrendorf, Ralf 1957 (*1959*): *Class and Class Conflict in Industrial Society.* Stanford, CA: Stanford University Press.

perspectiva estrutural-funcionalista *ver* PERSPECTIVA FUNCIONALISTA.

perspectiva funcionalista Em sociologia, a perspectiva funcionalista retroage principalmente ao trabalho pioneiro de Émile DURKHEIM, sociólogo francês do século XIX e, neste século, ao sociólogo americano Talcott PARSONS e seus alunos. Suas raízes antropológicas estendem-se à obra de Bronislaw MALINOWSKI e A.R. RADCLIFFE-BROWN. Esse enfoque estuda sistemas sociais como um todo, a forma como funcionam, como mudam e as consequências sociais que produzem. Ao analisar ou tentar explicar qualquer aspecto de um sistema social e suas consequências, o funcionalismo formula várias perguntas básicas: de que maneira esse aspecto se relaciona com outros do sistema? Qual o seu lugar no funcionamento geral do sistema social? Que tipos de consequência dele resultam? De que modo essas consequências contribuem ou interferem no funcionamento do sistema e na realização dos valores sociais sobre os quais se baseia?

Ao estudar a vida familiar, por exemplo, o funcionalista pensa na família como um sistema social organizado em torno de determinados valores culturais, tais como a importância de cultivar e socializar os jovens, de prover amor e proteção a seus membros, de regular o comportamento social, de transmitir a riqueza acumulada na família e, claro, de perpetuá-la como sistema social. Como qualquer outro sistema, a família pode exibir uma grande variedade de características que, individual e coletivamente, produzem consequências tanto para membros individuais quanto, mais importante para os funcionalistas, para o sistema como um todo.

As diferenças em características familiares geram grande número de efeitos sobre a família como sistema. A menos que a esposa tenha meios independentes para se sustentar e aos filhos, por exemplo, é provável que o divórcio a lance na pobreza, supondo-se que ela fique com a custódia dos filhos, como em geral acontece. Do ponto de vista funcionalista, essas consequências são avaliadas em termos de seus efeitos sobre o funcionamento e os valores do sistema. Consequências que interferem no sistema e em seus valores são denominadas de *disfuncionais*, enquanto que as que contribuem para sua manutenção recebem a designação de *funcionais*. Como acontece com o divórcio, aspectos do sistema têm frequentemente consequências funcionais e disfuncionais. O divórcio, por exemplo, muitas vezes acarreta a consequência disfuncional de interferir nas necessidades materiais dos membros da família, mas pode produzir também a consequência funcional de prover uma solução para condições destrutivas, como a violência no lar.

Os funcionalistas estabelecem ainda uma distinção entre *consequências manifestas*, que são esperadas, e *consequências latentes* (ou *não antecipadas*), que não são. Uma consequência manifesta do modelo de família nuclear fechada, por exemplo, é que ela pode fortalecer a intimidade emocional, a interdependência e o apoio mútuo, especialmente entre os cônjuges. Uma consequência latente seria que, ao isolar a família das redes de apoio de parentesco, os fardos emocionais postos sobre cada cônjuge são muito aumentados, situação esta que pode levar à tensão, ao conflito e à violência. O isolamento produz o efeito adicional de tornar menos visível o que acontece no seio da família e, portanto, torná-la menos sujeita ao controle social. Isso pode também tornar mais provável que ocorram violência e maus-tratos.

O funcionalismo sociológico está intimamente relacionado com a *perspectiva estrutural-funcionalista* em antropologia, que procura explicar as várias formações sociais encontradas em sociedades tribais em termos de suas contribuições para a coesão social. Essa perspectiva tem sido criticada por dar pouca atenção ao conflito e à mudança social e pela tendência de supor que todos os aspectos dos sistemas sociais têm que estar, de alguma maneira, ligados às "necessidades" ou "requisitos" desse sistema, tais como estabilidade e coesão sociais ou defesa contra ameaças externas. Esse fato, porém, sobretudo hoje em dia, reflete uma visão relativamente estreita do potencial do funcionalismo para ampliar o pensamento sociológico. A duradoura contribuição do funcionalismo — e de Durkheim — é a concentração nos sistemas sociais e na maneira como funcionam, o que nos permite ver que até os aspectos mais indesejáveis da vida social — tais como guerra, racismo, sexismo e outras formas de opressão — estão ligados ao funcionamento, de outras maneiras "normal", das sociedades e de suas instituições. Esses *insights* são de importância crucial, em especial para indivíduos interessados em promover a mudança social.

Ver também COESÃO; ECOLOGIA; ESTRUTURA SOCIAL; IMPERATIVO FUNCIONAL; ORDEM SOCIAL; PERSPECTIVA DE CONFLITO; PERSPECTIVA TEÓRICA; POPULAÇÃO.

Leitura sugerida: Dahrendorf, Ralf 1958: "Out of utopia: Toward a reorientation of the sociological analysis". *American Journal of Sociology* 63: 115-27 • Durkheim, Émile 1893: *De la division du travail social*. Paris: Félix Alcan / (*1978*): *Da divisão do trabalho social*. São Paulo: Abril Cultural / (*1984*): *The Division of Labor in Society*. Nova York: Free Press; Londres: Macmillan.

perspectiva interacionista Uma das grandes PERSPECTIVAS TEÓRICAS da sociologia, a perspectiva interacionista concentra-se nos detalhes concretos do que acontece entre indivíduos na vida diária, diferenciando-se dessa maneira do foco mais amplo em sistemas sociais, encontrado nas PERSPECTIVAS DE CONFLITO e FUNCIONALISTA.

Os interacionistas estudam a maneira como usamos e interpretamos símbolos não apenas na comunicação recíproca entre seres humanos, mas para criar e manter impressões de nós mesmos, forjar o senso de SELF, e criar e manter o que experimentamos como a realidade de uma dada situação social. Desse ponto de vista, a vida social consiste em grande parte de um tecido complexo, formado por incontáveis interações, através das quais a vida assume forma e significado.

Uma das questões mais importantes da teoria interacionista é a relação entre indivíduos e sistemas sociais. Manford Kuhn, por exemplo, argumentava que a vida social consistia principalmente de redes de status e papéis, que funcionam como limitações externas ao indivíduos e que, como resultado, moldam suas experiências e comportamentos. Herbert BLUMER, contudo, sustentava que sistemas sociais existem apenas através da interação entre indivíduos, sem os quais não há sociedade. Ou como disse Georg SIMMEL ([1902] 1950): "A sociedade é simplesmente o nome de um grupo de indivíduos, ligados entre si por interação"(p.10). Como acontece com muitas posições polarizadas, a verdade é provavelmente encontrada em um terreno intermediário. De fato experimentamos sistemas sociais, como a sociedade, como externos a nós e nos sentimos limitados por suas culturas e estruturas. Mas também é verdade que as decisões que tomamos como indivíduos não podem ser previstas simplesmente na base do conhecimento de nossos status e papéis, e que, como indivíduos, temos o potencial criativo de afetar a forma dos sistemas sociais, por menores que sejam esses efeitos.

Ver também ETNOMETODOLOGIA; INTERAÇÃO; MENTE; MICROECOLOGIA; PERSPECTIVA TEATRAL.

Leitura sugerida: Blumer, Herbert 1969: *Symbolic Interactionism: Perspective and Method*. Englewood Cliffs, NJ: Prentice-Hall • Cooley, Charles Horton 1902 (*1964*): *Human Nature and the Social Order*. Nova York: Schocken • Kuhn, Manford H. 1964: "Major trends in symbolic interaction theory in the past 25 years". *Sociological Quarterly* 5 (inverno): 61-84 • Mead, George Herbert 1934 (*1962*): *Mind, Self, and Society*. Chicago: University of Chicago Press • Simmel, Georg 1902 (*1950*): *The Sociology of Georg Simmel*. Org. e trad. por Kurt H. Wolff. Nova York: Free Press.

perspectiva teatral Elaborada inicialmente pelo interacionista simbólico Erving GOFFMAN, a perspectiva teatral é um método que usa a metáfora do palco, atores e plateias para observar e analisar as complexidades da interação social. Todas as pessoas são ao mesmo tempo atores em relação a outras como plateia, e plateia em relação à outras como atores. As expectativas que se aplicam a cada situação constituem um *roteiro* social que os atores usam mais para orientar-se do que para ditar seu desempenho.

Da perspectiva teatral, o SELF é constituído pelos vários papéis que indivíduos representam, e um dos objetivos dos atores sociais consiste em apresentar seus vários *selves* de maneiras que criem e mantenham determinadas impressões, especialmente as favoráveis. Isso inclui proteger a integridade do desempenho. Uma vez que atores e plateias são mutuamente dependentes, é de interesse geral apoiar e proteger o desempenho de todos os envolvidos, esforço este que põe em jogo numerosas técnicas e expedientes. Quando mostramos sinais de constrangimento, por exemplo, isso serve para lembrar a outras pessoas que, embora possamos ter fracassado em algum aspecto de nosso desempenho, temos um compromisso com o PAPEL e tentaremos nos conduzir melhor no futuro.

Uma das questões mais interessantes postuladas pela perspectiva teatral é se o desempenho de papéis implica ou não falta de autenticidade e honestidade nos atores sociais. A opinião de Goffman é que nada há de inerentemente irreal nos roteiros e nos papéis que desempenhamos, que eles na verdade refletem aspectos reais de nossos complexos *selves*. Os papéis são partes reais e autênticas daquilo que somos, e não máscaras que cobrem algum *self* mais profundo.

Ver também AÇÃO DE ALINHAMENTO E DE REALINHAMENTO; ESTIGMA; IMAGEM AUTOPROJETADA; PALCO E BASTIDOR; PERSPECTIVA INTERACIONISTA.

Leitura sugerida: Brisset, D., e C. Edgley, orgs. 1990: *Life as Theater: A Dramaturgical Sourcebook*. Nova York: Aldine de Gruyter • Goffman, Erving 1959: *The Presentation of Self in Everyday Life*. Garden City, Nova York: Doubleday / (*1995*): *A representação do eu na vida cotidiana*. 6ªed., Petrópolis: Vozes • Hare, A.P. 1984: *Social Interaction as Drama*. Beverly Hills, CA: Sage Publications.

perspectiva teórica A perspectiva teórica (ou *paradigma*) é um conjunto de suposições sobre a natureza das coisas que estão por trás de perguntas que fazemos e dos tipos de respostas a que, como resultado, chegamos. Como maneira de ver a vida humana, por exemplo, a sociologia baseia-se na suposição de que SISTEMAS SOCIAIS, tais como SOCIEDADE e FAMÍLIA, realmente existem, que CULTURA, ESTRUTURAS SOCIAIS, STATUS e PAPÉIS são reais. Em nosso trabalho, nos esforçamos para compreender essas coisas e como elas funcionam, mas não duvidamos de sua existência concreta. Este fato é verdadeiro no que interessa a virtualmente toda busca da verdade, seja ela matemática (cujos axiomas nós simplesmente supomos que são verdades), seja literária, espiritual ou científica.

As perspectivas teóricas são importantes porque suposições direcionam nossa atenção e proporcionam marcos de referência para interpretarmos o que observamos. Sociólogos, por exemplo, prestam mais atenção a coisas tais como a distribuição de riqueza e poder do que às diferenças de personalidade entre indivíduos, ao passo que psicólogos tendem a fazer justamente o oposto. E, ao explicar padrões de comportamento humano, seremos atraídos por explicações que dependem de conceitos como estrutura ou cultura, em vez de por alguma ideia de uma natureza inerente ao ser humano, não porque acreditemos necessariamente que a natureza humana não existe, mas porque não faz parte de nosso arcabouço teórico geral.

Em sociologia, há várias perspectivas teóricas — a de CONFLITO, a INTERACIONISTA, a FUNCIONALISTA e a ecológica — que contribuem com diferentes suposições e ênfases para o estudo da vida social. Todas elas, no entanto, têm em comum a atenção ao que é fundamentalmente SOCIAL na vida humana.

Ver também SOCIOLOGIA INTERPRETATIVA.

Leitura sugerida: Kuhn, Thomas S. 1962 (*1970*): *The Structure of Scientific Revolutions*, 2ªed. ampliada. Chicago: University of Chicago Press / (*1975, 1978*): *A estrutura das revoluções científicas*. São Paulo: Perspectiva.

pertencimento *ver* GRUPO.

peso beta *ver* ANÁLISE DE SEQUÊNCIA; PADRONIZAÇÃO.

pesos de amostragem O peso de amostragem é um fator de correção estatístico que compensa um modelo de AMOSTRA que tende a super-representar ou sub-representar vários segmentos de uma população. Em algumas amostras, pequenos subconjuntos de população, tais como minorias religiosas, étnicas ou raciais, podem ser selecionados em números maiores do que sua percentagem na população de outra maneira requereria, de modo a produzir um número suficiente de casos para análise. Quando essas subamostras são combinadas com a amostra maior, seus números desproporcionalmente maiores podem ser diluídos por um peso de amostragem. No caso de AMOSTRAS COMPLEXAS, as probabilidades de seleção podem se mostrar desiguais devido a condições imprevisíveis de campo, resultado este que requer correção na forma dos pesos de amostragem.

A fim de dar um exemplo, vamos supor que estamos tirando uma amostra de 1.000 indivíduos em uma população que é 10% católica e 90% protestante. Uma vez que uma amostra representativa incluiria apenas 100 católicos (10% de 1.000), poderíamos fazer uma amostragem em excesso de católicos, selecionando 300. Este fato nos permitiria tirar inferências estatisticamente válidas sobre a população católica, mas, quando usássemos a amostra combinada, os católicos compreenderiam 300/1.000 = 30% da amostra, o que é muito mais do que sua percentagem real na população. Podemos corrigir essa situação estimando uma característica como a renda média, aplicando à cada renda de católicos um peso de 10/30-0,33. Dessa maneira, contando cada indivíduo católico na amostra como apenas 0,33, em vez de 1,0, reduzimos realmente o número deles de 300 para 100. Analogamente, desde que os protestantes constituem 90% da população, mas apenas 700/1.000 = 70% da amostra, inflacionamos o escore de renda de cada protestante utilizando um peso de amostragem de 90/70 = 1,186, que aumenta realmente o número relativo de protestantes no cálculo, de 700 para 900.

A utilidade dos pesos de amostragem põe em destaque a importância de selecionar amostras de maneira que as probabilidades de seleção sejam sempre conhecidas, mesmo que desiguais. Enquanto forem conhecidas, será possível fazer correções depois de selecionada a amostra.

Ver também AMOSTRA COMPLEXA; AMOSTRAGEM DESPROPORCIONAL.

Leitura sugerida: Kalton, Graham 1984: *Introduction to Survey Sampling*. Beverly Hills, CA: Sage Publications • Kish, Leslie 1965: *Survey Sampling*. Nova York: Wiley.

pesquisa de avaliação *ver* SOCIOLOGIA APLICADA.

pós-censitário, levantamento (*postenumeration survey*) O levantamento pós-censitário é uma técnica de pesquisa usada como acompanhamento de um CENSO. Embora o censo seja considerado o método mais completo para contar e observar uma população inteira, o tamanho imenso de muitos deles pode gerar com frequência um erro considerável, em especial quando se faz a contagem de grupos difíceis de observar, tais como grupos étnicos pobres, marginalizados, e assim por diante. O levantamento pós-censitário implica em geral uma AMOSTRA relativamente pequena, mas que pode conter quase tanto quanto 50.000 entrevistados. Esses levantamentos permitem que os pesquisadores prestem atenção mais cuidadosa à coleta de dados e, por essa razão, podem servir como confirmação dos censos muito mais amplos que as precedem. Os resultados dos levantamentos pós-censitários são em seguida usados para elaborar fatores estatísticos que ajudam a corrigir a subcontagem de várias categorias regionais e sociais de indivíduos.

Ver também AMOSTRA.

Leitura sugerida: Anderson, M.J. 1988: *The American Census: A Social History*. New Haven: Yale University Press.

pesquisa-ação *ver* SOCIOLOGIA APLICADA.

pirâmide etária *ver* FAIXA ETÁRIA.

pluralismo cultural *ver* CONTATO SOCIAL.

pluralismo de elites *ver* ESTRUTURA DE PODER.

pobreza Em sentido geral, pobreza é uma situação na qual pessoas carecem daquilo de que têm necessidade para viver. Os limites de "necessidade para viver", no entanto, são matéria de definição. Se a pobreza é definida em termos absolutos — aquilo de que indivíduos precisam para sobreviver fisicamente —, torna-se mais simples definir o ponto em que pessoas se tornam pobres. A experiência de pobreza, porém, depende também do quanto as pessoas têm em comparação com outras pessoas na sociedade e com os valores culturais que definem a "boa vida". Em muitas partes do mundo, por exemplo, água encanada é considerada sinal de prosperidade, ao passo que, nas sociedades industriais, é comum e sua ausência numa casa passa a ser considerada sinal de pobreza. A maneira como definimos pobreza tem grande importância, especialmente nas sociedades industriais, onde a pobreza relativa é mais comum do que a pobreza absoluta. Quanto mais comum a pobreza, maior a pressão pública para que alguma coisa seja feita a respeito.

Compreender a pobreza constitui uma área importante no estudo da ESTRATIFICAÇÃO E DESI-

GUALDADE social. Estas incluem não só a pobreza nas sociedades, mas também entre elas. A maioria das teorias de pobreza focaliza as características dos pobres, e não a relação entre pobreza e as grandes acumulações de riqueza encontradas na maioria das sociedades capitalistas.

Ver também CLASSE SOCIAL; CULTURA DA POBREZA; ESTADO DE BEM-ESTAR; PRIVAÇÃO; RIQUEZA E RENDA; SISTEMA-MUNDO; TERCEIRO MUNDO.

Leitura sugerida: Ellwood, D.T. 1988: *Poor Support: Poverty in the American Family*. Nova York: Basic Books • Field, F. 1982: *Poverty and Politics*. Londres: Heinemann Educational Books • Goldsmith, W.W. e E.J. Blakely 1992: *Separate Societies: Poverty and Inequality in US Cities*. Filadélfia: Temple University Press • Osberg, L., org. 1991: *Economic Inequality and Poverty: International Perspectives*. Armonk, NY: M.E. Sharpe.

poder Poder é um conceito sociológico fundamental, com vários significados, em torno dos quais há grande divergência. O mais comum entre eles é a definição de Max WEBER, que conceitua o poder como a capacidade de controlar indivíduos, eventos ou recursos — fazer com que aconteça aquilo que a pessoa quer, a despeito de obstáculos, resistência ou oposição. Essa definição às vezes é chamada, especialmente por feministas, como poder-sobre (*power-over*). Além de usado para controlar pessoas ou eventos, o poder pode ser também utilizado de maneiras mais sutis e indiretas, como a capacidade de não agir (quando um pai nega amor a um filho ou um governo nega ajuda financeira aos pobres), bem como a de moldar crenças e valores de outras pessoas através de controle sobre a mídia ou instituições educacionais.

O poder definido como poder-sobre aplica-se a sistemas sociais organizados hierarquicamente e o considera como uma substância ou recurso que indivíduos ou sistemas sociais podem possuir. O poder seria algo que pode ser conservado, cobiçado, capturado, retirado, perdido ou roubado; e que é usado basicamente em relações de antagonismo, envolvendo conflito entre os que o têm e os que não o têm. Esse tipo de poder assume várias formas diferentes. A AUTORIDADE é o poder associado à ocupação de um dado status social, tal como o exercido por pais sobre filhos, oficiais sobre soldados, ou professores sobre estudantes. Trata-se de uma forma de poder definida socialmente como legítima, o que significa que tende a ser apoiada pelos que a ele estão sujeitos. Em contraste, o *poder de coerção* carece de legitimidade social e se baseia, em vez disso, no medo e no uso da força. É o poder exercido por nações conquistadoras sobre as conquistadas ou pelo valentão da escola sobre os colegas mais fracos. Ao contrário da autoridade, o poder de coerção é muito instável, motivo pelo qual até o governo mais autoritário não pode perdurar sem algum tipo de legitimidade aos olhos daqueles que governa.

Ao contrário de Weber, Karl MARX utilizou o conceito de poder em relação às CLASSES SOCIAIS e sistemas sociais, e não a indivíduos. Marx argumentava que o poder tem origem em uma posição de classe social nas RELAÇÕES DE PRODUÇÃO, como na posse e controle dos meios de produção pela classe capitalista. Dessa perspectiva, a importância do poder reside não nas relações entre indivíduos, mas na dominação e subordinação de classes sociais, baseadas nas relações de produção.

O poder individual não associado à ocupação de um status social é denominado de *poder pessoal*. Este é a capacidade de influenciar ou controlar outras pessoas, tendo por fundamento características individuais como força física ou habilidade de argumentar convincentemente. Entre as várias formas de poder, o pessoal é sociologicamente o menos importante, uma vez que tem menos a ver com os sistemas sociais e suas características.

Funcionalistas como Talcott PARSONS afirmam que poder não é uma questão de coerção ou dominação social, mas, sim, que se origina do potencial dos sistemas sociais de coordenar atividades humanas e recursos, a fim de atingir objetivos. Dessa perspectiva, por exemplo, o poder do Estado assenta-se em um consenso de valores e interesses, em nome dos quais ele age com vistas a produzir o benefício máximo para todos.

Questões sociológicas fundamentais sobre poder focalizam-se na maneira como este é distribuído nos sistemas sociais, de pequenos grupos democráticos, baseados no consenso, a organizações formais burocráticas e sociedades organizadas em torno de AUTORITARISMO político. Desse ponto de vista, o poder é um componente importante da ESTRATIFICAÇÃO social, tanto como recurso quanto como recompensa, que desempenha um papel relevante na desigualdade e no conflito.

Uma segunda maneira de pensar em poder surgiu mais recentemente com o FEMINISMO. O conceito de poder-de (*power-to*) considera-o como algo baseado não em hierarquia ou dominação e subordinação, mas na capacidade de fazer coisas, de atingir metas, especialmente em colaboração com outras pessoas. Enquanto que a tese do poder-sobre tende a focalizar a atenção na competição pelo poder e dominação, o poder-de destaca o potencial de cooperação, consenso e igualdade. Quando fazendeiros se reúnem para construir um celeiro para o vizinho, por exemplo, a colaboração entre eles gera um grande volume de poder (como é comprovado pelo resultado), sem que ninguém domine ninguém. Ao contrário do poder-sobre, um aumento do poder-de não requer que alguém o perca. Em teoria, o poder-de é infinitamente expansível, o que não acontece com o poder-sobre.

O conceito de poder é controvertido não só porque pode assumir diferentes formas, mas porque a maneira como o encaramos afeta profundamente o modo como pensamos em sistemas sociais e a forma como eles funcionam. A predominância do poder-sobre na maior parte do pensamento contemporâneo sobre poder torna difícil trabalhar no desenvolvimento de alternativas.

Ver também CLASSE SOCIAL; CONFLITO DE CLASSE E LUTA DE CLASSE; ESTRUTURA DE PODER; HEGEMONIA; PERSPECTIVA DE CONFLITO; SOCIOLOGIA MARXISTA.

Leitura sugerida: French, Marilyn 1985: *Beyond Power*. Nova York: Summit Books • Lukes, Steven 1974: *Power: A Radical View*. Londres: Macmillan • Weber, Max 1922 (*1947*): *The Theory of Social and Economic Organization*. Nova York: Oxford University Press • Wrong, Dennis H. 1980: *Power: Its Forms, Bases, and Uses*. Nova York: Harper and Row.

poder de coerção *ver* PODER.

poder pessoal *ver* PODER.

POET *ver* ECOLOGIA.

poliandria *ver* REGRAS DE CASAMENTO.

poligamia *ver* REGRAS DE CASAMENTO.

poliginia *ver* REGRAS DE CASAMENTO.

polígono de frequência *ver* GRÁFICOS.

politeísmo *ver* RELIGIÃO TEÍSTA.

política Política é o processo social através do qual poder coletivo é gerado, organizado, distribuído e usado nos sistemas sociais. Na maioria das sociedades, é organizada sobretudo em torno da instituição do ESTADO, embora este fenômeno seja relativamente recente. Nas sociedades feudais, por exemplo, o Estado era muito fraco e subdesenvolvido, e o poder político cabia principalmente aos nobres, vassalos e clero, cujas esferas de influência eram bem-definidas pela extensão de suas terras.

Embora seja associado com mais frequência a instituições de governo nos níveis internacional, nacional, regional e comunitário, o conceito de política pode ser aplicado a virtualmente todos os sistemas sociais nos quais o poder representa papel importante. Podemos, por conseguinte, fazer perguntas sobre a política da vida familiar e da sexualidade, a "política" de escritório, a política universitária ou mesmo a política da arte e da música. Este último argumento tem importância especial porque chama atenção para o fato de que todos os sistemas sociais têm uma ESTRUTURA DE PODER, e não apenas aqueles cujas funções sociais são formalmente definidas em termos de poder.

Ver também ECONOMIA POLÍTICA; ESTADO; PARTIDO POLÍTICO; PODER.

Leitura sugerida: Bottomore, Thomas B. 1979: *Political Sociology*. Londres: Pluto Press / (*1981*): *Sociologia política*. Rio de Janeiro: Zahar.

população População é um conceito que comporta dois usos gerais. Em pesquisa, é um conjunto bem-definido de objetos de estudo. Uma pesquisa de população, por exemplo, poderia compreender grupos antiguerra, adolescentes francesas que tiveram filhos em 1995, empresas que faliram em fins da década de 1980, ou nações do Terceiro Mundo. À parte a sociologia, claro, as populações de interesse poderiam ser muito diferentes, de *chips* de computador produzidos por uma dada companhia ao trigo ainda no pé nas fazendas, os artefatos deixados por civilizações antigas etc. Em todos os casos, a população define um conjunto de objetos a ser estudado.

Em DEMOGRAFIA, população é definida de forma um tanto mais limitada, como um conjunto de pessoas que compartilham de um dado território geográfico. Essa definição contrasta com a ideia mais geral de população sugerida acima, que não comporta tais restrições.

Ver também CENSO; DEMOGRAFIA; ESTATÍSTICA.

Leitura sugerida: Shryock, Henry S., Jacob Siegel et al. 1976: *The Methods and Materials of Demography*. Londres e Nova York: Academic Press • Singleton, Royce A., Bruce C. Straits e Margaret M. Straits 1993: *Approaches to Social Research*, 2ªed. Oxford e Nova York: Oxford University Press.

população estacionária *ver* POPULAÇÃO ESTÁVEL.

população estável Em DEMOGRAFIA, população estável é a população hipotética em que, durante um período prolongado, as taxas de natalidade e mortalidade específicas da idade permaneceriam constantes, tipicamente em torno dos 70 anos. A população estável tem uma taxa de crescimento constante (denominada *coeficiente intrínseco de crescimento*) e uma composição idade-sexo invariável. Se suas taxas brutas de natalidade e mortalidade são iguais, o coeficiente intrínseco de crescimento é zero e a população passa a ser conhecida como *população estacionária*. O modelo de população estável é útil para avaliar os efeitos a longo prazo dos padrões de natalidade e mortalidade, independentemente da composição idade-sexo da mesma.

Leitura sugerida: Shryock, Henry S., Jacob Siegel et al. 1976: *The Methods and Materials of Demography*. Londres e Nova York: Academic Press.

populismo Populismo (da palavra latina que significa "povo") é uma ideologia ou movimento social que deposita fé na sabedoria do homem comum e por isso mesmo desconfia das elites, tais como a política, a intelectual, a empresarial etc. Como movimento político, o populismo tem frequentemente pregado o governo direto pelo povo e contra os padrões de mudança preconizados pelas elites, como o capitalismo industrial, a urbanização e outras formas de "progresso".

Leitura sugerida: Canovan, M. 1981: *Populism*. Nova York: Harcourt Brace; Londres: Junction Books • Laclau, E. 1977 (*1979*): *Politics and Ideology in Marxist Theory: Capitalism, Fascism, and Populism*. Londres: Verso/ (*1979*): *Política e ideologia na teoria marxista*. Rio de Janeiro: Paz e Terra.

pós-estruturalismo *ver* ESTRUTURALISMO E PÓS-ESTRUTURALISMO.

pós-modernismo *ver* MODERNISMO E PÓS-MODERNISMO.

positivismo Desenvolvido por Auguste COMTE, o positivismo é uma maneira de pensar baseada na suposição de que é possível observar a vida social e reunir conhecimentos confiáveis, válidos, sobre como ela funciona. Esses conhecimentos poderiam ser usados para afetar o curso da mudança e melhorar a condição humana.

Comte acreditava que a vida social era governada por leis e princípios básicos que podiam ser descobertos através do uso dos métodos mais comumente associados às ciências físicas. Da forma como evoluiu desde os dias de Comte, o positivismo afirma também que a sociologia devia interessar-se apenas pelo que pode ser observado com os sentidos e que as teorias de vida social deveriam ser formuladas de forma rígida, linear e metódica, sobre uma base de fatos verificáveis.

Por várias razões, a influência do positivismo sobre a sociologia moderna tem sido relativamente pequena. As opiniões correntes argumentam que o positivismo estimula uma ênfase errônea em fatos superficiais, sem dar atenção aos mecanismos subjacentes que não podem ser observados. Não podemos, por exemplo, observar motivos humanos ou o significado que pessoas atribuem a comportamento e a outros aspectos da vida social, mas isso não implica que significado e motivo não existam ou são irrelevantes. Outros defendem a tese de que a natureza da vida social é de tal ordem que os métodos usados nas ciências físicas são simplesmente inaplicáveis e precisam ser substituídos por um enfoque menos rígido.

Ver também EMPÍRICO; EMPIRISMO ABSTRATO; HERMENÊUTICA; INTERAÇÃO; REALISMO.

Leitura sugerida: Giddens, Anthony 1974: *Positivism and Sociology*. Londres: Heinemann Educational Books • Turner, Stephen Park, e Jonathan H. Turner 1990: *The Impossible Science: An Institutional Analysis of American Sociology*. Newbury Park, CA: Sage Publications.

potlatch Em algumas tribos americanas nativas da região do noroeste do Pacífico dos Estados Unidos e Canadá, o *potlatch* é uma prática ritual na qual homens usam presentes como maneira de indicar seu status em relação a outros homens. É uma forma de bravata com a intenção de demonstrar como um dado homem é rico e generoso, às expensas dos que recebem os presentes. Os contemplados, por seu lado, sentem-se na obrigação de agir da mesma maneira em algum ponto do futuro, de modo a poder passar para uma posição superior.

Ver também CONSUMO CONSPÍCUO; PRESTÍGIO.

Leitura sugerida: Benedict, Ruth 1934: *Patterns of Culture*. Nova York: American Library.

práxis No sentido mais simples, práxis é ação, em contraste direto com teoria. É mais sobre o que fazemos do que sobre o que pensamos. Poderíamos, por exemplo, ter ideias sobre o que causa a desigualdade e a pobreza (teoria), mas se implementamos ou não essas teorias em um esforço para eliminar a pobreza é uma questão de práxis. Karl MARX utilizou o termo para referir-se a toda ação intencional, ao processo criativo através do qual pessoas trabalham, produzem bens e agem umas sobre as outras e sobre o mundo. É a práxis, argumentava Marx, que está no âmago da existência humana, e o que pensamos é importante apenas na medida em que molda e dá objetivo à ação.

Ver também EMPIRISMO ABSTRATO; TEORIA.

Leitura sugerida: Marx, Karl 1844 (*1985*): *Manuscritos econômico-filosóficos e outros textos escolhidos*. São Paulo: Abril Cultural / 1967: *Economic and Philosophical (Paris) Manuscripts*. Nova York: International Publishers; Moscou: Progress • Lefebvre, H. 1968: *The Sociology of Marx*. Londres: Allen Lane and the Penguin Press.

preconceito e discriminação Em termos gerais, preconceito é a teoria da desigualdade racial, entre outras formas, e discriminação é a sua prática. Preconceito é uma ATITUDE cultural positiva ou negativa dirigida a membros de um grupo ou categoria social. Como uma atitude, combina crenças e juízos de valor com predisposições emocionais positivas ou negativas. Por exemplo, o racismo que brancos dirigem a negros e outras pessoas de cor inclui crenças estereotipadas sobre diferenças raciais em áreas como inteligência, motivação, caráter moral e habilidades diversas. Essas diferenças são então julgadas segundo valores culturais em detrimento das pessoas de cor e do status elevado dos brancos. Finalmente, elementos emocionais como hostilidade, desprezo e temor completam a atitude, criando predisposição entre brancos para tratar negros de maneira opressora e para perceber sua própria categoria racial como socialmente superior. Considerando que pessoas de cor na Europa e nos Estados Unidos vivem na mesma cultura que brancos, o preconceito racial irá, de certa maneira, afetar o modo como eles percebem e avaliam a si próprios.

Se julgarmos a importância de um preconceito por suas consequências sociais, então o preconceito acerca de raça ou gênero, ou de etnia e outras MINORIAS, é sociologicamente mais interessante. Tecnicamente, por exemplo, qualquer preconceito com base racial constitui *racismo*, assim como qualquer preconceito baseado no sexo é *sexismo* e qualquer preconceito baseado na etnia é *etnicismo*. Isso significa que o preconceito dirigido contra homens é sexista, assim como o preconceito dirigido por negros contra brancos é racista. Uma objeção a essa visão é a de que consequências do preconceito dirigido a minorias são bastante diferentes daquelas de preconceitos dirigidos a grupos dominantes pelas minorias, em geral como autodefesa. O primeiro sustenta e perpetua a OPRESSÃO SOCIAL. O último, contudo, tem consequências relativamente triviais para membros de grupos dominantes uma vez que estes têm acesso à informação. Além disso, têm a prerrogativa, em função de sua condição como membros do grupo racialmente dominante, de pleitear garantias. Por essa razão, alguns sociólogos argumentam que assim como minorias podem sofrer preconceitos do mesmo modo que aqueles que as dominam, conceitos como *racismo* e *sexismo* deveriam ser reservados para preconceitos cuja função ideológica fosse justificar a opressão social.

O preconceito é sociologicamente importante porque fundamenta a discriminação, o tratamento desigual de indivíduos que pertencem a um grupo ou categoria particular. Quando o tratamento desigual toma forma de abuso, exploração e injustiça sistemáticos, então torna-se opressão social. Porém, nem toda discriminação baseia-se no preconceito. Nos Estados Unidos, por exemplo, *ação afirmativa* é uma política governamental segundo a qual grupos como negros e mulheres que carregam uma longa história de preconceito e discriminação são ativamente sondados como candidatos a empregos, contratos governamentais e admissão nas universidades. Embora esse tipo de discriminação positiva venha provocando bastante controvérsia, geralmente tem tido pouco efeito na distribuição total de homens, mulheres, negros e brancos entre as ocupações.

Ver também ESTEREÓTIPO.

Leitura sugerida: Allport, Gordon W. 1954: *The Nature of Prejudice*. Garden City, NY: Doubleday Anchor Books • Memmi, Albert 1964: *Dominated Man*. Nova York: Orion Press.

pré-requisito funcional *ver* IMPERATIVO FUNCIONAL.

prestígio De acordo com Max WEBER, prestígio é honraria ou deferência ligadas a um status social e distribuídas desigualmente como uma das dimensões da ESTRATIFICAÇÃO social. Weber estabelecia uma distinção entre prestígio de CLASSE SOCIAL — acesso a recompensas e recursos materiais — e PODER, embora ambos frequentemente andem juntos.

Se prestígio é definido meramente como respeito, nada há de inerente em sua desigualdade de distribuição. Em teoria, todos podem desfrutar de algum grau de respeito. Mas se prestígio refere-se a honrarias que requerem algum grau de deferência e pressuposição de superioridade, então, como argumentava Talcott PARSONS, ele é inerentemente desigual, pois estas não podem ser simétricas. Foi essa opinião que, em parte, levou Parsons a considerar prestígio como o fator mais importante — e inevitável — nos sistemas de estratificação. O prestígio, afirmou ele, é distribuído de acordo com três fatores: 1) posses, 2) qualidades (tais como talento e características atribuídas, como raça e sexo), e 3) desempenho (incluindo status adquiridos, como nível educacional atingido e status matrimonial).

Essa opinião sobre a importância do prestígio encontra eco em um grande corpo de pesquisa sobre a mobilidade social nas sociedades industriais. A maioria dos pesquisadores concentra-se no prestígio ocupacional, medido ao perguntar-se aos entrevistados que classifiquem as ocupações como de "excelente" a "medíocre", na base de "posição geral". Descobriu-se que essas classificações são muito estáveis ao longo do tempo e coerentes através da sociedade, embora com algumas variações interessantes (o hiato de prestígio entre empregos de colarinho-branco e de colarinho azul era em geral menor nas sociedades socialistas, como na antiga União Soviética, por exemplo, do que nos Estados Unidos e na Grã-Bretanha).

Ver também CLASSE SOCIAL; CONSUMO CONSPÍCUO; ESTRUTURA OCUPACIONAL; PARTIDO POLÍTICO; STATUS.

Leitura sugerida: Parsons, Talcott 1964: "A revised approach to the theory of social stratification". In Talcott Parsons, *Essays in Sociological Theory Pure and Applied*. 386-439. Glencoe, IL: Free Press • Treiman, Donald J. 1977: *Occupational Prestige in Comparative Perspective*. Nova York: Academic Press.

previsão e projeção Da perspectiva metodológica, uma previsão ou projeção é uma declaração sobre o futuro. A preocupação com a questão do que será o futuro (conhecida em geral como *prognóstico social*) tem uma longa história na sociologia.

Para alguns cientistas sociais, a capacidade de prever o que acontecerá em condições variáveis constitui o verdadeiro teste da teoria; mas a verdade é que a maior parte da ciência social está longe de conseguir tal resultado. Alguns importantes fenômenos sociais são muito fáceis de prever. Se sabemos quantos bebês nascem todos os anos em uma sociedade, por exemplo, sabemos também, com alto grau de precisão, como a estrutura etária mudará no futuro, uma vez que os adultos de amanhã já nasceram.

Mas até mesmo no caso de populações, previsões exatas são difíceis. Por essa razão, a DEMOGRAFIA tende a concentrar-se na projeção, ou seja, numa declaração sobre o que acontecerá se as tendências atuais persistirem. Se o uso de cigarros, álcool e drogas está em declínio, por exemplo, podemos simplesmente projetar a tendência para frente no tempo, a fim de verificar como serão as coisas se a taxa de declínio continuar. O problema com projeções é que as taxas de mudança raramente permanecem constantes, de modo que se torna necessário fazer conjuntos delas, representando várias suposições sobre tendências. Infelizmente, toda essa cautela de parte de cientistas sociais acaba em nada, devido à tendência comum de confundir projeções com previsões.

Leitura sugerida: Ascher, William 1978: *Forecasting: An Appraisal for Policymakers and Planners*. Baltimore: Johns Hopkins University Press • Singleton, Royce A., Bruce C. Straits e Margaret M. Straits 1993: *Approaches to Social Research*, 2ª ed. Oxford e Nova York: Oxford University Press.

Primeiro Mundo *ver* TERCEIRO MUNDO.

primeiro plano *ver* PALCO E BASTIDOR.

privação De modo geral, privação refere-se a uma condição na qual pessoas carecem daquilo de que necessitam. O conceito é sociologicamente importante devido à relevância social do que as pessoas estão dispostas a suportar para melhorar sua qualidade de vida, do crime à participação em movimentos sociais.

A *privação absoluta* é a falta de atendimento das necessidades de vida, como alimento, água, abrigo e combustível. O estado de *privação relativa*, contudo, baseia-se na diferença percebida entre o que alguns indivíduos têm em comparação com outros. Implícita nesta situação está a ideia de que pessoas são seletivas no tocante a outras com quem resolvem se comparar. Os que se encontram no mais baixo degrau do sistema de CLASSE SOCIAL em muitas sociedades industriais, por exemplo, são, em termos objetivos, mais prósperos do que muitos dos mais altamente colocados em sistemas de classe de sociedades não industriais. Os que pertencem às sociedades industriais, porém, não encontram consolo nisso, porque não usam tais sociedades como pontos de comparação. Nesse sentido, a privação relativa existe quando indivíduos se consideram carentes do que acreditam que *deviam* ter, no contexto do sistema social em que vivem e da posição que nele ocupam.

O conceito de privação relativa tem sido usado principalmente no estudo de MOVIMENTOS SOCIAIS e de revolução, casos em que se argumenta que a privação relativa, e não a absoluta, terá mais probabilidade de promover pressão por mudança.

Ver também GRUPO DE REFERÊNCIA.

Leitura sugerida: Brown, M., e N. Madge 1982: *Despite the Welfare State*. Londres: Heinemann Educational Books • Davies, James C. 1962: "Toward a theory of revolution". *American Sociological Review* 27: 5-19 • Tilly, Charles 1978: *From Mobilization to Revolution*. Reading, MA: Addison-Wesley.

privação absoluta *ver* PRIVAÇÃO.

privação cultural *ver* CAPITAL CULTURAL.

privação relativa *ver* PRIVAÇÃO.

problema social Um problema social pode ser melhor definido se dividirmos a expressão em duas partes: o problema e o que o torna SOCIAL. Para um problema (ou qualquer outra coisa) tornar-se social, é preciso que envolva sistemas sociais e a participação das pessoas nesses sistemas de algum modo. Isso incluiria problemas causados pelas condições sociais subjacentes ou que produzem consequências que afetam os sistemas sociais. Por exemplo, podemos descrever o abuso de drogas como um problema social porque se origina em condições sociais particulares que o tornam possível e o promovem. Isso inclui a eficácia das drogas como parte da cultura material e a ampla difusão cultural do uso genérico de drogas, desde a aspirina até o álcool, como uma resposta efetiva e legítima para problemas pessoais; um sistema econômico voltado para o lucro no qual drogas servem como mercadoria e fonte de riqueza para aqueles que as compram e vendem; e condições sociais tais como pobreza e alienação que fazem do uso de drogas um caminho atraente para diversos indivíduos que lidam com o estresse da vida cotidiana. Enquanto problema, o abuso de drogas é também um problema social pelas consequências que produz, desde padrões de comportamento violento até a exigência de serviços de saúde e a perda da produtividade econômica.

Em geral, algo será identificado como problema social somente se violar ou interferir com VALORES culturais que definem o que é bom, importante e desejável em uma sociedade. Somente isso, no entanto, não é bastante para a identificação do problema social com um processo social. Além disso, assim como com qualquer outra coisa, alguns grupos têm maior controle do que outros sobre esse processo e a identificação de problemas sociais é frequentemente vinculada a interesses de grupos dominantes. As consequências médicas de certos riscos profissionais, por exemplo, são frequentemente conhecidas bem antes de se tornarem socialmente reconhecidas como problemas. Na indústria têxtil, os efeitos da exposição crônica a resíduos de algodão ficaram conhecidos na medicina bem antes de o "*pulmão marrom*" ter sido reconhecido como uma condição profissionalmente identificada que requer ação corretiva por parte dos empregadores. O uso de drogas como a cocaína e a heroína não era geralmente considerado um problema social sério até começar a se difundir entre as crianças das classes média e alta nos anos 60. Enquanto o uso de drogas limitou-se às minorias e às populações pobres, houve pouco alarme ou ação pública.

Ver também SOCIAL.

Leitura sugerida: Becker, Howard S. 1966: *Social Problems*. Nova York: Wiley • Merton, Robert K. 1972: *The Sociology of Social Problems*, 4ª ed. Nova York: Harcourt Brace Jovanovich • Spector, Malcom, e John I. Kitsuse 1987: *Constructing Social Problems*. Menlo Park, CA: Cummings; Nova York: Aldine de Gruyter.

processo político, teoria do *ver* TEORIA DO PROCESSO POLÍTICO.

profano *ver* RELIGIÃO.

profecia autorrealizável Descrita pela primeira vez por Robert K. MERTON, a profecia autorrealizável é uma crença cultural que se torna verdadeira porque indivíduos agem como se ela já tivesse acontecido. Quando professores tratam estudantes da classe média como se eles fossem ter melhor aproveitamento do que estudantes das classes baixa e operária, os primeiros tendem a ter melhor desempenho e conseguem realizar mais do que o fariam sem esse tratamento. Analogamente, quando se nega a mulheres e outras minorias oportunidades de educação com base na crença de que elas carecem de capacidade e motivação, a própria negação pode produzir exatamente esse resultado. Em alguns casos, a profecia autorrealizável assume a forma de uma previsão autêntica, como nos casos em que boatos de crise bancária iminente ocasionam uma corrida aos bancos e seu colapso subsequente, ou quando boatos no mercado de capitais desencadeiam ondas de vendas que produzem o próprio colapso que está sendo previsto.

Embora principalmente associado aos casos mencionados acima, o conceito de profecia autorrealizável indica um ponto mais geral e, de algumas maneiras, mais importante, sobre a CONSTRUÇÃO SOCIAL DA REALIDADE. No sentido mais básico, a função das crenças culturais na vida social não é apenas a de representar a realidade, mas promover sua criação e recriação. A crença comum em que a sociedade é uma democracia, por exemplo, constitui parte integral da garantia de que ela manterá, se é que não aperfeiçoará, as instituições democráticas existentes. Neste sentido, gerar profecias autorrealizáveis constitui função social de todas as crenças culturais.

Ver também CRENÇA; ESTEREÓTIPO.

Leitura sugerida: Merton, Robert K. 1968: *Social Theory and Social Structure*, ed. ampl. Nova York: Free Press.

profissão de fé *ver* DENOMINAÇÃO.

profissão liberal e profissionalização Da forma definida por sociólogos, a profissão liberal é uma ocupação baseada em conhecimento teórico e prático, além de treinamento em um dado campo, tal como medicina, direito ou ciência. As profissões liberais tendem a ser credenciadas e regulamentadas no tocante a certos padrões de desempenho e ética, o que as torna mais autônomas e independentes do que outras profissões. Se o desempenho de um médico é ou não adequado ou ético, por exemplo, depende sobretudo de juízos de valor formados por outros médicos com referência a códigos formulados por organizações profissionais.

A combinação de conhecimento especializado e autorregulamentação coletiva gera uma posição social relativamente alta para os profissionais liberais, incluindo níveis também elevados de renda, riqueza, poder e prestígio. Como resultado, os que fazem parte de algumas ocupações não incluídas na classe de profissionais liberais, tais como homens de negócio, tentam muitas vezes se profissionalizar formando organizações profissionais e promovendo uma imagem pública de padrões éticos, conhecimentos e treinamento especializado. Algumas profissões tiveram sucesso nessa tentativa, como o magistério e ocupações afins de saúde, mas ainda são poucas as ocupações que constituem profissões liberais de forma tão completa como a medicina ou a advocacia.

Uma vez que a prática profissional nas sociedades capitalistas industriais torna-se cada vez mais sujeita a pressões econômicas, a autonomia e a independência geralmente associadas ao status de profissional liberal mostram sinais de erosão. Nos Estados Unidos, por exemplo, um número crescente de médicos trabalha como empregados de grandes organizações de seguro de saúde, cujo controle burocrático sobre os custos (e lucros) médicos frequentemente desempenha um papel importante nas decisões de profissionais liberais sobre cuidados médicos. Da mesma forma, muitos grandes escritórios de advocacia empregam advogados como funcionários assalariados, cuja principal tarefa econômica consiste em gerar renda, que enriquece os donos do escritório, sem esperança de jamais chegarem eles mesmos a essa situação. Em ciência, a dependência dos cientistas de grandes organizações, tais como empresas e governo, que fornecem os imensos volumes de recursos necessários à pesquisa moderna, também inspira questionamentos sobre a autonomia e a independência dos profissionais liberais.

Ver também TRABALHO.

Leitura sugerida: Freidson, Eliot 1986: *Professional Powers: A Study in the Institutionalization of Formal Knowledge*. Chicago: University of Chicago Press • Hodson, Randy, e Teresa A. Sullivan 1990: *The Social Organization of Work*. Belmont, CA: Wadsworth • Ritzer, George, e David Walczak 1986: *Working: Conflict and Change*. Englewood Cliffs, NJ: Prentice-Hall.

prognóstico *ver* PREVISÃO E PROJEÇÃO.

prognóstico social *ver* PREVISÃO E PROJEÇÃO.

projeção *ver* PREVISÃO E PROJEÇÃO.

proletariado *ver* CLASSE SOCIAL.

proletarização Proletarização é um processo social através do qual algumas ocupações de classe média parecem-se cada vez mais com empregos de classe operária, resultando em MOBILIDADE SOCIAL descendente para alguns segmentos da classe média. Há prova desse fato na rotinização de empregos de colarinho-branco (sobretudo devido à automação de escritórios), na erosão do controle, autonomia e independência dos trabalhadores (em especial pela monitoração eletrônica ou por computador do desempenho do empregado) e, com essas condições, tédio e ALIENAÇÃO cada vez maiores. Dessa maneira, embora empregos de colarinho-branco possam conservar seus níveis relativamente altos de prestígio ocupacional, em outros importantes aspectos e nas posições de classe média que ocupam estão perdendo parte do caráter peculiar que os distinguia das classes inferiores.

Embora seja grande a prova de proletarização nas sociedades industriais, suas consequências sociais são menos claras. Se resultarão ou não em mudanças nas ideias e atividade política, ou no aumento da atividade sindical entre trabalhadores de colarinho-branco, por exemplo, é uma situação que ainda resta a ser vista.

Ver também ABURGUESAMENTO; CLASSE SOCIAL; CONSCIÊNCIA E FALSA CONSCIÊNCIA DE CLASSE.

Leitura sugerida: Abercrombie, Nicholas, e John Urry 1983: *Capital, Labour, and the Middle Classes*. Londres: Allen & Unwin • Braverman, Harry 1974: *Labor and Monopoly Capital: the Degradation of Work in the Twentieth Century*. Nova York: Monthly Review Press / (*1981*): *Trabalho e capital monopolista: a degradação do trabalho no século XX*. 3ªed., Rio de Janeiro: Zahar/Guanabara.

propriedade Propriedade é algo que pertence a alguém em um sistema definido pelos direitos e responsabilidades do indivíduo em relação a outras pessoas e aos sistemas sociais. Os direitos de propriedade em geral incluem os de uso, acesso e disponibilidade (vender, destruir ou dar de graça). Essa condição, no entanto, tem variado muito ao longo da história e entre culturas. Em diversas tribos americanas, por exemplo, a terra era mantida sob uma forma de fideicomisso por aqueles que nela viviam, mas não se conhecia o direito de vendê-la ou dela dispor de outras maneiras. Sob o FEUDALISMO europeu, os camponeses não eram os donos da terra, mas tinham direitos tradicionais de usá-la, e os direitos de propriedade da nobreza local estendiam-se apenas ao direito de residência e de apropriar-se de parte do que os camponeses produziam. A propriedade plena da terra cabia ao soberano, que governava a todos.

A propriedade pode ser possuída individual ou coletivamente e ser de natureza material ou não material (como no caso de ideias, trabalhos escritos, música e produções semelhantes protegidas por direitos autorais ou de patente). Em graus variáveis, seres humanos podem ser considerados como propriedades, do caso extremo da escravidão a formas mais sutis nas quais pessoas firmam interesses e direitos de proprietário em relação a outros indivíduos. Um dos principais insights do FEMINISMO, por exemplo, é que, sob a PATRIARQUIA, o homem tende a considerar a mulher como propriedade sexual, relação esta que lhe concede direitos de acesso e uso sexual exclusivos.

A propriedade tem sido um conceito importante na análise de todas as formas de desigualdade social, sobretudo no tocante à CLASSE SOCIAL sob o CAPITALISMO. Karl MARX, por exemplo, definia classe e capitalismo como um sistema centralizado na propriedade e no controle do CAPITAL. As alternativas ao capitalismo em geral envolvem uma mudança tanto na distribuição como na primazia da ideia de propriedade como parte da cultura.

Leitura sugerida: Collins, Randall 1982: "Love and property". In Randall Collins, Sociological Insight: An Introduction to Non-obvious Sociology, 119-54. Nova York e Oxford: Oxford University Press • Hollowell, P., org. 1982: Property and Social Relations. Londres: Heinemann Educational Books.

propriedades emergentes O conceito de propriedades emergentes foi formulado por Émile DURKHEIM como parte da PERSPECTIVA FUNCIONALISTA e, mais tarde, expandido por Talcott PARSONS. Parsons argumentou que as propriedades dos sistemas sociais emergem (daí, "propriedades emergentes") da interação social, mas que não podem ser compreendidas apenas com o estudo dos indivíduos que delas participam. Além disso, experiência e comportamento individuais só podem ser plenamente compreendidos em relação a essas propriedades. Esse fato reflete um pressuposto de grande importância em sociologia, isto é, que a vida social é mais do que motivações e características de pessoas individuais, porque elas são moldadas por um contexto social, que podemos compreender em si e por si mesmo. O todo, em suma, é maior do que a soma de suas partes.

Ver também ATOMISMO E HOLISMO; DETERMINISMO E REDUCIONISMO.

Leitura sugerida: Durkheim, Émile 1895: *Les règles de la méthode sociologique*. Paris: Félix Alcan / (*1982*): *The Rules of the Sociological Method.* Nova York: Free Press; Londres: Macmillan • Parsons, Talcott 1937: *The Structure of Social Action.* Nova York: McGraw-Hill.

psicologia das multidões *ver* COMPORTAMENTO COLETIVO.

psicologismo *ver* INDIVIDUALISMO METODOLÓGICO.

Q

quadro *ver* TABELA.

qualificação equivalente A qualificação equivalente é um conceito que promove a igualdade dos sexos no caso de empregos que têm níveis comparáveis de qualificação e responsabilidade. Parte da explicação da desigualdade de sexos nas sociedades industriais é que mulheres e homens tendem a trabalhar em ocupações diferentes, com taxas diferentes de remuneração. Pesquisas descobriram, no entanto, que as diferenças em remuneração estão vinculadas não a diferenças em qualificações ou responsabilidades exigidas por tais ocupações, mas ao próprio sexo. Despachantes de empresas de transporte em caminhões, por exemplo, tendem a ser homens, enquanto secretárias em geral são mulheres. As qualificações e responsabilidades referentes a cada ocupação são muito semelhantes, mas os despachantes costumam receber salários mais altos do que as secretárias.

No trabalho para igualar a remuneração entre homens e mulheres, sobretudo nos Estados Unidos, o conceito de qualificação equivalente tem sido usado para defender pagamento igual não só pelo mesmo trabalho, mas por trabalho diferente que exija níveis comparáveis de qualificação e responsabilidade. A intenção é superar o efeito da concentração de mulheres em um segmento relativamente pequeno e desprivilegiado do MERCADO DE TRABALHO.

Ver também PRECONCEITO E DISCRIMINAÇÃO.

Leitura sugerida: Remick, Helen, org. 1984: *Comparable Worth and Wage Discrimination*. Filadélfia: Temple University Press • Treiman, Donald J., e Heidi I. Hartmann, orgs. 1981: *Women, Work, and Wages: Equal Pay for Jobs of Equal Value*. Washington: National Academy Press.

questionário *ver* LEVANTAMENTO.

qui-quadrado Qui-quadrado é uma das várias técnicas estatísticas usadas para testar se um conjunto de resultados de amostra é simplesmente uma ocorrência aleatória ou, ao invés disso, reflexo de alguma coisa real que acontece na população. A estatística usada depende da forma matemática que os resultados assumem. O qui-quadrado é usado principalmente para analisar relações entre variáveis apresentadas sob a forma de TABULAÇÃO CRUZADA. O teste é feito construindo-se uma tabela que mostra como os CASOS seriam distribuídos entre as celas se as duas variáveis fossem independentes entre si. A computação do qui-quadrado baseia-se na ideia de usar a diferença entre cada par de celas correspondentes como maneira de medir o quanto a tabela da amostra se afasta do que a mesma seria se as variáveis fossem independentes entre si. O valor numérico resultante do qui-quadrado é em seguida localizado em uma tabela de distribuição de qui-quadrados que indica a probabilidade de chegar-se a tal resultado simplesmente por acaso. Se a probabilidade for pequena o suficiente, esse fato confirma a conclusão de que a relação amostral observada é mais do que uma questão de acaso e que reflete uma relação real na população.

O qui-quadrado é usado também em *testes de adequação*, nos quais uma distribuição é comparada com outra para verificar-se, mais uma vez, se qualquer diferença observada é devida simplesmente ao acaso. Se queremos testar se uma amostra é viesada por renda, poderemos comparar a distribuição de renda da mesma com uma distribuição conhecida de renda de população (coletada como parte de um censo, por exemplo) e usar o qui-quadrado para determinar se as diferenças entre as duas distribuições podem ou não ser atribuídas ao acaso ou a viés no modelo da amostra.

Ver também HIPÓTESE E TESTE DE HIPÓTESE; INDEPENDÊNCIA ESTATÍSTICA E DEPENDÊNCIA ESTATÍSTICA.

Leitura sugerida: Bohrnstedt, George W., e David Knoke 1988: *Statistics for Social Data Analysis*, 2ª ed. Ithaca, IL: F.E. Peacock.

R

raça Raça tem sido frequentemente definida como um grupamento, ou classificação, baseado em variações genéticas na aparência física, sobretudo na cor da pele. A maioria dos sociólogos (e biólogos) contesta a ideia de que raça biológica seja um conceito que signifique alguma coisa, em especial em virtude do imenso volume de cruzamentos que, ao longo da história, caracterizou a população humana. Ao invés disso, o consenso é que a raça existe como um conjunto socialmente construído de categorias, usadas sobretudo como fundamento para a desigualdade e a opressão social. Distinções como "branco" e "negro" pouca base têm em diferenças genéticas cientificamente identificáveis, embora possuam grande importância nas percepções, avaliações e comportamento de indivíduos em relação a outros.

Raça tem sido usada muitas vezes com o significado de ETNICIDADE, palavra esta que descreve um meio formativo cultural comum. Nesse sentido, expressões como "raça britânica" ou "raça judaica" ainda continuam a ser usadas. Uma vez que grande volume de pesquisa demonstra as consequências sociais da cor da pele em si, qualquer que seja o meio formativo cultural, os dois termos continuam a ser usados na sociologia para indicar fenômenos separados e distintos.

Ver também PRECONCEITO E DISCRIMINAÇÃO.

Leitura sugerida: Banton, Michael P. 1987: *Racial Theories*. Cambridge, Inglaterra: Cambridge University Press.

raciocínio dedutivo *ver* MÉTODO HIPOTÉTICO-DEDUTIVO.

raciocínio indutivo *ver* MÉTODO HIPOTÉTICO-DEDUTIVO.

racionalidade limitada Racionalidade limitada é um modelo de processo decisório usado por sociólogos para explicar como decisões são tomadas. Quando explicam como isso é feito em empresas, os economistas, costumeiramente, supõem que o processo inclui exame racional de todas as informações relevantes. Baseando-se em trabalho sociológico realizado em empresas, porém, March e Simon argumentam que o grau em que a tomada de decisões pode ser racional é restringido — ou limitado — pelo fato de que os que decidem jamais têm acesso a todas as informações de que necessitam sobre alternativas ou as consequências de uma dada decisão. Além disso, o homem é por natureza limitado na capacidade de processar, de maneira inteiramente racional, grandes volumes de informações. O resultado é um modelo de tomada de decisões não de racionalidade, mas de racionalidade limitada.

Leitura sugerida: March, J.G. e H.A. Simon 1958: *Organizations*. Nova York: John Wiley • Simon, H.A. 1947 (*1957*): *Administrative Behavior*. 2ªed., Nova York: Free Press e Macmillan.

racionalização Racionalização tem dois significados em sociologia. No primeiro, é a prática de justificar alguma coisa após o fato, como acontece quando um país ataca outro com o objetivo de capturar território ou recursos e, em seguida, dá ao fato uma explicação mais nobre e socialmente aceitável. Esse significado relaciona-se diretamente com os conceitos gêmeos de Vilfredo PARETO, RESÍDUOS E DERIVAÇÕES.

A segunda definição pode ser encontrada na obra de Max WEBER, que se preocupava com a possibilidade de que, à medida que o CAPITALISMO industrial se transformasse em sociedades cada vez mais complexas, a vida social viesse a ser organizada em torno de princípios impessoais de cálculo racional, eficiência técnica e controle. Os sentimentos, a espiritualidade e os valores morais diminuiriam em importância, ao mesmo tempo em que as sociedades construiriam uma "jaula de ferro" cada vez mais restritiva de BUROCRACIA em todas as áreas da vida social, da religião e educação ao trabalho e à lei. Tudo isso facilitaria o controle da vida diária do indivíduo pelo Estado e pelas empresas.

Leitura sugerida: Weber, Max 1922 (*1954*): *Max Weber on Law in Economy and Society*. Cambridge: Harvard University Press.

racismo *ver* PRECONCEITO E DISCRIMINAÇÃO.

racismo institucionalizado *ver* OPRESSÃO SOCIAL.

razão (*ratio*) Razão é simplesmente um número dividido por outro. Em alguns casos — como PERCENTAGENS e TAXAS, por exemplo — há uma clara relação numérica entre o numerador e o denominador. No caso da percentagem, o numerador é um subconjunto do denominador. Se estamos calculando a percentagem de desempregados, os que se encontram nessa situação são incluídos no numerador e no denominador. Em outras razões, tais como a razão entre leitos hospitalares e população, os dois números podem ter origens muito diferentes.

Ver também RAZÃO DE DEPENDÊNCIA; RAZÃO DOS SEXOS.

razão de dependência Em uma população, a razão de dependência é o número de indivíduos jovens e idosos dividido pela população adulta total. "Jovem" é em geral definido como menor de 16 anos de idade e, idoso, como maiores de 64, embora outros pontos de corte sejam às vezes usados. A razão de dependência constitui uma estatística importante para as sociedades nas quais esses grupos etários polares pouco fazem em matéria de trabalho economicamente produtivo, pois isso significa que suas necessidades têm que ser atendidas pelo resto da população adulta. Quanto mais alta a razão de dependência, maior o fardo sobre a média adulta. Altas razões de dependência criam problemas sociais em sociedades com populações muito jovens, tais como os países de alta fertilidade do Terceiro Mundo, ou populações velhas, como as existentes em países de baixa fertilidade da Europa e, cada vez mais, da América do Norte.

Ver também ESTRUTURA ETÁRIA.

razão dos sexos Em uma população, a razão dos sexos é o número de homens para cada 100 mulheres. A razão dos sexos afeta numerosas áreas da vida social, incluindo a disponibilidade de parceiros potenciais de casamento e a composição da força de trabalho. Embora as razões de sexo entre recém-nascidos gire tipicamente em torno de 105 meninos por 100 meninas, em idades mais avançadas elas podem mudar muito. Nos Estados Unidos, chega a 105 entre indivíduos com menos de 5 anos de idade, mas cai para 45 entre os de mais de 85 anos. De modo geral, uma população com alta proporção de idosos costuma apresentar uma baixa razão de sexos, porque as mulheres tendem a viver mais do que os homens. Altas taxas de natalidade, em contraste, resultam em populações mais jovens, e, daí, em uma razão de sexos mais alta. Uma vez que é mais provável a migração entre homens do que entre mulheres, áreas que recebem migrantes tendem a ter razões de sexo mais altas do que as que eles deixam.

Leitura sugerida: Guttentag, Marcia, e Paul F. Secord 1983: *Too Many Women? The Sex Ratio Question*. Beverly Hills, CA: Sage Publications • Kanter, Rosabeth Moss 1977: "Some effects of proportions on group life: Skewed sex ratios and responses to token women". *American Journal of Sociology* 82: 965-90 • Shryock, Henry S., Jacob Siegel, et al. 1976: *The Methods and Materials of Demography*. Londres e Nova York: Academic Press.

realinhamento, ação de *ver* AÇÃO DE ALINHAMENTO E DE REALINHAMENTO.

realismo Realismo é um método filosófico usado para compreender a realidade que enfatiza a importância de levar em conta não só o que pode ser observado pelos sentidos, mas também o que não pode. Se nos limitamos apenas ao que pode ser visto diretamente, por exemplo, tendemos a focalizar os aspectos mais superficiais da vida social. Não podemos observar motivos, crenças e valores humanos, tampouco vários aspectos estruturais das sociedades, tal como sistemas de classe. Na verdade, o conceito de sociedade é em si, de muitas maneiras, uma representação abstrata de algo que não podemos observar diretamente. Os realistas argumentam, por conseguinte, que a sociologia precisa criar maneiras de identificar os mecanismos sociais subjacentes e integrá-los em nossa compreensão e explicações da vida social.

Ver também EMPÍRICO; EMPIRISMO ABSTRATO; HERMENÊUTICA; POSITIVISMO.

Leitura sugerida: Keat, R., e John Urry 1981: *Social Theory as Science*. Londres: Routledge & Kegan Paul.

rebelião (como desvio) *ver* DESVIO NÃO CONFORMISTA.

rebelião política Em sociologia política, rebelião é uma revolta organizada contra um governo, com o objetivo de forçar uma mudança na política, mas sem mudar a natureza do próprio governo. Na França, por exemplo, houve várias rebeliões de estudantes ao longo dos anos, provocadas por políticas públicas impopulares que afetavam a educação superior. Os objetivos dessas rebeliões, porém, não incluíam mudar a forma básica do ESTADO ou das universidades como instituições, o que diferencia a rebelião da REVOLUÇÃO. Tampouco tentavam substituir um grupo de líderes do governo por outros, como em um GOLPE DE ESTADO.

Leitura sugerida: Barry, T. 1987: *Roots of Rebellion: Land and Hunger in Central America*. Boston: South End Press • Tilly, Charles, Louise Tilly e Richard Tilly 1975: *The Rebellious Century*. Cambridge: Harvard University Press.

recenseamento *ver* CENSO.

reciclagem urbana (*gentrification*) A reciclagem urbana é um processo de mudança que ocorre em uma comunidade, através do qual habitações velhas, em estado precário, são compradas, remodeladas e então habitadas pelos proprietários ou alugadas e vendidas com propósito de lucro. Trata-se de fenômeno socialmente importante porque, muitas vezes, desloca os antigos moradores, que tendem a ser membros da classe baixa ou operária, substituindo-os por moradores da classe média ou classe média alta, que têm recursos para pagar o preço mais alto que é pedido nesse momento pela propriedade. Trata-se de um problema muito grave em grandes cidades americanas, onde há uma carência crônica de habitações de baixo preço.

Leitura sugerida: Zukin, S. 1987: "Gentrification: Culture and capital in the urban core". *Annual Review of Sociology* 13: 129-47.

reciprocidade Reciprocidade é uma condição de troca em interação social, sem a qual pessoas tendem a perder interesse e se retrair. Numa conversa, por exemplo, enquanto uma pessoa fala, a outra geralmente dá alguma coisa em troca, sob a forma de atenção — olhando para a pessoa que fala, inclinando a cabeça, murmurando palavras de assentimento, fazendo perguntas ou, de alguma outra maneira, demonstrando interesse — sem a qual o indivíduo que fala tenderá a sentir a impressão de que alguma coisa está faltando ou até mesmo achar difícil continuar a falar. Tão importante é essa troca que, em muitas situações, vigora uma *norma de reciprocidade*, pela qual espera-se que "completemos o círculo", seja em conversa, em oferecimento de um presente ou em declarações de compromisso, como "eu amo você". Por essa razão, dar presentes ou prestar serviços a alguém que não está em condições de corresponder da mesma maneira cria problemas, porque, basicamente, coloca essa pessoa na situação de ter que violar a norma de reciprocidade e, como resultado, sentir-se mal.

Ver também POTLATCH; RELAÇÃO DE DÁDIVA; TEORIA DA TROCA.

Leitura sugerida: Gouldner, Alvin W. 1960: "The norm of reciprocity: A preliminary statement". *American Sociological Review* 25: 161-79.

rede social Embora o termo rede social esteja em uso há muito tempo, tanto no sentido sociológico quanto popular, só na década de 1970 é que sociólogos desenvolveram esse conceito como peça central de uma perspectiva da vida social. A rede é simplesmente um conjunto de relações que ligam pessoas, posições sociais ou outras unidades de análise, como grupos e organizações. Ao focalizar a atenção em redes, os sociólogos podem fazer uma grande variedade de perguntas, desde a maneira como pessoas adquirem poder ao motivo por que organizações funcionam e como.

De modo geral, o método de rede supõe que experiência, comportamento e resultados individuais dependem mais do ponto em que pessoas estão localizadas nas várias redes do que de quem eles são como indivíduos. Esse fato tem origem na ideia de que as redes tanto impõem restrições, que limitam as opções, como proporcionam recursos, que permitem que indivíduos atuem de várias maneiras. Assim, diferenças entre pessoas podem ser compreendidas por elas pertencerem a redes diferentes ou por estarem localizadas diferentemente na mesma rede. Mulheres, por exemplo, raramente progridem em empresas, porque são excluídas de redes informais dominadas pelos homens, através das quais informações importantes são trocadas. E, dentro das redes, quanto mais centralmente localizadas estiverem as pessoas no fluxo de comunicação, mais poder provavelmente terão como resultado.

Ver também ESTRUTURA DE COMUNICAÇÃO; ESTRUTURA SOCIAL; PAPÉIS, ESTRUTURA DE; TEORIA DA TROCA.

Leitura sugerida: Marsden, Peter V., e Nan Lin, orgs. 1982: *Social Structure and Network Analysis*. Beverly Hills, CA: Sage Publications • Wellman, Barry 1983: "Network analysis: Some basic principles". *Sociological Theory* 1: 155-99.

reducionismo *ver* DETERMINISMO E REDUCIONISMO.

reflexividade Reflexividade é o processo de referir-se a si mesmo e aplica-se tanto à teoria quanto às pessoas. Uma teoria reflexiva é aquela que se refere a si mesma. Uma ideia básica na sociologia do CONHECIMENTO, por exemplo, é que todo conhecimento é socialmente construído, e que não existe como verdade objetiva, externa. Esse tipo de declaração, é claro, refere-se também a si mesma, pois ela também — como aliás toda a sociologia — é socialmente construída e pode ser explicada como tal.

Aplicada a pessoas, a reflexividade é a capacidade humana de pensarmos e nos referirmos a nós mesmos como se fôssemos outra pessoa. A declaração "Eu gosto de mim", por exemplo, é reflexiva porque sou simultaneamente o sujeito do verbo e seu objeto e, portanto, refiro-me a mim mesmo, como poderia me referir a alguma outra pessoa, como na frase "Eu gosto de Nora". Reflexividade é uma capacidade humana fundamental que, de acordo com o interacionismo simbólico, torna possível o desenvolvimento do SELF e a capacidade de participar da vida social em relação aos demais.

Ver também MENTE; OUTRO.

reforma, movimento de *ver* MOVIMENTO SOCIAL.

regras da ciência As regras da ciência, tais como as de qualquer outro sistema social, são um conjunto de normas que pautam a maneira como cientistas realizam seu trabalho. De acordo com a norma de *desinteresse*, por exemplo, espera-se que os cientistas atuem em benefício da ciência, não importando de que forma isso possa afetá-los como indivíduos. Cientistas que falsificam resultados de pesquisa a fim de construir um nome para si mesmos violam claramente essa norma e ameaçam a credibilidade dos cientistas em geral.

A norma de *socialização* (que nada tem a ver com sistemas econômicos ou políticos) requer que os cientistas compartilhem livremente entre si os resultados que obtêm, com vistas a promover a descoberta científica. A norma de *universalismo* requer que eles avaliem resultados exclusivamente segundo seus méritos científicos objetivos e não na base de critérios subjetivos, como as características pessoais ou sociais dos cientistas que os divulgam. Na década de 1930, por exemplo, os nazistas violaram várias vezes essa norma, considerando como inválidas as descobertas da "ciência judaica".

Finalmente, a norma do *ceticismo organizado* requer que os cientistas sempre questionem seus resultados e resistam à tentação de concluir que qualquer ideia sobre como as coisas funcionam está definitivamente provada como verdadeira. Mais do que qualquer outra coisa, esse fato separa a ciência da religião como maneira de chegar a ideias sobre a verdade, uma vez que a maioria das religiões é considerada pelos seus fiéis como corpos de verdade não sujeitos a questionamento crítico habitual. É por essa razão que muitos cientistas argumentam que a "ciência da Criação", que rejeita a teoria da evolução em favor de origens divinas, não é absolutamente ciência porquanto considera a verdade como já estabelecida além de qualquer dúvida.

Embora as normas da ciência em geral influenciem o trabalho científico de maneiras bem previsíveis, a estrutura do trabalho científico e as grandes despesas da pesquisa científica muitas vezes geram pressões que culminam em desvios. Cientistas que dependem do governo ou do patrocínio de empresas com interesses conflitantes, por exemplo, podem ser solicitados a manter em sigilo seus resultados e não compartilhá-los com a comunidade científica mais ampla. Um órgão do governo pode querer que descobertas que possuam aplicações militares sejam mantidas secretas, ou uma empresa pode querer proteger descobertas que tenham potencial de gerar lucros. Cientistas, portanto, se veem em um dilema entre satisfazer as condições sob as quais seu trabalho é financiado e obedecer à norma da socialização, da qual depende o sucesso geral da ciência.

Leitura sugerida: Merton, Robert K. 1968: *Social Theory and Social Structure*, ed. rev. Nova York: Free Press • Zuckerman, Harriet 1977: "Deviant behavior and social control in science". In *Deviance and Social Change*, org. por E. Sagarin, 87-138. Beverly Hills, CA: Sage Publications ○ 1988: "The sociology of science: A selective review". In *Handbook of Sociology*, org. por Neil J. Smelser. Beverly Hills, CA: Sage Publications.

regras de casamento Regras de casamento são normas que regulam a escolha de cônjuges, bem como as relações entre indivíduos casados e seus vários parentes. Sob as regras de *endogamia*, por exemplo, espera-se que os indivíduos se casem com aqueles que têm certas características sociais em comum com as suas. Na maioria das sociedades, o casamento é endógamo no tocante à raça e, até certo ponto, à religião e à etnicidade. Sob as regras de *exogamia*, espera-se que pessoas se casem com aquelas que são de certa maneira socialmente diferentes delas. Isso se aplica ao sexo, por exemplo, no sentido em que pessoas têm em geral permissão para casar com outras fora de sua própria categoria de sexo. Em algumas sociedades tribais, as regras de exogamia são também usadas para estimular a formação de laços entre tribos através de casamentos intertribais.

As regras de endogamia e exogamia aplicam-se ao problema geral de quanta liberdade é permitida na escolha de cônjuges. É em geral verdade, por exemplo, que quanto mais o casamento afeta a distribuição de poder, prestígio e propriedade entre grupos aparentados, mais controle as famílias exercem sobre aqueles com quem os filhos casam. Por isso, quando a importância da família declinou com a industrialização, as pessoas adquiriram mais controle pessoal sobre a escolha daqueles com quem casam. Além disso, filhos de membros da classe superior nas sociedades industriais geralmente têm menos liberdade de escolha do que os de classes inferiores. Isso acontece porque o controle sobre a propriedade constitui um elemento decisivo na manutenção dos privilégios da classe alta, e o casamento ainda é uma maneira importante de assegurar esse controle ao manter a propriedade dentro da família e, por conseguinte, dentro da classe alta.

Outras regras determinam o número de cônjuges que o indivíduo pode ter. Embora a maioria das pessoas viva hoje em sociedades que só permitem um cônjuge (*monogamia*), numerosas sociedades admitem cônjuges múltiplos (*poligamia*), prática esta que pode assumir várias formas. A que permite a mulheres ter vários maridos (*poliandria*) tem sido muito rara, mas não a que tolera que o homem possua várias esposas (*poliginia*). Mais raro ainda é o *casamento grupal*, no qual várias mulheres são casadas na mesma ocasião com vários homens. Temos uma variação de todas essas formas na *monogamia serial*, na qual pessoas têm um cônjuge de cada vez, mas, devido às altas taxas de divórcio ou mortalidade, casam-se várias vezes durante o tempo de vida. Esses casamentos são monogâmicos em sentido temporal, mas incluem elementos de poligamia na medida em que os indivíduos vivem na expectativa de ter mais de um cônjuge durante suas vidas.

Outra regra determina onde os casais podem viver em relação com contraparentes. Ao longo da história e na maioria das sociedades esperava-se que os casais vivessem próximos dos parentes da mãe (*casamento matrilocal*) ou do pai (*casamento patrilocal*). Em algumas sociedades, os casais podem escolher os contraparentes em cuja proximidade querem viver (*casamento bilocal*), mas não têm liberdade de resolver viver longe dos parentes afins pelo lado do pai e da mãe, como acontece com sociedades em que vigora a regra de casamento *neolocal*.

Ver também CASAMENTO E DIVÓRCIO; FAMÍLIA; PARENTESCO.

Leitura sugerida: Murdock, George P. 1949: *Social Structure*. Nova York: Macmillan ○ 1967: *Ethnographic Atlas*. Pittsburgh: University of Pittsburgh Press.

regressão múltipla *ver* ANÁLISE DE REGRESSÃO.

reificação Reificação é o processo de tomar uma ideia ou conceito e tratá-los como se fossem algo concreto e real. "Sociedade", por exemplo, é um conceito usado por sociólogos para descrever a organização da vida social. A sociedade não é algo que possamos ver ou experimentar de alguma outra forma com nossos sentidos; ela também não é capaz de pensar, sentir ou agir. Ainda assim, pessoas reificam frequentemente a sociedade, referindo-se a ela como se fosse uma entidade viva, concreta, com necessidades, vontades, intenções e comportamento, um ser consciente que pode ser julgado culpado por variados resultados.

Da forma usada por Georg LUKÁCS e Karl MARX, o conceito de reificação revela que nos separamos e nos alienamos de nós mesmos, e de nossas relações com outras pessoas, quando começamos a considerá-las como semelhantes a coisas, geralmente além de nossa capacidade de controle. Esquecemos, por exemplo, que computadores e outras tecnologias são invenções humanas e, em vez disso, pensamos nelas como se fossem forças independentes, capazes de controlar nossas vidas. Ou pensamos no trabalho humano como uma mercadoria vendida em troca de salário, e não como uma parte profundamente importante de nossa vida social.

Ver também ALIENAÇÃO.

Leitura sugerida: Lukács, Georg 1923 (*1971*): *History and Class Consciousness*. Londres: Merlin; Cambridge: MIT Press / (*1974*): *História e consciência de classe*. São Paulo: Martins Fontes • Marx, Karl 1867, 1894 (*1976*, *1972*): *Capital*. vols. 1 e 3. Harmondsworth: Penguin; Londres: Lawrence and Wishart / (*1974*) *Capital*, vol.1, vol.3. Rio de Janeiro: Civilização Brasileira • Schaff, Adam 1980: *Alienation as a Social Phenomenon*. Oxford e Nova York: Pergamon.

relação condicional *ver* ESPECIFICAÇÃO.

relação curvilinear *ver* ANÁLISE DE REGRESSÃO; DIREÇÃO DA RELAÇÃO.

relação de dádiva A relação de dádiva é criada através de atos de dar e receber. Se alguém nos faz um favor, por exemplo, uma relação é estabelecida, por meio da qual provavelmente sentiremos alguma obrigação de, em troca, fazer outro favor.

Essas relações são sociologicamente importantes pela contribuição que dão à COESÃO social. O senso de comunidade, por exemplo, é fortalecido pela disposição de pessoas de se ajudarem mutuamente — dar e receber serviços ou ajuda material sob a forma de alimentos e roupas em tempos de dificuldades. De maneira semelhante, a solidariedade da família baseia-se até certo ponto em um padrão complexo de dar e receber, de início fluindo principalmente de adultos para crianças e, em seguida, quando as crianças se tornam adultas, para os pais idosos. Nas sociedades anteriores aos mercados, nas quais os pagamentos em dinheiro desempenhavam papel insignificante, grande parte da troca social baseava-se em variações da relação de dádiva. No período colonial da história dos Estados Unidos, era costumeiro os fazendeiros se ajudarem em tarefas sazonais, tais como na debulha do milho, frequentemente transformando essas atividades em acontecimentos sociais que incluíam banquetes e dança. Desenvolvendo-se a economia de mercado, contudo, os fazendeiros passaram a contratar cada vez mais trabalhadores assalariados para realizar essas tarefas em troca de salários monetários, e a coesão social, que se fundamentara na relação de dádiva, enfraqueceu e praticamente desapareceu.

Ver também POTLATCH; RECIPROCIDADE; TEORIA DA TROCA.

Leitura sugerida: Mauss, Marcel 1925 (*1954*): *Essai sur le don*. Paris: Minuit / *The Gift*. Nova York: Free Press; Londres: Cohen & West • Titmuss, Richard M. 1971: *The Gift Relationship*. Nova York: Pantheon.

relação direta *ver* DIREÇÃO DA RELAÇÃO.

relação estatística *ver* INDEPENDÊNCIA ESTATÍSTICA E DEPENDÊNCIA ESTATÍSTICA.

relação informal *ver* ORGANIZAÇÃO FORMAL.

relação inversa *ver* DIREÇÃO DA RELAÇÃO.

relação irregular *ver* DIREÇÃO DA RELAÇÃO.

relação linear *ver* DIREÇÃO DA RELAÇÃO.

relação não linear *ver* DIREÇÃO DA RELAÇÃO.

relação negativa *ver* DIREÇÃO DA RELAÇÃO.

relação positiva *ver* DIREÇÃO DA RELAÇÃO.

relação primária e relação secundária As relações primária e secundária (ou de grupos) constituem um *continuum* de classificação, usado por sociólogos para descrever as interações e vínculos que ligam pessoas entre si. O *continuum* é ancorado nas extremidades por esses dois tipos gerais de relação.

As relações primárias baseiam-se em laços de afeto e lealdade pessoal, envolvem numerosos aspectos da vida da pessoa e duram longos períodos de tempo. Implicam grande volume de interação face-a-face, que se focaliza mais nos sentimentos e bem-estar de pessoas do que no atingimento de metas ou realização de tarefas específicas. Um grupo primário é organizado em torno desse tipo de relação. Dado o requisito de interação frequente face-a-face, os grupos primários tendem também a ser o que os sociólogos chamam de *grupos pequenos*, que variam tipicamente em tamanho de duas a 20 pessoas, sendo os de menos de dez os mais comuns na pesquisa de pequenos grupos.

Como grupo, a família possui todas as características básicas das relações primárias. O vínculo entre cônjuges, por exemplo, baseia-se em geral em profundos laços emocionais e implica alto grau de interação. Poucas são as áreas, se é que existem, na vida de um cônjuge, que não possam ser consideradas de interesse legítimo do outro cônjuge. E espera-se que a relação continue enquanto perdurarem os laços emocionais, se não por mais tempo. Não há objetivos específicos que, uma vez alcançados, sinalizem o fim da relação.

Em contraste, a relação secundária é organizada em torno de faixas muito estreitas de interesses ou objetivos práticos, sem os quais ela não existiria. A relação cliente-garçom em um restaurante, por exemplo, é secundária no sentido em que envolve uma faixa estreita de atividades — a troca de alimento e serviço por dinheiro —, através da qual os participantes atendem a necessidades ou desejos particulares. O que torna a relação secundária é o foco relativamente estreito, utilitário, orientado para a tarefa, limitado pelo tempo, de suas atividades. Os funcionários de um restaurante, por exemplo, podem constituir um grupo secundário na medida em que suas relações são estreitamente focalizadas no trabalho de gerir o estabelecimento.

Como é comum acontecer com conceitos usados para descrever certos tipos de fenômenos sociais, diversas relações e grupos não têm caráter exclusivamente primário ou secundário, mas, sim, constituem uma mistura dos dois. Em sociedades como a Índia, por exemplo, onde numerosos casamentos são arranjados, a relação entre os cônjuges pode ser em essência orientada para um fim e envolver relativamente pouca afeição, pelo menos no início. Ou as pessoas que trabalham no restaurante podem, com o passar do tempo, desenvolver sentimentos de afeição e lealdade recíprocas, e também em relação ao estabelecimento, aspectos estes primários de relação, que coexistem com o que, de outra maneira, seria um arranjo econômico puramente secundário.

É importante identificar as características primárias e secundárias de relações e grupos, em virtude dos grandes efeitos que produzem sobre o que neles acontece. Unidades militares de combate, são, em muitos aspectos, grupos secundários fortemente organizados em torno da realização de tarefas específicas. Mas, como descobriram os sociólogos, o grau em que laços primários se desenvolvem entre soldados tem muito a ver com a eficiência com que combatem, uma vez que eles tendem a preocupar-se mais uns com os outros do que com as razões abstratas pelas quais nações presumivelmente vão à guerra.

De modo geral, as relações secundárias ocupam lugar sem importância na vida humana, porque seu foco é muito estreito e porque tendem a envolver pouco apego emocional. Elas podem, é claro, ser muito importantes, como no caso do trabalho; de fato, um dos dilemas da vida nas sociedades industriais é que uma parte tão grande da vida das pessoas é tomada por relações secundárias.

Ver também GRUPO; TIPO IDEAL.

Leitura sugerida: Cooley, Charles Horton 1909 (*1962*): *Social Organization*. Nova York: Schocken Books.

relação recursiva Na construção de modelos causais, a relação recursiva entre duas VARIÁVEIS é aquela em que os efeitos causais correm em uma única direção. A relação entre nível de educação atingido e ocupação, por exemplo, é tipicamente definida como recursiva: a educação afeta a ocupação, mas a segunda não afeta a primeira. O modelo não recursivo inclui relações entre variáveis que podem correr em ambas as direções. As crenças e valores de pessoas, por exemplo, produzem um efeito causal sobre seu comportamento, que por sua vez tende a reforçar suas crenças e valores.

Os modelos não recursivos são de construção tão difícil que a maioria das técnicas multidimensionais exige relações recursivas.

Ver também ANÁLISE MULTIVARIADA.

Leitura sugerida: Bohrnstedt, George W., e David Knoke 1988: *Statistics for Social Data Analysis*, 2ªed. Ithaca, IL: F.E. Peacock.

relação secundária e grupo secundário *ver* RELAÇÃO PRIMÁRIA E RELAÇÃO SECUNDÁRIA.

relações de produção *ver* MODO DE PRODUÇÃO.

relações industriais Relações industriais é um termo abrangente que cobre uma vasta área de estudo, interessando à sociologia e a várias outras disciplinas. Em essência, o termo focaliza-se nas relações entre empregados e empregadores sob o CAPITALISMO, mas se estende a partir daí para incluir relações entre grupos de trabalhadores e de empregadores. De interesse especial nesse particular têm sido as origens e consequências do conflito social.

Leitura sugerida: Miller, Delbert, e William Form 1980: *Industrial Sociology in Organizational Life*. Nova York: Harper and Row.

relativismo cultural Relativismo cultural é um conceito que se refere ao simples fato — exaustivamente documentado por antropólogos — de que aquilo que é considerado como verdadeiro, valorizado ou esperado em um SISTEMA SOCIAL talvez não o seja em outro. Um *lorry* (caminhão) na Grã-Bretanha é um *truck* nos Estados Unidos. Na Islândia, um dos pratos mais finos é tubarão defumado que, após vários meses, adquire a consistência pastosa e leve de um queijo Camembert: o verdadeiro teste de sua qualidade é o grau em que os vapores que desprende provocam lágrimas nos que o comem. A morte deliberada de uma criança é considerada assassinato na maioria das sociedades, mas entre os Tenetehara do Brasil é julgada uma prática legítima.

Um dos benefícios mais profundos de estarmos conscientes do relativismo cultural é que esse conceito solapa a opinião, muito comum, de que os costumes de uma dada sociedade na vida social estão radicados em uma suposta ordem natural das coisas, que seus códigos morais são universais e absolutamente corretos, ou que os gostos e preferências de seu povo são algo mais do que apenas outra manifestação do potencial coletivo da imaginação e engenhosidade humanas. Essa conscientização, é claro, não nos liberta das limitações impostas por nossa própria cultura, uma vez que cada cultura define a realidade para aqueles que dela fazem parte. Ocidentais podem saber que, no Tibete, irmãos frequentemente compartilham da mesma esposa, mas é improvável que esse conhecimento os torne mais tolerantes a tais práticas em sua própria sociedade. Dessa maneira, as consequências produzidas por uma cultura têm validade nela, pouco importando como as coisas podem ser feitas de maneira diferente em outras.

Outro efeito de estarmos mais conscientes do relativismo cultural é que tendemos a ser menos cegos e arrogantes em relação a outras sociedades e menos rígidos e dogmáticos na avaliação da ideia de mudar a nossa. Compreender que o que aceitamos como "natural", universal e imutável na verdade assume formas diferentes tanto ao longo da história quanto entre sociedades é uma experiência que pode nos tornar mais humildes.

Ver também ETNOCENTRISMO; UNIVERSAL CULTURAL.

relevância do valor, isenção de valor e neutralidade valorativa Estudada inicialmente por Max WEBER, relevância do valor é um assunto de interesse contínuo no trabalho sociológico. Como partes da cultura, é claro, valores são relevantes como tópicos de pesquisa. Na prática da pesquisa sociológica, porém, também são relevantes pelo papel que representam na escolha do que estudar. Estudar as consequências do racismo, ou como aumentar a produtividade do trabalhador no ambiente de trabalho, ou ainda o papel do amor no casamento, é uma decisão que se baseia não em fato ou no método científico, mas em valores, no juízo do pesquisador sobre o que é mais importante ou interessante, ou o que patrocinadores, como empresas ou órgãos do governo, estão mais dispostos a financiar.

Embora valores inevitavelmente desempenhem um papel na pesquisa, os princípios de neutralidade e isenção de valor funcionam como um argumento que recomenda controlar, sempre que possível, a influência dos mesmos. Em condições de isenção de valor, pesquisadores praticam a OBJETIVIDADE, resolvendo não escolher métodos nem interpretar dados de maneiras que favoreçam seus valores ou postura ideológica. Ignorar a prova que refuta uma teoria, por exemplo, e aceitar apenas a que a apoia, violam o princípio de isenção de valor. A neutralidade requer que os pesquisadores identifiquem e deixem bem claros seus próprios valores, ao invés de fingir que não têm valores que possam influenciar seu trabalho, e que evitem usar sua autoridade (especialmente como professores) para defender alguns deles.

Embora haja uma aceitação geral dos princípios de neutralidade e isenção de valor, torna-se duvidoso se é possível ou desejável aplicá-los rigidamente a todas as situações. A pesquisa feita por sociólogos, por exemplo, reveste-se potencialmente de implicações profundas para a vida social e, como tal, muitos deles consideram como dever promover a mudança positiva.

Ver também OBJETIVIDADE; REGRAS DA CIÊNCIA.

Leitura sugerida: Gouldner, Alvin W. 1975: *For Sociology: Renewal and Critique in Sociology Today*. Harmondsworth, Inglaterra: Penguin Books • Weber, Max 1904 (*1949*): *Max Weber*. São Paulo: Ática, col. Grandes Cientistas Sociais / *The Methodology of the Social Sciences*. Glencoe, IL: Free Press.

religião Tal como todas as INSTITUIÇÕES sociais, religião é definida sociologicamente pelas funções que desempenha em sistemas sociais. De modo geral, é um arranjo social construído para prover uma maneira compartilhada, coletiva, de lidar com aspectos desconhecidos e incognoscíveis da vida humana, com os mistérios da vida, morte e existência, e com os dolorosos dilemas que surgem no processo de tomar decisões de natureza moral. Como tal, a religião fornece não só respostas a duradouros problemas e perguntas humanos, mas forma também uma das bases da coesão e da solidariedade sociais.

Fundamental para a realidade social da religião é a distinção estabelecida por Émile DURKHEIM entre o *sagrado* e o *profano*. O profano consistiria de tudo que podemos saber através dos sentidos. É o mundo natural da vida diária, que experimentamos como compreensível ou pelo menos, em última análise, como cognoscível. Em contraste, o sagrado abrange tudo que existe além do mundo da vida diária, natural, que vivenciamos com nossos sentidos. Como tal, o sagrado inspira sentimentos de respeito porque é considerado incognoscível e além das limitadas capacidades humanas de perceber e compreender. A religião é organizada principalmente em torno dos elementos sagrados da vida humana e cria condições para uma tentativa coletiva de construir uma ponte entre o sagrado e o profano.

Ver também ANIMISMO; RELIGIÃO CIVIL; RELIGIÃO ETICIZADA; RELIGIÃO TEÍSTA; RELIGIÃO TOTÊMICA.

Leitura sugerida: Durkheim, Émile 1912 (*1968*): *Les formes élémentaires de la vie religieuse*. Paris: Félix Alcan / (*1973*): *As formas elementares da vida religiosa*. São Paulo: Abril Cultural / (*1976*): *The Elementary Forms of Religious Life: a Study in Religious Sociology*. Nova York: Free Press; Londres: Allen & Unwin • Wilson, Bryan 1982: *Religion in Sociological Perspective*. Oxford: Oxford University Press.

religião civil Religião civil é um conjunto de símbolos e rituais seculares que proporcionam algo do senso de integração, solidariedade social e reverência que estão geralmente associados à religião e ao sagrado. Uma vez que a visibilidade e o poder público da religião institucionalizada na vida social têm diminuído nas sociedades industriais, alguns sociólogos argumentam que novos marcos de referência surgiram para assumir algumas das funções sociais antes desempenhadas pela mesma. Em algumas sociedades, por exemplo, a NAÇÃO-ESTADO preenche essa função, na medida em que antigos líderes, acontecimentos históricos de notável importância e rituais públicos, como coroações, são elevados à categoria de status mítico, se não sagrado, e símbolos do Estado, tais como bandeiras, monumentos e hinos nacionais, são reverenciados com a mesma profundidade em geral reservada a figuras e artefatos religiosos. Até recentemente, a importância da tumba de Lenin em Moscou era um claro reflexo do poder da religião civil. De maneiras semelhantes, nos Estados Unidos, figuras heroicas como George Washington e Abraham Lincoln assumiram um significado mítico, inclusive com o poder de gerar certa medida de COESÃO social até mesmo numa sociedade onde é grande a diversidade étnica e racial.

Ver também RELIGIÃO; SECULARIZAÇÃO.

Leitura sugerida: Bellah, Robert N. 1973: *The Broken Covenant*. Nova York: Seabury Press • Hammond, Philip E. 1980: *Varieties of Civil Religion*. Nova York: Harper and Row • Durkheim, Émile 1912 (*1968*): *Les formes élémentaires de la vie religieuse*. Paris: Félix Alcan / (*1973*): *As formas elementares da vida religiosa*. São Paulo: Abril Cultural / (*1976*): *The Elementary Forms of Religious Life: a Study in Religious Sociology*. Nova York: Free Press; Londres: Allen & Unwin.

religião eticizada A religião eticizada às vezes não é considerada uma religião de fato porque depende muito pouco, se é que depende, da crença em forças, divindades ou outros aspectos sobrenaturais associados com mais frequência à ideia de religião. Em vez disso, a religião eticizada interessa-se principalmente pelo desenvolvimento e aplicação de princípios que melhorem a qualidade da vida humana tanto socialmente quanto em relação ao resto do mundo natural. O budismo, por exemplo, enfatiza a renúncia ao apego excessivo ao mundo material como maneira de aliviar o sofrimento da existência terrena. O confucionismo destaca o dever para com a família e a comunidade como maneiras de obter senso de harmonia e serenidade. O taoísmo vê o próprio universo como enfeixado por princípios éticos que, se seguidos fielmente por seres humanos, resultam também em um senso de harmonia.

Ver também ANIMISMO; RELIGIÃO; RELIGIÃO TEÍSTA; RELIGIÃO TOTÊMICA.

religião teísta A religião teísta tem por base a crença cultural comum na existência de deuses, deusas ou outros seres supremos. O *monoteísmo*, como encontrado no cristianismo, judaísmo e islamismo, reconhece uma única divindade, enquanto o *politeísmo*, da forma existente no hinduísmo, inclui duas ou mais divindades, não raro organizadas em hierarquia. No *panteísmo*, a divindade é considerada não como separada do mundo, mas como o próprio universo, sendo os seres humanos e o mundo apenas manifestações suas.

O teísmo é sociologicamente importante por vários motivos, incluindo o fato de que guerras religiosas, perseguições e intolerância a diferenças estão associadas sobretudo ao monoteísmo, em parte por sua insistência em que há uma única divindade, crença esta que o põe em oposição a outras religiões.

Ver também ANIMISMO; RELIGIÃO; RELIGIÃO ETICIZADA; RELIGIÃO TOTÊMICA.

religião totêmica A religião totêmica (ou *totemismo*) é uma forma de instituição religiosa organizada em torno da crença comum em objetos sagrados, denominados tótens. Émile DURKHEIM analisou religiões totêmicas e chegou à conclusão de que elas na verdade são maneiras das pessoas adorarem sua própria sociedade, atribuindo poder sobrenatural aos tótens a ela associados. Os tótens são considerados representações dos elementos sagrados da própria sociedade, e não de divindades externas.

Os tótens podem assumir formas diferentes, mas, de modo geral, consistem de objetos naturais, como plantas ou animais. São vistos com grande temor e reverência, uma vez que se acredita que qualquer comportamento impróprio em relação a eles — tais como tocá-los, olhá-los ou, no caso de tótens vivos, ofendê-los ou matá-los — acarretará consequências desastrosas.

Ver também ANIMISMO; RELIGIÃO; RELIGIÃO ETICIZADA; RELIGIÃO TEÍSTA.

Leitura sugerida: Durkheim, Émile 1912 (*1968*): *Les formes élémentaires de la vie religieuse*. Paris: Félix Alcan / (*1973*): *As formas elementares da vida religiosa*. São Paulo: Abril Cultural / (*1976*): *The Elementary Forms of Religious Life: a Study in Religious Sociology*. Nova York: Free Press; Londres: Allen & Unwin • Radcliffe-Brown, Alfred R. 1952: *Structure and Function in Primitive Society*. Londres: Cohen and West; Nova York: Free Press.

renda *ver* RIQUEZA E RENDA.

replicação Replicação é a prática científica padrão de repetir um estudo para verificar se os resultados iniciais foram causados por um conjunto de circunstâncias acidentais ou deturpantes. Estudos que produzem resultados considerados importantes são em geral repetidos, ou replicados, com o objetivo de verificar se podem ser reproduzidos. Se puderem, os resultados ganham maior credibilidade entre os cientistas.

Uma experiência comum é que a replicação produz grande variedade de resultados que podem, ainda assim, favorecer um padrão em relação a outro. Na área de diferenças de sexos, por exemplo, alguns estudos talvez descubram que homens têm mais probabilidade do que mulheres de exibir certo comportamento ou capacidade; outros talvez indiquem que mulheres têm maiores probabilidades nesse particular do que homens; e outros, ainda, nenhuma diferença encontrar. Se a maioria dos resultados se inclina em uma dada direção, esse fato pode ser suficiente para aceitá-los, a despeito dos achados conflitantes. Em outros casos, a diversidade de achados pode deixar os pesquisadores sem uma base firme e obrigá-los a suspender as conclusões, até que possam ser encontradas provas mais definitivas.

Os pesquisadores podem julgar impossível reproduzir um conjunto de resultados, o que em geral dá origem ao abandono da alegação inicial. Isso aconteceu, por exemplo, quando uma dupla de cientistas americanos alegou ter descoberto uma maneira de produzir uma reação de fusão nuclear à temperatura ambiente.

Ver também REGRAS DA CIÊNCIA.

Leitura sugerida: Singleton, Royce A., Bruce C. Straits e Margaret M. Straits 1993: *Approaches to Social Research*, 2ªed. Oxford e Nova York: Oxford University Press.

reprodução cultural e reprodução social De acordo com o sociólogo francês Pierre BOURDIEU, reprodução cultural é o processo social pelo qual *culturas* são reproduzidas através de gerações, sobretudo pela influência socializante de grandes instituições. Bourdieu aplicou o conceito, em especial, a maneiras como INSTITUIÇÕES sociais, como escolas, são usadas para transmitir ideias culturais que servem de base e dão respaldo à posição privilegiada das classes dominantes ou governantes.

A reprodução cultural faz parte de um processo mais amplo de reprodução social, através do qual sociedades inteiras e suas características culturais, estruturais e ecológicas são reproduzidas por um processo que invariavelmente envolve certo volume de mudança. Da perspectiva marxista, a reprodução social é sobretudo de escopo econômico, incluindo as relações de produção, as forças produtivas e a FORÇA DE TRABALHO da classe operária. Em sentido mais vasto, contudo, ela inclui muito mais do que isso, da forma das instituições religiosas e linguagens às variedades de música e outros produtos culturais.

Ver também CAPITAL CULTURAL; CULTURA; IDEOLOGIA; SOCIALIZAÇÃO.

Leitura sugerida: Bourdieu, Pierre, e Jean-Claude Passeron 1977: *Society, Culture, and Education*. Beverly Hills, CA: Sage Publications.

reprodução social *ver* REPRODUÇÃO SOCIAL E REPRODUÇÃO CULTURAL.

residência bilocal *ver* REGRAS DE CASAMENTO.

resíduo *ver* ANÁLISE DE REGRESSÃO.

resíduos e derivações Resíduos e derivações são conceitos de importância decisiva na teoria formulada por Vilfredo PARETO para explicar aspectos não lógicos da vida social. Pareto argumentava que a maior parte do comportamento humano é governada por um número relativamente fixo de motivações psicológicas universais, que ele denominou de resíduos. Pareto considerava a vida política, por exemplo, como pautada sobretudo pela motivação de preservar o sistema social como é ("persistência de agregados"), e pela criação e destruição de associações ("instinto por combinações"), com o objetivo de obter poder e promover vários interesses particulares. A vida social inclui também derivações, isto é, as explicações que pessoas dão de seu comportamento e dos sistemas sociais onde o mesmo ocorre. As derivações são importantes porque proporcionam uma justificativa ideológica que serve como base da ação social. Dessa maneira, por exemplo, o argumento de que aquilo que políticos fazem tem em vista o bem maior da sociedade é uma derivação, que desempenha um papel importante nos sistemas políticos.

Ver também ELITE.

Leitura sugerida: Pareto, Vilfredo 1916-19 (*1963*): *The Mind and Society: a Treatise on General Sociology*, vol. 1, *Non-logical Conduct*. Nova York: Dover.

resistência, movimento de *ver* MOVIMENTO SOCIAL.

ressocialização Ressocialização é uma parte do processo contínuo de socialização que se estende pelo CURSO DE VIDA e implica aprender e, às vezes, desaprender vários papéis. Papéis adultos podem cobrir uma larga faixa — de cônjuges, pais, viúvos(as), pais solteiros e pais divorciados a internos em prisões e empregados em diferentes ocupações. Todas essas transições envolvem algum tipo de ressocialização.

Erving GOFFMAN define ressocialização como um processo mais drástico de derrubada e reconstrução de papéis individuais e do senso, socialmente construído, de *self*. A doutrinação forçada de prisioneiros políticos, por exemplo, ou a "desprogramação" de ex-conversos a cultos religiosos, são exemplos de ressocialização, como também a tentativa de reabilitar indivíduos que organizaram grande parte de suas vidas em torno do crime ou de extenso abuso de drogas e álcool.

Uma vez que a ressocialização é um processo drástico que requer grande controle sobre seus sujeitos, ela com frequência ocorre em sistemas rigidamente controlados, como prisões e hospitais.

Ver também INSTITUIÇÃO TOTAL; SELF; SOCIALIZAÇÃO.

Leitura sugerida: Gecas, Viktor 1981: "Contexts of socialization". In *Social Psychology: Sociological Perspectives*, org. por Morris Rosenberg e Ralph Turner. Nova York: Basic Books • Goffman, Erving 1961: *Asylums: Essays on the Social Situation of Mental Patients and Other Inmates*. Garden City, Nova York: Anchor Books.

retração *ver* DESVIO ABERRANTE.

revolução Revolução é uma MUDANÇA SOCIAL que altera aspectos básicos de uma sociedade ou outro sistema social. Em política, por exemplo, a revolução consiste de mais do que uma mudança de liderança, não importa o quão violenta ou súbita possa ser. Para que a mudança política seja revolucionária, o próprio sistema político tem de passar por alguma mudança básica, como da aristocracia para a democracia ou da democracia para a ditadura militar. Dada essa definição, as verdadeiras revoluções são muito raras e difíceis de manter, uma vez que as forças da LEGITIMAÇÃO, que promovem o status quo, tendem a ser muito fortes, até nos sistemas mais opressivos.

Embora a revolução esteja com mais frequência associada à política e à mudança súbita, violenta, ela pode ocorrer em qualquer área da vida social e acontecer sem violência, durante longos períodos de tempo. A REVOLUÇÃO INDUSTRIAL constitui exemplo de uma das transformações sociais mais profundas já ocorridas, como aconteceu também com o desenvolvimento do CAPITALISMO como sistema econômico. Ambas as mudanças evoluíram no decorrer de vários séculos, sem que uma ordem fosse derrubada pela força por outra. O fundamental para a ideia de revolução é o tipo de mudança que ocorre, e não tanto como ela ocorre.

Ver também GOLPE DE ESTADO; REBELIÃO POLÍTICA.

Leitura sugerida: Goldstone, Jack A., org. 1986: *Revolutions*. San Diego: Harcourt Brace Jovanovich • Kimmel, Michael 1990: *Revolution: A Sociological Interpretation*. Filadélfia: Temple University Press • Skocpol, Theda 1979: *States and Social Revolutions*. Cambridge e Nova York: Cambridge University Press.

revolução administrativa A revolução administrativa é uma mudança que surgiu à medida que o capitalismo moderno alterava o conceito de propriedade privada para o de empresa aberta, com ações negociadas ao público, e a administração era entregue principalmente nas mãos de especialistas. Esse fato assinalava um contraste radical com as primeiras fases do capitalismo industrial, quando as empresas eram possuídas e dirigidas principalmente por indivíduos isolados ou famílias. Nas décadas de 1930 e 1940, vários autores argumentaram que a revolução administrativa transformaria a face do capitalismo moderno e as relações entre capital e trabalho. Administradores profissionais, acreditavam, teriam códigos de ética e interesses diferentes dos capitalistas do velho estilo, concentrando-se menos no lucro, na expansão e na acumulação de grande riqueza, e mais em responsabilidade social e em relações harmoniosas com os trabalhadores.

Pesquisas subsequentes demonstraram que a tese da revolução administrativa fora tanto prematura quanto exagerada. A propriedade familiar concentrada, por exemplo, continua a existir em algumas grandes empresas; em muitas outras, os administradores possuem grandes blocos de ações nas companhias onde trabalham; e os estudos revelaram que eles não estão menos interessados do que os donos nos lucros e nos demonstrativos de lucros e perdas. Além disso, as diretorias das empresas estão cada vez mais ligadas entre si, graças à prática de indivíduos servirem em várias delas ("diretorias interligadas"), o que reforça a comunhão de interesses e a unidade de objetivos em torno da meta básica da competição e expansão capitalista. Em suma, a estrutura do capitalismo mudou espetacularmente desde o século XIX, mas não a dinâmica fundamental que o define e impulsiona.

Ver também CLASSE GERENCIAL; SOCIEDADE PÓS-INDUSTRIAL.

Leitura sugerida: Berle, Adolf A. Jr., e Gardiner C. Means 1932: *The Modern Cooperative and Private Property*, ed. rev. Nova York: Macmillan • Burch, P.H., Jr. 1972: *The Managerial Revolution Reassessed*. Lexington, MA: D.C. Heath • Burnham, J. 1941: *The Managerial Revolution*. Nova York: Day • Herman, E.O. 1981: *Corporate Control, Corporate Power*. Cambridge: Cambridge University Press.

revolução científica Da forma definida por T.S. KUHN em sua análise clássica de 1970 sobre a maneira como é realizado o trabalho na ciência, a revolução científica é um processo que ocorre quando uma PERSPECTIVA TEÓRICA, ou paradigma, é abandonada e substituída por outra. Isso acontece quando o acúmulo de observações científicas e os resultados delas decorrentes, denominados de *anomalias*, colidem com o paradigma predominante e não podem ser explicados por ele. O paradigma ptolomaico do universo, por exemplo, baseava-se na suposição falsa de que o sol girava em torno da terra. Muitos anos de observações astronômicas, contudo, produziram achados anômalos, que se chocavam com sua premissa básica. Esses fatos por fim geraram uma revolução científica, através da qual um novo paradigma — o de Copérnico e o modelo de Galileu, do sol ocupando a posição central no sistema solar — substituiu o antigo.

A sociologia não experimentou ainda uma revolução científica, porque nenhum paradigma único enraizou-se o suficiente para ser derrubado por um concorrente, embora alguns autores possam argumentar que esse fato ocorreu, até certo ponto, na luta entre os proponentes das PERSPECTIVAS DE CONFLITO e FUNCIONALISTA.

Ver também PERSPECTIVA TEÓRICA.

Revolução Industrial A Revolução Industrial foi um período que se estendeu de fins do século XVIII a princípios do século XIX. Ela transformou grande parte da Europa e dos Estados Unidos ao substituir sociedades de base essencialmente agrícola pelas sociedades industriais, que se baseiam no uso de máquinas e fontes de energia não animais para produzir bens acabados. Começou na Grã-Bretanha e teve como alicerce uma força de trabalho disponível, instituições altamente desenvolvidas de comércio externo e interno, um excelente sistema de transportes e abundância de carvão como fonte de combustível. Esses fatores proporcionaram condições maduras para aumentos espantosamente rápidos da produtividade.

A Revolução Industrial foi acompanhada pelo desenvolvimento igualmente rápido do CAPITALISMO como sistema econômico, cuja dinâmica pela obtenção de lucros e expansão da produção e mercados proporcionou um estímulo vital à inovação e à exploração do ambiente natural. Como resposta, o socialismo desenvolveu um modelo alternativo para organizar a sociedade industrial. Atualmente, à medida que o socialismo declina na Europa Central e em toda parte, resta ver que outros tipos de sistemas sociais emergirão como alternativas ao capitalismo industrial.

A Revolução Industrial é sociologicamente importante por causa de seus efeitos, vastos e profundos, sobre a estrutura da vida social, da forma assumida pelas instituições políticas aos ritmos da vida familiar.

Ver também MODO DE PRODUÇÃO; SOCIALISMO ESTATAL; SOCIEDADE INDUSTRIAL E INDUSTRIALIZAÇÃO; SOCIEDADE PÓS-INDUSTRIAL; URBANIZAÇÃO E URBANISMO.

Leitura sugerida: Mathais, P. 1983: *The First Industrial Revolution: An Economic History of Britain 1700-1914*, 2ªed. Londres e Nova York: Methuen.

riqueza e renda Riqueza é todo objeto material de valor de que o homem não necessita para consumo em futuro próximo e que pode, por conseguinte, ser mantido em reserva e acumulado. Propriedades imobiliárias, ações, títulos, poupança, pecúlio de aposentadoria, máquinas, veículos, joias, obras de arte e peças importantes de mobiliário são considerados como formas de riqueza nas sociedades industriais capitalistas.

No estudo da desigualdade social, é feita uma distinção entre riqueza e *renda*. Esta consiste principalmente do dinheiro recebido todos os anos e que pode ser convertido em riqueza através de investimentos ou compra de coisas materiais, como casas ou terra. Embora a desigualdade de renda produza importantes consequências sociais, a desigualdade de riqueza é em geral mais extrema e considerada mais importante, sobretudo porque constitui um elemento decisivo da desigualdade de poder, em especial quando toma a forma de CAPITAL. Nos Estados Unidos, por exemplo, os 20% superiores de todas as famílias auferem aproximadamente 40% de toda a renda, todos os anos, embora os 10% mais altos detenham mais de 67% de toda a riqueza, incluindo cerca de 49% de todos os bens imobiliários e mais de 90% de todo dinheiro vivo, ativos empresariais, ações e títulos. No Reino Unido, o 1% superior da população possui 75% de todas as ações negociadas em bolsa.

Ver também CAPITAL.

Leitura sugerida: Kerbo, Harold R. 1991: *Social Stratification and Inequality*, 2ªed. Nova York: McGraw-Hill.

rito de passagem O rito de passagem é uma cerimônia usada para assinalar e concretizar a transição de um STATUS social para outro. A cerimônia do casamento é um rito de passagem, marcando a transição de solteiro para casado, da mesma maneira que cerimônias de iniciação em clubes e outras organizações exclusivas denotam a transição de não membro para membro.

Em muitas sociedades tribais, a mudança do status de criança para o de adulto é marcada por ritos de puberdade. Em contraste, as sociedades industriais frequentemente carecem dessas indicações claras de status adulto, com exceção das cerimônias do *bar mitzvah* e do *bat mitzvah* judaicos. Alguns sociólogos argumentam que, como resultado da falta geral de ritos de passagem, o fim da adolescência e o começo dos 20 anos constituem períodos marcados por ambiguidade, ansiedade e rebeldia. De fato, nos Estados Unidos, a faixa etária na qual os homens são mais propensos à violência e a atos criminosos abrange o fim da adolescência e o início da casa dos 20 anos, precisamente as idades em que a posição de adulto, e todos os privilégios que acarreta, são mais desejados e menos claramente obtidos.

É importante notar que o rito de passagem envolve uma cerimônia socialmente reconhecida. Nesse sentido, experiências (tais como a primeira experiência sexual), popularmente mencionadas como ritos de passagem, na verdade não o são, uma vez que não há um rito *per se* (não há, por exemplo, na maioria das sociedades industriais, uma mudança geralmente reconhecida na posição social associada ao ato de praticar sexo pela primeira vez).

Ver também SOCIALIZAÇÃO.

Leitura sugerida: Van Gennep, Arnold 1909 (*1960*): *The Rites of Passage*. Chicago: University of Chicago Press.

ritual De modo geral, ritual é um padrão de fala ou comportamento usado para criar e manter o senso de conexão com um sistema social. Em eventos esportivos, o canto ritualístico de hinos nacionais contribui para reforçar a unidade nacional. Em cerimônias religiosas, o ritual serve para reafirmar a relação social entre os crentes, bem como a relação entre eles e as várias formas assumidas por forças sobrenaturais (nas religiões que incluem a crença na existência dessas forças). Os rituais religiosos diferem muito entre si na complexidade e no uso de objetos sagrados, bem como na formalidade, espontaneidade e permissão para demonstrações de emoção. Dependendo da religião, o ritual pode fazer uso de orações, sacrifícios, magia, meditação e outras práticas.

Na escala menor das relações interpessoais, o ritual serve a funções semelhantes, ao manter as relações sociais e suas definições de realidade. Quando cônjuges trocam beijos de boa-noite, por exemplo, isso pode ser interpretado como um ritual, que desempenha um papel em manter uma definição comum de relacionamento amoroso. A vida social está cheia dessas interações rituais que, a despeito de sua aparente trivialidade, desempenham um papel importante para manter os sistemas sociais e a participação das pessoas neles.

Ver também ETNOMETODOLOGIA; INTERAÇÃO; RITO DE PASSAGEM; TABU.

Leitura sugerida: Bocock, R. 1974: *Ritual in Industrial Society: A Sociological Analysis of Ritualism*. Londres: Allen and Unwin • Goffman, Erving 1967: *Interaction Ritual: Essays in Face-to-Face Behaviour*. Nova York: Anchor Books; Chicago: Aldine • Turner, Victor 1969: *The Ritual Process*. Chicago: Aldine.

ritualismo Na teoria de desvio de Robert K. MERTON, ritualismo é uma forma de quase DESVIO, no qual pessoas aparentemente obedecem às NORMAS "fingindo", sem compromisso interior com seus papéis e com os valores básicos do sistema social. Uma vez que a falta de compromisso costuma ser detectável por outras pessoas, o ritualismo, se for geral, pode solapar o moral e o compromisso de outros com o sistema (e, daí, a COESÃO social do sistema como um todo), efeito este que não é contrabalançado pela observância técnica das normas.

Leitura sugerida: Merton, Robert K. 1938: "Social structure and anomie". *American Sociological Review* 8: 672-82 o 1968: *Social Theory and Social Structure*, ed. rev. Nova York: Free Press.

roteiro *ver* PERSPECTIVA TEATRAL.

roteiro social *ver* PERSPECTIVA TEATRAL.

S

sagrado *ver* RELIGIÃO.

sanção Sanção é a recompensa ou castigo que uma NORMA impõe a um comportamento ou aparência. Indivíduos que trabalham muito no emprego, por exemplo, podem esperar ser recompensados com salários, ao passo que os que raramente aparecem para trabalhar, e trabalham mal quando isso acontece, podem esperar castigo, como a demissão.

Sanções variam em grau de formalismo. As *sanções informais* não estão codificadas de qualquer forma oficial e definitiva, e são poucas as limitações sobre quem pode impô-las e em que condições. Censurar verbalmente uma criança que mente para um amigo, retribuir o olhar fixo de um estranho ou esbofetear alguém que nos insulta são sanções informais. As *sanções formais*, em contraste, são em geral codificadas e administradas apenas por indivíduos específicos, autorizados a assim proceder em condições especiais. Elas incluem punições como prisão, pena capital, multas, perda de cargo, expulsão de escola e confisco da carteira de motorista. Normas que incluem sanções formais são conhecidas como LEIS.

Leitura sugerida: Garland, David 1990: *Punishment and Modern Society: a study in Social Theory*. Chicago: University of Chicago Press; Oxford: Oxford University Press.

sanção formal *ver* SANÇÃO.

sanção informal *ver* SANÇÃO.

secularização Secularização é um processo de MUDANÇA SOCIAL através do qual a influência da religião e do pensamento religioso sobre as pessoas declina, à medida que é substituída por outras maneiras de explicar a realidade e regular a vida social. Nas sociedades industriais, onde a secularização progrediu mais, a ciência substituiu a religião como método principal para compreender o mundo natural, ao mesmo tempo em que o direito civil e as instituições estatais a substituíam como origem de CONTROLE SOCIAL. Os feriados religiosos perdem cada vez mais sua significação religiosa e se transformam, em vez disso, em ocasiões para férias do trabalho ou tempo de folga para a família se reunir em alguma atividade. O materialismo tem substituído ininterruptamente a espiritualidade como objetivo humano, e as relações sociais baseiam-se cada vez mais em considerações racionais, secundárias. Até mesmo nas religiões encontramos provas de secularização, na medida em que rituais e textos sagrados são revisados e reescritos para proporcionar melhor "adaptação" ao mundo moderno.

Há certo desacordo sobre o grau de secularização alcançado nas sociedades industriais. O poder das instituições religiosas sobre o povo declinou, sem a menor dúvida, juntamente com a prática religiosa em todas as sociedades industriais, com exceção dos Estados Unidos, e explicações religiosas de fenômenos naturais, como a evolução, perderam credibilidade. Não obstante, maiorias substanciais de populações nas sociedades industriais conservam crenças religiosas básicas, como a crença em vida após a morte. Nos Estados Unidos, há prova também de renovado interesse por assuntos religiosos e espirituais, sobretudo sob a forma de FUNDAMENTALISMO.

Ver também RELIGIÃO; RELIGIÃO CIVIL.

Leitura sugerida: Stark, Rodney, e William Sims Bainbridge 1985: *The Future of Religion: Secularization, Revival, and Cult Formation*. Berkeley: University of California Press • Wilson, Bryan 1966: *Religion in Secular Society: a Sociological Comment*. Londres: Watts.

segmentação do mercado de trabalho *ver* MERCADO DE TRABALHO.

segundo plano *ver* PALCO E BASTIDOR.

segregação de audiência *ver* PALCO E BASTIDOR.

segregação *de facto* e *de jure* *ver* SEGREGAÇÃO E INTEGRAÇÃO.

segregação de papel *ver* PAPÉIS; CONFLITO DE.

segregação e integração Segregação é a separação, por razões sociais, de um grupo em relação a outro, em geral perpetuando condições de desigualdade e opressão social. Na maioria das vezes, refere-se a distribuições de natureza física, como a segregação de bairros ou escolas, que concentram indivíduos de diferentes raças, etnias, classes sociais ou religiões em territórios diferentes, ou em ambientes de trabalho segregados, onde homens e mulheres realizam tipos claramente diferentes de trabalhos. A integração é o oposto da segregação. Existe quando grupos são distribuídos de modo que o número relativo de indivíduos de vários grupos encontrados em bairro, escola ou outra unidade reflita suas proporções na população como um todo.

Em alguns casos, a segregação é *de jure*, ou exigida pela lei, como era o caso da segregação racial na África do Sul até recentemente e nos Estados Unidos até meados deste século. Com mais frequência, porém, a segregação é *de facto*, através da qual, em uma esfera da vida social (tais como habitações), dá origem à segregação em outras (como nas escolas). Nas áreas em que crianças estudam em escolas de bairro, por exemplo, a segregação resultante de habitação segregada dá origem também a escolas segregadas, embora nenhuma dessas situações seja exigida por lei.

Quando grupos desprivilegiados são concentrados em áreas das quais é difícil escapar — porque não dispõem de recursos financeiros para tanto, são limitados pela discriminação ou proibidos de assim proceder pela lei vigente — essas áreas onde moram são conhecidas como *guetos*. Os primeiros guetos conhecidos foram bairros de judeus na Europa, no Oriente Médio e na África, nos quais eles viveram cada vez mais confinados após a Idade Média.

No estudo das relações raciais, sociólogos distinguem entre segregação e *isolamento*. A segregação ocorre em áreas que dependem de serviços sociais comuns, tais como cidades, pequenas e grandes, e regiões escolares. Uma área desse tipo é segregada se os membros dos diferentes grupos deixam de estar representados proporcionalmente em vários setores da vida social. Se a população de uma região escolar é 10% negra, por exemplo, cada escola deveria ter aproximadamente 10% de estudantes negros, a fim de ser considerada plenamente *integrada*. Se algumas escolas excluem alunos negros, contudo, e uma ou duas contam com maioria de negros, elas são segregadas.

O isolamento ocorre quando membros de raças ou grupos étnicos diferentes são distribuídos de forma desigual entre comunidades ou outras áreas, de modo que mesmo que escolas e bairros sejam tecnicamente integrados nas comunidades, é pouca a oportunidade de contato entre os grupos. Se uma cidade é toda branca e outra predominantemente negra, por exemplo, as escolas em cada uma delas são tecnicamente integradas, uma vez que sua composição racial equipara-se à da comunidade como um todo. Negros e brancos, porém, mantêm pouco contato, já que vivem em comunidades diferentes, daí resultando isolamento racial. Este é um padrão cada vez mais predominante nos Estados Unidos, à medida que os brancos continuam a deixar os centros das cidades. O processo deu origem a sugestões de que as grandes cidades absorvam comunidades circundantes, de modo a conseguir um grau mais alto de equilíbrio racial.

Leitura sugerida: Massey, Douglas S., e Nancy A. Denton 1993: *American Apartheid: Segregation and the Making of the Underclass*. Cambridge: Harvard University Press.

Segundo Mundo *ver* TERCEIRO MUNDO.

seita Seita é um tipo de grupo religioso que se caracteriza por ter rompido com uma organização mais ampla, geralmente uma IGREJA. Os membros de seitas são predominantemente de classe baixa e em geral passam a fazer parte dela através de conversão. A estrutura de autoridade da seita é informal, com o mínimo de hierarquia, e tem líderes sem treinamento formal, costumeiramente escolhidos pelos membros. São poucos os RITUAIS, e os serviços religiosos tendem a ser de natureza emocional, embora menos intensos do que os dos CULTOS. Em relação a outras organizações religiosas, as seitas tendem a ser não conformistas e oposicionistas, embora menos do que os cultos.

Exemplos de seitas incluem as formas primitivas do budismo (uma seita do hinduísmo, como acontece hoje com os sikhs) e do cristianismo (uma seita do judaísmo), os quacres e mórmons ingleses e os fiéis baha'i. O cristianismo parece especialmente vulnerável à formação de seitas. De acordo com Reinhold Niebuhr, esse fato ocorre quando as igrejas se tornam tradicionalistas e cuidam principalmente dos interesses espirituais das classes média e média alta, cujas necessidades diferem das da classe operária e baixa, que querem apoio e consolo, dadas sua desprivilegiada situação política e privações materiais. Como resultado, membros descontentes dessas classes deixam as igrejas e formam seitas próprias.

Ver também AUTORIDADE; DENOMINAÇÃO; ECLÉSIA; RELIGIÃO.

Leitura sugerida: Niebuhr, Reinhold 1929 (*1957*): *The Social Sources of Denominationalism*. Nova York: Holt; Cleveland: World • Troeltsch, Ernst 1911 (*1931, 1981*): *The Social Teaching of the Christian Churches*. Londres: Allen and Unwin; Chicago: University of Chicago Press • Wilson, Brian 1982: *Religion in Sociological Perspective*. Nova York e Oxford: Oxford University Press.

self De uma perspectiva sociológica, o *self* é um conjunto relativamente estável de percepções sobre quem somos em relação a nós mesmos, aos outros e aos sistemas sociais.

O *self* é organizado em torno de um *autoconceito,* ou seja, as ideias e sentimentos que temos sobre nós mesmos. Essas ideias têm origem em várias fontes. O que Charles Horton COOLEY chamou de *imagem de espelho*, por exemplo, fundamenta-se na maneira como pensamos que outras pessoas nos vêem e avaliam (o que, é claro, não é necessariamente o modo como realmente nos veem). Em um nível mais estrutural, o *self* baseia-se também em ideias culturais sobre os status sociais que ocupamos. Dessa maneira, por exemplo, a mulher que é mãe recorrerá a ideias culturais sobre mães ao construir sua ideia sobre quem ela é. De modo análogo, ela pode usar ideias culturais sobre mulheres, sobre várias ocupações, sobre idade e assim por diante, e com elas formar um senso geral sobre quem ela é. Este componente do *autoconceito*, que se baseia nos status sociais ocupados pelo indivíduo, é conhecido como *identidade social.*

Uma parte importante do *self* é o *eu ideal*, que consiste de ideias sobre quem deveríamos ser, e não sobre quem realmente somos. Seja um "estudante nota 10", um magnata dos negócios, um pai carinhoso ou o autor de um crime perfeito, o eu ideal é um padrão contra o qual medimos nosso conceito de *self* — em outras palavras, quem pensamos que realmente somos. A perfeição com que o *self* ideal e o autoconceito se comparam afeta fortemente nossa *autoestima*. Para a autoestima contribuem também as avaliações que fazem parte da imagem de espelho (tendemos a pensar mal de nós mesmos se achamos que outros pensam assim) e as que estão associadas aos status sociais que ocupamos (pessoas em ocupações altamente prestigiosas tenderão a sentir-se melhor sobre si mesmas, porque recorrem ao valor cultural mais alto atribuído às suas posições).

O *self* é socialmente "construído", no sentido de ser moldado através de interação com outras pessoas e por utilizar materiais sociais sob a forma de imagens e ideias culturais. Como acontece com a SOCIALIZAÇÃO em geral, é claro, o indivíduo não é um participante passivo desse processo, e pode exercer uma influência muito forte sobre a maneira como o processo e suas consequências se desenvolvem.

Ver também MENTE; OUTRO.

Leitura sugerida: Cooley, Charles Horton 1927: *Life and the student*. Nova York: Knopf • Mead, George Herbert 1934 (*1962*): *Mind, Self, and Society*. Chicago: University of Chicago Press • Rosenberg, Morris 1979: *Conceiving the Self*. Nova York: Basic Books.

semiótica A semiótica (chamada também de *semiologia*) é o estudo dos signos e de seu uso na vida social. O signo usa um "significante", como uma palavra, a fim de apontar ou representar um "significado". A palavra "banana", por exemplo, é um "significante", um conjunto de letras arranjadas de tal maneira que, quando pronunciadas, produzem um dado som. A banana é um objeto que podemos experimentar de várias maneiras, observando sua cor e sua forma, por exemplo, ou comendo-a. Tanto a palavra como o objeto podem existir independentemente. No caso de uma pessoa que fala uma língua em que essa palavra não existe e que come uma banana, não há ligação entre a palavra e o objeto. Logo que os dois se associam, porém, a combinação resultante de significante e significado passa a ser um signo.

Uma vez que qualquer significante pode ser associado a qualquer número de significados, signos podem ser muito complexos e possuir vários níveis. A imagem de um navio, por exemplo, pode ser vista como um significante direto (ou "icônico") do navio. Em sentido mais indireto (ou "arbitrário"), pode ser associada a sentimentos relativos a aventura e exploração ou, no caso de navios de guerra, ao poder e determinação de uma nação (como na frase "A Grã-Bretanha governa os mares"). A bandeira tremulando no mastro do navio, porém, é potencialmente muito mais complexa. Como significante, a bandeira pode apenas indicar uma dada nação-estado, distinguindo-a de outras (como no conjunto de bandeiras hasteadas do lado de fora do prédio das Nações Unidas, em Nova York). A bandeira pode ser associada também à história de cada país, a valores culturais e a sentimentos que variam, quem sabe, de amor patriótico ao mais intenso ódio. Dessa perspectiva, alguma coisa aparentemente tão simples como a bandeira pode ser inserida em uma teia complexa de significados e associações, todos os quais estão incluídos na semiótica como campo de estudo.

Ver também DESCONSTRUÇÃO; ESTRUTURALISMO E PÓS-ESTRUTURALISMO; HERMENÊUTICA; LINGUAGEM; SÍMBOLO.

Leitura sugerida: Barthes, Roland 1976: *The Pleasure of the Text*. Londres: Cape • Hawkes, T. 1977: *Structuralism and Semiotics*. Londres: Methuen • Manning, Peter 1987: *Semiotics and Fieldwork*. Newbury Park, CA: Sage Publications.

sentimento *ver* ATITUDE.

sequência, análise de *ver* ANÁLISE DE SEQUÊNCIA.

setor modelo *ver* URBANIZAÇÃO E URBANISMO.

sexismo *ver* PRECONCEITO E DISCRIMINAÇÃO.

sexismo institucionalizado *ver* OPRESSÃO SOCIAL.

sexo e gênero Embora gênero seja uma palavra que tem uma longa história de usos diferentes, seu significado sociológico refere-se a ideias culturais que constroem imagens e expectativas a respeito de machos e fêmeas. Esse fato distingue gênero de sexo, cujo escopo se limita a diferenças biológicas, como a função reprodutiva, e a características secundárias, como pelos no corpo e desenvolvimento de seios. De certa maneira, trata-se de uma distinção que induz ao erro, porquanto ignora que o sexo é também um conjunto socialmente construído de ideias moldadas pela cultura. As culturas ocidentais, por exemplo, definem-no tipicamente em termos de dois sexos, homem e mulher, embora haja culturas que identificam mais de duas categorias. Nesse sentido, a importância social do sexo como um conjunto de categorias reside não em alguma realidade objetiva à qual a linguagem apenas dá nomes, mas que aquilo que pensamos como sexo é definido por ideias culturais.

O gênero é em geral definido em torno de ideias sobre traços de personalidade, masculina e feminina, e por tendências de comportamento que assumem formas opostas. Tomadas como conjuntos de traços e tendências, elas constituem a *feminilidade* e a *masculinidade*. A masculinidade costumeiramente inclui agressividade, lógica, frieza emocional e dominação, ao passo que a feminilidade é associada a paz, intuição, expressividade emocional e submissão.

Embora seja clara a prova de que essas ideias sobre os sexos são culturais, sua importância sociológica é menos clara. Numerosos autores observam que traços habitualmente atribuídos a homens e mulheres não descrevem exatamente a maioria das pessoas. Esposas podem ser relativamente submissas em relação aos maridos, mas, como mães, não tanto em relação aos filhos. Nesse sentido, descrever mulheres como "submissas" confunde personalidade com expectativas culturais ligadas a papéis e situações sociais particulares.

Outros afirmam que a ênfase comum sobre masculinidade e feminilidade como fatores decisivos em explicações de desigualdade de gêneros é mal colocada. *Androginia*, por exemplo, é um conceito que descreve uma mistura de traços de personalidade masculinos e femininos e tem sido proposta por algumas feministas como parte da solução da desigualdade dos gêneros. Críticos, porém, argumentam que a opressão das mulheres não se baseia em diferenças de personalidade, mas na organização social da PATRIARQUIA e suas instituições, variando da divisão do trabalho na família à natureza competitiva e exploradora do capitalismo.

Dessa perspectiva, os conceitos de masculinidade e feminilidade servem a funções de controle míticas e sociais que reforçam a dominação masculina. Esse fato é revelado na maneira seletiva como elas são aplicadas. Quando homens são ternos e fisicamente afetuosos com os filhos, por exemplo, eles quase nunca são criticados como não masculinos; mas quando se comportam dessa maneira com outros homens, a ideologia masculina é invocada para colocá-los de acordo com os requisitos da dominação. Analogamente, é provável que mulheres sejam criticadas se aplicarem poder ou dominação em relação aos maridos e outros homens, mas não no caso de se comportarem dessa maneira em relação aos filhos.

No estudo dos gêneros, a importância da feminilidade e da masculinidade reside em sua relação com os *papéis de gênero* (às vezes denominados *papéis sexuais*). Há conjuntos de expectativas e outras ideias sobre como homens e mulheres devem pensar, sentir, parecer e se comportar em relação a outras pessoas. Nas sociedades ocidentais, por exemplo, homens que se comportam e se apresentam de formas culturalmente masculinas são vistos como em conformidade com seu papel de gênero.

Há algumas discordâncias tanto sobre a existência de papéis de gênero como quanto a sua importância para entender a desigualdade entre gêneros. Espera-se que mulheres "femininas", por exemplo, submetam-se à vontade do marido, mas não às de irmãos ou filhos, mesmo que em ambos os casos o status que ocupam — esposa, irmã ou mãe — seja inerentemente feminino. Esse fato sugere que não há um papel masculino ou feminino distinto (da mesma maneira que não há papéis de classe ou raciais distintos), mas apenas conjuntos frouxamente ligados de ideias sobre homens e mulheres, que podem ser invocados para várias finalidades, incluindo controle social e manutenção da patriarquia como sistema dominado pelo homem.

Ver também PATRIARQUIA; IDEOLOGIA.

Leitura sugerida: Carrigan, Tim, Robert Connell e John Lee 1985: "Hard and heavy: Toward a new sociology of masculinity". *Theory and Society* 14: 551-603. Reproduzido em Michael Kaufman, org. 1987: *Beyond Patriarchy: Essays by Men on Pleasure, Power, and Change*. Nova York: Oxford University Press: 139-92 • Epstein, Cynthia Fuchs 1988: *Deceptive Distinctions: Sex, Gender, and the Social Order*. New Haven, CT: Yale University Press • Hess, B., e M. Ferree, orgs. 1987: *Analyzing Gender: A Handbook of Social Science Research*. Newbury Park, CA: Sage Publications • Kessler, Suzanne J., e Wendy McKenna 1978: *Gender: An Ethnomethodological Approach*. Chicago: University of Chicago Press • Mead, Margaret 1935 (*1963*): *Sex and Temperament in Three Primitive Societies*. Nova York: William Morrow.

significância estatística *ver* HIPÓTESE E TESTE DE HIPÓTESE.

símbolo Símbolo é qualquer coisa usada para representar algo mais do que si mesmo. As palavras, literalmente falando, nada mais são do que sons (ar em movimento) ou um conjunto de marcas (letras impressas), das quais é impossível discernir sua importância na vida social. Quando as letras *e, l, v* e *o* são arranjadas em uma determinada ordem para soletrar a palavra *love*, eles podem produzir um efeito enorme quando faladas ou escritas em situações particulares (ou quando não são pronunciadas, contrariando as expectativas de alguém). Arranjadas de forma diferente — como "vole", por exemplo — o efeito muda também, uma vez que então temos uma palavra inglesa para um pequeno roedor com uma cauda pequena, parecido com um rato. Tal como todos os outros aspectos da vida social, o efeito das palavras depende do contexto social, porquanto elas nada significarão para aqueles que não fazem parte da COMUNIDADE LINGUÍSTICA que as incluem no vocabulário.

Embora a maioria dos símbolos tome a forma de palavras usadas nas linguagem escrita e falada, eles podem assumir também outras formas. Objetos como bandeiras e artefatos religiosos são usados como símbolos, como também alguns movimentos físicos (GESTOS), tais como acenar adeus, enfiar o dedo no nariz ou fazer o sinal de "tudo bem" com o polegar para cima.

Os símbolos constituem o núcleo dos sistemas culturais, pois é com eles que formamos pensamentos, ideias e outras maneiras de representar a realidade para os outros e para nós mesmos.

Ver também ATITUDE; CRENÇA; CULTURA; HERMENÊUTICA; LINGUAGEM; NORMA; PERSPECTIVA INTERACIONISTA; SEMIÓTICA; VALOR CULTURAL.

simetria Em matemática e estatística, simetria é definida de várias maneiras. Em matemática ela descreve uma relação entre duas quantidades que se mantém, mesmo que as quantidades invertam sua ordem. A igualdade, por exemplo, é uma relação simétrica, porque se $A=B$, também é verdade que $B=A$. Não obstante, se A é maior do que B, então não é verdade que B seja maior do que A, o que significa que a relação não é simétrica.

No trabalho sociológico, simetria é usada para descrever relações entre VARIÁVEIS. Se a variável A é independente da variável B, então é também verdade que a variável B é independente da variável A. De forma análoga, se A é estatisticamente dependente de B, então B também é estatisticamente dependente de A. Se a renda varia com a ocupação, por exemplo, também será verdade que a ocupação variará com a renda.

O segundo uso sociológico focaliza a DISTRIBUIÇÃO de escores no caso de variáveis únicas. A distribuição de uma variável é simétrica se, ao traçar uma linha vertical através de seu centro, podemos produzir duas metades, cada uma das quais é uma imagem igual e inversa da outra. Uma distribuição retangular é simétrica, por exemplo, como a conhecida curva campanular, mostrada em (a) na figura (10). Cálculos que envolvam a DISTRIBUIÇÃO DE CURVA NORMAL são tornados muito mais simples porque sabemos que a distribuição é simétrica.

Distribuições não simétricas podem assumir um número infinito de formas, mas algumas são de interesse especial em sociologia. A *assimetria* indica o quanto a distribuição de escores em uma variável inclina-se em uma ou outra direção. Casos em uma distribuição assimétrica tendem a se concentrar em uma extremidade, com uma minoria de casos com escores extremos no outro. A distribuição da renda na maioria das sociedades, por exemplo, é de tal ordem que a maioria das famílias tem rendas na direção da extremidade inferior da escala, e uma minoria as tem na extremidade superior, resultando em uma convexidade na extremidade inferior e em uma *cauda* fina na superior, conforme mostrado em (b), na Figura 10. Em casos como esse, onde o pequeno número de escores extremos está na extremidade alta da distribuição, esta é descrita como positivamente assimétrica, ou assimétrica para a direita. Se a minoria está na extremidade inferior da distribuição, e a maioria dos casos se situa na extremidade superior, a distribuição é negativamente assimétrica, ou assimétrica para a esquerda, como mostrado em (c) na Figura 10. Essa situação poderia descrever a distribuição da renda familiar em uma universidade de elite, cujo corpo estudantil inclui um pequeno número de estudantes premiados com bolsas de estudo, originários das classe operária e baixa.

O conceito de simetria aplica-se também a MEDIDAS DE ASSOCIAÇÃO, ou seja, quantidades estatísticas usadas para medir a força da relação entre duas variáveis. Se a medida de associação é simétrica, seu valor será o mesmo, pouco importando que variável seja considerada como independente ou dependente. Se a medida é *assimétrica*, o valor pode diferir, dependendo de qual variável é designada como independente e qual como dependente.

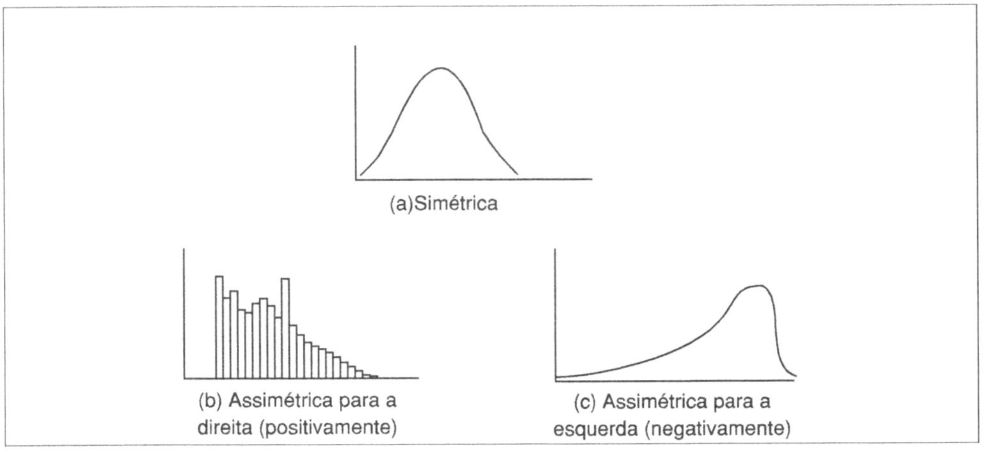

Figura 10. *Exemplos de distribuição simétrica e assimétrica.*

Ver também INDEPENDÊNCIA ESTATÍSTICA E DEPENDÊNCIA ESTATÍSTICA; MEDIDA DE ASSOCIAÇÃO.

Leitura sugerida: Bohrnstedt, George W., e David Knoke 1988: *Statistics for Social Data Analysis*, 2ªed. Ithaca, IL: F.E Peacock • Rosenberg, Morris 1968: *The Logic of Survey Analysis*. Nova York: Basic Books.

sindicato Um sindicato é um conjunto de trabalhadores que se organizam para promover seus próprios interesses em relação a empregadores, sobretudo em torno de questões de salário, promoção, condições de trabalho e segurança no emprego. Os sindicatos têm suas origens nos primeiros estágios da REVOLUÇÃO INDUSTRIAL na Inglaterra do século XVIII.

O interesse sociológico pelos sindicatos focaliza-se em várias questões. Em primeiro lugar, de que modo os movimentos sindicais e a consciência da classe operária se relacionam em oposição ao CAPITALISMO? Nos Estados Unidos, por exemplo, o surgimento dos sindicatos teve a ver principalmente com a representação dos interesses de trabalhadores altamente qualificados, e não com a organização política da grande classe operária (incluindo mulheres, vários grupos étnicos e negros). Na Europa, contudo, os sindicatos tinham um propósito mais político e constituíam uma ameaça mais séria ao capitalismo como sistema.

Em segundo, qual a relação entre os sindicatos e outras instituições, como o Estado? Na Grã-Bretanha e em outras democracias europeias, os sindicatos têm uma legitimidade social que frequentemente lhes concede uma parcela no poder de governo. Nos Estados Unidos, porém, eles são relativamente independentes e buscam influência política como GRUPOS DE INTERESSE externos. Na Coreia e no Japão, eles pouco poder exercem em qualquer dessas arenas e servem sobretudo como conselheiros das empresas em que seus membros trabalham.

Em terceiro, à medida que os sindicatos se tornam mais poderosos e complexos, podem conservar estruturas dirigentes democráticas? Robert MICHELS argumentou que neles prevalece a lei de ferro da OLIGARQUIA, tornando inevitável que a democracia ceda lugar ao controle de uns poucos. Pesquisa subsequente, no entanto, sugere um quadro mais complexo, com a democracia interna dependendo de uma grande variedade de condições.

Em quarto, que papel desempenham os sindicatos no CONFLITO DE CLASSE sob o capitalismo? Eles se aliam, por exemplo, ao sistema e servem para conter e canalizar o descontentamento dos trabalhadores, de maneiras que preservem os interesses capitalistas? Eles são capazes de se organizar entre diversas linhas de trabalho, de modo a obter a dimensão necessária para enfrentar em grande escala o capitalismo?

Ver também CLASSE SOCIAL; MOVIMENTO SOCIAL.

Leitura sugerida: Bauman, Zygmunt 1972: *Between Class and Elite*. Mancheste: Manchester University Press • Crouch, C. 1982: *Trade Unions: the Logic of Collective Action*. Londres: Fontana • Katznelson, Ira, e Aristide R. Zolberg, orgs. 1986: *Working-Class Formation: Nineteenth-Century Patterns in Europe and the United States*. Princeton: Princeton University Press.

sistema *ver* SISTEMA SOCIAL.

sistema de amostragem Um sistema de amostragem é uma lista ou outra representação de população da qual pesquisadores selecionam amostras. O tipo mais simples de sistema é uma lista de todos os membros de uma população, da qual deve ser tirada uma amostra. Em modelos mais complexos, o sistema consta de várias partes, ou camadas, diferentes, variando de unidades maiores a menores. Um sistema de amostragem de operários de fábrica, por exemplo, poderia consistir de uma lista de fábricas, entre as quais uma amostra seria selecionada; uma lista de departamentos nas fábricas, onde seria tirada uma amostra de departamentos; e, finalmente, uma lista de trabalhadores dentro de departamentos selecionados, entre os quais seria feita a amostragem.

Ver também AMOSTRA; AMOSTRA COMPLEXA; POPULAÇÃO.

Leitura sugerida: Kalton, Graham 1984: *Introduction to Survey Sampling*. Beverly Hills, CA: Sage Publications • Kish, Leslie 1965: *Survey Sampling*. Nova York: Wiley • Singleton, Royce, A. Jr., Bruce C. Straits e Margaret M. Straits 1993: *Approaches to Social Research*, 2ªed. Oxford e Nova York: Oxford University Press.

sistema social Um sistema social é qualquer conjunto interdependente de elementos culturais e estruturais que podem ser considerados uma unidade. As "partes" que constituem o sistema social podem ser quase de qualquer tamanho ou complexidade, pequenas e simples como um símbolo (tal como a palavra, "símbolo") ou uma posição em uma relação social (como "amigo"); e tão grandes e complexas como sociedades inteiras ou grupos de sociedades. Casamentos, times de basquete, lojas de departamento, amizades, consultórios médicos, exércitos, empresas, governos, as Nações Unidas, a economia mundial, por menores e informais ou vastas e complicadas como sejam, podem todas ser consideradas sistemas sociais.

De modo geral, um sistema pode ser definido como um conjunto de elementos ou partes interdependentes que podemos considerar como um todo. Nesse sentido, podemos pensar em um motor ou no corpo humano como sistemas. Como método geral para compreender uma grande variedade de fenômenos, a *teoria dos sistemas* é o estudo de como eles são organizados, como se adaptam a circunstâncias mutáveis, como os interesses dos subsistemas se encaixam ou colidem com os do todo e assim por diante. Trata-se de um enfoque amplamente usado, aplicado a quase tudo, de avaliar os riscos de acidentes em uma usina nuclear ao diagnóstico de problemas operacionais em grandes empresas ou departamentos de governos.

O conceito de sistema social corporifica o que é talvez o mais importante de todos os princípios sociológicos: que o todo é maior do que a soma de suas partes. Se pegamos duas varetas de madeira, uma a metade da outra, e as juntamos para parecer uma "cruz" cristã, nenhum volume de compreensão das próprias varetas poderá jamais explicar plenamente nossa percepção da cruz como um arranjo particular de varetas em relação entre si. É o arranjo das partes que faz do todo o que ele é, e não apenas as características das próprias partes, e é a concentração nesses arranjos que distingue a sociologia de outras maneiras de encarar a vida humana.

De maneira análoga, as partes que entram na composição de um sistema social são menos importantes do que o próprio sistema e as relações que o constituem, a menos, é claro, que aconteça que as próprias partes sejam sistemas sociais. Assim, seres humanos individuais são analiticamente sem importância, exceto em relação à posição que ocupam em sistemas sociais. Esse fato, porém, não os deixa fora do contexto sociológico, uma vez que virtualmente tudo que experimentamos e fazemos relaciona-se, de alguma maneira, com as limitações impostas pelos sistemas sociais. O que isso significa, contudo, é que os sociólogos mostram-se relativamente desinteressados pelo estudo profundo da ideia da psique individual autossuficiente, que ocupa tanta atenção nas sociedades ocidentais. Claro, os sociólogos sabem que pessoas são importantes; resistem, sim, à ideia de que sistemas sociais podem ser entendidos simplesmente compreendendo-se o indivíduo, o que é mais ou menos como tentar compreender o que é que faz de uma cruz uma cruz, descrevendo exaustivamente as características das duas varetas que mencionamos antes.

O conceito de sistema social é sem dúvida o mais importante em todo o vocabulário sociológico porque, para muitos sociólogos, ele define o que é que distingue a sociologia de outras disciplinas. Embora vinculado mais frequentemente à PERSPECTIVA FUNCIONALISTA, o conceito tem aplicações muito mais vastas. Quase tudo que os sociólogos investigam — da interação entre esposas e maridos aos usos da guerra moderna como instrumentos de política mundial, às críticas marxistas ao capitalismo — flui do pressuposto básico de que sistemas sociais existem em coerência fundamental com os vários aspectos e elementos da vida social. É isso, no sentido mais geral, o que o conceito de sistema social significa.

Ver também AÇÃO E ESTRUTURA; ATOMISMO E HOLISMO; CULTURA; ECOLOGIA; ESTRUTURA SOCIAL; FATO SOCIAL; POPULAÇÃO; STATUS.

Leitura sugerida: Boguslaw, Robert 1965 (*1981*): *The New Utopians: a Study of Systems Design and Social Change*. Englewood Cliffs, NJ: Prentice-Hall • Giddens, Anthony 1984: *The Constitution of Society: an Outline of the Theory of Structuration*. Cambridge: Polity Press; Berkeley: University of California Press • Parsons, Talcott 1951: *The Social System*. Glencoe, IL: Free Press; Londres: Routledge & Kegan Paul.

sistema-mundo Formulado inicialmente por Immanuel WALLERSTEIN na década de 1970, sistema-mundo é um conceito que se refere às relações complexas que organizam países em um sistema econômico internacional que preside a distribuição da riqueza, poder, prestígio e recursos para desenvolvimento entre nações. No processo, o sistema-mundo afeta profundamente a vida social nas sociedades, da forma das instituições políticas às condições de trabalho e graus de desigualdade social. Wallerstein identificou três tipos de nações no sistema-mundo: 1) centrais; 2) periféricas; e 3) semiperiféricas.

As *centrais* são países capitalistas industriais, que controlam a maior parte da riqueza mundial, os meios físicos para fazer a guerra e os conhecimentos necessários neste particular, tecnologia de produção e recursos financeiros. As sociedades centrais são economicamente diversificadas, havendo nelas equilíbrio das indústrias de transformação e serviço e pouca dependência do fornecimento de matérias-primas e produtos agrícolas. Como resultado, tendem a ser politicamente estáveis, democráticas e relativamente autônomas.

As sociedades *periféricas* incluem o que é em geral denominado de TERCEIRO MUNDO — nações relativamente pobres que controlam uns poucos recursos produtivos, com os quais concorrem na economia capitalista internacional. Como resultado, tendem a depender das nações centrais para ajuda financeira, importação de fábricas e tecnologias e mercados para seus principais bens, tais como matérias-primas e produtos agrícolas como café, açúcar e petróleo. Ao contrário das centrais, costumam se especializar em um número relativamente pequeno de produtos. Tudo isso significa que são muito vulneráveis a flutuações na demanda mundial e no preço pago por seus produtos, à intervenção militar pelas nações centrais, ou à suspensão da ajuda dos governos e bancos desses países. Como resultados, costumam ser politicamente instáveis e antidemocráticas, e a confiar em grandes sistemas de forças militares e policiais, não raro treinadas e equipadas pelas nações centrais, para controlar a população.

Wallerstein argumentava que a dominação pelo centro, e a vulnerabilidade e a dependência da periferia, eram os aspectos principais da desigualdade cada vez maior de renda, riqueza e poder em escala mundial. Trata-se de um sistema de classes entre nações, que afeta profundamente as relações de classe entre populações das mesmas. As sociedades centrais, incluindo suas classes operárias, podem desfrutar um padrão de vida relativamente alto, sobretudo por motivo da capacidade do centro de explorar e extrair riqueza da periferia empobrecida e dependente.

A *sociedade semiperiférica*, uma categoria intermediária, de composição nem sempre clara, encontra-se em geral no processo de industrializar-se e fornecer mão de obra relativamente qualificada às indústrias das sociedades centrais. Países como Taiwan e Coreia do Sul são, por um lado, relativamente subordinados no sistema-mundo, mas, ainda assim, capazes de alto grau de produção sofisticada de bens eletrônicos, automóveis e assim por diante.

O enfoque sistema-mundo da análise sociológica das relações internacionais continua a ser controverso. Ele tem como argumento básico que as sociedades periféricas são pobres não apenas porque carecem de coisas como tecnologia, vontade e força de trabalho educada, mas porque as sociedades centrais as exploram, confinando-as ao papel de fornecedoras de mão de obra barata e matérias-primas, de forma muito parecida como as potências coloniais fizeram nos últimos séculos. Uma reação importante a essa tese começou com a observação de que o enfoque sistema-mundo não explica por que, para começar, certas sociedades emergiram inicialmente como potências industriais. Além disso, não está claro que os países do Terceiro Mundo teriam se tornado potências industriais se as nações centrais de hoje não tivessem se desenvolvido antes. Em suma, há desacordo sobre a forma como se desenvolveu, ao longo da história, o atual sistema-mundo. Há menos discordâncias, no entanto, sobre o fato de que ocorre uma distribuição crescentemente desigual da riqueza e do poder no mundo.

Como sistema de dominação global, o sistema-mundo foi precedido por *impérios*, como o Império Romano, que governou principalmente através da dominação militar e buscou ganhos econômicos e controle político de sociedades inteiras. A mudança dos impérios para o atual sistema-mundo começou no século XV quando, inicialmente a Espanha e Portugal e, em seguida, a Inglaterra, França e Holanda, começaram a fundar colônias além-mar, a desenvolver economias de mercado e competir entre si pela dominação mundial.

Ver também CAPITALISMO; COLONIALISMO E IMPERIALISMO; DIVISÃO INTERNACIONAL DO TRABALHO; EMPRESA TRANSNACIONAL E MULTINACIONAL; TEORIA DA DEPENDÊNCIA; TERCEIRO MUNDO.

Leitura sugerida: Chirot, Daniel 1986: *Social Change in the Modern Era.* San Diego: Harcourt Brace Jovanovich • Wallerstein, Immanuel 1974: *The Modern World-System. Capitalist Agriculture and the Origins of European World Economy in the Sixteenth Century.* Nova York: Academic Press ○ 1979: *The Capitalist World Economy.* Cambridge: Cambridge University Press ○ 1980: *The Modern World System II: Mercantilism and the Consolidation* *of the European World Economy, 1600-1750*. Nova York: Academic Press.

situação de mercado A situação de mercado é a posição do indivíduo em uma sociedade estratificada, da forma determinada pelas forças do mercado — a demanda e oferta de bens, serviços e de qualificações variadas. Quando certas qualificações se tornam obsoletas devido à introdução de computadores e robôs, trabalhadores que delas dependem para ganhar a vida descobrem que sua situação de mercado deteriora-se. De maneira análoga, quando aumenta a demanda por tipos particulares de trabalhadores, sua situação de mercado melhora e, com ela, seu acesso à renda, riqueza e outras recompensas.

Ver também CLASSE SOCIAL; DESEMPREGO E SUBEMPREGO; MERCADO; OPORTUNIDADES DE VIDA.

Leitura sugerida: Goldthorpe, John H., D. Lockwood, F. Bechhofer e J. Platt 1968: *The Affluent Worker: Industrial Attitudes and Behavior*. Cambridge: Cambridge University Press o 1968: *The Affluent Worker: Political Attitudes and Behavior*. Cambridge: Cambridge University Press.

social O termo social pode ser aplicado a tudo que se relaciona com sistemas sociais, suas características e a participação das pessoas neles. Quando dois amigos conversam, seu comportamento é social na medida em que se valem da cultura no que interessa à linguagem, às expectativas recíprocas, à compreensão de ambos do que constitui uma amizade e assim por diante. Note-se que o social não é simplesmente algo que envolva ou afete muitas pessoas. Todos os seres humanos ingerem alimentos, por exemplo, mas isso não significa que comer é *per se* uma atividade social. As ideias sociais que influenciam nossa escolha de alimentos, e como e quando ingeri-los, contudo, transformam em sociais esses aspectos do ato de comer. De modo análogo, a carência de alimentos, a fome e a saciedade não são em si mesmas sociais, mesmo que afetem bilhões de pessoas. Mas os arranjos econômicos, políticos e sociais de outros tipos, através dos quais riqueza, renda e acesso a alimentos são distribuídos, dão a essas condições humanas um aspecto social profundo.

Ver também INSTITUIÇÃO.

Leitura sugerida: Mills, C. Wright 1959: *The Sociological Imagination*. Nova York: Oxford University Press / (*1981*): *A elite do poder*. Rio de Janeiro: Zahar.

socialismo *ver* SOCIALISMO ESTATAL.

socialismo democrático *ver* CAPITALISMO ESTATAL.

socialismo estatal Da forma imaginada por Karl MARX, o socialismo estatal é o MODO DE PRODUÇÃO que substituirá o CAPITALISMO industrial, com maior probabilidade através de uma revolução dos trabalhadores, mas também mediante uma mudança evolutiva mais gradual. Sob o capitalismo, os meios de produção são de propriedade dos capitalistas e por eles controlados. Eles empregam trabalhadores para produzir riqueza em troca de salário. Tudo isso é feito com apoio ativo do Estado, que depende do capitalismo para arrecadar recursos. Sob o socialismo estatal, no entanto, os meios de produção são de propriedade e controlados por um Estado democrático ou por organizações coletivas de trabalhadores (um "Estado de trabalhadores"), ambos os quais atuam diretamente em benefício dos mesmos. Os objetivos do socialismo incluem destruir o sistema de classe e, destarte, pôr um ponto final na exploração, opressão e alienação dos trabalhadores, substituindo a cobiça e a motivação pelo lucro pela preocupação com o bem-estar coletivo; e usando esse interesse, e não o mercado, como base para a tomada de decisões sobre produção e uso de recursos. Como resultado, a vida social será regulada democraticamente, de maneiras que ponham necessidades humanas em primeiro lugar e façam uso mais eficiente e eficaz dos recursos humanos e materiais.

Na prática, o socialismo funcionou de maneira muito diferente. O AUTORITARISMO, e não a DEMOCRACIA, tem sido a forma predominante do poder político; o planejamento central, ineficiente, fracassou de modo geral em atender as necessidades do povo; uma classe privilegiada de burocratas perpetuou o sistema de classe, embora com muito menos níveis de desigualdade que antes; e o conflito crônico (até recentemente) e a competição com as nações capitalistas mais ricas e mais poderosas têm drenado a atenção e os recursos desses países. Até certo ponto, isso foi resultado do fato de que nenhuma sociedade socialista cumpriu a precondição número um de Marx para o socialismo bem-sucedido quando faz a revolução: uma bem-desenvolvida sociedade capitalista industrial, que basicamente resolvesse o problema da produção. Em vez disso, virtualmente todos os países socialistas estavam pouco além do feudalismo agrário (como na Rússia e na China), ou haviam sido recentemente devastados pela guerra (como na Alemanha Oriental), ou ainda viviam em ambas as situações.

Uma vez que nenhuma sociedade capitalista avançada passou ainda por uma revolução socialista, resta ver se a alternativa do Estado socialista é viável.

Ver também CLASSE SOCIAL; COMUNISMO; MERCADO.

Leitura sugerida: Cole, George D.H. 1953-60: *A History of Social Thought*, 5 vols. Londres: Macmillan • Kornai, János 1986: *Contradictions and Dilemmas: Studies on the Socialist Economy and Society*. Cambridge: MIT Press • Lenin, Vladimir I. 1917 (*1980*): "O estado e a revolução". *Obras escolhidas*, vol.2. São Paulo: Alfa-Ômega / (*1969*): "State and Revolution". In *Collected Works*, vol.25. Londres: Laurence & Wishart; Moscou: Progress Publishers • Marx, Karl 1875 (*1891*): "Critique of the Gotha programme". Publicado originalmente por Friedrich Engels no *Die Neue Zeit*, IX, 1.

socialização Socialização é o processo através do qual indivíduos são preparados para participar de sistemas sociais. Incluído neste conceito há alguma compreensão de SÍMBOLOS e sistemas de ideias, LINGUAGEM e as relações que constituem os sistemas sociais. De modo geral, não somos socializados para compreender sistemas como sistemas, nem para analisar como eles realmente funcionam e suas consequências. Em vez disso, viemos a compreendê-los como uma realidade que aceitamos como natural, que simplesmente é o que parece ser. Em outras palavras, o que em geral não é incluído é qualquer tipo de conscientização sociológica do que é aquilo de que participamos e como estamos dele participando.

Embora seja mais comumente associada ao desenvolvimento da criança, a socialização é um processo de vida inteira que ocorre à medida que pessoas adquirem novos papéis e se ajustam à perda de outros mais antigos. Quando casam, por exemplo, indivíduos passam por um longo período de socialização, como acontece, mais uma vez, quando têm filhos. A socialização prossegue enquanto os filhos crescem e se tornam mais independentes, fato este inevitável e que exige que os pais reformulem seus papéis em relação a eles. Na velhice, os papéis podem realmente se inverter, se os pais se tornarem inválidos e dependentes de cuidados dos filhos.

Da perspectiva de indivíduos, socialização é um processo mediante o qual criamos um SELF social e senso de apego a sistemas sociais, através de nossa participação nos mesmos. Da perspectiva dos sistemas sociais, a socialização é necessária para que o sistema continue e funcione eficazmente, uma vez que todos eles dependem de indivíduos motivados e preparados para desempenhar os vários papéis que abrange.

Tem havido alguma controvérsia na sociologia sobre o poder da socialização de moldar os sentimentos, pensamentos, aparência e comportamento de pessoas. Embora todas as pessoas tenham que ser socializadas até certo ponto, se querem participar da vida social, há uma variação enorme na maneira como isso realmente acontece e nos resultados que produz. Em sociedades complexas, isso se deve em parte à variedade de experiências que as pessoas encontram em famílias, escolas, ocupações e comunidades. Mas, em todas elas, deve-se também ao fato de que os indivíduos não são passivos e que desempenham um papel importante em sua própria socialização, na medida em que respondem de várias maneiras às pressões e influências sociais.

Ver também CONTROLE SOCIAL; GRUPO DE REFERÊNCIA; INTERNALIZAÇÃO; RESSOCIALIZAÇÃO; RITO DE PASSAGEM; SELF; SOCIALIZAÇÃO ANTECIPATÓRIA.

Leitura sugerida: Brim, Orville G., Jr. 1966: "Socialization after childhood". In *Socialization after Childhood: Two Essays*, org. por Orville G. Brim Jr. e Stanton Wheeler. Nova York: Wiley • Bush, Diane M., e Roberta G. Simmons 1981: "Socialization processes over the life course". In *Social Psychology: Sociological Perspectives*, org. por Morris Rosenberg e Ralph H. Turner, 133-64. Nova York: Basic Books • Goslin, David A. 1969: *Handbook of Socialization Theory and Research*. Chicago: Rand McNally • Wrong, Dennis H. 1977: "The oversocialized conception of man in modern sociology". In *Skeptical Sociology*. Londres: Heinemann.

socialização antecipatória A socialização é antecipatória quando diz respeito a um papel que a pessoa que está sendo socializada representará em alguma ocasião no futuro. Quando crianças vestem roupas dos pais e brincam de "donos da casa", por exemplo, elas estão praticando aspectos básicos de papéis adultos que ainda estarão por muitos anos fora de seu alcance. Alunos de escolas profissionalizantes passam por um processo semelhante, quando adotam os maneirismos, os estilos de vestir, os valores e as atitudes características dos membros das profissões para as quais estão se preparando.

Ver também GRUPO DE REFERÊNCIA; SOCIALIZAÇÃO.

Leitura sugerida: Merton, Robert K., e Alice S. Rossi 1968: "Contributions to the theory of reference group behavior". In Robert K. Merton, *Social Theory and Social Structure*, ed. rev. amp., org. por Robert K. Merton, 279-334. Nova York: Free Press.

socialização, norma de *ver* REGRAS DA CIÊNCIA.

sociedade Sociedade é um tipo especial de sistema social que, como todos os sistemas sociais, distingue-se por suas características culturais, estruturais e demográficas/ecológicas. Especificamente, é um sistema definido por um território geográfico (que poderá ou não coincidir com as fronteiras de NAÇÕES-ESTADO), dentro do qual uma população compartilha de uma cultura e estilo de vida comuns, em condições de autonomia, independência e autossuficiência relativas. É necessário especificar "relativa", porque se trata de questões de grau no mundo moderno, de sociedades interdependentes. É seguro dizer, no entanto, que elas figuram entre os mais autônomos e independentes de todos os sistemas sociais.

Outra característica distintiva das sociedades é que tendem a ser o maior sistema com o qual indivíduos se identificam como membros. É improvável, por exemplo, que japoneses, americanos ou britânicos pensem em si mesmos como pertencendo a alguma entidade social reconhecível maior do que, respectivamente, o Japão, os Estados Unidos ou a Grã-Bretanha. Mas ainda isso pode ser uma questão de grau, na medida em que confederações de nações tornam-se mais comuns. Unificando-se a Europa, como ora acontece, é concebível que pessoas comecem a pensar nesse continente de uma maneira antes reservada às nações-estado. Como tal, a Europa pode começar a adquirir as características de uma sociedade.

Sociedade é um conceito fundamental em sociologia porque é nesse nível que são criados e organizados os elementos mais importantes da vida social. Virtualmente todos os sistemas sociais de que participamos — da família e religião às ocupações e aos esportes — são, de certa maneira, subsistemas de uma sociedade que define seu caráter básico. Até mesmo grupos subversivos e revolucionários operam e se definem principalmente em relação a sociedades e suas instituições.

Mas, importante como sejam, não devemos imputar-lhes características que não possuem. Esse fato é bem evidente na prática comum de falar em sociedades como se elas fossem pessoas, capazes de pensar, sentir, querer, necessitar e agir. Como sistema social, ela é em grande parte abstrata, mesmo que possa ser experimentada como tendo realidade concreta.

Ver também GRUPO; INSTITUIÇÃO; REIFICAÇÃO.

sociedade agrária A sociedade agrária concentra seu MODO DE PRODUÇÃO principalmente na agricultura e no cultivo de grandes campos. Esse fato distingue-a da sociedade de CAÇADORES-COLETORES, que não produz nenhum alimento que consome, e da SOCIEDADE HORTELÃ, que produz alimentos em pequenas hortas, e não em campos. Baseando-se na invenção do arado por volta do ano 3.000 a.C., a "revolução agrária" gerou aumentos enormes de produção de alimentos e, com isso, uma divisão do trabalho cada vez mais complexa, à medida que mais e mais indivíduos eram libertados do trabalho de produzir alimentos. Como resultado, a acumulação de grande riqueza e desigualdade social extrema, incluindo a escravidão, tornaram-se aspectos importantes da vida social. De modo geral, o grau de desigualdade social encontrado em sociedades agrárias parece ser maior do que o existente em outros tipos de sistemas de produção. Alguns sociólogos, no entanto, argumentaram em sentido contrário, sobre o fundamento de que as dificuldades em medir o grau de desigualdade tornam praticamente impossível fazer tais comparações.

A capacidade de produzir grandes excedentes e sustentar uma divisão do trabalho complexa trouxe consigo uma expansão enorme dos conhecimentos, tecnologia, população, comércio externo e tamanho e permanência de comunidades, incluindo as primeiras que podiam ser realmente chamadas de cidades. Com essas mudanças, surgiram importantes instituições sociais, tais como a religião organizada, o Estado, as universidades e as forças militares.

Ver também FEUDALISMO; MODO DE PRODUÇÃO; SOCIEDADE INDUSTRIAL E INDUSTRIALIZAÇÃO; SOCIEDADE PÓS-INDUSTRIAL.

sociedade central *ver* SISTEMA-MUNDO.

sociedade civil De acordo com Karl MARX, sociedade civil é um mundo capitalista fragmentado, organizado em torno do INDIVIDUALISMO e da competição materialista de todos contra todos. O ESTADO moderno tornou-se necessário para regular e controlar o conflito e o sofrimento resultantes. Influenciado pela obra do filósofo Georg Hegel, Karl Marx utilizou o termo sociedade civil para distinguir a vida sob o CAPITALISMO do mundo medieval, no qual as relações sociais eram moldadas sobretudo por laços de família e pelos elos políticos do FEUDALISMO e das GUILDAS de ofícios.

Em tempos mais recentes, Antonio GRAMSCI argumentou que o núcleo da sociedade civil não é apenas o indivíduo e o individualismo, mas também organizações privadas, como empresas. Gramsci afirmou ainda que o Estado e a sociedade civil coincidem e se fundem em tal grau que é difícil dizer quando um acaba e a outra começa. Dessa perspectiva, é importante compreender a relação mutuamente reforçadora entre os dois.

Leitura sugerida: Marx, Karl 1843 (*1977*): "Crítica da filosofia do direito de Hegel: introdução". *Temas de Ciências Humanas*. São Paulo: LECM / (*1975*): "Contribution to the critique of Hegel's philosophy of law: introduction". In K. Marx e F. Engels, *Collected Works*, vol.3. Londres: Lawrence & Wishart o 1844 (*1985*): *Manuscritos econômico-filosóficos e outros textos escolhidos*. São Paulo: Abril Cultural / (1967): *Economic and Philosophical (Paris) Manuscripts*. Moscou: Progress • Marx K. e Engels, F. 1845-46 (*1986*): *A ideologia alemã*. São Paulo: Hucitec / (*1970*): *The German Ideology*. Londres: Lawrence & Wishart • Mouffe, C., org. 1979: *Gramsci and Marxist Theory*. Londres: Routledge & Kegan Paul.

sociedade de *folk* Da forma descrita pelo antropólogo Robert Redfield, a sociedade de *folk* é uma comunidade pequena, isolada, homogênea, governada principalmente pela tradição e pelo compromisso comum com o bem-estar da comunidade, e não com a vantagem individual ou o ganho às expensas do próximo. Como TIPO IDEAL, tem sido frequentemente apresentada em contraste com a vida urbana. A pesquisa, no entanto, sugere que as realidades dessas comunidades afastam-se muito da visão algo romântica de Redfield.

Ver também COESÃO; COMUNIDADE; GEMEINSCHAFT E GESELLSCHAFT.

Leitura sugerida Redfield, Robert 1947: "The folk society". *American Journal of Sociology* 52: 293-308.

sociedade de informação A sociedade de informação é um sistema social no qual a produção de bens e serviços depende profundamente da coleta, processamento e transmissão de informações. Da mesma maneira que a industrialização tornou possível produzir imensos volumes de bens materiais, o aparecimento de computadores de alta velocidade e da tecnologia da comunicação tornou viável produzir, processar e transmitir volumes imensos de informação.

Sociologicamente, o desenvolvimento da sociedade de informação cria certo número de questões, incluindo o aumento da GLOBALIZAÇÃO em tudo, da CULTURA POPULAR ao SISTEMA-MUNDO; a relação mutável entre trabalhadores, ambiente de trabalho e lar; mudanças na ESTRUTURA OCUPACIONAL; impacto sobre a democracia política; e poder crescente das EMPRESAS TRANSNACIONAIS de controlar os trabalhadores e operar livres das restrições impostas por governos nacionais.

Ver também SOCIEDADE PÓS-INDUSTRIAL.

Leitura sugerida: Beniger, James R. 1986: *The Control Revolution: Technological and Economic Origins of the Information Society*. Cambridge, MA: Harvard University Press • Castells, Manuel 1989: *The Informational City*. Cambridge, MA e Oxford: Blackwell Publishers • Weinberg, Nathan 1990: *Computers in the Information Society*. Boulder, CO: Westview Press.

sociedade de massa Segundo uma opinião, a sociedade de massa é um sistema social caracterizado por uniformidade e igualitarismo irracionais, declínio da religião, senso de alienação e vacuidade moral, família e laços comunitários fracos, apatia política e substituição da alta cultura (como arte e literatura) pela baixa cultura, que serve a gostos primários e vulgares. Nos anos em torno da Segunda Guerra Mundial, o imenso potencial destrutivo revelado pelo FASCISMO gerou preocupação sobre a maneira como a organização da vida social torna as populações mais fáceis de serem manipuladas e controladas pela autoridade política. Numerosos autores argumentaram que o capitalismo industrial resultara na sociedade de massa.

A preocupação com a emergência da sociedade de massa, na verdade, começou na Europa do século XIX, quando a derrubada revolucionária de monarquias foi seguida pelo medo da democracia, como forma incontrolável de governo da plebe. Pensadores como Alexis de TOCQUEVILLE oscilaram entre opiniões otimistas e pessimistas do potencial da democracia para o bem e para o mal. Hoje, o conceito tem pouca influência em sociologia, uma vez que a pesquisa demonstra que as sociedades modernas são muito mais complexas do que sugeriria a ideia de sociedade de massa.

Leitura sugerida: Giner, Salvador 1976: *Mass Society*. Londres: Martin Robertson • Le Bon, Gustave 1895 (*1952*): *The Crowd: a Study of Popular Mind*. Nova York: Viking; Londres: Ernest Benn • Swinegood, A. 1977: *The Myth of Mass Culture*. Londres: Macmillan.

sociedade hortelã A sociedade hortelã é um sistema social baseado na horticultura, um MODO DE PRODUÇÃO no qual pequenas pás são usadas para cultivar pequenas hortas. Seu aparecimento por volta do ano 7000 a.C. na Ásia Menor é sociologicamente importante, porque ela foi o primeiro tipo de sociedade a realmente cultivar pelo menos parte de seus alimentos, em vez de meramente coletar o alimento existente na natureza e caçar animais. Como resultado, as sociedades hortelãs criaram povoados com populações mais numerosas e permaneciam em um local por mais tempo, antes de migrar em busca de melhores condições. Certo grau de acumulação de alimentos e bens tornou-se possível nesse momento e, com ela, uma DIVISÃO DO TRABALHO mais complexa, moradias mais sólidas e um pequeno volume de comércio. As sociedades hortelãs adiantadas às vezes incluíam várias comunidades, chegando até 5.000 indivíduos, que sustentavam especialistas que produziam grande variedade de produtos, tais como barcos, cerâmica e têxteis. Foram também as primeiras que se sabe ter possuído a instituição da escravatura.

Ver também CAÇADORES-COLETORES, SOCIEDADE DE; MODO DE PRODUÇÃO; SOCIEDADE AGRÁRIA; SOCIEDADE INDUSTRIAL E INDUSTRIALIZAÇÃO; SOCIEDADE PÓS-INDUSTRIAL.

Leitura sugerida: Lenski, Gerhard, Jean Lenski e Patrick Nolan 1987: *Human Societies: an Introduction to Macrosociology*. 5ªed., Nova York: McGraw-Hill.

sociedade industrial e industrialização
No sentido mais simples, a sociedade industrial é um sistema social cujo MODO DE PRODUÇÃO concentra-se principalmente em bens acabados fabricados com ajuda de máquinas. Esse fato contrasta com sociedades menos tecnológicas, que se focalizam sobretudo na agricultura ou na extração de matérias-primas, tais como madeira, petróleo ou minerais.

Em sentido mais complexo, a industrialização implica em geral uma ampla faixa de fatores sociais, que afetam profundamente o caráter da vida social. As sociedades industriais, por exemplo, tendem a produzir enormes excedentes, que sustentam DIVISÕES DO TRABALHO altamente complexas. A produção costuma mudar, da casa para a fábrica e do meio rural para o meio urbano. Essas sociedades promovem também a RACIONALIZAÇÃO da vida social, o aumento da alfabetização e o crescimento da ciência, da educação e da mídia. Instituições como o Estado tornam-se mais fortes e mais saturantes em sua influência, ao mesmo tempo que a religião organizada perde muito de seu poder público (embora não necessariamente sua influência sobre a vida privada do indivíduo). A BUROCRACIA torna-se uma forma onipresente de organização social. Embora o nível de desigualdade social seja habitualmente menor do que o encontrado nas SOCIEDADES AGRÁRIAS, são muito comuns os extremos de riqueza e pobreza.

Há, é claro, muitas ressalvas a essas generalizações. Numerosas sociedades não industriais, por exemplo, passam por rápida urbanização, devido mais à pobreza rural extrema do que à industrialização urbana. Embora a produção centralizada, baseada na fábrica, tenha sido a norma nas sociedades industriais, esse fato talvez se deva mais às metas do CAPITALISMO do que a algo inerente à indústria como modo de produção. Na verdade, podemos separar analiticamente capitalismo e socialismo de industrialismo, uma vez que não há uma conexão necessária entre eles, salvo de natureza histórica.

Ver também CAÇADORES-COLETORES, SOCIEDADE DE; REVOLUÇÃO INDUSTRIAL; SOCIEDADE AGRÁRIA; SOCIEDADE HORTELÃ; SOCIEDADE PÓS-INDUSTRIAL; TEORIA DA MODERNIZAÇÃO.

Leitura sugerida: Kerr, Clark, John T. Dunlop, Fredrick Harbison e Charles A. Meyers 1960 (*1973*): *Industrialism and Industrial Man: the Problems of Labour and Management in Economic Growth*. Londres e Harmondsworth: Penguin • Moore, Wilbert E. 1965: *The Impact of Industry*. Englewood Cliffs, NJ: Prentice-Hall • Saunders, Christopher 1981: *The Political Economy of the New and Old Industrial Countries*. Londres: Butterworths.

sociedade pastoril A sociedade pastoril, ou de criadores, é um sistema social no qual a criação e formação de rebanhos de animais domésticos constituem uma grande forma de produção de alimentos e para outros fins. Datando aproximadamente do ano 6000 a.C., sociedades pastoris nômades estiveram ligadas a vários fenômenos sociais importantes, incluindo a crença em deuses que protegem e tomam interesse ativo pelos assuntos humanos, e a implantação de formas patriarcais de organização social, sobretudo entre os que usaram cavalos para transporte e guerra.

Ver também CAÇADORES-COLETORES, SOCIEDADE DE; SOCIEDADE AGRÁRIA; SOCIEDADE HORTELÃ; SOCIEDADE INDUSTRIAL E INDUSTRIALIZAÇÃO; SOCIEDADE PÓS-INDUSTRIAL.

Leitura sugerida: Lenski, Gerhard E., Jean Lenski e Patrick Nolan 1991: *Human Societies: an Introduction to Macrosociology*, 6ªed. Nova York: McGraw-Hill • Spooner, Brian 1973: *The Cultural Ecology of Pastoral Nomads*. Reading, MA: Addison-Wesley.

sociedade periférica *ver* SISTEMA-MUNDO.

sociedade pós-industrial A sociedade pós-industrial é um sistema social no qual a maior parte da atividade econômica se concentra na provisão de serviços baseados em conhecimento (tais como atividade bancária, serviços de assessoria jurídica e viagens) mais do que na produção de bens como aço, rádios e automóveis. Da forma inicialmente descrita por Daniel BELL e outros autores, sob o pós-industrialismo o envolvimento principal de pessoas seria com outras pessoas, e não com matérias-primas ou maquinaria. Como consequência, haveria uma mudança nas relações econômicas, canalizando-se mais recursos para a solução de problemas humanos, tais como os conflitos entre trabalhadores e administração de empresas sobre condições, recompensas e organização do trabalho.

Em alguns países capitalistas industriais, houve um direcionamento da indústria de transformação para as de serviços, algumas das quais implicam conhecimentos e qualificações especializadas (como a de programação de computadores). Não obstante, há pouca prova das concomitantes mudanças sociais previstas por Bell e outros autores. A maioria dos novos empregos em serviços, por exemplo, localiza-se no MERCADO DE TRABALHO competitivo, secundário, que exige treinamento mínimo e oferece baixa remuneração e pouca oportunidade de promoção. Nem há prova de qualquer movimento geral de abandono do rígido controle administrativo sobre os trabalhadores no interesse de maximizar os lucros das empresas.

Ver também ECONOMIA DUAL; FIM DA IDEOLOGIA, TEORIA DO; SOCIEDADE DE INFORMAÇÃO; SOCIEDADE INDUSTRIAL E INDUSTRIALIZAÇÃO; TECNOCRACIA.

Leitura sugerida: Bell, Daniel 1974: *The Coming of Post-Industrial Society: a Venture in Social Forecasting*. Nova York: Basic Books; Londres: Heinemann • Kumar, Krishnan 1978: *Prophecy and Progress: The Sociology of Industrial and Post-Industrial Society*. Londres: Allen Lane; Harmondsworth: Penguin.

sociedade semiperiférica *ver* SISTEMA-MUNDO.

sociobiologia A sociobiologia é um ramo da biologia que tenta identificar raízes biológicas e genéticas do comportamento e da organização da vida entre várias espécies. Essa perspectiva baseia-se na ideia de que comportamento e organização fundamentam-se no impulso para reproduzir eficazmente os genes (daí a declaração de Edward O. Wilson, de que "a galinha é simplesmente a maneira de o ovo produzir outro ovo").

A maior parte do trabalho em sociobiologia vem sendo feito com espécies não humanas, embora tenha havido algumas tentativas notáveis, e muito criticadas, de estender esses argumentos a sistemas sociais humanos. Entre eles, temos a alegação inicial de Wilson, de que haveria um gene "altruísta", que determinaria o impulso altruísta entre seres humanos, embora ele tenha posteriormente recuado dessa posição e reconhecido a importância esmagadora de fatores sociais na vida humana. Embora a sociologia não possa negar o fato de que todas as capacidades humanas têm, em última análise, uma base biológica, o potencial criativo de seres humanos de moldar e dar significado ao ambiente social é tão grande que os fatores biológicos têm importância relativamente menor na análise sociológica. Não obstante, persiste a discussão na sociologia sobre a maneira de integrar mais eficazmente os fatores biológicos no pensamento sociológico.

Ver também DETERMINISMO E REDUCIONISMO; ETOLOGIA.

Leitura sugerida: Fausto-Sterling, Ann 1985: *Myths of Gender: Biological Theories about Women and Men*. Nova York: Basic Books • Sahlins, Marshall D. 1976: *The Use and Abuse of Biology: An Anthropological Critique of Sociobiology*. Ann Arbor: University of Michigan Press • Wilson, Edward O. 1975: *Sociobiology: the New Synthesis*. Cambridge, MA: Harvard University Press • 1977: "Biology and the social sciences". *Daedalus* 106 (outono): 127-40.

sociograma *ver* SOCIOMETRIA.

sociolinguística A sociolinguística é o estudo da LINGUAGEM como um recurso da vida social. Inclui questões sobre como a linguagem é usada para produzir vários resultados na interação social; de que maneira é distribuída como recurso entre os vários grupos; e o papel que desempenha na aquisição de competência cultural por indivíduos, na qual se baseia a capacidade de participar eficazmente da vida social. Em sociedades multiculturais, a distribuição desigual de competência na língua dominante reforça frequentemente a desigualdade racial e étnica, ao limitar a capacidade de minorias de ganhar aceitação.

Ver também CÓDIGOS DE LINGUAGEM; SEMIÓTICA.

Leitura sugerida: Bernstein, Basil 1975: *Class, Codes, and Control*. Londres: Routledge and Kegan Paul • Gumperz, John J., e Dell Hymes 1972 (*1986*): *Directions in Sociolinguistics*. Oxford: Blackwell Publishers • Labov, William 1970 (*1972*): *Sociolinguistics*. Filadélfia: University of Pennsylvania Press; Harmondsworth: Penguin.

sociologia A sociologia é o estudo da vida e do comportamento social, sobretudo em relação a sistemas sociais, como eles funcionam, como mudam, as consequências que produzem e sua relação complexa com a vida de indivíduos. O termo foi usado pela primeira vez por Auguste COMTE.

Desde o início, a sociologia tem sofrido de uma espécie de crise de identidade, refletida em suas muitas definições. A disciplina é muitas vezes descrita como o "estudo da sociedade", mas essa definição exclui a vasta maioria de vida social que ocorre em sistemas muito menores do que sociedades. Estudos de grupos, empresas, salas de aula e famílias disfuncionais estão todos, em última hipótese, ligados à sociedade, embora possamos formular numerosas perguntas sobre eles, sem jamais nos referirmos ao maior dos sistemas sociais nos quais eles se encartam. Na outra extremidade do espectro, é ouvida a objeção de que problemas cada vez mais interessantes ocorrem em níveis mais amplos do que sociedades, em níveis que abrangem sistemas econômicos e políticos mundiais.

Em outra direção, a sociologia é com frequência definida como o "estudo de grupos", mas essa definição deixa de levar em conta que o conceito de GRUPO é muito preciso e limitado em sociologia. Numerosos sistemas sociais importantes — de organizações e comunidades complexas a sociedades e ao sistema econômico mundial — não são absolutamente grupos. Além do mais, o conceito de grupo não inclui categorias sociais como as definidas por raça, gênero, etnicidade, religião e idade, que desempenham um papel importante na desigualdade social, na opressão e no conflito.

A sociologia poderia também ser definida como o estudo do comportamento social. Contudo, como só há uma faixa pequena de comportamento humano que não pode ser interpretado como social em certo grau, essa definição confunde sociologia com psicologia, que se interessa muito mais pela atividade interna do indivíduo do que pelo contexto social em que ele vive e suas ligações com o meio. Embora o comportamento humano seja fundamental para o pensamento sociológico, não é ele o que torna esse pensamento claramente sociológico.

Fundamental para qualquer definição do ponto de vista sociológico é a ideia de que o todo é maior do que a soma de suas partes, pois o todo inclui também as relações que ligam entre si as partes, o que em geral não pode ser obtido apenas pelo conhecimento das partes. É certamente verdade que os sistemas sociais não seriam grande coisa se não houvesse pessoas individuais, mas não se segue dessa conclusão que os sistemas são, por isso, apenas um conjunto de indivíduos. Os sistemas sociais são conjuntos de arranjos nos quais indivíduos participam, de forma muito semelhante aos jogos em que tomam parte. Isso, porém, não significa que o jogo seja um grupo particular de pessoas que o estejam jogando.

Tomando emprestada uma imagem da química, uma molécula não pode ser compreendida pelo estudo exclusivo das características de cada elemento que dela "participa". Na verdade, praticamente nada sabemos sobre moléculas, a menos que compreendamos os elos que as ligam entre si, e estes não são característicos de qualquer uma de suas partes constituintes. Da mesma maneira, os perfis psicológicos de trabalhadores em uma empresa não terão muita utilidade para compreendermos o que uma empresa é e como funciona. Por conseguinte, é o foco combinado sobre sistemas sociais e suas ligações com a vida de pessoas isoladas que distingue a sociologia de outras disciplinas e proporciona um ponto de observação excepcional e poderoso, do qual podemos formular perguntas sobre a vida humana.

Ver também ATOMISMO E HOLISMO; CULTURA; ECOLOGIA; ESTRUTURA SOCIAL.

sociologia aplicada A sociologia aplicada é um campo dessa disciplina que usa conceitos, princípios e *insights* sociológicos para estudar decisões e problemas práticos do mundo real. As grandes áreas do trabalho sociológico aplicado incluem coleta de dados sobre indicadores sociais — de padrões de consumo de vários bens e serviços à incidência de doenças e acidentes — para dar melhores subsídios a decisões, que tanto podem ser sobre política de saúde pública a estratégias de marketing de empresas; *pesquisa de avaliação* para verificar o sucesso de programas, de reabilitação de drogados à reforma educacional; e *pesquisa-ação* destinada a mudar sistemas sociais, com vistas a atingir certos objetivos, de melhorar o aproveitamento de estudantes nas escolas a baixar as taxas de reincidência entre criminosos.

Ver também OBJETIVIDADE.

Leitura sugerida: Lazarsfeld, Paul F., e J.G. Reitz 1975: *An Introduction to Applied Sociology*. Nova York: Elsevier • Olsen, M.E., e M. Micklin 1981: *Handbook of Applied Sociology*. Nova York: Praeger.

sociologia histórica A sociologia histórica é uma disciplina que combina o estudo de história e sociologia. Embora as duas disciplinas sejam claramente separadas, os pontos de contato entre o conteúdo e métodos de ambas têm atraído cada vez mais atenção desde a década de 1980. Suas diferenças, no entanto, podem ser facilmente identificadas. Os sociólogos, por exemplo, tendem a interessar-se mais pela teoria geral sobre como funciona a vida social e dependem muito de métodos quantitativos, tais como LEVANTAMENTOS. Historiadores costumam interessar-se mais por eventos e questões que são limitados no tempo e no espaço e se valem de registros históricos, que assumem várias formas. Não obstante, Philip Abrams e outros autores argumentam que, em um alto grau, o objetivo sociológico básico de compreender como funcionam os sistemas sociais não pode ser separado da compreensão de como eles mudam. Na verdade, precursores da sociologia moderna, como Karl MARX, Max WEBER e Émile DURKHEIM, dedicaram grande parte de suas obras a compreender o contexto histórico no qual é moldada a vida social. Atualmente, a sociologia histórica estuda sobretudo o desenvolvimento do CAPITALISMO, além da NAÇÃO-ESTADO, RELIGIÃO, COMPORTAMENTO COLETIVO e MOVIMENTOS SOCIAIS.

Ver também ANNALES, ESCOLA DOS.

Leitura sugerida: Abrams, Philip 1982: *Historical Sociology*. Shepton Mallet, Inglaterra: Open House; County of Sommerset: Open Books • Elias, Norbert 1939 (*1990-93*): *O processo civilizador*, 2 vols. Rio de Janeiro: Zahar / (*1978-82*): *The Civilizing Process*, 2 vols. Oxford: Blackwell; Nova York: Panteon • Wallerstein, Immanuel 1974: *The Modern World-System*, Nova York e San Diego: Academic Press • 1980: *The Modern World-System II: Mercantilism and the Consolidation of the European World Economy, 1600-1750*. Nova York e San Diego: Academic Press • 1989: *The Modern World-System III: the Second Era of Great Expansion of the Capitalist World Economy, 1730-1840*. Nova York e San Diego: Academic Press.

sociologia interpretativa A sociologia interpretativa é uma PERSPECTIVA TEÓRICA baseada na ideia de que uma interpretação sociológica de comportamento deve forçosamente incluir o significado que os atores sociais atribuem ao que eles e outros fazem. Quando interagem, indivíduos interpretam o que está acontecendo, desde o significado de SÍMBOLOS até a ATRIBUIÇÃO de motivos aos demais. Como é argumentado pelo cultores do interacionismo simbólico, da ETNOMETODOLOGIA e de outras perspectivas interpretativas, é isso que dá à vida social sua característica padronizada.

A sociologia interpretativa diverge profundamente da ideia de que a vida social é governada pelas características estruturais e culturais objetivas de sistemas sociais, que são externos ao indivíduo e relativamente independentes deles. Rejeita também o argumento de que é possível elaborar leis científicas rígidas, que explicam padrões de comportamento social como fixos e determinados pelas situações sociais em que pessoas se encontram. Enquanto alguns sociólogos ora aceitam ora rejeitam uma das duas posições, outros — retroagindo até Max WEBER — preferem um enfoque equilibrado, que incorpore a compreensão subjetiva dos atores que participam dos sistemas sociais e as consequências por eles produzidas.

Ver também AÇÃO E ESTRUTURA; EPISTEMOLOGIA; FATO SOCIAL; FENOMENOLOGIA E SOCIOLOGIA FENOMENOLÓGICA; HERMENÊUTICA; IDIOGRÁFICO E NOMOTÉTICO; POSITIVISMO.

Leitura sugerida: Weber, Max 1904-1917 (*1949*): *Max Weber*. São Paulo: Ática, col. Grandes Cientistas Sociais / (*1949*): *The Methodology of the Social Sciences*. Nova York: Free Press.

sociologia marxista A sociologia marxista é uma fusão de marxismo e sociologia. Tal como o marxismo, ela focaliza a preocupação de Karl MARX com a ECONOMIA POLÍTICA e o poder do CAPITALISMO de moldar a vida social e, em particular, as várias formas de OPRESSÃO SOCIAL. Ao contrário do marxismo, tem demonstrado na prática que é relativamente indiferente a estimular a revolução de classe.

A sociologia marxista corrente concentra-se em várias áreas de interesse: a relação entre capital e trabalho, especialmente a tendência do capital de desvalorizar, degradar e dividir os trabalhadores como meio de aumentar seu controle e lucros; o modo como relações de produção geram sistemas de classe social e como eles se relacionam com outras formas de opressão, como as baseadas em gênero, raça e etnicidade; economia política, ou a relação entre o capitalismo e o ESTADO; e a relação entre capitalismo e dinâmica de classe, por um lado, e o conteúdo da cultura e instituições culturais, como escolas e a mídia, por outro.

Os conceitos e perspectivas marxistas tornam-se crescentemente influentes no trabalho sociológico, sobretudo nos Estados Unidos e na Europa.

Ver também CONFLITO DE CLASSE E LUTA DE CLASSE; CURRÍCULO OCULTO; ESTUDOS CULTURAIS; HEGEMONIA.

Leitura sugerida: Bottomore, Tom B. 1975: *Marxist Sociology*. Londres: Macmillan • Ollman, Bertell, e Edward Vernoff, orgs. 1982: *The Left Academy: Marxist Scholarship on American Campuses*. Nova York: McGraw-Hill • Shaw, Martin, org. 1985: *Marxist Sociology Revisited: Critical Assessments*. Londres: Macmillan.

sociologia matemática A sociologia matemática é um método para compreender a vida social que tenta descrever processos com auxílio de modelos matemáticos. O objetivo consiste em formular teorias que sejam mais precisas do que de outra maneira seria possível, e que revelem propriedades básicas comuns de fenômenos de outra forma não relacionados. Pode acontecer, por exemplo, que boatos, doenças e inovações se espalhem através de populações de maneiras que possam ser descritas por variações no mesmo modelo matemático.

A sociologia matemática tem sido mais desenvolvida no estudo de REDES SOCIAIS e DINÂMICA DE GRUPO. Até agora, no entanto, não conseguiu atrair a atenção dos sociólogos como um todo e é, na maior parte, ignorada e depreciada.

Leitura sugerida: Coleman, James S. 1964: *Introduction to Mathematical Sociology*. Nova York: Free Press • Fararo, Thomas J., org. 1984: *Mathematical Ideas and Sociological Theory*. Nova York: Gordon and Breach (número especial do *Journal of Mathematical Sociology*) • Leik, Robert K., e Barbara F. Meeker 1975: *Mathematical Sociology*. Englewood Cliffs, NJ: Prentice-Hall.

sociometria Sociometria é uma técnica desenvolvida por Jacob Moreno para identificar a estrutura dos laços em um grupo, baseados em afeição, e não em expectativas de PAPEL. Em um escritório, por exemplo, as mais importantes e extensas obrigações de papel de secretárias têm relação com seus chefes, e não umas com as outras. Dentro da estrutura formal de papel, porém, há um padrão de laços afetivos que podem produzir um efeito profundo sobre a maneira como os papéis são representados. As secretárias podem gostar mais umas das outras do que gostam dos chefes e, em consequência, experimentam um senso de lealdade pessoal com as colegas que pode competir com seus papéis ocupacionais reais e a lealdade aos seus chefes.

Para medir esses padrões, Moreno formulou um método que consiste em pedir a pessoas em um grupo que comuniquem seus sentimentos positivos ou negativos sobre os outros membros. O resultado é um *sociograma*, um gráfico no qual cada pessoa é mostrada em relação às demais: setas com duas pontas mostram apreciação mútua, com uma só indicam apreciação assimétrica, nenhuma seta demonstra neutralidade e assim por diante. Embora a técnica não tenha sido muito usada por sociólogos, pode ser uma maneira útil de detectar a presença de SUBGRUPOS que não seriam previstos na base de outras características estruturais de um sistema. Os subgrupos são importantes em parte porque frequentemente desenvolvem interesses próprios que podem colidir com os de sistemas mais amplos, dos quais fazem parte. Dessa maneira, embora o papel e as ESTRUTURAS DE PODER de um escritório possam prever lealdade das secretárias a seus chefes, a estrutura sociométrica pode prognosticar o contrário.

Ver também ESTRUTURA SOCIAL; RELAÇÃO PRIMÁRIA E RELAÇÃO SECUNDÁRIA.

Leitura sugerida: Moreno, Jacob L. 1943: "Sociometry and the cultural order". *Sociometry* 6: 299-344.

solidariedade *ver* COESÃO.

solidariedade mecânica *ver* COESÃO.

solidariedade orgânica *ver* COESÃO.

solução minimax *ver* TEORIA DA ESCOLHA RACIONAL.

soma dos quadrados *ver* VARIÂNCIA.

status Status tem dois significados em sociologia. Max WEBER equiparou o termo a PRESTÍGIO, como na frase "uma ocupação de alto status" ou como alguém "consciente de status". A maioria dos sociólogos, no entanto, define-o simplesmente como a posição ocupada pelo indivíduo em um sistema social. "Esposa" e "marido", por exemplo, são status em sistemas matrimoniais, da mesma maneira que "advogado", "jurado" e "juiz" são status em sistemas judiciários, e "goleiro", "centroavante" e "zagueiro" o são em times de futebol. Note-se que status é um termo puramente relacional, o que significa que cada um deles existe apenas em relação a um ou mais status. "Marido", por exemplo, é uma categoria que não faz sentido isoladamente, exceto em relação com a categoria "esposa", da mesma maneira que não pode haver juízes sem as posições correspondentes que compreendem o resto de um sistema judiciário.

Uma vez que são posições em sistemas sociais, os status existem independentemente dos indivíduos que os ocupam. Na verdade, um status pode existir mesmo que ninguém o ocupe numa dada ocasião, como o status de "primeiro-ministro" quando o titular morre e o novo não foi ainda eleito (ou escolhido), ou o status de "candidato" quando não há eleição nenhuma à vista. Pessoas se associam a status apenas através de sua participação em sistemas sociais que os incluem. Nesse princípio relativamente simples reside o *insight* sociológico básico de que os sistemas sociais não podem ser reduzidos aos indivíduos que deles participam.

Se tomamos a soma de todos os status que ocupamos, o resultado é conhecido como *conjunto de status*. Esse conjunto nos localiza como indivíduos em relação à rede multidimensional dos sistemas sociais que constituem o mundo em que vivemos. Nada disso, é claro, manteria nosso interesse sociológico por muito tempo, se não fosse pelo fato da profunda influência que ocupar essas posições exerce sobre o pensamento, o sentimento, a experiência e o comportamento humanos, influência esta que é exercida através das ideias inerentes a essas posições.

Embora todos os conjuntos de status incluam grande número de status diferentes, de maneira alguma prestamos atenção a todos eles, ou mesmo a vários deles simultaneamente. Na situação social típica, apenas alguns deles são de fato relevantes e identificam nossa posição corrente. São conhecidos como *status manifestos*. Em uma mesa de jantar de uma família, por exemplo, é mais provável que apenas os status de parentesco como pais, filho, parentes, avô e assim por diante tenham realmente importância na situação e eles são, por conseguinte, manifestos. Os demais que incluímos em nossos conjuntos de status estão "inativos" nessa situação e, em geral, não produzem um efeito explicitamente reconhecido. As responsabilidades associadas ao emprego, portanto, não seriam definidas como relevantes em um jantar familiar. Quando um status está, dessa maneira, em segundo plano, é denominado de *latente*. Note-se, contudo, que um status latente pode tornar-se manifesto a qualquer momento, como quando um empregador telefona e interrompe o jantar, pedindo ajuda em uma emergência. Note-se também que frequentemente acontece que os status latentes afetam a maneira como pessoas percebem os manifestos. Os status de gênero de "mulher" e "homem" muitas vezes operam dessa maneira, como também os de idade e ocupação. De modo geral, é mais provável que profissionais liberais sejam mais respeitados se são homens, por exemplo, como também membros de grupos comunitários, se ocuparem outros status altamente respeitados. Em alguns casos, status de outra maneira latentes são considerados tão importantes que um *status misto* é criado, ao combiná-los com um status manifesto, como em "policial feminina".

Ver também STATUS ALCANÇADO; STATUS ATRIBUÍDO; STATUS, GENERALIZAÇÃO DE.

Leitura sugerida: Linton, Ralph 1936: *The Study of Man*. Nova York: Appleton-Century-Crofts • Merton, Robert K. 1968: *Social Theory and Social Structure*, ed. rev. e ampl. Nova York: Free Press.

status adquirido *ver* STATUS ALCANÇADO.

status alcançado Um status alcançado (também conhecido como *status adquirido*) é uma posição no sistema social que é ocupada após o nascimento. Exemplos incluem o status marital, o nível de educação, a ocupação, e, em certos casos, a afiliação religiosa.

Ver também PAPEL; STATUS; STATUS ATRIBUÍDO.

Leitura sugerida: Linton, Ralph 1936: *The Study of Man: An Introduction*. Nova York: Appleton • Merton, Robert K. 1968: *Social Theory and Social Structure*, ed. rev. e ampl. Nova York: Free Press.

status atribuído O status atribuído é uma posição social concedida (se não antes) por ocasião do nascimento e é, por conseguinte, geralmente de caráter permanente. Os status atribuídos incluem características como raça, gênero, país de origem e vários tipos de características de origem, tais como religião (em alguns casos) e etnicidade.

Uma vez que os status atribuídos são quase impossíveis de mudar (excluídas operações para mudança de sexo, "despigmentação" por questão de raça ou falsa apresentação), eles se situam muitas vezes no núcleo dos sistemas de OPRESSÃO SOCIAL, especialmente nos sistemas de CASTAS. Em comparação, os sistemas de CLASSE são organizados mais em torno de STATUS ALCANÇADO, tais como nível educacional e ocupação, embora os de natureza atribuída desempenhem um papel importante, ao limitar os status adquiridos que o indivíduo pode alimentar a esperança de alcançar.

Ver também STATUS.

status situacional O status situacional é uma posição ocupada apenas enquanto alguém está realmente em uma situação particular e representando ativamente um PAPEL a ela associado. Nesse sentido, difere de outros status sociais que o indivíduo tem, qualquer que seja a situação em que possa se encontrar no momento. Status como "africano", "formado por universidade" e "casado" são posições sociais que o indivíduo conserva aonde quer que vá, vinculados a eles como características sociais. Eles não são "formados por universidade" apenas durante alguns dias da semana. Já o status situacional é justamente isso: o indivíduo ocupa-o quando participa de uma situação (tal como assumir o status de "passageiro" imediatamente depois de subir num ônibus), e o abandona quando deixa a situação. Em suma, a fim de ocupar um status situacional, o indivíduo precisa estar ativamente envolvido em uma situação.

status de superioridade O status de superioridade é uma situação social que tende a figurar entre as mais importantes ocupadas pelo indivíduo. Faz parte do núcleo de sua identidade social e influencia a maneira como os papéis associados a outras posições são representados. A ocupação frequentemente é um status superior, porquanto forma parte muito importante da identidade da pessoa e afeta seus demais papéis — a forma como representa os papéis familiares, os amigos que escolhe, os bairros onde mora e assim por diante. Dependendo da sociedade, gênero, idade e raça são também status superiores comuns. Habitualmente, desempenham um papel relevante na desigualdade e opressão social sistemáticas.

Ver também PAPEL; STATUS.

status latente *ver* STATUS.

status manifesto *ver* STATUS.

status misto *ver* STATUS.

status social *ver* STATUS.

status socioeconômico Status socioeconômico é um conceito que se refere principalmente à posição do indivíduo em sistemas de estratificação, da forma indicada por seu prestígio ocupacional e, secundariamente, por grau de educação alcançado, renda e riqueza. Os sociólogos elaboraram várias escalas para medir empiricamente esse status, figurando entre as mais notáveis entre elas o Índice Socioeconômico de Duncan e o Índice de Posição Social de Dois Fatores, de Hollingshead.

Ver também CLASSE SOCIAL; ESTRATIFICAÇÃO E DESIGUALDADE; STATUS, INCONSISTÊNCIA E CRISTALIZAÇÃO DE.

Leitura sugerida: Powers, M.G., org. 1982: *Measures of Socioeconomic Status*. Boulder, CO: Westview Press.

status transitório O status transitório é uma posição que existe exclusivamente para o fim de servir como ponte entre dois outros status. "Noivo" ou "prometido", por exemplo, são usados como posições transitórias ligando "solteiro" e "casado", da mesma maneira que "em condicional" é um status transitório entre "interno em prisão" e "pessoa livre". Na verdade, não são muitos, na maioria dos sistemas sociais, os status transitórios, embora possamos ser erroneamente induzidos a pensar de outra maneira por status que ocorrem entre outros status ao longo do tempo. Apesar de graus diferentes na escola, por exemplo, serem habitualmente precedidos por outro grau, eles não são transitórios, porque a razão da existência dos mesmos não é apenas o de servir como ponte entre dois outros.

Ver também RITO DE PASSAGEM.

Leitura sugerida: Coser, Rose Laub 1966: "Role distance, sociological ambivalence, and transitional status systems". *American Journal of Sociology* 77(2): 173-87.

status, conjunto de *ver* STATUS.

status, generalização de A generalização de status é um processo que ocorre quando um STATUS que é irrelevante em uma situação produz, ainda assim, um efeito. Implícita na definição de toda situação social há a compreensão comum de quais status e PAPÉIS são relevantes e, por exclusão, quais não são. Em um tribunal, por exemplo, status como o de juiz, advogado, escrivão, testemunha e réu são reconhecidos como partes legítimas da situação — isto é, as expectativas são organizadas em torno dessas posições, em suas relações recíprocas. O status de médico, por exemplo, não é relevante, a menos que ele seja solicitado a prestar depoimento, caso em que as expectativas do papel de médico podem assumir precedência em relação às ligadas a outras testemunhas.

Estudos de júris descobriram que embora todos os jurados sejam presumivelmente iguais, os homens ou os que ocupam posições de alto prestígio tendem a exercer mais influência e é mais provável que sejam colocados em posições de liderança, mesmo que suas ocupações talvez nada tenham a ver com sua capacidade de deliberar em um caso particular. Em outras palavras, atribuições concedidas a pessoas, com base em características de status, tal como ocupação, são generalizadas para abranger uma grande variedade de outros status e situações sociais. A generalização de status tem grande probabilidade de ocorrer em relação a STATUS DE SUPERIORIDADE, como ocupação, raça, gênero e idade.

Leitura sugerida: Strodbeck, James L., R.M. James e C. Hawkins 1957: "Social status in jury deliberations". *American Sociological Review* 22: 713-19.

status, inconsistência e cristalização de A inconsistência de status é uma condição que ocorre quando indivíduos têm algumas características de status que são classificadas como relativamente altas e outras como relativamente baixas. Na maioria das sociedades complexas, as posições de indivíduos no sistema de ESTRATIFICAÇÃO baseiam-se em várias características, tais como prestígio ocupacional, renda, nível de educação atingido e, em muitos casos, raça, gênero, etnicidade e idade. Uma vez que as várias dimensões da igualdade têm alguma importância para cada indivíduo, é importante prestar atenção à consistência que as várias dimensões guardam entre si. Um chefe do crime organizado, por exemplo, tem alta classificação em termos de renda e riqueza, mas baixa em termos de prestígio ocupacional. Essa situação tende a produzir tensão, que pode ser aliviada alinhando-se as várias dimensões (processo este conhecido como cristalização de status). Isso pode ser conseguido quando o criminoso investe em negócios "legítimos", deles derivando prestígio ocupacional mais alto.

A inconsistência de status pode ser muito abrangente, especialmente em sociedades nas quais status atribuídos como raça e gênero desempenham um papel importante na estratificação. Em sociedades dominadas por brancos, por exemplo, profissionais liberais negros têm alto status ocupacional, mas baixo status racial, o que cria inconsistência, juntamente com ressentimento e tensão potencial. O gênero produz efeito semelhante, como também a etnicidade em numerosas sociedades.

Ver também CLASSE SOCIAL; ESTRATIFICAÇÃO E DESIGUALDADE.

Leitura sugerida: Lenski, Gerhard 1954: "Status crystalization: a nonvertical dimension of social status". *American Sociological Review* 19: 405-14.

status, tensão de *ver* CONFLITO DE PAPÉIS.

subclasse *ver* CLASSE SOCIAL.

subcultura *ver* SUBGRUPOS E SUBCULTURA.

subfamília Uma subfamília é uma FAMÍLIA que mora com outra com a qual pode ser aparentada ou não. Se um jovem casal vive com seus filhos na casa de parentes afins, por exemplo, eles formam uma subfamília.

O número de subfamílias tende a subir em tempos econômicos difíceis, à medida que se torna mais dispendioso manter lares separados. Nos Estados Unidos, por exemplo, o número de subfamílias declinou em 26% nas década de 1960 e 1970, embora tenha mais do que duplicado na década de 1980.

Leitura sugerida: Glick, Paul C., e S. Lin 1986: "More young adults are living with their parents: Who are they?", *Journal of Marriage and the Family* 48(1): 107-12.

subgrupo e subcultura Um subgrupo é um conjunto de indivíduos que se identificam como membros de um grupo que é também parte de um sistema social mais amplo ao qual pertencem. Esses grupos podem ser formalmente definidos (como um escritório numa empresa, um departamento do governo ou um grêmio de estudantes) ou informalmente (como um grupo de amigos em um sindicato ou de adolescentes em relação à comunidade).

A subcultura é uma cultura associada a sistemas sociais (incluindo subgrupos) e categorias de pessoas (tais como grupos étnicos) que fazem parte de sistemas mais vastos, como organizações formais, comunidades ou sociedades. Bairros étnicos urbanos — variando de indianos em Londres e muçulmanos em Paris, a americanos em Hong Kong ou chineses em Nova York — compartilham frequentemente de linguagens, ideias e práticas culturais que diferem das seguidas pela comunidade geral, mas, ao mesmo tempo, sofrem pressão para conformar-se, em certo grau, à cultura mais vasta na qual está enraizada sua subcultura. O mesmo fato pode acontecer também em sistemas sociais menores, como grande empresas, departamentos do governo ou unidades militares, que se aglutinam muitas vezes em torno de interesses especializados ou de laços criados por interações diárias e interdependência mútua.

Subgrupos e subculturas são sociologicamente importantes não apenas porque podem ser uma causa de diversidade nos sistemas sociais, mas também porque podem constituir motivo de conflitos quando valores, normas e outras características subculturais chocam-se com as da cultura circundante. Esse fato acontece principalmente quando subculturas estão associadas a MINORIAS, cujas diferenças são usadas como razão para racionalizar a exploração e a OPRESSÃO SOCIAL. Ocorre também entre os que costumam ser marginalizados na vida social, como é o caso dos jovens em muitas sociedades industriais. A exclusão dos mesmos de papéis adultos sérios prolonga a infância e estimula o aparecimento de uma *cultura da juventude*, organizada em torno de relações com amigos, e não na família ou na vida de trabalho. A cultura da juventude é uma subcultura que se concentra principalmente na música, no interesse pela moda e estilo de vida, no aproveitamento do tempo de ÓCIO, nas frustrações de status marginal, e em variáveis graus de inconformismo e rebelião contra a cultura predominante da classe média adulta.

Ver também ADOLESCÊNCIA; CONTATO CULTURAL; CONTRACULTURA.

Leitura sugerida: Hebdige, Dick 1979: *Subculture: The Meaning of Style*. Nova York: Methuen.

subúrbio Um subúrbio é uma comunidade nos arredores densamente povoados de uma grande cidade. Embora os subúrbios tenham surgido nos Estados Unidos em princípios da década de 1800, só adquiriram o caráter de uma das principais formas de vida comunitária no início deste século.

Objetos de profundo estudo sociológico nas décadas de 1950 e 1960, acreditava-se em geral que os subúrbios abrigavam um tipo particular de cultura, que incluía ênfase na vida familiar e propriedade do imóvel de residência, envolvimento ativo nos assuntos comunitários, um alto grau de conformidade e interesse em manter as aparências. Pesquisa mais recente em uma grande variedade de sociedades, da América do Norte à Europa e África, porém, sugere que a cultura comunitária depende menos de seu caráter suburbano do que das características sociais de seus moradores, tais como classe social e idade. Subúrbios de classe operária, por exemplo, são muito diferentes dos subúrbios de classe média e classe média alta.

Ver também CENTRO URBANO; PERIFERIA URBANA.

Leitura sugerida: Baldassare, Mark 1992: "Suburban communities". *Annual Review of Sociology* 18: 475-94 • Jackson, K.T. 1986: *The Suburbanization of the United States*. Nova York: Oxford University Press • Stilgoe, J.R. 1989: *Borderland: Origins of the American Suburb*. New Haven: Yale University Press.

sucessão ecológica A sucessão ecológica é o processo mediante o qual os ECOSSISTEMAS mudam. Quando ocorre mudança em algum aspecto do meio ambiente físico (em temperatura, quantidade de chuvas ou erupções vulcânicas), no comportamento de uma ou mais espécies (tais como os padrões de consumo de alimentos e outros recursos naturais), ou na composição da população do ecossistema (como ocorre quando o tamanho das diferentes espécies de população muda, espécies desaparecem, ou novas espécies aparecem em cena), mudam também as complexas condições que constituem um ecossistema. Potencialmente, esse fato pode gerar muitos efeitos diferentes sobre o ecossistema como um todo e as várias formas de vida que ele abriga. O interesse sociológico pela sucessão estende-se além das fronteiras da biologia, em questões sobre o impacto da colonização humana sobre o ambiente natural às cidades como ecossistemas que mudam através de ondas sucessivas de imigração e mudança física.

Durante muitos anos, ecologistas acreditaram que o estado normal dos ecossistemas era uma condição de estabilidade e equilíbrio relativos que, quando perturbada, acabaria voltando à situação anterior. Mais recentemente, contudo, alguns ecologistas argumentam que os ecossistemas estão sempre em um estado de sucessão, de uma forma para outra, e que estabilidade e equilíbrio constituem apenas condições temporárias.

Leitura sugerida: Hawley, Amos 1986: *Human Ecology: a Theoretical Essay*. Chicago: University of Chicago Press • Park, Robert E., Ernest Burgess e Roderick D. McKenzie, orgs. 1925: *The City*. Chicago: University of Chicago Press.

sucessão matrilinear *ver* PARENTESCO.

sucessão patrilinear *ver* PARENTESCO.

suicídio Suicídio, o ato de acabar com a própria vida, figura com destaque no desenvolvimento da sociologia ao longo da história, porque constituiu tema da primeira obra sociológica a usar sistematicamente dados empíricos para submeter a teste uma teoria. A obra clássica de Émile DURKHEIM intitulada *Suicídio* tinha por fundamento a premissa de que os padrões de suicídio podiam ser explicados com simplicidade, como resultado de patologia e psicologia individuais, mas que eram causados por FATOS SOCIAIS. Durkheim argumentava, por exemplo, que as taxas de suicídio tenderiam a ser altas em comunidades com fracos laços sociais. Essa ideia levou ao prognóstico de que os protestantes teriam taxas mais altas de suicídio do que os católicos, uma vez que os primeiros apresentavam uma tendência mais alta para enfatizar a autonomia pessoal, a independência e o sucesso. Os dados (registros públicos de taxas de mortalidade) e os métodos usados por Dukrheim foram desde então muito criticados por suas falhas de adequação. A concentração de Durkheim em causas sociais, e não individuais, e o uso de dados para submeter a teste uma teoria forneceram um modelo que influenciou profundamente a pesquisa e o pensamento sociológicos.

Leitura sugerida: Atkinson, J.M. 1978: *Discovering Suicide: Studies in the Social Organization of Sudden Death*. Londres: Macmillan • Douglas, Jack B. 1967 (*1970*): *The Social Meanings of Suicide*. Princeton, NJ: Princeton University Press • Durkheim, Émile 1897 (*1969*): *Le suicide, étude de sociologie*. Paris: Félix Alcan; PUF / (*1982*): *O suicídio*. Rio de Janeiro: Zahar / (*1963*): *Suicide: a Sociological Study*. Nova York: Free Press; Londres: Routledge & Kegan Paul • Maris, Ronald, Alan L. Berman,

John T. Maltsberger e Robert I. Yufit, orgs. 1991: *Assessment and Prediction of Suicide*. Nova York: Guildford.

superestrutura *ver* BASE E SUPERESTRUTURA.

superpopulação À primeira vista, superpopulação é um conceito relativamente simples, que se refere a uma situação na qual o número de pessoas em um sistema social é maior do que pode ser apropriadamente sustentado pelos recursos disponíveis — não há, em quantidade suficiente, alimentos, habitações, vestuário e outras coisas consideradas essenciais nessa cultura. O conceito foi proposto inicialmente no século XVIII por um clérigo britânico, Thomas Malthus, que observou que os suprimentos de alimentos tendem a crescer mais lentamente do que as populações, gerando uma crise inevitável e, não raro, medidas corretivas drásticas.

O que torna o conceito vulnerável a problemas é se, ao defini-lo e usá-lo, enfatizamos o excesso de população ou o déficit de recursos. Se nos focalizamos no primeiro, a solução do problema consiste em reduzir as taxas de crescimento demográfico ou mesmo reduzir o tamanho da população. Se enfatizamos o segundo, contudo, as soluções tornam-se mais complexas, porque os recursos incluem não só matérias-primas, mas também TECNOLOGIA, para tirar o maior proveito deles e, talvez mais importante, um sistema social que distribua o que for produzido de maneiras que minimizem a desigualdade, e a privação dela resultante. Os países capitalistas, por exemplo, tendem a definir os problemas de população do TERCEIRO MUNDO em termos de tamanho de população. Como resultado, promovem como solução o controle da natalidade. Os marxistas, por outro lado, enfatizam a desigualdade social e as relações espoliativas, entre e dentro de nações, como uma das grandes razões da falta de adaptação entre tamanho de população e recursos. Dessa perspectiva, poderia haver o suficiente para todos, se os sistemas de produção e distribuição fossem organizados de forma diferente.

Ver também SISTEMA-MUNDO.

Leitura sugerida: Johnson, D.G., e R.D. Lee 1986: *Population Growth and Economic Development*. Washington: National Academy of Sciences • Malthus, Thomas 1798 (*1970*): *An Essay on the Principle of Population*. Nova York: Modern Library; Harmondsworth: Penguin / (*1983*): *Princípios de economia política e considerações sobre sua aplicação prática*. São Paulo: Abril Cultural • Mamdani, M. 1981: "The ideology of population control". In *And the Poor Get Children*, org. por K.L. Michaelson. Nova York: Monthly Review Press • Whitaker, J.S. 1989: *How Can Africa Survive?* Nova York: Harper and Row.

T

tabela Em análise estatística de dados, tabela é uma apresentação de resultados numéricos dispostos sob a forma de linhas e colunas.

Ver também GRÁFICOS; TABULAÇÃO CRUZADA.

Leitura sugerida: Bohrnstedt, George W. e David Knoke 1988: *Statistics for Social Data Analysis*, 2ª ed. Ithaca, IL: F.E. Peacock • Zeisel, Hans 1985: *Say it with Figures*, ed. rev. Nova York: Harper and Row.

tabela de mortalidade Tabela de mortalidade é um modelo estatístico que mostra o que aconteceria a um grupo hipotético de indivíduos se eles vivessem todo o curso de suas vidas sob um conjunto particular de taxas de mortalidade específicas à idade. Para construir uma tabela de mortalidade, começamos com um grupo hipotético de 1.000 recém-nascidos e, para cada ano de vida, subtraímos o número de pessoas que se esperaria que falecessem nas atuais condições de mortalidade. À medida que envelhece, o grupo torna-se progressivamente menor, até que não reste ninguém.

As tabelas de mortalidade geram uma grande variedade de estatísticas de interesse para demógrafos (e atuários), mas a mais importante delas é a expectativa de vida, ou número médio de anos de vida que as pessoas esperariam viver após ter alcançado uma dada idade. Trata-se de um número hipotético, baseado na suposição de que as taxas de mortalidade específicas de um dado ano permaneceriam constantes durante toda a vida do indivíduo. Ainda assim, é uma maneira muito útil para sumariar essas taxas e expressar em um único número as condições globais de mortalidade.

Ver também PADRONIZAÇÃO; TAXA DE MORTALIDADE.

Leitura sugerida: Shryock, Henry S., Jacob Siegel et al. 1976: *The Methods and Materials of Demography*. Londres e Nova York: Academic Press.

tabu Tabu é uma norma que, como forma de RITUAL, proíbe certos comportamentos. Entre os tabus comuns, temos o costume de nos abster de certos alimentos como parte da observância religiosa, ou evitar um determinado lugar considerado sagrado. Sociologicamente, tabus são importantes por vários motivos. A observância de tabus, por exemplo, pode servir como indicador de filiação a um grupo. Em um sentido correlato, Émile DURKHEIM argumentou que tabus desempenham um papel relevante na manutenção da COESÃO SOCIAL, como acontece com os rituais em geral.

Tabus de incesto proíbem relações sexuais entre pessoas definidas como parentes próximas. Com exceção de certas classes em civilizações antigas no Havaí, México e Egito, todas as sociedades incluíram pais, filhos e primos em tabus de incesto, mas, além desse ponto, há uma grande variação. Alguns autores defendem uma base biológica para os tabus de incesto, como impedir a endogamia, mas os padrões sobre quem é definido como parente próximo são com frequência tão contraditórios e contrários a essas preocupações que a explicação se afigura improvável. Em algumas sociedades, por exemplo, indivíduos cometem incesto se casam com uma filha da irmã da mãe ou do irmão do pai, mas não se casam com um filho do irmão da mãe ou da irmã do pai. Uma vez que o laço genético é o mesmo em ambos os casos, a distinção claramente tem a ver mais com cultura do que com biologia. Outros argumentam que os tabus de incesto obrigam o indivíduo a casar fora de seu grupo de parentesco imediato, ampliando dessa maneira as relações de família e fortalecendo laços entre grupos. Aparentemente, não há explicações satisfatórias para todos os casos.

Ver também REGRAS DE CASAMENTO.

Leitura sugerida: Arens, W. 1986: *The Original Sin: Incest and its Meaning*. Nova York: Oxford University Press • Durkheim, Émile 1912 (*1968*):

Les formes élémentaires de la vie religieuse. Paris: Félix Alcan/(*1973*): *As formas elementares da vida religiosa*. São Paulo: Abril Cultural/(*1976*): *The Elementary Forms of Religious Life: a Study in Religious Sociology*. Nova York: Free Press; Londres: Allen & Unwin.

tabulação cruzada Uma tabulação cruzada é um conjunto de dados que mostra como casos em cada categoria de uma VARIÁVEL são divididos entre categorias de uma ou mais variáveis adicionais. A tabela abaixo é uma tabulação cruzada de duas variáveis de uma autoidentificação de classe social por raça. A primeira coluna mostra como as pessoas que se incluem na categoria "branco" são divididas entre quatro categorias de classe social; a segunda coluna mostra a mesma coisa para negros. Também se pode notar que cada série mostra como os indivíduos que se incluem em diferentes categorias de classe social dividem-se entre duas categorias raciais.

Tabela 3
Classe Social por Raça, Estados Unidos

	RAÇA		
Classe social	*Brancos*	*Negros*	*Total*
Mais baixa	139	58	197
Trabalhadora	1.566	272	1.838
Média	1.865	153	2.018
Mais alta	120	13	133
Total	3.690	496	4.186 = *n*

Em uma tabulação cruzada, uma cela é uma combinação de duas ou mais características, uma de cada variável. A tabela acima tem oito celas, uma para cada das quatro combinações de raça e classe social (como os 139 brancos da classe mais baixa). A série inferior e a coluna da extrema direita apresentam o total do número de casos com cada característica racial ou de classe (como os 197 entrevistados da classe mais baixa), e são conhecidas como totais marginais ou simplesmente *marginais*. O total no canto inferior esquerdo apresenta o total do número de casos na tabulação cruzada e é usualmente designado por *n*.

Em muitas tabulações cruzadas os números em cada cela não são tão *frequentes* como o são na tabela acima. Se quisermos comparar negros e brancos em termos de classe social, por exemplo, devemos converter cada cela em uma *percentagem*, dividindo-a pelo total do número de pessoas em cada grupo social. Logo, a percentagem de brancos que classificaram a si próprios na classe mais baixa é 139/3.690 = 3,8 por cento. As percentagens calculadas para todas as celas são mostradas na tabela abaixo.

Tabela 4
Classe Social por Raça, Estados Unidos

	RAÇA		
Classe Social	*Brancos*	*Negros*	*Total*
Mais baixa	3,8%	11,7%	4,7%
Trabalhadora	42,4%	54,9%	43,9%
Média	50,5%	30,8%	48,2%
Mais alta	3,3%	2,6%	3,2%
Total	100,0	100,0	100,0

Com percentagens, brancos e negros podem ser comparados mesmo que haja até sete vezes mais brancos do que negros. Os resultados mostram bastante claramente que negros são bem mais propensos do que brancos a se identificar como membros das classes mais baixa e trabalhadora (11,7% v. 3,8%; 54,9% v. 42,4%) e bem menos propensos a se identificar como membros das classes média e alta (30,8% v. 50,5%; 2,6% v. 3,3%).

Observemos que se não houvéssemos efetuado a percentagem da tabela, os resultados teriam sido bastante enganadores. Como a primeira tabela mostra, há mais brancos do que negros em virtualmente qualquer categoria de classe simplesmente porque há muito mais brancos do que negros nos Estados Unidos como um todo. Em virtude desse desequilíbrio, o único meio para se comparar duas categorias raciais é obter a percentagem dentro de cada uma delas, como fizemos acima.

Ver também CASO; PADRONIZAÇÃO.

Leitura sugerida: Rosenberg, Morris 1968: *The Logic of Survey Analysis*. Nova York: Basic Books • Zeisel, Hans. 1985: *Say it with Figures*, ed. rev. Nova York: Harper and Row.

taxa Taxa é o número de vezes em que um dado fenômeno ocorre em certo período de tempo (tipicamente, um ano) dividido por um número base, tal como o tamanho de uma população. Dividi-lo pelo tamanho da população é necessário, a fim de comparar taxas relativas a populações de diferentes tamanhos. Uma vez que os números resultantes tendem a ser muito pequenos e, dessa maneira, difíceis de ler e interpretar a um rápido olhar, ele é em geral multiplicado por 1.000, 10.000 ou mesmo 100.000, para gerar um número mais tratável, tal como o número de suicídios ou homicídios por 100.000 da população. Entre homens na faixa de 15 a 24 anos de idade, por exemplo, a taxa de homicídios no Japão é de 0,5 por 100.000, em comparação com 1,2 na Inglaterra e País de Gales, 2,9 no Canadá, 3,3 na Noruega, 5 na Escócia e 21,9 nos Estados Unidos.

No uso popular, o termo taxa é frequentemente usado para designar o que na verdade são percentagens, como a taxa de alfabetização, que é apenas a percentagem alfabetizada de uma população. Rigorosamente falando, porém, taxas envolvem eventos que ocorrem em um dado período de tempo.

Ver também RAZÃO.

taxa bruta de mortalidade *ver* TAXA DE MORTALIDADE.

taxa bruta de natalidade *ver* TAXA DE NATALIDADE.

taxa bruta de reprodução *ver* TAXA DE NATALIDADE.

taxa de aumento natural A taxa de aumento natural é o efeito líquido de nascimentos e óbitos sobre o crescimento da população. É medida pela subtração da TAXA BRUTA DE MORTALIDADE da TAXA BRUTA DE NATALIDADE, sendo o resultado geralmente expressado sob a forma de indivíduos adicionais por milheiro da população ou como uma percentagem. Se a taxa de natalidade é de 20 por 1.000 da população, e a de mortalidade de 8 por 1.000, por exemplo, então a taxa de aumento natural seria (20-8) = 12 por 1.000, ou 1,2%.

Embora as taxas de aumento natural tomem a forma de números relativamente pequenos em sentido absoluto, elas, tal como as taxas de juros compostos sobre poupança, podem encerrar implicações dramáticas para o crescimento futuro. A população da África, por exemplo, cresce atualmente à taxa de cerca de 2,9% ao ano, o que significa que duplicará de tamanho em cerca de 24 anos, quadruplicará em 48 anos e será oito vezes maior em apenas 72 anos. Em comparação, a população da Europa, que cresce atualmente à taxa de 0,3%, requerirá 233 anos para duplicar e 466 para quadruplicar.

Ver também TAXA DE MORTALIDADE; TAXA DE NATALIDADE; TRANSIÇÃO DEMOGRÁFICA.

Leitura sugerida: Shryock, Henry S., Jacob Siegel et al. 1976: *The Methods and Materials of Demography*. Londres e Nova York: Academic Press.

taxa de fecundidade geral *ver* TAXA DE NATALIDADE.

taxa de fecundidade total *ver* TAXA DE NATALIDADE.

taxa de mortalidade A taxa de óbitos (ou *mortalidade*) é medida comumente pela *taxa bruta de mortalidade*, que é o número anual de óbitos por milheiro da população. Quando usadas para fazer comparações, as taxas brutas de mortalidade com frequência induzem a erro, porque não levam em conta diferenças em ESTRUTURA ETÁRIA. Uma população com uma proporção relativamente grande de idosos, por exemplo, gerará um número relativamente grande de mortes apenas por essa razão, quaisquer que sejam as condições de saúde. Por esse motivo, as taxas brutas de mortalidade em algumas sociedades não industriais, relativamente pobres, são semelhantes, se não inferiores, às de algumas sociedades industriais, mesmo que as condições de saúde sejam piores e as taxas de mortalidade mais altas na maioria das idades. O México, por exemplo, tem uma grande percentagem de crianças na população e uma percentagem um tanto baixa de idosos, estrutura etária esta que é conducente a uma mortalidade baixa geral. Em comparação, a população da Grã-Bretanha é muito mais idosa e, embora no todo mais sadia, gera um número maior de mortes em comparação com o tamanho da população.

Há duas maneiras de neutralizar os efeitos distorsivos da estrutura etária sobre a medição da mortalidade. A primeira é a *taxa ajustada por idade* (ou *padronizada*), taxa esta que usa uma estrutura etária padronizada a fim de isolar apenas os efeitos da mortalidade. A segunda é a *expectativa de vida*, uma medida hipotética de quanto tempo um grupo de pessoas pode esperar viver em média, se seus riscos de falecer em cada idade continuarem a ser o que são agora. Embora a expectativa de vida longa seja frequentemente associada a viver até a velhice, tendências ascendentes na expectativa de vida têm sido mais influenciadas por melhoramentos na MORTALIDADE INFANTIL, e não no prolongamento da vida entre os idosos. A infância, por exemplo, é um período de vida relativamente perigoso. Se uma criança pequena é salva da morte, o resultado provavelmente será uma vida inteira adicionada à média coletiva. Se a vida de um idoso é salva, contudo, o número de anos adicionais acrescentados à média coletiva é muito menor — e daí o efeito mais profundo sobre a expectativa de vida causado por melhoramentos na mortalidade infantil. Essa conclusão aplica-se não só a tendências históricas, mas à maioria das diferenças entre sociedades e grupos da população.

Ver também EPIDEMIOLOGIA; PADRONIZAÇÃO; TABELA DE MORTALIDADE; TAXA DE AUMENTO NATURAL; TAXA DE MORTALIDADE INFANTIL.

Leitura sugerida: Shryock, Henry S., Jacob Siegel et al. 1976: *The Methods and Materials of Demography*. Londres e Nova York: Academic Press.

taxa de mortalidade infantil Para cada 1.000 nascimentos em um dado ano, a taxa de mortalidade infantil é o número de crianças que morrem antes de completar seu primeiro ano de vida. A taxa frequentemente é calculada em relação a períodos de idade ainda menores, tal como a *taxa de mortalidade neonatal*, que mede as mortes ocorridas nos primeiros 28 dias de vida.

As medidas de mortalidade infantil figuram entre os melhores indicadores das condições gerais de saúde de uma população e são muito usadas para estimar morbidez e taxas de mortalidade em países com estatísticas vitais medíocres.

Leitura sugerida: Shryock, Henry S., Jacob Siegel et al. 1976: *The Methods and Materials of Demography*. Londres e Nova York: Academic Press.

taxa de natalidade Taxa de natalidade é a medida demográfica da taxa de nascimento de crianças. A mais conhecida é a *taxa bruta de natalidade*, que é o número de nascimentos que ocorrem a cada ano por 1.000 na população de idade média. Essa taxa é chamada de *bruta* por que não leva em conta os possíveis efeitos da estrutura etária. Se a população tem um número incomumente alto (ou baixo) de mulheres no auge da idade fértil, a taxa de natalidade bruta tenderá a ser relativamente alta (ou baixa), qualquer que seja o número concreto de filhos que cada mulher tenha. Por essa razão, as taxas de natalidade ajustadas por idade são preferidas nas comparações, seja no tempo seja entre populações. Uma das medidas que ajudam a fazer o ajustamento por idade é a *taxa de fecundidade geral*, que é o número de nascimentos em um ano por 1.000 mulheres entre os 15 e os 44 anos de idade. Taxas específicas à idade, tal como a taxa de nascimento apenas para mulheres de 20 a 24 anos, também podem ser calculadas.

Além dessas taxas de nascimento, os demógrafos usam também três taxas hipotéticas para formar alguma ideia das consequências futuras dos padrões atuais de comportamento reprodutivo da população. A *taxa bruta de reprodução* (TBR) é o número médio de filhas que nasceriam em uma COORTE hipotética de mulheres, se as atuais taxas de natalidade de mulheres de várias idades permanecessem as mesmas durante seu período de vida — ou, em outras palavras, se vivessem durante toda a casa dos 20 anos tendo filhos à taxa atual de mulheres na casa dos 20, e assim por diante. A *taxa líquida de reprodução* é a mesma que a taxa bruta de reprodução, com a exceção de usar taxas de mortalidade correntes para mulheres de várias idades, a fim de levar em conta o fato de que algumas delas falecerão antes de terminarem seus anos férteis e, assim, contribuirão com menos filhas para a população. Finalmente, a *taxa de fecundidade total* é a mesma que a taxa bruta de reprodução, exceto no sentido de aplicar-se a todas as crianças, e não apenas às filhas.

Os sociólogos interessam-se pelas taxas de natalidade principalmente na medida em que elas afetam o crescimento e o tamanho de populações e a ESTRUTURA ETÁRIA (altas taxas de nascimento tendem a produzir populações jovens). Um grande número de consequências sociais é afetado por elas, em especial a prosperidade e o desenvolvimento econômico. Por essa razão, os padrões de nascimento são importantes para compreendermos não só o nível de sociedades, mas também diferentes categorias de indivíduos, da maneira definida por fatores como classe social, religião, etnicidade, raça, renda, educação, residência urbana-rural e ocupação. As taxas de natalidade constituem um fenômeno social que requer explicações em termos dos aspectos culturais e estruturais da vida nas populações que escrevem.

Ver também ESTRUTURA ETÁRIA; FECUNDIDADE E FERTILIDADE; TAXA DE AUMENTO NATURAL; TAXA DE MORTALIDADE.

Leitura sugerida: Shryock, Henry S., Jacob Siegel et al. 1976: *The Methods and Materials of Demography*. Londres e Nova York: Academic Press.

taxa líquida de reprodução *ver* TAXA DE NATALIDADE.

Tchebichev, teorema de *ver* VARIÂNCIA.

tecnocracia Tecnocracia é um sistema social dirigido principalmente por especialistas em CIÊNCIA e TECNOLOGIA. Uma vez que ainda não existe tal sociedade, tecnocracia é um conceito que descreve o que alguns cientistas sociais temem que venha a acontecer, se as sociedades industriais continuarem seu rápido desenvolvimento e crescente dependência da tecnologia e dos que a inventam e controlam. Indícios dessa possibilidade incluem a crescente importância de questões de interesse público como energia nuclear, poluição, guerra e medicina, nas quais a maioria dos cidadãos carece de conhecimentos especializados para conceber ideias bem-informadas e, por omissão, sentem-se impotentes para fazer alguma coisa, salvo deixar as decisões aos especialistas. Um grave problema social que disso resultaria é que embora os peritos possam ser altamente treinados no uso da tecnologia, o treinamento que recebem em geral não se estende às consequências de caráter mais sociológico e psicológico da tecnologia.

Leitura sugerida: Barnes, Barry 1985: *About Science*. Nova York e Oxford: Blackwell Publishers • Habermas, Jürgen 1969 (*1970*): *Protestbewegung und Hochschulreform*. Frankfurt: Suhrkamp; trad. parc. in *Toward a Rational Society*. Londres: Heinemann; Boston: Beacon Press.

tecnologia Tecnologia é o repositório acumulado de conhecimentos culturais sobre como adaptar, usar e atuar sobre ambientes físicos e seus recursos materiais, com vistas a satisfazer desejos e vontades humanas. Os conhecimentos sobre como plantar e colher culturas, fabricar aço, abrir estradas ou construir computadores são, todos eles, parte da tecnologia cultural.

Embora a tecnologia não tenha adquirido ainda um lugar proeminente no pensamento sociológico, certo número de sociólogos defende sua importância, especialmente para compreender o curso da história e a mudança social. Tipos importantes de sociedades — tais como a de CAÇADORES-COLETORES, HORTELÃ, AGRÁRIA, INDUSTRIAL, ou PÓS-INDUSTRIAL — distinguem-se, primeiro e acima de tudo, pelas diferenças em tecnologia, que se vinculam a diferenças espetaculares na forma das instituições sociais, tais como família, religião e política, e nos termos e condições da vida social. A REVOLUÇÃO INDUSTRIAL, que gerou enormes mudanças, baseou-se em grau muito alto em inovações tecnológicas.

Tecnologia, porém, não deve ser confundida com CIÊNCIA. A tecnologia consiste de conhecimentos práticos sobre como usar recursos materiais, ao passo que a ciência consiste de conhecimento abstrato e teorias sobre como as coisas funcionam. É por certo verdade que o desenvolvimento tecnológico e científico com frequência andam de mãos dadas, mas este não é sempre necessariamente o caso.

Ver também TECNOCRACIA.

Leitura sugerida: Lenski, Gerhard E., Jean Lenski e Patrick Nolan 1991: *Human Societies: an Introduction to Macrosociology*, 6ª ed. Nova York: McGraw-Hill.

teísta, religião *ver* RELIGIÃO TEÍSTA.

tempo de duplicação Em DEMOGRAFIA, o tempo de duplicação é o número de anos que serão necessários para que uma população duplique de tamanho a uma dada taxa de crescimento anual. Uma população com uma taxa de crescimento anual de 2%, por exemplo, duplicará em apenas 35 anos e quadruplicará em pouco menos de 70 anos. O tempo de duplicação é calculado dividindo-se 69,3 pela taxa de crescimento expressada como percentagem. (A constante 69,3 é derivada da fórmula de crescimento exponencial. É o logaritmo natural de 2 multiplicado por 100.) O tempo de duplicação é uma estatística útil porque dá forma às enormes consequências potenciais do que, à parte esse fato, pareceriam pequenas taxas de crescimento demográfico.

Ver também TAXA DE AUMENTO NATURAL.

tendência delinquente Da maneira desenvolvida pelos sociólogos David Matza e Gresham Sykes, a tendência delinquente é o processo através do qual jovens racionalizam o comportamento delinquente e, por conseguinte, podem dele participar sem pensar que estão fazendo alguma coisa de errado. De modo geral, a "tendência" para a delinquência ocorre quando jovens definem as leis como injustas ou como pouco se aplicando a eles, e se dissociam das consequências de seu comportamento. Tipicamente, isso inclui convicções de que a polícia e outras figuras de autoridade são corruptas, que ninguém é realmente prejudicado por comportamento desviante (como quando uma escola é atacada por vândalos), que as vítimas merecem o que recebem, e que a delinquência é praticada por uma boa razão ou resulta de acidente ou do comportamento dos outros. Em todos esses casos, o elo entre o transgressor e outras pessoas e sistemas sociais e suas normas é enfraquecido e justificado com um conjunto complexo de RACIONALIZAÇÕES.

Ver também ANOMIA; DELINQUÊNCIA.

Leitura sugerida: Matza, David 1964: *Delinquency and Drift*. Nova York: Wiley • Sykes, Gresham, e David Matza 1957: "Techniques of neutralization". *American Sociological Review* 22: 664-70.

tensão de status *ver* PAPÉIS, CONFLITO DE.

tensão no desempenho de papéis *ver* PAPÉIS, CONFLITO DE.

tensão estrutural, teoria da *ver* TEORIA DA TENSÃO ESTRUTURAL.

tensão, papel e status *ver* PAPÉIS, CONFLITO DE.

teorema de Tchebichev *ver* VARIÂNCIA.

teorema do limite central *ver* DISTRIBUIÇÃO AMOSTRAL.

teoria Uma teoria é um conjunto de proposições logicamente inter-relacionadas e as implicações que delas derivam, usado para explicar algum fenômeno. Implícito em qualquer teoria há um conjunto de suposições e métodos básicos que raramente são questionados, uma PERSPECTIVA TEÓRICA.

A forma mais simples de enunciado sobre como coisas funcionam é uma *generalização empírica*, ou seja, uma observação sobre como duas ou mais variáveis se relacionam. "Mulheres recebem salários menores do que os dos homens", "quanto mais baixa a posição de classe de uma pessoa, mais provável é que ela expresse atitudes de preconceito racial", e "quanto mais a pessoa interage em pequenos grupos, mais influência tende a exercer" são exemplos de generalizações empíricas. Há desacordo entre os sociólogos se essas declarações realmente explicam alguma coisa. Alguns argumentam que as generalizações empíricas apenas sumariam algo a ser explicado. A generalização pode sugerir uma formulação teórica correlata (como o terceiro exemplo acima), mas isso não é suficiente para torná-la puramente teórica. No outro extremo da generalização empírica, há o que C. Wright MILLS chamou de *teoria geral*, que é tão abstrata, formalizada e geral que não raro é formulada sem nenhuma referência à observação empírica. Mills criticava especialmente Talcott PARSONS e sua dedicação quase exclusiva ao desenvolvimento da teoria geral.

A forma mais comum de teoria em sociologia encarta-se em algum lugar entre a generalização puramente empírica e a teoria geral, no que Robert K. MERTON denominou, de forma adequada, de *teoria de médio alcance*. Essas teorias em geral são constituídas de generalizações empíricas, mas proporcionam um contexto mais amplo e mais abstrato, que se aplica a uma faixa mais vasta de situações. Vejamos, por exemplo, a teoria do desvio de Merton, na qual ele argumenta que os sistemas sociais são organizados em parte em torno de um consenso em valores culturais, que define o que é considerado como importante e desejável. A despeito disso, contudo, há muitas vezes uma desigualdade estrutural de acesso a meios socialmente legítimos para concretizar esses valores. Como resultado, o próprio sistema estimula uma grande variedade de reações desviantes entre aqueles que não podem, de outra maneira, concretizar valores comuns a todos os que participam do sistema.

Ver também EMPÍRICO; EMPIRISMO ABSTRATO; PERSPECTIVA TEÓRICA.

Leitura sugerida: Giddens, Anthony, e Jonathan Turner, orgs. 1987: *Social Theory and Modern Socio-*

logy. Cambridge: Polity Press; Stanford, CA: Stanford University Press.

teoria clássica do movimento social De modo geral, a teoria clássica do movimento social argumenta que esses movimentos surgem principalmente como uma maneira coletiva dos indivíduos darem vazão a várias formas de tensão e sofrimento emocional. Embora nominalmente sociológica, a teoria, na verdade, baseia-se sobretudo em processos e mecanismos psicológicos.

A teoria clássica encontra expressões típicas na TEORIA DE FRUSTRAÇÃO-AGRESSÃO, na teoria de SOCIEDADE DE MASSA e na TEORIA DA TENSÃO ESTRUTURAL. O enfoque clássico tem sido amplamente criticado e perdeu muito de sua influência na sociologia contemporânea, embora variações do mesmo ainda sejam comuns no tratamento dado pela mídia a movimentos sociais e a comportamento coletivo.

Ver também COMPORTAMENTO COLETIVO; SOCIEDADE DE MASSA; TEORIA DA MOBILIZAÇÃO DE RECURSOS; TEORIA DA TENSÃO ESTRUTURAL; TEORIA DE FRUSTRAÇÃO-AGRESSÃO; TEORIA DO PROCESSO POLÍTICO.

Leitura sugerida: McAdam, Doug 1982: *Political Process and the Development of Black Insurgency 1930-1970*. Chicago: University of Chicago Press • Oberschall, A. 1973: *Social Conflict and Social Movements*. Englewood Cliffs, NJ: Prentice-Hall • Tilly, Charles 1978: *From Mobilization to Revolution*. Reading, MA: Addison-Wesley.

teoria crítica Em seu sentido mais geral, a teoria crítica é uma teoria sociológica que tem por objetivo explorar o que existe por trás da vida social e descobrir os pressupostos e máscaras que nos impedem de compreender plena e verdadeiramente como o mundo funciona. Os países da Europa Ocidental e América do Norte, por exemplo, com frequência são descritos como DEMOCRACIAS e seus povos tipicamente os descreveriam como tais. Uma análise crítica da política sob o CAPITALISMO industrial, porém, revelaria as muitas maneiras em que o poder político e econômico estão efetivamente concentrados nas mãos de poucos, contradizendo os princípios democráticos básicos. Um dos grandes objetivos da teoria crítica consiste em revelar como a realidade superficial muitas vezes é desmentida pela realidade subjacente. Os marxistas levam esse fato um passo adiante, ao argumentar que o pensamento crítico deve ser combinado com a ação crítica (PRÁXIS), a fim de acarretar mudança naquilo que criticamos.

A teoria crítica é mais comumente vinculada a um grupo de cientistas sociais da Universidade de Frankfurt, na Alemanha, que se autodenominavam de *Escola de Frankfurt*. Formado em 1922, o grupo transferiu-se para os Estados Unidos durante a Segunda Guerra Mundial e voltou à Alemanha em 1949, onde continuou a existir até 1969. A dinâmica principal do trabalho desse grupo consistia em criticar a vida sob o capitalismo e as maneiras predominantes de explicá-la. Embora o método que usavam se fundamentasse no marxismo, eles modificaram alguns de seus pressupostos básicos e combinaram-no com outros métodos, que deram ao trabalho da Escola de Frankfurt uma atração especial. Como tal, eles voltavam de certa maneira à obra do jovem Marx, que era mais humanista e menos rigidamente determinista do que o marxismo que estava sendo promovido como parte da ideologia política da União Soviética.

Ao contrário das versões mais divulgadas do marxismo, por exemplo, os membros da Escola de Frankfurt argumentavam que a economia não determinava a forma da vida social. Enfatizavam a importância da CULTURA e elaboraram um enfoque crítico da arte, da estética e da mídia. Combinaram marxismo com análise freudiana para criar uma compreensão da personalidade e do indivíduo em relação à sociedade capitalista. Em todos esses trabalhos, estavam resolvidos a libertar a existência humana do que consideravam o controle sufocante de uma sociedade cada vez mais dominada por valores de eficiência e controle, em especial através do uso de tecnologia sofisticada. Da perspectiva que adotavam, o potencial do Iluminismo de libertar a humanidade havia sido cooptado, pervertido e transformado em um estilo cada vez mais opressivo de vida que, progressivamente, privava o homem de sua liberdade.

Os mais conhecidos entre os numerosos sociólogos ligados à Escola de Frankfurt são Theodor ADORNO, Erich Fromm, Jürgen HABERMAS, Max Horkheimer, Herbert MARCUSE e Felix Weil (o fundador da Escola).

Ver também APARÊNCIA E REALIDADE; AUTORITÁRIA, PERSONALIDADE; RACIONALIZAÇÃO.

Leitura sugerida: Habermas, Jürgen 1968 (*1982*): *Conhecimento e interesse*. Rio de Janeiro: Zahar/(*1971*): *Knowledge and Human Interests*. Boston: Beacon Press • Held, David 1980: *Introduction* *to Critical Theory. Horkheimer to Habermas*. Berkeley: University of California Press; Londres: Hutchinson • Marcuse, Herbert 1964 (*1982*): *Ideologia da sociedade industrial*. Rio de Janeiro: Zahar/(*1964*): *One-Dimensional Man: the Ideology of Industrial Society*. Londres: Routledge & Kegan Paul; Boston: Beacon Press.

teoria da ação *ver* INTERAÇÃO.

teoria de alcance médio *ver* TEORIA.

teoria da convergência De acordo com a teoria da convergência, à medida que as sociedades se tornam cada vez mais industrializadas, elas começam a parecer-se de maneiras importantes com outras sociedades industriais, o que significa dizer, elas "convergem" para formas semelhantes de organização social. Exatamente quanto da vida social é incluída nesse processo varia de um teórico a outro. Alguns, por exemplo, incluiriam as instituições políticas (a tendência para a democracia), enquanto outros argumentariam que a industrialização pode existir em uma grande variedade de ambientes políticos.

A teoria da convergência tem raízes em ideias básicas extraídas da PERSPECTIVA FUNCIONALISTA, que supõe que sociedades têm certas necessidades que precisam ser atendidas para que possam sobreviver e operar eficientemente. De acordo com esse enfoque, a teoria da convergência afirma que a industrialização traz consigo certas necessidades e requisitos, que serão atendidos de modos semelhantes, de uma sociedade industrial a outra. A indústria, por exemplo, requer grande reservas de mão de obra com capacidade de adaptação a exigências mutáveis de determinadas qualificações em determinados locais. Como resultado, as sociedades industriais tenderão a ser muito urbanizadas e sua população tenderá a ser social e geograficamente móvel. Entre outros aspectos da organização social muitas vezes associados à teoria da convergência, temos divisões do trabalho complexas, a separação entre família e vida de trabalho, mídia e sistemas de comunicação altamente desenvolvidos, altos níveis de alfabetização e educação formal, e uma força de trabalho disciplinada.

A teoria da convergência, porém, possui numerosas limitações. A industrialização, por exemplo, constitui sem dúvida uma influência poderosa, mas ela é apenas uma entre muitas que moldam a vida social. Além disso, as semelhanças entre sociedades podem ser devidas não tanto à industrialização em si, mas a outros fatores, como o capitalismo. A necessidade de uma força de trabalho móvel, por exemplo, tem origem mais nas exigências da competição capitalista e nos mercados mutáveis do que na própria industrialização.

Ver também SOCIEDADE INDUSTRIAL E INDUSTRIALIZAÇÃO; TEORIA DA MODERNIZAÇÃO.

Leitura sugerida: Kerr, Clark, et al. 1960 (*1973*): *Industrialism and Industrial Man: the Problems of Labour and Management in Economic Growth*. Cambridge: Harvard University Press; Londres: Heinemann • Scott, J. 1979: *Corporations, Classes, and Capitalism*. Londres: Hutchinson.

teoria da curva em j *ver* TEORIA DE FRUSTRAÇÃO-AGRESSÃO.

teoria da decisão *ver* TEORIA DA ESCOLHA RACIONAL.

teoria da dependência A teoria da dependência é um conceito usado para explicar a incapacidade de países do Terceiro Mundo (não industrializados) de se desenvolverem economicamente, a despeito de investimentos de países industriais. Nas décadas que se seguiram à Segunda Guerra Mundial, acreditava-se, nos países capitalistas industriais, como Grã-Bretanha e Estados Unidos, que o elemento decisivo para o desenvolvimento econômico no Terceiro Mundo era a MODERNIZAÇÃO, a infusão de tecnologia, a educação formal e "valores modernos", tais como ênfase em planejamento a longo prazo e abertura à inovação e à mudança.

A teoria da dependência surgiu como resposta crítica à incapacidade da tese da modernização de produzir mais do que sucessos dispersos. O argumento central da teoria da dependência é que o sistema econômico mundial tem caráter altamente desigual na distribuição de poder e recursos, e que coloca a maioria das nações em uma posição dependente em relação às potências industriais. Essa dependência limita o desenvolvimento no Terceiro Mundo principalmente porque determina que quaisquer infusões de tecnologia e outros investimentos semelhantes serão feitos de maneiras que assegurem a continuação da dominação dos países ricos. Quando empresas transnacionais constroem fábricas em países do Terceiro Mundo, por exemplo, os lucros costumam ser transferidos, e não reinvestidos no país hospedeiro. A agricultura é transformada, passando de culturas de subsistência, que alimentam as populações locais, para safras de exportação (tais como frutas, café e açúcar), que tornam os países produtores dependentes em alto grau dos países mais ricos, que compram o que eles produzem. O que antes eram economias relativamente autossuficientes, ainda que pobres, nas quais necessidades locais eram localmente atendidas, tornam-se economias dependentes, nas quais a capacidade de conseguir divisas nos mercados internacionais — nos quais a demanda e os preços podem flutuar ao acaso — torna-se fundamental para a sobrevivência.

A teoria da dependência argumenta que não podemos compreender o curso do desenvolvimento econômico no Terceiro Mundo sem levar em conta a relação essencialmente dependente que existe entre esses países e os interesses adquiridos das potências industriais em manter e ampliar sua posição dominante na economia mundial. Já os críticos afirmam que a teoria da dependência é muito geral e ignora os efeitos das condições internas nas economias locais.

Ver também ESTRATIFICAÇÃO E DESIGUALDADE; SISTEMA-MUNDO; TERCEIRO MUNDO.

Leitura sugerida: Amin, Samir 1976: *Unequal Development: An Essay on the Social Formation of Peripheral Capitalism*. Nova York: Monthly Review Press; Hassocks: Harvester Press • Frank, Andre G. 1969 (*1971*): *Capitalism and Underdevelopment in Latin America: Historical Studies of Chile and Brazil*. Nova York: Monthly Review Press; Harmondsworth: Penguin.

teoria da escolha racional Segundo a teoria da escolha racional, sistemas sociais são organizados de maneiras que estruturam as alternativas e consequências enfrentadas por indivíduos, de modo a fazer com que eles se comportem racionalmente. Essa condição lhes permite cuidar melhor de seus interesses dentro das limitações e recursos que acompanham os sistemas sociais e de sua posição neles. Como tal, esse método explica padrões de comportamento social não em termos de psicologia individual, mas sim em termos do contexto subjacente de "regras" e contingências, dentro das quais são feitas escolhas racionais.

A *teoria da decisão* é uma forma da teoria da escolha racional aplicada ao COMPORTAMENTO COLETIVO e ao processo decisório em organizações. Argumenta que as escolhas geralmente assumem a forma de solução sistemática, racional, de problemas, e que ocorrem em vários estágios: coleta de informações sobre eventos e condições no passado, no presente e no futuro provável; listagem de opções e classificação das mesmas em ordem de desejabilidade relativa de suas mais prováveis consequências, e tomada de uma decisão final com o objetivo de produzir o melhor resultado possível.

Uma segunda forma da teoria da escolha racional é a *teoria dos jogos*, que focaliza a maneira como pessoas escolhem entre cooperação, competição e exploração em várias situações sociais. Ela supõe que indivíduos usam de escolha racional para minimizar custos e maximizar recompensas, com vistas a chegar ao que é conhecido como "solução minimax". Um fator crucial nessas situações é o acesso a informações sobre as maneiras de ver o mundo e as motivações de outras pessoas.

O experimento clássico na teoria dos jogos é o *dilema do prisioneiro*, no qual duas pessoas representam o papel de criminosos acusados, que estão sendo interrogados separadamente. Elas enfrentam o seguinte dilema: 1) se nenhuma confessar, ambas receberão uma pequena punição; 2) se ambas confessarem, a punição será maior, mas não a máxima; mas, se uma confessar e, a outra, não, a que confessar será libertada e a outra receberá a sentença máxima. Pesquisadores descobriram que os jogadores frequentemente escolhem confessar, apostando que o outro não confessará. Em outras palavras, os jogadores resolvem não cooperar, como seria o caso da alternativa 1, mas a explorar a situação em proveito próprio. Em outras situações, contudo, especialmente quando os jogadores têm oportunidade de se comunicar, é muito mais provável que ocorram escolhas de cooperação.

Embora a teoria da escolha racional seja desenvolvida sobretudo em economia, ela conta com certo número de seguidores em sociologia, especialmente entre os que estudam DINÂMICA DE GRUPO, REDES sociais, e comportamento coletivo.

Ver também JOGO DE SOMA ZERO; UTILITARISMO.

Leitura sugerida: Luce, R. Duncan, e Howard Raiffa 1957: *Games and Decisions: Introduction and Critical Survey*. Nova York: Wiley • Raiffa, Howard 1970: *Decision Analysis*. Reading, MA: Addison-Wesley • Von Neumann, John e Oskar Morgenstern. 1944: *The Theory of Games and Economic Behavior*, Nova York: Wiley; Princeton, NJ: Princeton University Press • Zagare, F.C. 1984: *Game Theory: Concepts and Applications*. Beverly Hills, CA: Sage Publications.

teoria de frustração-agressão Associada principalmente ao trabalho de Dollard e seus colegas, a teoria de frustração-agressão argumenta que os MOVIMENTOS SOCIAIS ocorrem quando a frustração leva a comportamento coletivo frequentemente agressivo. De acordo com a teoria e suas variações posteriores, a frustração tem uma grande variedade de origens. Ela pode, por exemplo, resultar de PRIVAÇÃO causada por más condições econômicas ou por OPRESSÃO SOCIAL. Conforme afirmou Gurr, a privação pode, por sua vez, assumir duas formas. Pode ser absoluta — quando pessoas simplesmente não têm o suficiente para sobreviver — ou relativa — quando têm o suficiente, mas menos do que aqueles com quem convivem e com os quais fazem comparações.

Davies argumentava que é provável que a frustração ocorra não quando as condições são más, mas quando estiveram melhorando durante algum tempo e, em seguida, agravaram-se muito. Ele acreditava que quando as expectativas de uma vida melhor estão em alta é que os homens mais tendem ao comportamento social agressivo, se essas expectativas são frustradas. Esse fato é conhecido como *teoria da curva em j*, porque o padrão de sorte em ascensão e, em seguida, em queda, parece um "J" de cabeça para baixo.

De modo geral, as variações do tema de frustração-agressão pouca influência exercem sobre o enfoque moderno dos movimentos sociais. Os pesquisadores não conseguiram vincular movimentos sociais com aumentos observados de níveis de frustração; alguma prova indica que os que participam de movimentos sociais não são mais frustrados do que os que não participam; e a organização e a dinâmica de movimentos sociais exigem muito mais do que estados emocionais exaltados. Em suma, a teoria de frustração-agressão pouco têm a dizer sobre as causas sociais dos movimentos sociais.

Ver também PRIVAÇÃO; TEORIA CLÁSSICA DOS MOVIMENTOS SOCIAIS.

Leitura sugerida: Davies, James C. 1962: "Toward a theory of revolution". *American Sociological Review* 27: 5-18 • Dollard, John, Leonard M. Doob, Neal E. Miller, Orval H. Mowrer e Robert R. Sears 1939: *Frustration and Aggression*. New Haven: Yale University Press • Gurr, Ted. R. 1970: *Why Men Rebel*. Princeton, NJ: Princeton University Press.

teoria da mobilização de recursos No estudo dos MOVIMENTOS SOCIAIS, a teoria da mobilização de recursos argumenta que o sucesso desses movimentos depende de recursos — tempo, dinheiro, perícia organizacional e assim por diante — e da capacidade de usá-los. Ao ser divulgada, a teoria constituiu uma grande inovação na sociologia dos movimentos sociais, uma vez que focalizava variáveis que são mais explicitamente sociológicas do que implicitamente psicológicas, como era o caso com as TEORIAS CLÁSSICAS DOS MOVIMENTOS SOCIAIS que a precederam. Os movimentos sociais não eram mais considerados como irracionais, impulsionados pela emoção, desorganizados, e, pela primeira vez, influências externas a eles, tais como apoio de várias organizações ou do governo, foram levadas em conta.

A teoria da mobilização de recursos tem sido criticada por ênfase excessiva na importância de recursos externos, especialmente quanto ao movimento negro pelos direitos civis nos Estados Unidos. Ela parece também ser mais eficaz para explicar o que acontece com movimentos que começam com recursos bastante substanciais, como os relacionados com questões ambientais e antinucleares. A teoria é menos útil para explicar o curso de movimentos entre minorias desprivilegiadas.

Ver também TEORIA DO PROCESSO POLÍTICO.

Leitura sugerida: Jenkins, J. Craig 1983: "Resource mobilization theory and the study of social movements". *Annual Review of Sociology* 9: 527-53. • McCarthy, John D., e Mayer N. Zald 1973: *The Trend of Social Movements in America: Professionalization and Resource Mobilization*. Morristown, NJ: General Learning Press.

teoria da modernização A teoria da modernização surgiu na década de 1950 como explicação da maneira pela qual as sociedades industriais da América do Norte e Europa Ocidental se desenvolveram, especialmente através do crescimento do capitalismo industrial, a partir do século XVIII. Ela surgiu nessa época em parte devido à competição entre as ideologias comunista e capitalista em seguida à Segunda Guerra Mundial, e ao desejo das potências ocidentais de convencer os países do Terceiro Mundo de que desenvolvimento econômico e justiça social eram possíveis sob o capitalismo.

A teoria supõe que sociedades se desenvolvem em estágios bastante previsíveis, através dos quais tornam-se cada vez mais complexas. O desenvolvimento depende principalmente de importação de tecnologia e dos conhecimentos necessários para usá-la, bem como de um conjunto de mudanças políticas e outras mudanças sociais que se acredita ocorrerem como resultado. A modernização implica aumento dos níveis de escolaridade e criação da mídia, por exemplo, fatores considerados como fomentadores de instituições políticas democráticas. Os sistemas de transporte e comunicação adquirem graus cada vez maiores de sofisticação e acesso. As populações tornam-se urbanas e móveis (tanto social quanto geograficamente) e a família extensa declina de importância como consequência, cedendo lugar ao modelo da família nuclear. As organizações tornam-se burocráticas à medida que a DIVISÃO DO TRABALHO adquire caráter mais complexo e a RELIGIÃO declina em influência pública (embora não necessariamente em importância espiritual). Mercados movidos a dinheiro vivo assumem primazia como principal mecanismo social, através do qual bens e serviços são trocados, substituindo os modos mais informais, tradicionais, nos quais pessoas se ajudam mutuamente a satisfazer suas necessidades.

A teoria da modernização tem sido criticada por ignorar as realidades da desigualdade no sistema econômico mundial, no qual nações ricas e poderosas têm interesse adquirido em manter dependentes e relativamente fracas, em termos econômicos, as sociedades não industriais. Os investimentos internacionais em países do Terceiro Mundo, por exemplo, em geral beneficiam mais os investidores estrangeiros e seus prepostos e gerentes, bem como políticos e funcionários do governo dos países contemplados que com eles cooperam, enquanto geram, ao mesmo tempo, uma grande variedade de efeitos negativos sobre o resto da população.

Ver também COLONIALISMO E IMPERIALISMO; COMUNIDADE; EVOLUÇÃO SOCIAL; MOBILIDADE SOCIAL; SISTEMA-MUNDO; TEORIA DA DEPENDÊNCIA; URBANIZAÇÃO E URBANISMO.

Leitura sugerida: Inkeles, Alex, e D.H. Smith 1974: "The fate of personal adjustment in the process of modernization". *International Journal of Comparative Sociology* 11(1): 101-3 • Lerner, Daniel 1958: *The Passing of Traditional Society*. Glencoe, IL: Free Press • Smelser, Neil J. 1964: "Toward a theory of modernization". In *Social Change: Sources, Patterns, and Consequences*, org. por Amatai Etzioni e E. Etzioni-Halevy. Nova York: Basic Books.

teoria da norma emergente A teoria da norma emergente é um conceito usado para explicar COMPORTAMENTO COLETIVO, tais como os padrões que surgem em multidões de estranhos. Turner e Killian argumentam que as NORMAS que, em última análise, governam uma situação, talvez não sejam inicialmente visíveis para os participantes. Em vez disso, elas talvez surjam através de um processo de interação social, no qual indivíduos se observam em busca de pistas e sinais indicadores das várias possibilidades daquilo que poderiam esperar. Parte disso baseia-se em experiência anterior em situações semelhantes, mas, até certo ponto, o resultado não pode ser previsto apenas nessa base. Uma vez que pessoas tendem a sentir-se constrangidas em situações que carecem de normas claras, algumas tenderão a agarrar a que "emergir" primeiro. Conforme observaram Turner e Killian, contudo, esse fato está longe de ser uma reação universal. Observação cuidadosa de multidões revela uma grande variedade de normas diferentes, operando na mesma ocasião, resultando em vários padrões de comportamento, apenas alguns dos quais se conformam às normas emergentes. Em distúrbios de rua, por exemplo, alguns podem aderir à violência e outros adotar uma postura de pouco mais do que de expectadores.

Leitura sugerida: Turner, Ralph H., e Lewis M. Killian 1957: *Collective Behavior*, Englewood Cliffs, NJ: Prentice-Hall.

teoria da tensão estrutural Constituindo um exemplo da TEORIA CLÁSSICA DOS MOVIMENTOS SOCIAIS, a teoria da tensão estrutural de Neil Smelser argumenta que a CONTRADIÇÃO, o conflito e a tensão numa sociedade geram ansiedade e incerteza que indivíduos querem aliviar. Esse fato ocorre costumeiramente quando condições sociais, como os padrões de vida, não são o que se espera. Smelser acreditava que, nessas situações, as pessoas tendem a adotar crenças irracionais — em conspirações, por exemplo — com vistas a explicar o que está acontecendo. Quando ocorre um incidente que precipita uma crise, como a violência racialmente motivada, pessoas reagem mobilizando-se para ação coletiva e, se não são detidas pelas forças do CONTROLE SOCIAL, participarão de alguma forma de COMPORTAMENTO

COLETIVO, se não de um MOVIMENTO SOCIAL plenamente desenvolvido.

Embora Smelser fosse um dos primeiros a teorizar que movimentos sociais e comportamento coletivo incluem fatores sociológicos, ele foi criticado por dar ênfase excessiva à motivação psicológica, por supor que as pessoas são essencialmente irracionais em suas reações a condições sociais difíceis, e por negligenciar a importância da organização e recursos sociais, sobretudo na explicação dos movimentos sociais.

Ver também TEORIA DA MOBILIZAÇÃO DE RECURSOS; TEORIA DO PROCESSO POLÍTICO.

Leitura sugerida: Smelser, Neil J. 1962: *Theory of Collective Behavior*. Nova York: Free Press • McAdam, Doug 1982: *Political Process and the Development of Black Insurgency 1930-1970*. Chicago: University of Chicago Press.

teoria da troca A teoria da troca inclui dois enfoques semelhantes, mas muito separados, de interação e de relações sociais. O primeiro, de origem americana principalmente, considera que pessoas procuram conseguir o que precisam de forma racional, trocando recursos de valor com outras pessoas. O modelo geralmente toma a forma de duas pessoas em uma interação, como no caso de cônjuges que trocam amor entre si, amigos que trocam favores ou subordinados em escritórios que dão obediência em troca de recompensas da parte de seus superiores. Esse enfoque, um tanto limitado, tem sido criticado por depender demais de suposições econômicas de cálculos racionais de interesse pessoal em relações sociais, como se a vida social fosse vivida como em um MERCADO. Foi criticado também por não lançar luz suficiente sobre interações que envolvem mais de duas pessoas.

Uma versão europeia da teoria da troca focaliza não pares de atores, mas uma troca entre indivíduos, grupos ou outros sistemas sociais como um todo. Ao participar de um sistema baseado em lealdade mútua e compartilhamento de alguma coisa, indivíduos podem dar contribuições e tirar benefícios não de interações com determinadas pessoas, mas de sua participação geral no sistema. Famílias funcionam muitas vezes dessa maneira, como também sociedades pré-industriais e tribais anteriores aos mercados. Os valores são inteiramente diferentes da primeira versão da teoria da troca — compartilhamento, lealdade, e cooperação mútua, por exemplo, e não cálculos de interesse pessoal e maximização de ganho individual.

Ver também RELAÇÃO DE DÁDIVA; UTILITARISMO.

Leitura sugerida: Blau, Peter M. 1964: *Exchange and Power in Social Life*. Nova York: Wiley • Cook, K.S., org. 1987: *Social Exchange Theory*. Newbury Park, CA: Sage Publications • Mauss, Marcel 1925: *Essai sur le don*. Paris: Minuit/(*1954*): *The Gift*. Nova York: Free Press; Londres: Cohen & West.

teoria da zona concêntrica *ver* URBANIZAÇÃO E URBANISMO.

teoria das rotulações A ideia central da teoria das rotulações é que a resposta social ao DESVIO pode afetar profundamente a maneira como pessoas são vistas, como se veem, e também os recursos e oportunidades que lhes são fornecidos. Na medida em que sociedades tentam controlar o desvio, colocando as pessoas "contra a parede" e obrigando-as a aceitar um status desviante e oportunidades limitadas, ela, na verdade, o promove.

Baseando-se principalmente na PERSPECTIVA INTERACIONISTA, a teoria das rotulações parte da ideia de que se aparência e comportamento são vistos e interpretados por pessoas como desvios, elas tenderão a rotular os transgressores como desviados e reagir com alguma forma de punição. Dependendo de que tipo de NORMA é violada, o castigo pode assumir numerosas formas, de leve reprimenda a isolamento social, e de envergonhar a pessoa às formalidades de multas e prisão.

Por sua parte, os transgressores têm que enfrentar tais consequências e é nesta esfera que o esforço para exercer controle social pode sair pela culatra e gerar mais, e não menos, desvio. Se indivíduos que roubam, por exemplo, forem rotulados como ladrões, colocados na prisão ao lado de outros que roubaram, evitados quando são soltos, privados de oportunidades de trabalho porque não merecem confiança e assim por diante, eles provavelmente descobrirão que se encontram em uma situação na qual voltar a roubar constitui uma necessidade prática, que se ajusta à opinião geralmente aceita sobre quem eles são.

É importante notar que a teoria das rotulações constitui uma tentativa de explicar padrões de desvio que resultam de reações sociais ao desvio. Ao fazer essa distinção, Edwin Lemert usa o termo *desvio primário* para referir-se a violações de normas que ocorrem sem a influência do processo de rotulação (tal como roubar um carro devido ao desejo de possuí-lo). O *desvio secundário* refere-se ao desvio subsequente, que é promovido pelo processo de rotulação e suas consequências.

Em algumas aplicações — sobretudo em relação a doenças mentais —, a teoria tem sido usada para argumentar que o desvio em si é socialmente construído pela reação social ao comportamento da pessoa. Se identificamos indivíduos como "loucos", por exemplo, e nos recusamos a tratá-los como "sãos", a teoria argumenta que, com o tempo, torna-se cada vez mais provável que os indivíduos assim rotulados de fato percam o equilíbrio mental e se comportem realmente de maneiras cada vez mais "loucas", pouco importando qual tenha sido seu estado mental inicial. Nesse sentido, a insanidade é socialmente produzida, e não apenas a condição psicológica interna do indivíduo. Um artista de perfeito equilíbrio mental, mas também excêntrico e muito independente, por exemplo, pode ser tratado como mentalmente doente — isolado, recolhido a um manicômio, comentado pelas outras pessoas, proibido de dirigir seus assuntos pessoais e assim por diante. Em resposta a essa rotulação e seus efeitos, indivíduos nessas condições poderiam tornar-se cada vez mais frustrados, irados e desesperados para recuperar o controle sobre sua vida e trabalho. Isso, por sua vez, poderia ser interpretado como agravamento progressivo de sua "doença" mental e desencadear reações sociais ainda mais severas. Dessa maneira, argumentam os teóricos da rotulação, sociedades podem literalmente ocasionar loucura, ao rotular pessoas como loucas.

Ver também ESTIGMA; PROFECIA AUTORREALIZÁVEL; SELF.

Leitura sugerida: Becker, Howard S. 1963: *Outsiders: Studies in the Sociology of Deviance,* Nova York: Free Press; Londres: Macmillan • Lemert, Edwin M. 1951: *Human Deviance, Social Problems, and Social Control.* Nova York: McGraw-Hill • Szaz, Thomas 1987: *Insanity: the Idea and its Consequences.* Nova York: Wiley.

teoria de núcleos múltiplos *ver* URBANIZAÇÃO E URBANISMO.

teoria do desengajamento De acordo com a teoria do desengajamento, em todas sociedades os idosos passam por um processo de ajustamento no qual deixam importantes papéis públicos e limitam seu mundo social à família e aos amigos. O processo beneficia as sociedades, ao evitar a subversão potencial que seria provocada pela morte súbita de seus membros mais importantes; e beneficia indivíduos ao lhes permitir morrer sem o *stress* e a tensão de participação mais ativa na vida social.

A teoria do desengajamento foi parte de um acalorado debate que resultou em grande progresso no pensamento sociológico sobre envelhecimento e os idosos. Os críticos observaram, por exemplo, que muitos idosos não abandonam papéis importantes; que o desengajamento é desconhecido em numerosas sociedades; e que o engajamento permanente durante todo o curso da vida está frequentemente associado a níveis mais altos de bem-estar pessoal. Em vez de uma explicação funcionalista do desengajamento, os críticos argumentavam que o abandono de papéis resulta, com maior probabilidade, do preconceito contra os idosos e da competição com faixas etárias mais jovens.

Ver também DEFASAGEM ESTRUTURAL; DISCRIMINAÇÃO ETÁRIA.

teoria do processo político No estudo de MOVIMENTOS SOCIAIS, a teoria do processo político é um conceito baseado no argumento de que o sucesso desses movimentos depende não só dos recursos de que dispõem, mas também dos grandes sistemas sociais, tal como o Estado, e como eles vêm a agir, apoiando-os ou combatendo-os.

Dessa perspectiva, é importante compreender a interação complexa entre o movimento e o ambiente social mais amplo. A REVOLUÇÃO política, por exemplo, terá maior probabilidade de sucesso se o Estado for vulnerável, instável ou carecer de legitimidade social; se o movimento revolucionário for melhor organizado do que o Estado; e se novas maneiras de pensar solaparem a legitimidade do Estado e promoverem a crença em que a mudança é possível.

A teoria do processo político é uma perspectiva relativamente nova no estudo sociológico de movimentos sociais e constitui, em parte, uma reação à TEORIA DA MOBILIZAÇÃO DE RECURSOS.

Ver também POLÍTICA.

Leitura sugerida: McAdam, Doug 1982: *Political Process and the Development of Black Insurgency 1930-1970.* Chicago: University of Chicago Press • Skocpol, Theda 1979: *States and Social Revolutions.* Cambridge e Nova York: Cambridge University Press.

teoria do valor do trabalho *ver* VALOR ECONÔMICO.

teoria dos jogos *ver* TEORIA DA ESCOLHA RACIONAL.

teoria dos sistemas *ver* SISTEMA SOCIAL.

teoria evolucionária *ver* EVOLUÇÃO SOCIAL.

teoria fundamentada Uma TEORIA fundamentada baseia-se em observações do mundo real, e não exclusivamente em raciocínio abstrato. Em certo sentido, é impossível formular uma teoria sociológica sem referência ao mundo real, o que significa que toda teoria é, até certo ponto, fundamentada. O conceito de teoria fundamentada surgiu, contudo, como resposta crítica à teoria que parece dar relativamente pouca atenção à observação do mundo real. Em contraste, a formulação da teoria fundamentada é mais um processo de descoberta, que começa com extensas observações, das quais ela emerge.

Ver também EMPIRISMO ABSTRATO.

Leitura sugerida: Glaser, Barney G., e Anselm L. Strauss 1967: *The Discovery of Grounded Theory. Strategies for Qualitative Research*. Chicago: Aldine; Londres: Weidenfeld and Nicolson.

teoria geral *ver* EMPIRISMO ABSTRATO; TEORIA.

Terceiro Mundo Terceiro Mundo é um termo usado em geral para indicar sociedades relativamente pobres, não industriais, muitas vezes com uma história de exploração pelo COLONIALISMO e que continuam a existir em um estado de relativa dependência, se não de subordinação, econômica e política. Elas se diferenciam do *primeiro mundo* (potências industriais como a Grã-Bretanha, Estados Unidos, Japão e Alemanha) e do *segundo mundo* (até recentemente, a antiga União Soviética e seus satélites socialistas da Europa Oriental).

Ver também SISTEMA-MUNDO.

tese da ideologia dominante Prolongamento do pensamento marxista, a tese da ideologia dominante argumenta que classes subordinadas e grupos minoritários tendem a aceitar sua condição desprivilegiada porque a cultura em que vivem é controlada na maior parte por grupos dominantes. A cultura é importante porque contém as ideias básicas a que recorremos para construir nosso senso do que é real, relevante e esperado. As culturas de numerosas sociedades de classe, por exemplo, incluem a crença em que o trabalho árduo e o talento são os determinantes mais importantes do sucesso financeiro, e que esse trabalho deve ser valorizado por si mesmo, por mais humilhante que possa ser. A tese da ideologia dominante diz ainda que tais crenças são amplamente promovidas por instituições educacionais e pela mídia, todas as quais são muito influenciadas pela classe alta, cujos privilégios elas apoiam. A maioria dos membros da classe alta, por exemplo, começou a vida em circunstâncias privilegiadas e herdou sua riqueza. Isso sugere que as circunstâncias de privação dos que estão abaixo deles não resultam de falta de talento ou indisposição para trabalhar, mas do fato de que uma minoria exígua da população controla a maior parte da riqueza. A crença na eficácia e no valor do trabalho árduo beneficia as classes dominantes, ao obscurecer esses pontos fundamentais e ao promover a ideia de que a desigualdade social é legítima.

Essa tese dá ensejo a controvérsias. Há desacordo, por exemplo, sobre até que ponto as classes dominantes são poderosas no que tange ao controle da cultura, e o grau em que membros das classes subordinadas podem desenvolver, e desenvolvem, ideias próprias sobre como o mundo funciona, que contrastam fundamentalmente com as versões favoráveis às classes altas.

Ver também CLASSE ALTA; CONSCIÊNCIA E FALSA CONSCIÊNCIA DE CLASSE; HEGEMONIA; IDEOLOGIA.

Leitura sugerida: Abercrombie, Nicholas, Stephen Hill e Bryan S. Turner 1980: *The Dominant Ideology Thesis*. Londres: Allen & Unwin.

teste de adequação *ver* QUI-QUADRADO.

Thurstone, escala de *ver* ESCALA DE ATITUDES.

tipificação Tipificação é o processo de confiar no conhecimento geral como maneira de formular ideias sobre indivíduos e o mundo social. Como participantes da vida social, a maior parte do que sabemos a respeito de outras pessoas não assume a forma de conhecimento pessoal direto. Quando fazemos negócio com um banco, por exemplo, em geral não conhecemos pessoalmente o caixa, mas ainda assim entramos na situação com algum tipo de conhecimento sobre caixas como um tipo de pessoas, e sobre bancos como um tipo de situação social, que nos permite prever o que podemos esperar deles e o que será esperado de nós.

Ver também OUTRO.

Leitura sugerida: Schutz, Alfred 1962-66: *Collected Papers*, vol.1. Haia: Martinus Nijhoff.

tipo ideal Ligado sobretudo ao sociólogo alemão Max WEBER, o tipo ideal é um modelo abstrato que, quando usado como padrão de comparação, permite-nos observar aspectos do mundo real de uma forma mais clara e mais sistemática. O socialismo e o capitalismo de livre mercado, por exemplo, podem ser descritos como tipos ideais quando identificamos suas características essenciais — sua essência — em uma forma pura, algo exagerada, que é improvável que exista em algum lugar, exceto em nossa mente. Sociedades capitalistas e socialistas diferem de muitas maneiras de seus respectivos tipos ideais: Estados socialistas têm sido em geral autoritários e indiferentes aos interesses dos trabalhadores, por exemplo, da mesma maneira que os mercados capitalistas são cada vez mais controlados por oligopólios, em vez de ser livremente competitivos.

A falta de aderência entre tipos ideais e o mundo real não cria problema, contudo, pois não constitui objetivo dos tipos ideais descrever ou explicar o mundo. Em vez disso, fornece-nos pontos de comparação a partir dos quais podemos fazer nossas observações. Comparando o tipo ideal de socialismo com sociedades socialistas concretas, por exemplo, podemos pôr em destaque suas características, ao notar como elas se ajustam ou se afastam do tipo ideal. Sociólogos usam muitos tipos ideais dessa maneira, incluindo grupos primários e secundários, burocráticos, tipos de autoridade (carismática, racional-legal e tradicional) e a suposição de que indivíduos agem racionalmente.

É importante notar que tipos ideais são ideais apenas no sentido em que são puros e abstratos, não no sentido mais comum de serem desejáveis ou bons. O totalitarismo não é menos ideal como tipo do que a democracia, por exemplo, porquanto ambos são construtos abstratos, com os quais podemos comparar e contrastar sistemas políticos reais, com o objetivo de observar com mais clareza suas várias características.

Leitura sugerida: Weber, Max 1922 (*1947*): *The Theory of Social and Economic Organization*. Nova York: Oxford University Press • Winch, Peter 1958 (*1976*): *The Idea of a Social Science and its Relation to Philosophy*. Londres: Routledge & Kegan Paul.

tipologia Uma tipologia é um conjunto de categorias usadas para classificação. Sociedades, por exemplo, podem ser categorizadas usando-se uma tipologia de tipos de sistemas econômicos, que inclui INDUSTRIAL, CAÇADORA-COLETORA, HORTELÃ, PASTORIL, AGRÁRIA, de pesca e criação de animais. As tipologias são úteis por chamar atenção para características particulares do que observamos, o que nos habilita a fazer comparações, como identificar crenças religiosas diferentes em sociedades hortelã e industrial.

A tipologia inclui em geral categorias não coincidentes que esgotam todas as possibilidades, o que significa que há uma única categoria disponível para cada observação, e cada observação ajusta-se a uma única categoria. Esse, contudo, nem sempre é o caso. A sociologia identifica MANEIRAS DE AGIR e MORES, por exemplo, como dois tipos de normas, mas há normas, como o limite de velocidade nas estradas, que não se enquadram em nenhum dos dois tipos.

Ver também TIPO IDEAL.

totalitarismo *ver* AUTORITARISMO.

totêmica, religião *ver* RELIGIÃO TOTÊMICA.

trabalhador afluente *ver* ABURGUESAMENTO.

trabalhador de colarinho azul e trabalhador de colarinho-branco De modo geral, o trabalhador de colarinho azul é um indivíduo cujo trabalho é principalmente *manual*, tais como operários industriais e de construção civil. O trabalhador de colarinho-branco é o individuo cujo trabalho é principalmente *não manual*, como o empregado de escritório. Este último refere-se a trabalhadores de nível baixo, tais como secretárias e escriturários, e não a ocupações de nível mais alto, como executivos, advogados e professores.

Embora a distinção de classe entre trabalhador manual de colarinho azul e trabalhador de colarinho-branco não manual tenha sido importante em estudos de estratificação e mobilidade, sua utilidade parece estar em declínio. A distinção entre as duas categorias é obscura em numerosos casos — grande volume de trabalho realizado por empregados de escritório de nível baixo, por exemplo, implica uso considerável das mãos e menos acuidade mental que certo número de ocupações manuais. Além disso, embora o trabalho de colarinho-branco seja em geral considerado como de maior prestígio do que o de colarinho azul, muitas dessas ocupações são, em outros aspectos importantes, inferiores em posição de classe. A maioria dos empregos de escritório, por exemplo, está em nível mais baixo de poder, renda e autonomia do que muitos empregos de colarinho azul de nível alto (tais como os ofícios especializados).

Ver também CLASSE SOCIAL; ESTRATIFICAÇÃO E DESIGUALDADE; MOBILIDADE SOCIAL.

Leitura sugerida: Powers, M.G., org. 1982: *Measures of Socioeconomic Status*. Boulder, CO: Westview Press.

trabalhador de colarinho-branco *ver* TRABALHADOR DE COLARINHO AZUL E TRABALHADOR DE COLARINHO-BRANCO.

trabalho De modo geral, trabalho é toda atividade que gera um produto ou serviço para uso imediato ou troca. Há muito tempo, sociólogos têm se mostrado interessados em certo número de questões fundamentais sobre trabalho: como o trabalho é definido e organizado e como isso afeta a experiência de trabalho; como indivíduos são distribuídos entre as ocupações (em termos de sexo, raça ou composição etária da FORÇA DE TRABALHO); como a organização do trabalho se vincula aos sistemas de ESTRATIFICAÇÃO E DESIGUALDADE; e como ele se relaciona com grandes instituições, como o ESTADO, a RELIGIÃO e a FAMÍLIA.

Ocupação é o tipo de trabalho feito por pessoas, tais como carpintaria, enfermagem ou cuidado de crianças. Em sociedades de mercado, onde indivíduos satisfazem suas necessidades principalmente mediante auferimento de salário, em vez de produzir para consumo próprio ou praticar escambo com outros produtores, o trabalho é em geral considerado como ocupação apenas se resultar em ganho monetário. Como consequência, grande volume de trabalho realizado jamais é considerado como ocupacional. Isso é verdade não só a respeito do trabalho de mulheres na maioria das sociedades, mas de mulheres e homens em sociedades não industriais, onde grande parte do trabalho realizado — de transportar água a construir casas — não envolve mercados nem dinheiro.

Conquanto a ocupação se refira a um tipo particular de trabalho, o *emprego* é um ambiente social particular, no qual tal trabalho é realizado. Advogado, por exemplo, é uma ocupação, enquanto sócio em um escritório de advocacia é um emprego preenchido por advogados. Ao longo da vida de trabalho, indivíduos em uma dada ocupação trabalham habitualmente em certo número de empregos que, em conjunto, constituem uma *carreira*.

Não é raro, sobretudo em sociedades capitalistas industriais, que as carreiras incluam não só uma série de empregos, mas também mudanças ocupacionais. Mudando a ESTRUTURA DE OPORTUNIDADES no MERCADO DE TRABALHO, por exemplo, o indivíduo pode descobrir que diminuem as vagas de emprego em sua ocupação e, como resultado, volta a estudar para adquirir novas habilidades que o qualificam para ocupações diferentes.

As ocupações são sociologicamente importantes devido ao papel que representam na distribuição da riqueza, renda, poder e prestígio e no processo geral através do qual sociedades produzem bens e serviços que atendem a necessidades humanas.

Ver também ALIENAÇÃO; DESEMPREGO E SUBEMPREGO; ESTRUTURA OCUPACIONAL; MERCADO; MOBILIDADE SOCIAL; PROFISSÃO E PROFISSIONALIZAÇÃO; SOCIEDADE PÓS-INDUSTRIAL.

Leitura sugerida: Cook, John, Susan Hepworth, Toby Wall e Peter Warr 1981: *The Experience of Work*. Nova York: Academic Press • Kalleberg, Arne, e Ivar Berg 1987: *Work and Industry*. Nova York: Plenum • Rothman, Robert A. 1987: *Working: Sociological Perspectives*. Englewood Cliffs, NJ: Prentice-Hall.

trabalho doméstico O trabalho doméstico (da palavra latina que significa "casa") é aquele feito principalmente para manter o lar e as pessoas que nele vivem. Inclui prover alimentos e outras necessidades, limpeza, conserto de roupas, cuidado dos filhos, dos doentes e dos idosos, a remoção de lixo e de outras coisas desnecessárias. Da perspectiva marxista, o trabalho doméstico é feito para produzir valor de uso, o que significa que os bens e serviços produzidos em lares se destinam a consumo imediato, e não para venda ou troca fora de casa.

Nas sociedades industriais, o trabalho doméstico em geral é gratuito, subvalorizado e relegado às mulheres, seja no papel de donas-de-casa ou de empregadas domésticas. Das perspectivas marxista e feminista, a atribuição do trabalho doméstico ao sexo feminino é a principal maneira através da qual a dominação e os privilégios masculinos são concretizados e impostos. A isenção do homem do trabalho doméstico, por exemplo, permite-lhe estabelecer-se na economia baseada no dinheiro, ao passo que manter as mulheres responsáveis pelo trabalho doméstico impede que elas criem uma base financeira independente de seus maridos. Esse fato, por sua vez, causa a vulnerabilidade e dependência das esposas em relação aos maridos.

Embora seja agora comum referirmo-nos ao mundo privado do trabalho doméstico e ao mundo público dos assuntos políticos e econômicos como "esferas separadas", essa visão tem sido criticada por induzir a erro e ser inexata. Considerar o trabalho doméstico como economicamente improdutivo ignora o fato de que ele envolve a produção de bens e serviços autênticos, de tratamento médico a preparo das refeições, que também são encontrados nos mercados. A tese das esferas separadas ignora também o papel vital que o trabalho doméstico representa, ao tornar possível a atividade econômica, por exemplo, e pelo atendimento de necessidades dos trabalhadores adultos.

Ver também ESFERA PRIVADA E ESFERA PÚBLICA; FEMINISMO; VALOR ECONÔMICO.

Leitura sugerida: Engels, Friedrich 1884 (*1979*): *A origem da família, da propriedade privada e do estado*. Rio de Janeiro: Civilização Brasileira/(*1972*): *The Origin of the Family, Private Property, and the State*. Nova York: Pathfinder Press; Londres: Laurence & Wishart • Hartmann, Heidi I. 1981: "The family as the locus of gender, class, and political struggle: The example of housework". *Signs: Journal of Women in Culture and Society* 6 (primavera): 366-94 • Oakley, Ann 1974: *Woman's Work: The Housewife, Past and Present*. Nova York: Pantheon.

trabalho e força de trabalho Da forma proposta por Karl MARX, trabalho é tanto o processo quanto o produto de trabalho produtivo. Quando um carpinteiro fabrica uma estante e a vende, o que está sendo vendido é trabalho, o valor do qual está contido na estante. Nesse sentido, o conceito de trabalho descreve não apenas uma atividade, mas uma relação especial entre o indivíduo, o trabalho e os frutos desse trabalho.

Sob o CAPITALISMO, os trabalhadores não vendem trabalho, uma vez que não têm controle sobre os meios de produção (fábricas etc.), o processo de produção, ou o que é produzido. Tudo o que têm para vender é tempo — seu potencial de produzir alguma coisa — em troca de salário. Marx denominava isso de força de trabalho potencial.

A distinção entre trabalho e força de trabalho é fundamental na análise marxista do CONFLITO DE CLASSE e do capitalismo, porquanto chama atenção para as relações sociais entre trabalhadores, produção e classe capitalista, bem como para as consequências que elas produzem para a natureza do trabalho e a criação de desigualdade de classe. Privar os trabalhadores da oportunidade de vender seu trabalho, por exemplo, e reduzi-los a vender força de trabalho é considerado uma das grandes causas de ALIENAÇÃO.

Ver também MERCADO DE TRABALHO; VALOR ECONÔMICO.

Leitura sugerida: Hodgson, G. 1982: *Capitalism, Value, and Exploitation*. Oxford: Martin Robertson • Marx, Karl 1867 (*1974*): *O capital, crítica da economia política*. Rio de Janeiro: Civilização Brasileira/(*1976*): *Capital: a Critique of Political Economy*. Nova York: International Publishers; Harmondsworth: Penguin.

transição demográfica Utilizado pela primeira vez por Warren S. Thompson, transição demográfica é um termo que se refere a uma explicação histórica de tendências em nascimentos, óbitos e crescimento populacional que ocorreram nas sociedades industrializadas modernas, começando principalmente em fins do século XVIII.

A transição é dividida em três estágios, o primeiro dos quais abrange quase toda a história humana. Nesse estágio, as taxas de natalidade e mortalidade eram relativamente altas, com baixas taxas resultantes de crescimento da população. O segundo estágio começou na Europa em fins do século XVIII, com o declínio das taxas de mortalidade, ocasionado principalmente por progressos em saúde pública, saneamento e suprimentos estáveis de alimentos, que acompanharam as primeiras fases da revolução industrial. Caindo as taxas de mortalidade, as populações cresceram rapidamente. No fim, contudo, as mesmas forças sociais básicas que promoviam taxas de mortalidade mais baixas — urbanização, industrialização, crescimento do trabalho assalariado e oportunidades de tirar proveito da prosperidade econômica — ocasionaram também um declínio correspondente nas taxas de natalidade. Como resultado, as taxas de crescimento da população declinaram no terceiro estágio, à medida que taxas de nascimento em queda emparelhavam com as taxas de mortalidade. Em alguns casos — sobretudo na Europa Oriental e Central — as taxas de nascimento caíram tanto que a TAXA DE AUMENTO NATURAL é na realidade zero ou negativa. Alguns demógrafos esperam fenômenos semelhantes na América do Norte no início do próximo século.

A difusão dos conhecimentos e tecnologia médica barata levaram muitas sociedades não industriais para o segundo estágio da transição demográfica. Sem forças sociais básicas, como a industrialização, que promovem declínios semelhantes nas taxas de natalidade, contudo, essas sociedades não conseguiram até agora ingressar no terceiro estágio. O resultado tem sido taxas muito altas de crescimento populacional em países que não estão experimentando um crescimento econômico correspondente.

Embora denominada às vezes de teoria, a transição demográfica é mais um modelo, que descreve o que aconteceu, do que uma explicação que pode ser submetida a teste. Além disso, há prova histórica sugerindo que a transição talvez não tenha ocorrido de maneira uniforme, linear, nos países europeus. Se e como ela se aplicará aos países não industriais e aos que ora se industrializam no mundo resta ainda a ser visto.

Leitura sugerida: Coale, Ansley, e Susan Watkins, orgs. *The Decline of Fertility in Europe*. Princeton: Princeton University Press • Thompson, Warren S. 1929: "Population". *American Journal of Sociology* 34 • Weinstein, J.A. 1976: *Demographic Transition and Social Change*. Morristown, NJ: General Learning Press.

transnacional, empresa *ver* EMPRESA TRANSNACIONAL E MULTINACIONAL.

tríade *ver* DÍADE.

troca econômica A troca econômica assume diferentes formas que são sociologicamente importantes por causa de seus efeitos sobre os sistemas sociais e a vida social. A forma mais simples de troca econômica consiste em dar uma MERCADORIA e receber outra (mercadoria/mercadoria): quando alguém que costura roupas faz negócio com alguém que planta verduras, ou quando uma comunidade sustenta a professora ou o pastor fornecendo-lhe bens e serviços localmente produzidos, tais como alimentos, alojamento, tratamento médico e assim por diante. O principal valor econômico envolvido nessas trocas é obter o que não pode ser produzido em troca do que pode e, dessa maneira, fazer um "negócio justo", de igual valor.

O aparecimento da moeda expandiu e complicou muito a troca. Com a troca mercadoria-dinheiro-mercadoria, indivíduos produzem bens ou serviços, trocando-os por dinheiro e, em seguida, usam o dinheiro no mercado para comprar bens e serviços que eles mesmos não produzem. Essa é ainda principalmente uma troca entre produtores, com vistas a expandir a faixa de bens e serviços disponíveis.

O dinheiro torna ainda possível a troca dinheiro-mercadoria-dinheiro, na qual indivíduos usam excesso de dinheiro para comprar bens que em seguida vendem em troca de dinheiro. Uma vez que não faria sentido terminar com tanto dinheiro quanto começaram, o objetivo dessa forma de troca é gerar LUCRO, e essa é a base do CAPITALISMO. Os primeiros capitalistas foram negociantes que compravam bens em uma localização e os transportavam para outra, onde podiam obter preço mais alto porque tais bens nela não existiam. Ou bens que podiam ser armazenados sem perigo (como grãos) eram comprados e, em seguida, conservados na expectativa de que mau tempo e outras condições pudessem criar escassez e, dessa maneira, aumentar o preço, como reação à queda da oferta. Sob o capitalismo avançado, os capitalistas controlam efetivamente a produção de bens e serviços e auferem lucro comprando matérias-primas, FORÇA DE TRABALHO dos trabalhadores e assim por diante, e em seguida vendendo os bens e serviços resultantes por mais do que o custo de produção. Isso é conseguido em grande parte pelo controle dos custos do trabalho.

Desde que o objetivo da troca dinheiro-mercadoria-dinheiro é transformar dinheiro em ainda mais dinheiro, os bens envolvidos na troca podem assumir quase qualquer forma, enquanto puderem ser comprados e, em seguida, vendidos com lucro (na verdade, o próprio dinheiro é trocado como mercadoria nos mercados financeiros internacionais, nos quais *traders* especulam no valor em alta ou em baixa das várias moedas nas relações entre si). Devido a esse fato, o papel da publicidade, através da qual é criado e estimulado o desejo de possuir bens, tem uma importância especial, já que, sem tal persuasão, os bens, por seus próprios méritos, talvez não atraíssem compradores.

Ver também ECONOMIA.

Leitura sugerida: Parry, J., e M. Bloch, orgs. 1989: *Money and the Morality of Exchange*. Cambridge: Cambridge University Press • Simmel, Georg 1907 (*1978*): *The Philosophy of Money*. Londres e Boston: Routledge & Kegan Paul.

U

união *ver* SINDICATO.

universal cultural Um universal cultural é um aspecto da vida social encontrado em todas as sociedades conhecidas. Esse aspecto poderia incluir alguma forma de dança, namoro, folclore, tabu de incesto, magia, esporte e crença sobre o que acontece depois que morremos. A forma concreta assumida por esses universais varia muito (o que interessa sobretudo aos antropólogos), um fenômeno conhecido como RELATIVISMO CULTURAL.

Ver também ETNOCENTRISMO.

Leitura sugerida: Murdock, George P. 1943: "The common denominator of cultures". In *The Science of Man in the World Crisis*, org. por Ralph Lindon. Nova York: Columbia University Press o 1967: *Ethnographic Atlas*. Pittsburgh: University of Pittsburgh Press.

universalismo, norma de *ver* REGRAS DA CIÊNCIA.

urbana, reciclagem *ver* RECICLAGEM URBANA.

urbanização e urbanismo Urbanização é o processo através do qual populações acabam por se concentrar em grandes comunidades — cidades — que são essencialmente não agrícolas; e são organizadas sobretudo em torno da produção de serviços e bens acabados.

Louis WIRTH, um dos membros mais importantes da ESCOLA DE CHICAGO, argumentava que ambientes urbanos produzem um tipo especial de vida social, que ele denominou de urbanismo. A vida social nas cidades tende a ser mais anônima e baseada em relações formais e complexa DIVISÃO DO TRABALHO, em uma POPULAÇÃO heterogênea. Por essa razão, é potencialmente mais estimulante, mas também mais alienadora.

A urbanização começou a evoluir por volta do ano 3000 a.C., quando a invenção da agricultura produziu grandes excedentes de alimentos, situação esta que libertou extensos segmentos da população para se entregar a outros tipos de trabalho. A partir desse ponto, o crescimento das cidades foi relativamente lento até primórdios da Revolução Industrial, em fins do século XVIII. Desde essa época, a urbanização tem sido um fenômeno explosivo, abrangendo a maior parte do mundo. A percentagem da população mundial que reside em áreas urbanas subiu de estimados 3% em 1800 para 14% em 1900 e 41% em 1975. Projeções indicam que ela alcançará 60% por volta do ano 2025. Além da pura magnitude do crescimento, a urbanização desempenha ainda um papel importante no funcionamento do sistema econômico capitalista, na medida em que os recursos do espaço e das comunidades urbanas são explorados com objetivo de lucro.

Os primeiros sociólogos americanos, sobretudo os ligados à Escola de Chicago, sentiam um interesse especial pela dinâmica do crescimento urbano e pela maneira como afetava a vida social. Parte do trabalho que produziram focalizou-se em modelos teóricos que descreviam padrões básicos de desenvolvimento urbano. De acordo com o *modelo de zona concêntrica*, de Ernest BURGESS, por exemplo, as atividades comerciais se concentram no núcleo central urbano, em torno do qual formam-se círculos dedicados às várias atividades. O *modelo de setor*, de Homer Hoyt, mostra os efeitos do transporte, que gera padrões de crescimento que, em vez de parecer círculos, lembram segmentos desigualmente fatiados de um bolo, que crescem em volta das linhas de transporte, estendendo-se para fora a partir do centro da cidade. O *modelo de núcleos múltiplos*, de Chauncy Harris e Edward Ullman, descreve como cidades se desenvolvem em torno de diferentes centros, cada um dos quais se concentra em uma atividade especializada, tais como indústria de transformação, entretenimento, finanças, teatros ou governo.

Ao longo da história, a urbanização mais rápida esteve ligada à industrialização na Europa e América do Norte, ao passo que a experiência mais recente de sociedades não industriais assume um caráter muito diferente. Países como México, Egito e Índia, por exemplo, estão passando por urbanização rápida, principalmente como resultado da esmagadora pobreza rural que expulsa emigrantes para as cidades, onde os serviços e as oportunidades de emprego são inteiramente insuficientes para sustentá-los. O resultado tem sido o que alguns demógrafos chamam de *superurbanização*.

Ver também COMUNIDADE; ECOLOGIA URBANA; ESCOLA DE CHICAGO; MEGALÓPOLE; MIGRAÇÃO.

Leitura sugerida: Castells, Manuel 1977: *The Urban Question: a Marxist Approach*. Trad. por A. Sheridan. Cambridge: MIT Press • Harris, C.D., e E.L. Ullman 1945: "The nature of cities". *The Annals of the American Academy of Political and Social Science* 242: 7-17 • Harvey, David 1985: *Consciousness and the Urban Experience*. Oxford: Blackwell Publishers; Baltimore: Johns Hopkins University Press • Hoyt, H. 1939: *The Structure and Growth of Residential Neighborhoods in American Cities*. Washington, DC: Federal Housing Authority • Wirth, Louis 1938: "Urbanization as a way of life". *American Journal of Sociology* 44: 1-24.

utilitarismo Utilitarismo é um método filosófico para compreender a vida humana que enfatiza a importância do pensamento racional individual. Da forma desenvolvida por Jeremy Bentham e John Stuart Mill (e, de forma mais indireta, por Thomas Hobbes, David Hume e John Locke), o utilitarismo considera o âmago da existência humana ideal o indivíduo motivado por um autointeresse racional, procurando o prazer e a felicidade e evitando a dor e a infelicidade. Dessa perspectiva, a sociedade nada mais é do que um conjunto de indivíduos que tentam tirar o máximo do que têm, utilizando para esse fim as relações sociais que mantêm entre si. Os utilitaristas defendiam essa conduta como um sistema ótimo de vida, uma vez que acreditavam que, quando indivíduos agem movidos por interesse pessoal racional, o resultado será o bem maior para o maior número.

Embora o utilitarismo tenha influenciado o pensamento em economia e na psicologia behaviorista, seu impacto sobre a sociologia tem se limitado principalmente à TEORIA DA TROCA e à aplicação de modelos matemáticos, tais como o da teoria dos jogos ao COMPORTAMENTO COLETIVO.

Ver também ATOMISMO E HOLISMO; INDIVIDUALISMO METODOLÓGICO; TEORIA DA ESCOLHA RACIONAL.

Leitura sugerida: Halévy, Élie 1928 (*1972*): *The Growth of Philosophic Radicalism*. Londres: Faber and Faber • Turner, Jonathan H. 1986: *The Structure of Sociological Theory*, 4ªed. Chicago: Dorsey Press; Belmont, CA: Wadsworth.

utopia Utopia é a visão de uma comunidade ou sociedade idealizadas, tipicamente usada para criticar condições sociais vigentes e exercer pressão em prol de mudança. A maioria das visões utópicas está tão distante da vida social como ela é conhecida, que são mais úteis para destacar alguns aspectos essenciais da sociedade — tais como a desigualdade, o autoritarismo ou a competição — do que como diretrizes práticas para o futuro. Talvez os mais famosos exemplos de utopias sejam os encontrados em *A República*, de Platão, em *Utopia*, de Sir Thomas More, e em *Walden Two*, de B.F. Skinner.

Ver também JUSTIÇA; MILENARISMO.

Leitura sugerida: Mannheim, Karl 1929 (*1982*): *Ideologia e utopia*. Rio de Janeiro: Zahar / (*1936, 1960*): *Ideology and Utopia: an Introduction to the Sociology of Knowledge*. Londres: Routledge & Kegan Paul • Manuel, Frank E., e Fritzie P. Manuel 1979: *Utopian Thought in the Western World*. Oxford e Nova York: Blackwell Publishers.

V

validade Validade é o grau em que um instrumento de MEDIDA, como uma pergunta em um LEVANTAMENTO, mede aquilo que, de fato, pensamos que mede. Quando, por exemplo, entrevistados num levantamento respondem "Não" à pergunta "Você é racista?", isso significa que eles não são racistas ou simplesmente que sabem que ser racista é socialmente inaceitável e não querem que o entrevistador pense mal deles? Sem uma resposta definitiva a perguntas como essas, a validade de um dado instrumento de medida é duvidosa (motivo este por que a pergunta acima provavelmente não será usada por pesquisadores).

O problema da validade torna-se talvez mais grave em pesquisas do tipo levantamento, porque esse método depende não da observação do que pessoas fazem, mas do que dizem que fazem e como pensam sobre várias questões. O que as respostas significam para os entrevistados — em contraste com o que significam para os pesquisadores — torna-se, por conseguinte, um problema crítico. Como resultados, estudos sobre os efeitos da formulação de perguntas e as características dos entrevistadores e das situações de entrevista são considerações importantes na pesquisa metodológica.

Ver também CONFIABILIDADE; MEDIDA.

Leitura sugerida: Singleton, Royce A., Bruce C. Straits e Margaret M. Straits 1993: *Approaches to Social Research*, 2ª ed. Oxford e Nova York: Oxford University Press.

valor cultural Valor cultural é uma ideia comum sobre como alguma coisa é classificada em termos de desejabilidade, mérito ou perfeição sociais relativas. Valores podem ser usados para classificar virtualmente qualquer coisa, incluindo abstrações (lógica acima da intuição), objetos (ouro acima de chumbo), experiência (amar e perder acima de nunca amar), comportamento (dizer a verdade acima de mentir), características pessoais (alta estatura acima de baixa), e estados de ser (sadio acima de doente). Em todos os casos, o que torna a ideia um valor é seu uso para categorizar coisas em relação a outras, e não compará-las como sendo apenas semelhantes ou diferentes.

Podemos distinguir entre valores culturais, por um lado, e gostos e preferências pessoais, por outro, situação esta em que a única autoridade no tocante às últimas é o próprio indivíduo. Compreendemos a autoridade dos valores culturais, contudo, como existindo fora do indivíduo que pode tê-los. A honestidade, por exemplo, é valorizada não porque você ou eu dizemos que tem valor, mas porque vemos a honestidade como algo considerado importante em nossa cultura. O fato de nós, como indivíduos, não lhe darmos muita importância não afeta muito sua categoria como parte da cultura.

Valores são partes importantes de todas as culturas porque influenciam a maneira como pessoas escolhem e como sistemas sociais se desenvolvem e mudam. De fato, Talcott PARSONS argumentava que um sistema social não pode existir sem consenso sobre valores (e, por implicação, as normas que lhe dão respaldo). Embora algum grau de consenso em torno de, pelo menos, alguns valores seja provavelmente inerente à própria ideia de sistema social, também é verdade que o consenso jamais é completo, sobretudo nos sistemas sociais maiores e mais complexos, como sociedades. Sistemas sociais realmente totalitários são raros e de vida curta, precisamente porque se baseiam em coerção, e não em consenso. Mas talvez não menos rara seja a sociedade na qual o sistema de valores não é usado até certo ponto para promover os interesses de alguns grupos às expensas de outros e na qual algum grau de coerção não seja usado para manter, pelo menos, aparência de uniformidade entre a diversidade e o conflito subjacentes.

Ver também CULTURA; VALOR ECONÔMICO.

Leitura sugerida: Parsons, Talcott, e Edward A. Shils, orgs. 1951: *Toward a General Theory of Action*. Nova York: Harper & Row • Rokeach, Milton, org. 1979: *Understanding Human Values: Individual and Societal*. Nova York: Free Press • Spates, James L. 1983: "The sociology of values". *Annual Review of Sociology* 9: 27-49.

valor de troca *ver* VALOR ECONÔMICO.

valor de uso *ver* VALOR ECONÔMICO.

valor econômico O valor econômico é uma ideia cultural que proporciona uma base para determinar o mérito de alguma coisa em um sistema social. Todas as sociedades dependem até certo ponto do *valor de uso*: alguma coisa tem valor no grau em que pode ser posta em uso prático. Um computador altamente sofisticado, por exemplo, teria alto valor de uso em uma universidade, mas virtualmente nenhum em uma tribo que vive nas florestas úmidas do Brasil.

Nos casos em que existem MERCADOS na sociedade, o *valor de troca* torna-se importante. É determinado pelo que podemos conseguir por um produto ou serviço em uma troca com alguém. O valor de troca tende a ser menos estável que o de uso (como é mostrado pelas mudanças rápidas nos valores de propriedades imobiliárias, que frequentemente ocorrem em sociedades industriais) porque se baseia em várias considerações diferentes, incluindo mudanças nos desejos e necessidades das pessoas, oscilações na oferta e procura e motivos de lucro. É importante saber que valor de uso e valor de troca podem variar, e muitas vezes variam de modo muito independente entre si. Qualificações úteis, como a habilidade em fabricar a mão mobília fina, podem tornar-se "obsoletas" e perder seu valor de troca diante da concorrência de mobília feita a máquina, vendida a custo mais baixo. Analogamente, alguma coisa com pouco valor de uso — tal como terra pantanosa vendida para uso residencial — pode adquirir grande valor de troca através de descrição fraudulenta de seus méritos. Numerosos artigos de luxo podem ter também valor de troca que excede seu valor de uso: automóveis de luxo cuja qualidade como meio de transporte não é muito melhor do que muitos carros de preço mais baixo, ou relógios de pulso cravejados de brilhantes que não são à prova d'água e que marcam o tempo com menos precisão do que relógios digitais baratos.

De acordo com a *teoria do valor do trabalho*, de Karl MARX, a verdadeira medida do valor de alguma coisa depende não das forças de mercado, mas do trabalho necessário para produzi-la, especialmente como é medida pelo volume de tempo requerido. Nesse sentido, bens "contêm" trabalho humano, do qual deriva seu autêntico valor. Se é preciso duas vezes mais trabalho para fazer um par de sapatos do que para fazer uma camisa, os sapatos valem duas vezes mais. A tese marxista de valor tem sido muito criticada e é objeto de controvérsias mesmo entre marxistas.

Ver também BENS; LUCRO; MERCADO.

Leitura sugerida: Marx, Karl 1867 (*1974*): *O capital, crítica da economia política*. Rio de Janeiro: Civilização Brasileira / (*1976*): *Capital: a Critique of Political Economy*. Nova York: International Publishers, Harmondsworth: Penguin • Steedman, Ian, Paul Sweezy, et al, orgs. 1981: *The Value Controversy*. Londres: New Left; Nova York: Schocken.

valor, relevância, isenção e neutralidade de *ver* RELEVÂNCIA DO VALOR, ISENÇÃO DE VALOR E NEUTRALIDADE VALORATIVA.

variância Variância é uma medida estatística do grau em que escores em uma DISTRIBUIÇÃO diferem um do outro, especialmente em relação à MÉDIA da distribuição. Se todos numa população têm rendas iguais, por exemplo (o que significaria que a renda de todos seria igual à renda média), o valor numérico da variância seria de zero, desde que a diferença entre cada escore e a média seria de zero. Quanto mais os escores diferirem da média, maior será a variância.

Tecnicamente, a variância é definida como o desvio médio ao quadrado de todos os escores em torno da média. Em termos mais simples, a média é subtraída de cada escore e cada resultado é elevado ao quadrado. A soma dessas diferenças elevadas ao quadrado (conhecida como *soma dos quadrados*) é em seguida dividida pelo número total de escores para se obter uma diferença média ao quadrado de cada escore em relação à média. Essa quantidade é a variância, cujo símbolo é s^2 quando usada para descrever uma AMOSTRA, e o^2, quando para descrever uma população.

A variância é um conceito fundamental em pesquisa sociológica, por se tratar de uma medida que reflete o fato sociológico básico de que há variação no mundo social, que pessoas em diferentes categorias sociais variam em comportamento, experiência e recursos, ou que grupos, comunidades e sociedades diferem entre si. De maneiras importantes, a variância é uma das formas de quantificar aquilo que sociólogos querem explicar. A variância é também usada para comparar grupos, na base de sua homogeneidade relativa: se um grupo tem uma variância de renda muito mais alta do que outro, por exemplo, isso significa que ele é mais heterogêneo.

A raiz quadrada da variância é o *desvio-padrão*, cujo símbolo é um *s* quando aplicado a amostras e *σ* quando aplicado a populações. É usado de diversas maneiras para descrever distribuições de variáveis. Sabemos, por exemplo, pelo teorema de Pafnuti L. Tchebyshev (nome de um matemático russo do século XIX) que, em qualquer distribuição, pelo menos 75% dos casos terão escores maiores do que dois desvios-padrão, acima ou abaixo da média. Se o escore de teste médio é 500 e o desvio-padrão é 100, sabemos que 75% de todos os escores de teste se situarão entre 300 e 700 (a média de 500, mais ou menos 2x100, ou 200). Esse resultado será verdadeiro, qualquer que seja a aparência da distribuição.

Ver também AMPLITUDE; ANÁLISE DE VARIÂNCIA; COEFICIENTE DE ALIENAÇÃO; COVARIÂNCIA; ERRO-PADRÃO; ESTATÍSTICA.

Leitura sugerida: Bohrnstedt, George W., e David Knoke 1988: *Statistics for Social Data Analysis*, 2ª ed. Ithaca, IL: F.E. Peacock.

variância explicada *ver* COVARIÂNCIA.

variância inexplicada *ver* COVARIÂNCIA.

variável dicotômica A variável dicotômica é uma variável que tem duas categorias: uma para observações que têm uma característica particular e outra para as quais isso não acontece. As variáveis dicotômicas são em geral construídas a partir de categorias de uma variável mais ampla, tal como status matrimonial. A categoria "casado", por exemplo, torna-se uma variável dicotômica com duas categorias "casado" e "não casado": a categoria "solteiro" torna-se uma variável desse tipo com as duas categorias de "solteiro" e "não solteiro", e assim por diante. Dessa maneira, uma variável com cinco categorias é transformada em cinco variáveis dicotômicas separadas. De modo geral, um caso é marcado como "1" se tem essa característica e como "0", se não tem. Isso significa que cada caso em um estudo terá o escore 1 em uma variável dicotômica e 0 em todo o resto (um indivíduo casado não pode ser também solteiro).

As variáveis dicotômicas são usadas quando pesquisadores têm variáveis de escala nominal ou ordinal, mas querem usar técnicas estatísticas elaboradas para escalas mais altas, tal como ANÁLISE DE REGRESSÃO múltipla. Uma vez que uma variável com apenas duas categorias tem apenas um intervalo (entre os dois escores), ela pode ser tratada como uma escala de intervalo.

Ver também ANÁLISE DE REGRESSÃO; DICOTOMIA.

Leitura sugerida: Bohrnstedt, George W., e David Knoke 1988: *Statistics for Social Data Analysis*, 2ª ed. Ithaca, IL: F.E. Peacock • Suits, Daniel 1957: "The use of dummy variables in regression equations". *Journal of the American Statistical Association* 52: 548-51.

variável Uma variável é qualquer característica mensurável que difere de uma observação para outra, enquanto que uma *constante* é qualquer característica cujo valor não varia de uma a outra observação. Em um estudo de desigualdade de poder em casais, por exemplo, o status matrimonial seria uma constante, uma vez que cada pessoa observada seria casada. O volume de poder que cônjuges têm, no entanto, provavelmente seria uma variável, já que não seria o mesmo para os dois. A variável difere do conceito por incluir alguma forma de medição. Idade, por exemplo, é um conceito, mas as respostas à pergunta "Qual é a sua idade?" resultariam em uma variável.

A variável é um conceito fundamental em sociologia porque os sujeitos de pesquisa tomam a forma de variáveis. Um método para explicar o preconceito racial, por exemplo, argumenta que ignorância gera preconceito, ao estimular pessoas a substituir estereótipos pela experiência concreta com pessoas cujas características raciais diferem da sua. Com vistas a submeter a teste essa ideia, contudo, poderíamos conceber uma maneira de medir "ignorância" e "preconceito" entre pessoas reais e verificar se essas características têm relação entre si. Se pedimos a pessoas que digam o número de anos de escolaridade que têm, criamos uma variável que poderia ser usada como medida global aproximada do grau de ignorância, que poderia, por sua vez, relacionar-se com algum grau de preconceito, tal como pessoas considerarem outras raças inferiores.

Quando pensamos em relações causais entre variáveis, a variável a ser explicada é chamada de *dependente*, enquanto que a variável que se acredita produzir o efeito é denominada *independente*. Se argumentamos que ignorância causa preconceito, ignorância é a variável independente e, preconceito, a dependente. Quando há uma ordenação clara no tempo das variáveis, é claro qual a variável que deve ser considerada dependente: se ligamos experiências da infância com diferenças raciais com as atitudes do adulto em relação à raça, estas últimas evidentemente não podem ser consideradas variáveis independentes, que afetem a experiência da infância. Em outros casos, decidir qual a variável que deveremos chamar de dependente é menos nítido. Uma relação causal entre preconceito e ignorância, por exemplo, poderia desenvolver-se em ambas as direções, com a ignorância causando preconceito e o preconceito contribuindo para a ignorância, ao fechar pessoas a novas informações sobre indivíduos que delas diferem.

Ver também DISTÂNCIA SOCIAL; DISTRIBUIÇÃO DE FREQUÊNCIA, ESCALA DE ATITUDES; ESCALA DE MEDIÇÃO; GRÁFICOS; TABULAÇÃO CRUZADA; VARIÁVEL ANTECEDENTE; VARIÁVEL COMPONENTE; VARIÁVEL DISCRETA E VARIÁVEL CONTÍNUA; VARIÁVEL DISTORSIVA; VARIÁVEL DICOTÔMICA; VARIÁVEL INTERVENIENTE; VARIÁVEL QUALITATIVA E VARIÁVEL QUANTITATIVA; VARIÁVEL SUPRESSORA.

Leitura sugerida: Singleton, Royce A., Bruce C. Straits e Margaret M. Straits 1993: *Approaches to Social Research*, 2ªed. Oxford e Nova York: Oxford University Press.

variável antecedente Na análise de relações causais entre variáveis, a antecedente é identificada como causa de uma variável que é em si considerada uma variável independente, que afeta uma terceira variável. A ocupação, por exemplo, é uma variável independente que causa variação na renda. Quanto mais educação o indivíduo tem, contudo, melhor tende a ser seu emprego. Assim, nesse caso, educação é considerada uma variável antecedente porque afeta outra variável independente, a ocupação.

Note-se que o uso desses rótulos depende de como o problema é inicialmente definido. Suponhamos, por exemplo, que estamos procurando a relação entre educação e renda: quanto mais escolaridade o indivíduo tem, mais dinheiro é provável que ganhe. Nesse caso, a educação é uma variável independente que causa a variável dependente, a renda. Se em seguida identificamos variáveis que causam diferenças em educação — como meio formativo de classe social dos pais do indivíduo — então a classe social é denominada de variável antecedente porque, neste caso, ela causa variação em uma variável independente, a educação.

Ver também VARIÁVEL; VARIÁVEL DE CONTROLE.

Leitura sugerida: Rosenberg, Morris 1968: *The Logic of Survey Analysis*. Nova York: Basic Books.

variável categórica *ver* ESCALA DE MEDIÇÃO.

variável componente Na análise estatística de relações entre VARIÁVEIS, a variável componente reflete um único aspecto de um fenômeno mais amplo. CLASSE SOCIAL, por exemplo, abrange uma grande variedade de características, tais como prestígio ocupacional, renda, riqueza, padrões de consumo e nível de educação atingido. Todas elas podem ser chamadas de variáveis componentes de classe social.

Ver também VARIÁVEL; VARIÁVEL DE CONTROLE.

Leitura sugerida: Rosenberg, Morris 1968: *The Logic of Survey Analysis*. Nova York: Basic Books.

variável contínua *ver* VARIÁVEL DISCRETA E VARIÁVEL CONTÍNUA.

variável de controle Na análise das relações entre VARIÁVEIS, a variável de controle é aquela considerada constante durante todo o uso de técnicas estatísticas. A finalidade deste método consiste em compreender a relação entre uma variável independente e outra dependente. Se examinamos a relação entre nível de educação alcançado e renda, por exemplo, descobrimos uma relação positiva, na qual mais educação tende a ser associada a renda mais alta. Se em seguida fizéssemos o controle por gênero (sexo), examinaríamos a mesma relação — entre educação e renda — mas separada para mulheres e homens, com vistas a verificar se a DIREÇÃO DA RELAÇÃO ou sua força é a mesma em ambas as categorias de indivíduos.

Examinando apenas o caso de mulheres e, em seguida, o de homens, mantemos estatisticamente a variável gênero constante ao examinar indivíduos que são iguais nessa característica. O gênero é uma variável de controle neste caso.

Os sociólogos usam uma grande diversidade de técnicas estatísticas para controlar uma ou mais variáveis. Isso é feito geralmente para obter resposta a quatro tipos de questões: 1) uma relação observada entre duas variáveis é significativa ou apenas um acidente estatístico?; 2) se uma variável produz um efeito causal sobre outra, esse efeito é direto ou indireto no tocante a outras variáveis que intervêm entre elas?; 3) se diversas variáveis produzem, todas elas, efeitos causais sobre uma variável dependente, de que maneira varia a força desses efeitos?; 4) uma dada relação entre duas variáveis parece a mesma em várias condições?

Ver também ANÁLISE MULTIVARIADA; ESPECIFICAÇÃO VARIÁVEL ANTECEDENTE; VARIÁVEL COMPONENTE; VARIÁVEL DISTORSIVA; VARIÁVEL INTERVENIENTE; VARIÁVEL SUPRESSORA.

Leitura sugerida: Rosenberg, Morris 1968: *The Logic of Survey Analysis*. Nova York: Basic Books.

variável de escala nominal *ver* ESCALA DE MEDIÇÃO.

variável de escala ordinal *ver* ESCALA DE MEDIÇÃO.

variável de escala de razão *ver* ESCALA DE MEDIÇÃO.

variável dependente ver VARIÁVEL.

variável discreta e variável contínua Uma VARIÁVEL é discreta se observações podem tomar apenas um número limitado de valores dentro de uma dada faixa. A variável "número ideal de filhos", por exemplo, só pode ter como valores números inteiros, uma vez que é impossível ter um número fracionário de filhos. A renda é de igual maneira discreta, uma vez que é limitado o número em que são cunhadas as moedas e impressas as notas. A variável é contínua se, dentro de uma dada faixa, ela pode ter um número infinito de valores possíveis. A idade, por exemplo, pode ser medida em virtualmente qualquer unidade, de décadas a milissegundos e além.

Leitura sugerida: Bohrnstedt, George W., e David Knoke 1988: *Statistics for Social Data Analysis*. 2ª ed. Ithaca, IL: F.E. Peacock.

variável distorsiva Na análise estatística de relações entre variáveis, a variável distorsiva é uma que, quando controlada, faz com que a relação entre as variáveis independente e dependente mude de direção, de positiva para negativa ou de negativa para positiva. Em seu estudo clássico do suicídio, por exemplo, Émile DURKHEIM descobriu inicialmente uma relação positiva entre ser casado e cometer suicídio. Essa relação de duas variáveis, contudo, não levava em conta os efeitos de uma terceira variável — a idade — que guarda importantes relações com o status matrimonial e a tendência para cometer suicídio. Em particular, pessoas casadas tendem a ser mais velhas do que as solteiras, e os mais velhos têm mais probabilidade de cometer suicídio.

Ao estudar pessoas de idades semelhantes, Durkheim descobriu que a relação entre status matrimonial e suicídio mudava de direção. Os solteiros eram os que tinham maior probabilidade de cometer suicídio. Neste caso, a idade é denominada de variável distorsiva.

Ver também VARIÁVEL; VARIÁVEL DE CONTROLE.

Leitura sugerida: Rosenberg, Morris 1968: *The Logic of Survey Analysis*. Nova York: Basic Books.

variável de escala de intervalo *ver* ESCALA DE MEDIÇÃO.

variável exógena *ver* ANÁLISE DE SEQUÊNCIA.

variável independente *ver* VARIÁVEL.

variável insignificante *ver* FALSIDADE ESTATÍSTICA.

variável interveniente Na análise estatística, a variável interveniente é aquela que ocorre entre variáveis independente e dependente. É causada pela variável independente e é em si a causa da variável dependente. Quanto mais educação tem uma pessoa (variável independente), maior tende a ser a renda (variável dependente). A ocupação é uma variável interveniente entre educação e renda porque é afetada de forma causal pela educação e ela em si afeta a renda: mais anos de escola tendem a significar melhor emprego que, por sua vez, tende a produzir renda mais alta.

Ver também EFEITO ESTATÍSTICO; VARIÁVEL; VARIÁVEL DE CONTROLE.

Leitura sugerida: Rosenberg Morris 1968: *The Logic of Survey Analysis*. Nova York: Basic Books.

variável qualitativa e variável quantitativa Uma VARIÁVEL é qualitativa se as observações não podem ser descritas significativamente em termos numéricos. O gênero (sexo), por exemplo, é uma variável qualitativa, uma vez que não há maneira pela qual números possam ser designados a "homem" e "mulher" de uma forma significativa. Isso acontece também com variáveis ORDINAIS, como classe social; categorias como classe baixa, operária, média e alta não têm equivalentes numéricos significativos e por isso são qualitativas.

A variável é quantitativa se as observações podem ser caracterizadas em termos numéricos. Renda, riqueza, idade, fecundidade, produto nacional bruto, serviços religiosos frequentados a cada ano e tamanho de grupo são exemplos de variáveis quantitativas.

A distinção entre variáveis qualitativa e quantitativa é importante porque os dois tipos de informação frequentemente exigem diferentes METODOLOGIAS de pesquisa. A informação quantitativa, por exemplo, é mais facilmente coletada através de grandes levantamentos de amostragem de populações representativas, ao passo que a qualitativa, como, por exemplo, a maneira como pessoas enfrentam as complexidades da vida diária, requerem exame mais profundo de amostras que, de modo geral, são menores e menos representativas cientificamente.

Ver também ESCALA DE MEDIÇÃO; VARIÁVEL DISCRETA E VARIÁVEL CONTÍNUA.

variável supressora Na análise estatística de relações entre VARIÁVEIS, a variável supressora é aquela que, quando controlada, produz o efeito de reforçar a relação entre duas outras variáveis. É denominada de supressora porque quando é deixada sem controle, a relação entre as duas variáveis é mais fraca do que seria no caso oposto.

Suponhamos que estamos examinando a relação entre ocupações (de colarinho-branco e de colarinho azul) e renda, e descobrimos uma relação relativamente fraca. Uma explicação poderia ser que se introduzíssemos controle relativo a gênero (sexo), a relação seria mais forte. Por quê? A resposta está na relação entre gênero e as duas variáveis. Esperaríamos que ocupações de colarinho-branco pagassem remuneração mais alta do que as de colarinho azul. As mulheres, contudo, têm em geral probabilidade de trabalhar em ocupações de colarinho-branco e serem mal pagas, uma vez que se concentram em empregos de colarinho-branco de nível baixo, como secretárias e vendedoras. Dessa maneira, se examinássemos a relação entre ocupação e renda separadamente entre mulheres e entre homens, descobriríamos que a ocupação faz uma diferença substancialmente maior em renda do que antes. Uma vez que a variável gênero, quando deixada sem controle, "mascara" ou abafa a relação entre ocupação e renda, ela é denominada de variável supressora.

Ver também FALSIDADE ESTATÍSTICA; VARIÁVEL ANTECEDENTE; VARIÁVEL COMPONENTE; VARIÁVEL DISTORSIVA; VARIÁVEL INTERVENIENTE.

Leitura sugerida: Rosenberg, Morris 1968: *The Logic of Survey Analysis.* Nova York: Basic Books.

vergonha e culpa Tanto vergonha quanto culpa são mecanismos de controle social, mas operam de acordo com princípios diferentes. Vergonha é castigo imposto de fora — por exemplo, quando membros de um grupo ou comunidade ridicularizam, repreendem ou exilam publicamente alguém por má conduta. Esse tipo de castigo pode ser estendido a parentes do transgressor, o que os leva a sentir forte interesse em controlar o comportamento de membros da família.

Em contraste, a culpa é principalmente um processo psicológico interno. Quando internalizamos padrões e valores sociais como parte do processo de ser socializado, podemos também desenvolver a capacidade de nos punir por nossas ofensas, sentindo-nos mal a respeito de nós mesmos e, de outras maneiras, fazendo com que sintamos graus variáveis de sofrimento. A distinção entre vergonha e culpa é sociologicamente relevante porque a vergonha tende a funcionar em sistemas mais simples, nos quais é possível observar diretamente o comportamento do indivíduo, ao passo que a culpa é mais comum em sistemas maiores e mais complexos, onde se torna mais difícil a observação. Envergonhar alguém raramente é procedimento usado nas sociedades urbanas, por exemplo, sendo mais comum em sociedades pré-industriais ou comunidades isoladas, como os Amish, nos Estados Unidos.

Ver também CONTROLE SOCIAL; DESVIO; SANÇÃO.

Leitura sugerida: Lynd, Helen 1958: *On Shame and the Search for Identity*. Nova York: Harcourt Brace • Scheff, Thomas J. 1987: "Shame and conformity: The deference-emotion system". *American Sociological Review* 53(3): 395-406.

verstehen *ver* INTERAÇÃO.

viés *ver* ERRO.

viés do entrevistador *ver* ENTREVISTA.

visão de mundo Em uma cultura, visão de mundo é uma maneira geral de considerar o universo e nossa relação com ele, um conjunto geral de pressupostos sobre o significado da vida, sobre o que é importante e sobre como as coisas funcionam. Ao comparar comunidades tradicionais e modernas, por exemplo, os sociólogos identificam pontos de vista diferentes, sendo os tradicionalistas menos receptivos à mudança e a novas ideias, mais confiantes na fé religiosa e, de modo geral, desconfiados da tecnologia, da ciência e da racionalidade imparcial como maneira de encarar a vida humana. A visão de mundo está costumeiramente associada a um grupo ou sociedade, o que significa que, como acontece com todos os aspectos da cultura, há em geral variação entre indivíduos no grau em que dela compartilham. Radicais e revolucionários seriam, por definição, contrários à visão de mundo predominante na sociedade onde vivem.

O termo visão de mundo muitas vezes é usado como *weltanschauung*, um conceito alemão associado principalmente ao filósofo e historiador Wilhelm DILTHEY e ao sociólogo Karl MANNHEIM.

Ver também HERMENÊUTICA.

Leitura sugerida: Hodges, H.A. 1952: *The Philosophy of Wilhelm Dilthey*. Londres: Routledge • Mannheim, Karl 1952: "On the interpretations of 'weltanschauung'". In *Essays on the Sociology of Knowledge*, 33-83. Nova York: Oxford University Press; Londres: Routledge & Kegan Paul.

W

weltanschauung *ver* VISÃO DE MUNDO.

X

xamã *ver* ANIMISMO.

xenocentrismo Xenocentrismo é uma tendência, com base na cultura, a dar mais valor a outras culturas do que à nossa. É comum não só no Terceiro Mundo, onde pessoas tendem a depreciar suas culturas em comparação com as culturas das sociedades industriais, mas também em sociedades mais ricas (nos Estados Unidos, por exemplo, onde se pensa muitas vezes que produtos europeus, como o vinho e o queijo, são superiores aos produzidos localmente).

Ver também ETNOCENTRISMO; PRECONCEITO E DISCRIMINAÇÃO; RELATIVISMO CULTURAL; XENOFOBIA.

xenofobia Xenofobia é o medo de estrangeiros, sentimento este com fundamento na cultura. Tem sido frequentemente associado à recepção hostil dada em sociedades e comunidades a imigrantes. Em alguns casos, a xenofobia tem origem em um medo autêntico de estranhos e do desconhecido, embora, com mais frequência, tenha uma base mais concreta, especialmente na medida em que envolve concorrência por empregos, ou preconceitos de natureza étnica, racial ou religiosa.

Ver também ETNOCENTRISMO; SEGREGAÇÃO E INTEGRAÇÃO; XENOCENTRISMO.

Leitura sugerida: Bennett, D.H. 1988: *The Party of Fear: From Nativist Movements to the New Right in American History*. Chapel Hill: University of North Carolina Press.

Z

zona de transição *ver* CENTRO URBANO.

Esboços Biográficos

Um "who's who" da sociologia

ESBOÇOS BIOGRÁFICOS
Um "who's who" da sociologia

ESTA SEÇÃO FORNECE sucintas apresentações dos grandes nomes que modelaram os conceitos e o pensamento sociológico nos últimos dois séculos. Os leitores encontrarão aqui informações sobre quando e onde essas pessoas viveram e trabalharam, seus principais interesses e obras publicadas, bem como os conceitos mais ligados a cada um deles. A maioria é de sociólogos, mas também há filósofos, economistas, antropólogos ou outros pensadores cujas obras têm particular relevância para o trabalho sociológico. Não incluí aqueles cujas obras precederam o surgimento da sociologia como disciplina. A maioria dos esboços focaliza pensadores já falecidos, embora eu tenha também inserido alguns nomes contemporâneos que deram contribuições substanciais à sociologia e que os leitores provavelmente encontrarão em suas leituras.

Addams, Jane (1860-1935) Uma das maiores sociólogas de sua época, Addams é mais conhecida por ter ajudado a formular a teoria e os métodos da sociologia aplicada, que seriam mais tarde usados por sociólogos para formar a ESCOLA DE CHICAGO de sociologia, nos Estados Unidos. Addams fundou a Hull House, uma instituição cultural em Chicago que atraiu um conjunto fascinante e brilhante de sociólogos, especialmente mulheres, que nela combinaram trabalho intelectual e vida familiar.

Addams interessou-se principalmente em combinar métodos de pesquisa científica com valores éticos e morais para construir uma sociedade mais justa. Ela e seus colegas aplicaram esses métodos à grande cidade de Chicago, então em fase de rápido crescimento, focalizando os problemas da pobreza, imigração e dificuldades das classes baixa e operária sob o capitalismo industrial. Foi reconhecida como líder nacional do movimento de casas educacionais e recreativas e socióloga profundamente influente.

A política progressista de Addams incluía oposição pacífica à guerra de 1914-18, o que lhe resultou em censura do governo dos Estados Unidos (que, a certa altura, identificou-a como "a mulher mais perigosa da América") e uma posição um tanto apagada entre os sociólogos. Ainda assim, ela continuou a trabalhar e desempenhou um papel ativo em grandes reformas sociais durante a Grande Depressão — incluindo a previdência social — e recebeu o Prêmio Nobel da Paz em 1931.

Entre suas principais obras contam-se *Hull House Maps and Papers* (1895); *Democracy and Social Ethics* (1902); *New Ideals of Peace* (1907); e *Twenty Years at Hull House* (1910). Ver também *Jane Addams: A Centennial Reader*, organizado por Emily Cooper Johnson (1960); e Mary Jo Deegan, *Jane Addams and the Men of Chicago School* (1988).

Adorno, Theodor (1903-69) Filósofo social alemão de vastos interesses, Adorno foi membro da Escola de Frankfurt e um dos autores da TEORIA CRÍTICA. Interessava-o particularmente a mudança social radical e rejeitou o EMPIRISMO, o POSITIVISMO e métodos científicos rígidos, considerando-os inadequados para descobrir maneiras de produzi-la. Suas críticas à sociedade moderna focalizaram extensamente o emprego da MÍDIA na criação de uma SOCIEDADE DE MASSA, de pessoas manipuladas para tolerar e conviver com um status quo opressivo e desumanizante.

Suas obras principais incluem *A personalidade autoritária* (1950); *Prismas* (1967); *Dialética do esclarecimento* (1973); e *O jargão da autenticidade* (1973). Ver também M. Jay, *Adorno* (1984).

Allport, Gordon (1887-1967) Psicólogo social norte-americano, Allport especializou-se no estudo de ATITUDES culturais, em especial sob a forma de PRECONCEITO racial.

Os grandes trabalhos de sua autoria incluem "Attitudes", em *A Handbook of Social Psychology*, organizado por C. Murchison (1935); *The Psychology of Rumor*, em colaboração com Leo Postman (1947); e *The Nature of Prejudice* (1954).

Althusser, Louis (1918-90) Filósofo social marxista francês, cujas ideias foram muito influentes durante algum tempo em fins da década de 1960 e na de 1970, Althusser é mais conhecido por sua crítica ao marxismo tradicional. No tocante ao tema de BASE E SUPERESTRUTURA, por exemplo, argumentava que a primeira não determina a segunda, mas que as duas existem em uma relação recíproca complexa. Afirmou ainda que IDEOLOGIA era mais do que falsa consciência e desempenhava um papel autêntico na vida social, especialmente através da reprodução cultural e social do capitalismo. Foi criticado por numerosas razões, incluindo o fato de ser rigidamente dogmático em suas ideias e ignorar prova em sentido contrário, e perdeu grande parte de sua influência sociológica.

Suas obras principais incluem *A favor de Marx* (1965) e *Ler o Capital* (1966). Ver também A. Callinicos, *O marxismo de Althusser* (1976).

Aron, Raymond (1905-83) Autor prolífico, Aron foi um sociólogo francês com interesses especiais pelos problemas relacionados com IDEOLOGIA, sociedade industrial, política e relações internacionais, principalmente no tocante à guerra. Ao contrário de muitos de seus colegas franceses, criticou o marxismo e argumentou em favor da importância social de ESTRUTURAS DE PODER pluralísticas nos sistemas políticos. Além de seus interesses especiais, escreveu ainda obras importantes sobre sociologia como sistema de pensamento.

Entre suas principais obras figuram *Sociologia alemã contemporânea* (1935); *O século da guerra total* (1951); *O ópio dos intelectuais* (1955); *Paz e guerra entre as nações* (1961); *Dezoito lições sobre a sociedade industrial* (1963); *Democracia e totalitarismo* (1965); *Etapas do pensamento sociológico* (1965); e *A sociedade industrial* (1966).

Balch, Emily Greene (1867-1961) Colega e amiga de Jane ADDAMS, Balch, uma socióloga norte-americana, tornou-se conhecida principalmente por seus estudos de imigração, mulheres, desigualdade dos sexos e luta pela paz mundial. Como acontecia com numerosas sociólogas de sua época, seu trabalho foi rotineiramente ignorado por seus colegas masculinos, a despeito de sua natureza pioneira em alguns casos. Ela já combinava estudos estatísticos com teoria sociológica muito antes de isso se tornar prática comum na sociologia, dominada por homens, por exemplo, e foi uma das primeiras a usar frequentemente o conceito de PAPEL.

Tal como Addams, Balch engajou-se no movimento pacifista que queria o fim da guerra de 1914-18 e, como resultado, foi ignorada pelos colegas e perseguida pelo governo. Essa reação arruinou sua carreira acadêmica, mas, ainda assim, ela continuou a trabalhar pela paz. Ocupou posteriormente cargos importantes na Liga das Nações, fundada após a guerra de 1914-18, e nas Nações Unidas, que mais tarde a substituiu. Em 1946, tornou-se a segunda mulher (Addams foi a primeira) a receber o Prêmio Nobel da Paz.

Entre suas principais obras destacam-se *Public Assistance of the Poor in France* (1893); *A Study of Conditions of City Life* (1903); *Our Slavic Fellow Citizens* (1910); *Beyond Materialism: The Social Thought of Emily Green Balch* (1941); e, em colaboração com Jane Addams, *Women at the Hague: The International Congress of Women and its Results* (1915). Ver também Mary Jo Deegan, *Jane Addams and the Men of the Chicago School* (1988).

Barthes, Roland (1915-80) Sociólogo francês, Barthes interessou-se especialmente, de uma perspectiva marxista, pela SEMIÓTICA e sua aplicação à literatura e à CULTURA POPULAR. Focalizou-se no papel social do MITO e da IDEOLOGIA na vida diária, e foi um dos membros mais importantes da escola de ESTUDOS CULTURAIS do pensamento sociológico.

Suas obras incluem *Mitologias* (1957) e *O prazer do texto* (1975). Ver também J. Culler, *Barthes* (1983).

Baudrillard, Jean (1929-) Teórico social francês, Baudrillard é mais conhecido por seu trabalho sobre PÓS-MODERNISMO e SEMIÓTICA. Ele argumenta, por exemplo, que à medida que a mídia de massa propaga imagens de produtos, a distinção entre aparência e realidade é confusa e se torna cada vez mais obscuro que alguma coisa tenha um significado fixo.

Entre suas obras destacam-se *La société de consommation* (1970) e *Simulations* (1983).

Beauvoir, Simone de (1908-86) Embora formada como filósofa, a francesa Beauvoir foi autora de rica produção intelectual, com extensa importância sociológica, grande parte da qual ainda precisa ser analisada em profundidade. Seus interesses estendiam-se por um vasto campo, da MÍDIA de massa, envelhecimento e mulheres a MOVIMENTOS SOCIAIS. É mais conhecida entre os sociólogos por seu influente livro, *O segundo sexo*, no qual argumenta que, sob a PATRIARQUIA, as mulheres são consideradas como "o outro", marginalizadas e mistificadas em um mundo centralizado no homem, com ele identificado e por ele dominado. Os métodos que usou foram igualmente amplos, combinando filosofia existencialista com autobiografia, história e ficção para pintar retratos da natureza e significado da existência da mulher.

Além de *O segundo sexo* (1949), figuram com destaque em sua obra *Os Mandarins* (1954); *A longa marcha* (1957); *Brigitte Bardot e a síndrome Lolita* (1959); e *A velhice* (1970). Ver também *Women in Sociology*, organizado por Mary Jo Deegan (1991).

Becker, Howard S. (1928-) Interacionista simbólico, Becker é um sociólogo norte-americano cuja obra focaliza certo número de áreas, incluindo a experiência de socialização entre médicos, DESVIO e TEORIA DAS ROTULAÇÕES, subculturas juvenis, educação e produção de arte.

Suas obras principais incluem *Boys in White: Student Culture in the Medical World* (1961); *The Other Side* (1964); *Making the Grade* (1968); *Outsiders: Studies in the Sociology of Deviance* (1973), e *Art Worlds* (1982).

Bell, Daniel (1919-) Bell é um sociólogo norte-americano, mais conhecido por sua previsão de que o CONFLITO DE CLASSE estava se dissolvendo com o FIM DA IDEOLOGIA e a emergência das sociedades PÓS-INDUSTRIAL e de INFORMAÇÃO, organizadas principalmente em torno da tecnologia e da informação. Mais tarde, ele recuou um pouco dessa posição, com a observação da existência de um conflito fundamental entre os valores da eficiência econômica, os direitos e bem-estar individual e o estilo de vida hedonista promovido pelas sociedades capitalistas avançadas.

Entre suas obras principais, destacam-se *The End of Ideology* (1960); *The Coming of Post-Industrial Society* (1973); e *The Cultural Contradictions of Capitalism* (1976).

Bendix, Reinhard (1916-) Imigrante alemão radicado nos Estados Unidos, Bendix é conhecido por sua interpretação da obra de Max WEBER e pelo trabalho em SOCIOLOGIA HISTÓRICA e comparativa, especialmente em relação às sociedades industriais e seus vínculos com a classe operária.

Entre suas obras principais incluem-se *Trabalho e autoridade na indústria* (1956); *Mobilidade social na sociedade industrial* (1959); *Max Weber: um retrato intelectual* (1960); e *Construção da nação e cidadania* (1964).

Benedict, Ruth (1887-1948) Formada inicialmente em literatura inglesa e só bem mais tarde como antropóloga, Benedict deu grandes contribuições ao estudo da relação entre personalidade e cultura. Seu *insight* básico foi que todas as culturas promovem o desenvolvimento de alguns potenciais humanos em detrimento de outros, e que pessoas se moldam de maneiras que tendem a ajustar-se ao contexto cultural em que vivem. A cultura é, nas palavras de Benedict, "personalidade óbvia" e a sociedade pode ser considerada como um todo integrado de formas culturais e seres humanos. Observadora de campo talentosa, pesquisadora rigorosa e escritora lúcida, Benedict combinava de maneira impressionante humanidades e estudo científico, tendo deixado um legado importante para o estudo da cultura e da personalidade.

Entre suas obras, figuram com destaque *Patterns of Culture* (1934); *Zuñi Mythology*, 2 vols. (1935); e *The Chrysanthemun and the Sword: Patterns of Japanese Culture* (1946). Ver também Margaret Mead, *An Anthropologist at Work: Writings of Ruth Benedict* (1959).

Bernard, Jessie (1903-) Bernard é uma socióloga norte-americana mais conhecida por seu trabalho sobre casamento, família, status das mulheres, comunidades, problemas sociais e política pública. Coube a ela estudar pela primeira vez, por exemplo, o fenômeno do casamento "dele" e do casamento "dela", reconhecendo que o casamento apresenta vantagens claras para os homens que não são compartilhadas pelas mulheres. Especialmente na década de 1970 e depois, Bernard foi autora de uma respeitável obra, detalhando a natureza da vida de mulheres em contextos que variavam da família à educação superior. Bernard é conhecida também por seus profundos conhecimentos de história da sociologia como disciplina e como cofundadora da Society for the Study of Social Problems.

De suas obras principais constam *Academic Women* (1964); *Women and the Public Interest* (1971); *The Future of Marriage* (1972); *The Sociology of Community* (1973); *The Future of Motherhood* (1974); *The Female World in a Global Perspective* (1987); e *The Origins of the American Sociology*, em colaboração com L.L. Bernard (1943). Ver também *Women in Sociology*, org. por Mary Jo Deegan (1991).

Bernstein, Basil (1924-) Bernstein é um sociólogo britânico especializado em educação, SOCIOLINGUÍSTICA, e na relação entre linguagem, conhecimento e escolaridade, por um lado, e CLASSE SOCIAL e CONTROLE SOCIAL, por outro. Em sua teoria de CÓDIGOS DE LINGUAGEM, argumenta que a classe social afeta a maneira como estudantes aprendem a linguagem em família e no ambiente escolar, o que, por sua vez, afeta seu potencial de sucesso e possibilidades na classe social. Sua preocupação com a linguagem estende-se a um interesse geral sobre o modo como sistemas de classe são mantidos através de controle sobre os conhecimentos e a linguagem necessária para obter acesso aos mesmos e usá-los de maneiras complexas e criativas.

Suas obras principais incluem *Class, Codes, and Control*, 3 vols. (1971, 1973, 1975).

Blau, Peter (1918-) Blau é um sociólogo norte-americano mais conhecido por seu trabalho em ORGANIZAÇÕES FORMAIS, MOBILIDADE SOCIAL, ESTRUTURA OCUPACIONAL e TEORIA DA TROCA.

Suas obras principais incluem *The Dynamics of Bureaucracy*, 2ªed. (1973); *Formal Organizations: A Comparative Approach* (1962); *Exchange and Power in Social Life* (1964); e *The American Occupational Strucuture,* em colaboração com Otis Dudley Duncan (1967).

Blumer, Herbert (1900-87) Influente sociólogo norte-americano adepto da perspectiva interacionista simbólica, Blumer tornou-se conhecido pelo argumento de que os sistemas sociais são, na maior parte, abstrações que não têm existência independente daquilo que as pessoas realmente fazem nas relações entre si. Este, aliás, é o tema principal do debate sobre AÇÃO E ESTRUTURA, posição a partir da qual indivíduos que interagem são vistos como o núcleo da vida social, dando aos sistemas sociais sua forma e realidade fundamentais.

Entre as obras principais de Blumer, cabe destacar "Collective behavior", em *New Outline of the Principles of Sociology*, organizado por A.M. Lee ([1939], 1951); *Symbolic Interactionism: Perspective and Method* (1969); e *The Chicago School of Sociology: Institutionalization, Diversity, and the Rise of Sociological Research* (1984).

Booth, Charles James (1840-1916) Homem de negócios inglês por profissão, Boot foi também reformador social e estatístico que realizou trabalho pioneiro no uso de levantamentos em grande escala para documentar o alcance dos problemas sociais, notadamente da pobreza na Inglaterra. Seus estudos forneceram uma descrição detalhada da vida social no regime de industrialização rápida que caracterizou a Grã-Bretanha no início deste século. Sua preocupação com o impacto da pobreza sobre os idosos contribuiu também para a promulgação da Lei de Pensões por Velhice, de 1908, uma peça de legislação que marcou época.

Suas obras principais incluem *Life and Labour of the People of London*, 17 vols. (1889-1891); *Old Age Pensions and the Aged Poor* (1899); *Poor Law Reform* (1910); e *Industrial Unrest and Trade Union Policy* (1913). Ver também Thomas S. Simey e Margaret B. Simey, *Charles Booth, Social Scientist* (1960).

Bottomore, Tom (1920-) Sociólogo britânico, Bottomore é mais conhecido por sua extensa obra de análise do capitalismo e socialismo. Autor e organizador prolífico de trabalhos coletivos, desempenhou um papel muito importante para ajudar sociólogos a compreender a importância do marxismo e da SOCIOLOGIA MARXISTA.

Grandes obras suas incluem *Karl Marx: Early Writings* (1963); *Karl Marx: Selected Writings in Sociology and Social Philosophy* (1965); *As classes na sociedade moderna* (1965); *As elites e a sociedade* (1966); *Sociologia marxista* (1975); *História da análise sociológica* (1978); *Sociologia política* (1979); *Dicionário do pensamento marxista* (1983); e *A classe capitalista: um estudo internacional* (1989); *Dicionário do pensamento social no século XX* (1996).

Bourdieu, Pierre (1930-) Bourdieu é um sociólogo francês cujas principais contribuições têm sido dadas nas áreas de teoria sociológica geral e do elo entre educação e cultura, especialmente no que interessa à distribuição de CAPITAL CULTURAL e à manutenção da ORDEM SOCIAL. Tem estudado também a teoria do desenvolvimento, que fecharia a brecha entre indivíduos e sistemas sociais (ver AÇÃO E ESTRUTURA).

Suas principais obras incluem A escola como força conservadora (1966); Esboço de uma teoria da prática (1977); *Reprodução na educação, na sociedade e na cultura* (1977); e *A distinção* (1979).

Braudel, Fernand (1902-85) Braudel foi um historiador francês da ESCOLA DOS ANNALES que desempenhou um importante papel no desenvolvimento da história como mais do que relato escrito de eventos políticos. Focalizou-se, em vez disso, na complexa interação entre fatores culturais, demográficos, econômicos e políticos, com vistas a explicar o desenvolvimento do capitalismo e sua transformação em um SISTEMA-MUNDO.

Entre suas principais obras, incluem-se *Pós-escritos à civilização e ao capitalismo materiais* (1977); *Civilization matérielle, économie et capitalisme* (XV-XVIIIs), 3 vols. (1967).

Burgess, Ernest (1886-1966) Membro da Escola de Chicago, Burgess foi o sociólogo norte-americano responsável, na maior parte, pelo estudo da família como tópico importante da análise sociológica. Esse interesse levou-o a estudos dos idosos, especialmente no contexto de sistemas familiares.

Suas grandes obras incluem *Predicting Success or Failure in Marriage* (1939); *The Family* (1945); e *Engagement and Marriage* (1953). Ver também Lewis A. Coser, *Masters of Sociological Thought*, 2ª ed. (1977).

Comte, Auguste (1798-1857) Comte foi um sociólogo francês creditado com a invenção do termo SOCIOLOGIA, embora não tenha sido o primeiro a pensar de uma maneira sistematicamente sociológica. Refletindo a agitação social das revoluções econômicas e políticas de seu tempo, Comte interessou-se por reforma, progresso e o problema da ORDEM SOCIAL. Foi um dos primeiros a defender o status de ciência para a sociologia, baseada no POSITIVISMO, e o uso de ambas para compreender e orientar o processo de desenvolvimento e mudança social. Ele acreditava que todas as sociedades evoluem através de uma série de estágios previsíveis, governados por leis sociais, e que culminam em uma forma superior de vida social, baseada em operosidade e em princípios científicos de moralidade. A maior parte de seu pensamento nenhuma influência exerce mais na sociologia, mas ele, de fato, deixou um legado importante na ênfase na observação sistemática e no papel da PERSPECTIVA COMPARADA e da SOCIOLOGIA HISTÓRICA.

Entre suas principais obras, incluem-se *Curso de filosofia positiva* (1830-42); *Discurso sobre o espírito positivista* (1844); *Visão geral do positivismo* (1848); e *Religião da humanidade* (1856). Ver também Lewis A. Coser, *Mestres do pensamento sociológico*, 2ª ed. (1977), e K. Thompson, *Auguste Comte: The Foundations of Sociology* (1976).

Cooley, Charles Horton (1864-1929) Cooley foi um interacionista simbólico norte-americano ligado à Escola de Chicago e a George Herbert MEAD. É mais conhecido por seu trabalho sobre o desenvolvimento da personalidade através da relação entre o SELF e o OUTRO, especialmente através do mecanismo de *imagem de espelho*. Formulou também os importantes conceitos de RELAÇÕES PRIMÁRIA E SECUNDÁRIA, que tiveram relevância decisiva para o estudo sociológico de grupos, organizações e indivíduos.

Entre as grandes obras que escreveu, destacam-se *Human Nature and the Social Order* (1902); *Social Organization* (1909); e *Life and the Student* (1927). Ver também Lewis A. Coser, *Masters of Sociological Thought*, 2ª ed. (1977).

Coolidge, Mary E.B.R. Smith (1860-1945) Mary Smith Coolidge (cujos trabalhos foram publicados sob dois diferentes nomes de casada — Smith e Coolidge) foi a primeira professora de sociologia em tempo integral nos Estados Unidos. Formada em economia e história, antes de fazer doutorado em sociologia, realizou em seguida importantes pesquisas sobre pobreza, status das mulheres, idosos, imigração chinesa e culturas americanas nativas. Foi uma das primeiras praticantes da SOCIOLOGIA APLICADA, com ênfase especial no uso da estatística para documentar problemas sociais. Como muitos de seus contemporâneos, acreditava que a sociologia tinha um papel decisivo a desempenhar na solução de problemas sociais e na ação para a mudança progressiva. Como aconteceu também com muitas das primeiras mulheres na sociologia, sua obra incluiu *insights* que passaram despercebidos, ignorados até que foram incluídos — e, não raro, creditados — na obra de sociólogos do sexo masculino. Construiu um modelo de competição e assimilação no estudo da adaptação de imigrantes, por exemplo, muito antes de Robert PARK e Ernest BURGESS publicarem trabalhos baseados em *insights* semelhantes.

Entre suas principais obras, cumpre destacar *Almshouse Women* (1896); *Chinese Immigrants* (1909); *Why Women Are So* (1912); e *The Rain-Makers: Indians of Arizona and New Mexico* (1929). Ver também *Women in Sociology*, organizado por Mary Jo Deegan (1991).

Coser, Rose Laub (1916-) Formada em filosofia e sociologia, Coser é uma socióloga norte-americana mais conhecida por suas obras sobre TRABALHO, FAMÍLIA e mulheres. Sua sociologia do trabalho estuda principalmente a BUROCRACIA em hospitais e outros ambientes médicos, e seus efeitos sobre a prestação de cuidados de saúde. Contribuiu também com trabalho importante sobre os efeitos da estrutura social sobre a vida familiar e comparou mulheres entre culturas. Em todos esses trabalhos, fez uso frequente do conceito de PAPEL e contribuiu para uma melhor compreensão de conceitos correlatos, como o de distância de papel.

Suas obras principais incluem *Life in the Ward* (1962); *Training in Ambiguity: Learning Through Doing in a Mental Hospital* (1979); *In Defense of Modernity* (1990); e *The World of Our Mothers* (1992). Ver também *Women in Sociology*, organizado por Mary Jo Deegan (1991).

Dahrendorf, Ralf (1928-) Sociólogo nascido na Alemanha que hoje trabalha na Grã-Bretanha, Dahrendorf é mais conhecido por seus estudos de CONFLITO DE CLASSE sob o CAPITALISMO industrial. Enquanto o marxismo tradicional se concentra na divisão entre os que possuem os meios de produção e os que trabalham por salário, Dahrendorf argumenta que o conflito de classe tem origem principalmente em diferenças de autoridade em organizações como empresas e departamentos do governo (ver ASSOCIAÇÃO COORDENADA DE MODO IMPERATIVO). Ele acredita que a desigualdade de autoridade é inevitável, embora seus excessos possam ser contidos, até certo ponto, pelos direitos políticos dos CIDADÃOS.

Suas obras principais incluem *Classe e conflito de classe na sociedade industrial* (1957); *Sociedade e democracia na Alemanha* (1967); *A nova liberdade* (1975); e *Oportunidade da vida* (1979).

Dilthey, Wilhelm (1833-1911) Filósofo e historiador alemão, Dilthey é mais conhecido por suas ideias sobre a diferença entre fenômeno natural e fenômeno social. Ele argumentava que o mundo natural pode ser compreendido através de observação científica e de leis objetivas. O mundo social, contudo, só pode ser entendido em termos do significado que lhe é atribuído por pessoas que dele participam. Explicações do que acontece em grupos, por exemplo, têm que incluir alguma compreensão de como os membros veem o grupo e seus papéis neles. Isso significa que os sociólogos devem estar também cientes de que fazem parte do que estão estudando e que o significado que atribuem ao que observam é necessariamente uma *parte* do que observam. Em sociologia, seu trabalho está mais ligado à HERMENÊUTICA, ao conceito de *weltanschauung*, ou VISÃO DE MUNDO, e à obra de Max WEBER e Karl MANNHEIM.

Suas principais obras incluem *A vida de Schleiermachers* (1870); *Introdução às ciências do espírito* (1883); *A essência da filosofia* (1907); *A construção do mundo histórico nas ciências sociais* (1910); e *O sentido da história* (1961), organizado por H.P. Rickman. Ver também William Kluback, *Wilhelm Dilthey's Philosophy of History* (1956).

Dubois, W.E.B. (1868-1963) William Edward Burghardt DuBois foi um sociólogo que desempenhou um papel de primeiro plano na luta pelos direitos civis dos negros nos Estados Unidos. Formado inicialmente em história, mudou para a sociologia a fim de tornar-se um agente mais eficaz pela mudança, ao documentar a amplitude da opressão racial. DuBois dirigiu levantamentos pioneiros, que ajudaram a mapear a realidade da vida dos negros e combater a mitologia branca, da qual depende o racismo. Nesse papel de ativista, exigiu plena igualdade para os negros e ajudou a organizar um movimento em torno de um núcleo de negros educados e talentosos. Esse trabalho acabou por se fundir com a National Association for the Advancement of Colored People, no qual DuBois foi figura central durante quase um quarto de século. Organizou o primeiro Congresso Pan-Africano em 1919 e insistiu com os negros para que se segregassem dos brancos e formassem comunidades autossuficientes. Perto do fim da vida, adotou o socialismo e tornou-se cidadão de Gana pouco antes de sua morte.

Suas principais obras incluem *The Philadelphia Negro* (1899); *The Souls of Black Folk* (1903); *Darkwater: Voices from Within the Veil* (1920); *Black Reconstruction* (1935); *Dusk of Dawn: An Essay Toward and Autobiography of a Race Concept* (1940); e *The World and Africa: An Inquiry into the Part Which Africa Has Played in World History* (1947).

Durkheim, Émile (1858-1917) Juntamente com Karl MARX e Max WEBER, Durkheim é considerado um dos fundadores da sociologia como disciplina e da PERSPECTIVA FUNCIONALISTA, em particular. Baseando-se no POSITIVISMO de SAINT-SIMON e COMTE, representou um papel fundamental na definição da sociologia como uma maneira sistemática de pensar, distinta da tendência comum de reduzir os fenômenos sociais a experiências e características de indivíduos (ver ATOMISMO E HOLISMO, CONSCIÊNCIA COLETIVA, FATO SOCIAL). Ao lançar os alicerces do que se tornaria a perspectiva funcionalista, ele se dedicou ao problema de compreender o que mantém coesos os sistemas sociais (ver COESÃO; ORDEM SOCIAL), e como sua organização e funcionamento produzem vários tipos de consequências para eles como um todo. Nesse trabalho, alinhou argumentos contra a ideia UTILITARISTA de que as sociedades poderiam ser mantidas coesas simplesmente por indivíduos buscando o interesse pessoal racional.

Em seu clássico estudo do SUICÍDIO, Durkheim foi o primeiro a usar análise sistemática de dados a fim de submeter a teste hipóteses sobre as relações entre estrutura social e comportamento individual. Deu também grandes contribuições ao estudo da religião, no qual argumentou que a prática religiosa é muitas vezes usada para reforçar a coesão social, ao reafirmar valores culturais básicos e imagens da própria sociedade. O legado de Durkheim é imenso e continua a influenciar o pensamento sociológico sobre a natureza fundamental da vida social.

Suas obras incluem *A divisão do trabalho social* (1893); *As regras do método sociológico* (1895); *O suicídio* (1897); *As formas elementares da vida religiosa* (1912); e *Sociologia e filosofia* (1924). Ver também Lewis A. Coser, *Mestres do pensamento sociológico*, 2ª ed. (1977), e Stephen Lukes, *Émile Durkheim, vida e obra: um estudo crítico e histórico* (1974).

Elias, Norbert (1897-1990) Elias é um sociólogo alemão mais conhecido por seu trabalho sobre a natureza da vida social. No que denominou de análise figuracional, desenvolveu a ideia de que a vida social não se baseia nem no ator individual isolado, nem em SISTEMAS SOCIAIS, que existem como externos ao indivíduo. Em vez disso, argumentava que o que identificamos como vida social consiste de padrões (figuras) que surgem de interações entre indivíduos interdependentes (ver AÇÃO E ESTRUTURA). Embora quase ignorado quando inicialmente publicado, seu trabalho atraiu atenção crescente na Alemanha, Holanda e Grã-Bretanha desde fins da década de 1970, quando seus textos foram traduzidos para o inglês.

Suas principais obras incluem *O processo civilizador* (1939); *A sociedade de corte* (1969); *O que é sociologia?* (1970); *A solidão da morte* (1982); e *Envolvimento e separação* (1986).

Engels, Friedrich (1820-95) Industrial e socialista britânico nascido na Alemanha, Engels foi colaborador, amigo e financiador de Karl MARX, tendo desempenhado um papel decisivo no desenvolvimento da análise marxista do CAPITALISMO e dos sistemas de classe. Conheceu e fez amizade com Marx na Grã-Bretanha em 1845, pouco depois de publicar uma análise da classe trabalhadora britânica sob o capitalismo industrial e o potencial de se realizar uma revolução socialista. Daí passou a uma ligação com Marx que durou a vida inteira, na qual colaboraram em várias obras de importância fundamental. Após a morte de Marx em 1883, Engels preparou para publicação o original do segundo e terceiro volumes de *O capital*. Faleceu antes de poder completar o quarto.

Embora Engels e Marx trabalhassem em estreita colaboração, Engels diferia de modos importantes do amigo. Acreditava, por exemplo, que embora a igualdade de renda e riqueza fosse possível sob o comunismo, a desigualdade de poder e autoridade seria sempre necessária para coordenar DIVISÕES DO TRABALHO complexas. Engels é também conhecido por ter desenvolvido o materialismo dialético como modo de análise e por ter sido um dos primeiros a explorar a conexão entre sistemas econômicos e a subordinação patriarcal das mulheres na família.

Suas obras incluem *A situação da classe trabalhadora na Inglaterra* (1845); *A origem da família, da propriedade privada e do Estado* (1884); *Dialética da natureza* (1852); e, em colaboração com Marx, *A sagrada família* (1845); *A ideologia alemã* (1845); e *O manifesto comunista* (1848). Ver também Lewis A. Coser, *Masters of Sociological Thought*, 2ª ed. (1977).

Foucault, Michel (1926-84) Foucault foi um filósofo francês cujo trabalho sobre as ligações entre LINGUAGEM, CONHECIMENTO, PODER e CONTROLE SOCIAL afetou profundamente o pensamento de numerosos sociólogos. O argumento básico de Foucault era que linguagem e conhecimento formam uma base para o poder em seu papel na CONSTRUÇÃO SOCIAL DA REALIDADE (ver DISCURSO E FORMAÇÃO DO DISCURSO; ESTRUTURALISMO E PÓS-ESTRUTURALISMO). Conhecimento e linguagem têm sido especialmente poderosos quando usados para controlar o corpo humano. Da perspectiva de Foucault, por exemplo, não há tal coisa como uma sexualidade humana objetiva, à parte a maneira como usamos a linguagem para pensar, escrever e falar sobre ela. Isso, por sua vez, molda a maneira como experimentamos o corpo, o que serve aos interesses do controle social.

Foucault é mais conhecido por seu trabalho sobre confinamento em prisão, loucura e sexualidade. Suas obras principais incluem *O nascimento da clínica* (1963); *História da loucura* (1965); *As palavras e as coisas* (1966); *A arqueologia do saber* (1969); *Vigiar e punir* (1975); e *História da sexualidade* (1976). Ver também Barry Smart, *Michel Foucault* (1985).

Freud, Sigmund (1856-1939) Vinculado com mais frequência a Viena, onde cresceu e estudou medicina, Freud desenvolveu e ampliou o conceito do inconsciente e, dessa maneira, traçou o curso da psicologia moderna e da terapia mental. Sociologicamente, sua obra afetou profundamente teorias de socialização e a relação entre indivíduos e sociedade. Freud argumentava, por exemplo, que há um conflito fundamental entre o desejo do indivíduo de gratificação sexual e de outros tipos e as forças do CONTROLE SOCIAL, que são usadas para manter a ORDEM SOCIAL.

As ideias de Freud influenciaram uma grande variedade de trabalhos sociológicos, incluindo o método da TEORIA CRÍTICA, da Escola de Frankfurt, que se propõe a compreender o desenvolvimento da personalidade visto de uma perspectiva marxista.

As obras principais de Freud incluem *O futuro de uma ilusão* (1927); *O mal-estar na civilização* (1930); e *Moisés e o monoteísmo* (1934-38). Ver também Erich Fromm, *Fuga da liberdade* (1941) e Herbert Marcuse, *Eros e civilização* (1955).

Garfinkel, Harold (1917-) Sociólogo norte-americano e fundador da ETNOMETODOLOGIA como abordagem particular no arcabouço geral do interacionismo simbólico, Garfinkel interessou-se principalmente pelos métodos concretos usados por pessoas para construir e manter um senso básico de realidade social. Ao enfatizar as habilidades criativas de indivíduos em situações sociais, ele criticou grande parte do pensamento sociológico organizado em torno da influência de sistemas sociais externos.

Suas obras principais incluem *Studies in Ethnomethodology* (1967). Ver também J. Heritage, *Garfinkel and Ethnomethodology* (1984).

Giddens, Anthony (1938-) Giddens é um sociólogo britânico que publicou numerosos trabalhos na área da teoria sociológica. Seus interesses incluem a teoria clássica, CLASSE SOCIAL e ESTRATIFICAÇÃO sob o CAPITALISMO, e MUDANÇA SOCIAL. Ele é talvez mais conhecido por sua teoria de estruturação, que estuda a ligação entre indivíduos e sistemas sociais (ver AÇÃO E ESTRUTURA).

As obras de grande valor que escreveu incluem *Capitalismo e a teoria social moderna* (1971); *Política e sociologia no pensamento de Max Weber* (1972); *A estrutura de classe das sociedades avançadas* (1973); *Novas regras do método sociológico* (1976); *Estudos de teoria social e política* (1977); *Émile Durkheim* (1978): *Problemas centrais da teoria social* (1979); *Uma crítica contemporânea do materialismo* (1981); *Sociologia* (1982); *Perfis e críticas da teoria social* (1983); *A constituição da sociedade* (1984); e *A nação-estado e a violência* (1985).

Gilman, Charlotte Perkins (1860-1935) Embora talvez mais conhecida por seu relato ficcional do colapso nervoso de uma mulher em condições sociais opressivas impostas pela PATRIARQUIA (*The Yellow Wallpaper*), Gilman foi uma prolífica cientista social, cujas obras abrangeram várias disciplinas além da sociologia. Ainda que ativa em numerosos movimentos de reforma social, seu principal interesse era o status das mulheres e as consequências opressivas da dependência delas dos homens e a escolha que elas têm que fazer frequentemente entre trabalho doméstico e trabalho fora de casa. Interessavam-a especialmente as experiências de mulheres em sociedades capitalistas industriais e a repressão de seu potencial intelectual e produtivo. Contemporânea de Jane ADDAMS, foi cofundadora do Women's Peace Party e promoveu ativamente o sufrágio feminino.

Visionária que acreditava profundamente nas mulheres e na capacidade de indivíduos de agir em prol da MUDANÇA SOCIAL, Gilman apresentou uma série de argumentos contra a teoria de que o desenvolvimento humano é determinado por fatores evolutivos. Suas visões utópicas da vida após a patriarquia dependiam profundamente da ideia de que um mundo organizado em torno da capacidade de carinho, compaixão e criação das mulheres seria superior ao modelo masculino imposto pela patriarquia.

Entre suas obras principais, destacam-se *The Yellow Wallpaper* (1899); *Women and Economics* (1898); *The Home: Its Work and Influences* (1903); *The Man-Made World* (1911); *Herland* (1915); *His Religion and Hers* (1923); e *The Living of Charlotte Perkins Gilman: An Autobiography* (1935). Ver também *The Charlotte Perkins Gilman Reader*, organizado por Ann J. Lane (1980) e *Women in Sociology*, organizado por Mary Jo Deegan.

Goffman, Erving (1922-82) Sociólogo nascido no Canadá, Goffman é uma das grandes figuras da perspectiva da interação simbólica nos Estados Unidos. Tornou-se principalmente conhecido pela PERSPECTIVA TEATRAL, que assemelha a vida social a um teatro, no qual atores criam impressões de si mesmos e representam para plateias enquanto, simultaneamente, servem de audiência para outros atores. Suas cuidadosas e detalhadas observações da vida diária e dos mecanismos usados por pessoas para se movimentarem através de suas interações com outros indivíduos formam um corpo de trabalho fascinante e esclarecedor. O método levou-o também a estudar representação de PAPÉIS (ver PAPÉIS, CONFLITO DE), desvio e seus efeitos sobre a identidade pessoal (ver ESTIGMA), instituições para tratamento de doentes mentais (ver INSTITUIÇÃO TOTAL) e o papel da publicidade na desigualdade dos sexos.

Suas principais obras incluem *A representação do eu na vida cotidiana* (1959); *Asilos* (1961); *Encontros* (1961); *Comportamento em lugares públicos* (1963); *Estigma: notas sobre a administração da falsa identidade* (1963); *Ritual interativo: anúncios sexuais* (1967); e *Formas de falar* (1981). Ver também Phillip Manning, *Erving Goffman and Modern Sociology* (1992).

Goldthorpe, John (1935-) O sociólogo britânico Goldthorpe é mais conhecido por seu trabalho sobre ESTRATIFICAÇÃO, MOBILIDADE SOCIAL e CLASSE SOCIAL, em especial através de estudos sobre o trabalhador afluente, realizados em colaboração com David LOCKWOOD e outros autores.

Entre suas grandes obras, contam-se *The Affluent Worker: Industrial Attitudes and Behavior* (1968); *The Affluent Worker: Political Attitudes and Behavior* (1968): *The Affluent Worker in the Class Structure* (1969): *The Social Grading of Occupations: A New Approach and Scale* (1974); *Social Mobility and Class Structure in Modern Britain* (1980); e *Order and Conflict in Contemporary Capitalism* (1985).

Gouldner, Alvin (1920-80) Gouldner foi um sociólogo norte-americano mais conhecido por sua análise crítica da PERSPECTIVA FUNCIONALISTA e o marxismo, especialmente da forma praticada na antiga União Soviética. Influenciado por Max WEBER, pela TEORIA CRÍTICA da Escola de Frankfurt e pela sociologia radical de C. Wright MILLS, Gouldner preocupava-se com a relutância de numerosos sociólogos em trabalhar pela mudança social progressiva, orientados por valores de base objetiva.

Suas principais obras incluem *Patterns of Industrial Bureaucracy* (1954); *Wildcat Strike* (1955); *Notes on Technology and the Moral Order* (1962); *Enter Plato* (1965); *The Coming Crisis of Western Sociology* (1970); *The Dialectic of Ideology and Technology* (1976); *The Future of Intellectuals and the Rise of the New Class* (1979); *The Two Marxisms: Contradictions and Anomalies in the Development of Theory* (1980); e *Against Fragmentation: The Origins of Marxism and the Sociology of Intellectuals* (1985).

Gramsci, Antonio (1891-1937) Marxista italiano, Gramsci trabalhou inicialmente como jornalista e envolveu-se em movimentos pela instauração da democracia operária, que considerava como uma alternativa ao sistema parlamentar de governo. Preso e recolhido à prisão em 1926 como membro do Partido Comunista, Gramsci cumpriu dez anos de pena escrevendo sua maior obra, *Prison Notebooks*. Na busca de uma alternativa ao DETERMINISMO econômico do marxismo ortodoxo, argumentou que a opressão de classe depende não só de arranjos econômicos ou de coerção do Estado, mas também de certo grau de aceitação pela classe operária. Isso, por sua vez, depende do papel independente da IDEOLOGIA e da política, ao definir relações opressivas de classe como normais e legítimas (ver HEGEMONIA). Como defensor de mudança social radical, Gramsci defendeu também a importância de combinar a teoria com a prática (ver PRÁXIS).

Suas grandes obras incluem *Maquiavel, a política e o Estado moderno* (1959); e textos incluídos em *Escritos selecionados dos cadernos da prisão* (1929-35); e *Escritos políticos selecionados* (1921-6). Ver também C. Mouffe, *Gramsci e a teoria marxista* (1979).

Habermas, Jürgen (1929-) Habermas é um teórico social alemão cujos interesses se estendem por uma faixa extraordinariamente vasta. Embora enraizado na TEORIA CRÍTICA da Escola de Frankfurt, sua obra abrange numerosas disciplinas — das ciências sociais à linguística e à filosofia. Seu principal interesse tem sido o papel do conhecimento em relação à sociedade em geral e ao capitalismo em particular (ver HERMENÊUTICA).

Habermas argumenta que o conhecimento científico objetivo não promove mais a libertação e o iluminismo; ao contrário, serve como uma ideologia que apoia o status quo. Isso ocorre principalmente porque, para o conhecimento ser válido, ele tem que resultar de diálogo livre e aberto, que é severamente limitado por restrições políticas e de outras naturezas sob o CAPITALISMO. Em outra obra, Habermas analisou o problema da legitimidade nas sociedades capitalistas modernas que são, afirma, cheias de CONTRADIÇÕES, crises e conhecimento distorcido.

Entre suas obras, destacam-se *Teoria e prática* (1971); *Conhecimento e interesse* (1968); *Frente à sociedade racional* (1968-9); *Crise de legitimação do capitalismo tardio* (1973); *Comunicação e a evolução da sociedade* (1976); e *Teoria da ação comunitária*, 2 vols. (1984, 1988).

Halsey, A.H. (1923-) O sociólogo britânico Halsey estudou principalmente a relação entre educação e CLASSE SOCIAL, FAMÍLIA e MOBILIDADE SOCIAL. Tem se mostrado particularmente interessado em identificar condições sociais nas quais a igualdade, a liberdade e a fraternidade poderiam ser possíveis em qualquer sociedade, bem como nas forças sociais que as deixam hoje irrealizadas na maior parte. Foi especialmente influente em seu esforço, após a Segunda Guerra Mundial, para reformar o sistema educacional britânico, com vistas a promover a igualdade de oportunidades.

Suas obras de maior valor incluem *Social Class and Educational Opportunity* (1956); *Education, Economy, and Society* (1961); *Trends in British Society since 1900* (1972); *Power and Ideology in Education* (1977); *Change in British Society* (1978); e *Origins and Destinations* (1980).

Homans, George C. (1910-) Sociólogo norte-americano, Homans é mais conhecido por seu trabalho sobre a TEORIA DA TROCA e por suas opiniões sobre a natureza da vida social. Baseado em trabalho com pequenos grupos e interação social, Homans formulou o argumento controvertido de que a vida social é um produto exclusivo da psicologia individual e dos princípios econômicos da troca, e não de SISTEMAS SOCIAIS e FATOS SOCIAIS (ver INDIVIDUALISMO METODOLÓGICO).

Suas obras principais incluem *The Human Group* (1948); *Social Behavior: its Elementary Forms* (1961); *Sentiments and Activities* (1962); e *The Nature of Social Science* (1967). Ver também Lewis A. Coser, *Masters of Sociological Thought*, 2ª ed. (1977).

Huber, Joan (1925-) Socióloga e prolífica escritora norte-americana, Huber é mais conhecida por ter trabalhado no sentido de incluir a estratificação de gêneros no estudo geral da ESTRATIFICAÇÃO social. Realizou isso ligando principalmente o envolvimento de mulheres na família e na FORÇA DE TRABALHO a mudanças na tecnologia e nas taxas de natalidade. Mais recentemente, esse estudo deu origem a uma teoria geral da FAMÍLIA. Embora seu enfoque seja essencialmente sociológico, recorre também a história, DEMOGRAFIA, economia, antropologia e ciência política.

Huber é respeitada também pela liderança que exerceu ao expandir a sociologia nos Estados Unidos, de forma a incluir as mulheres. Além de servir como presidente da American Sociological Association, foi cofundadora da Sociologists for Women in Society.

Suas principais obras incluem *Income and Ideology*, em colaboração com William Form (1973); *Sex Stratification,* com Glenda Spitze (1983); *Marxist Theory and Indian Communism,* com Charles Loomis (1970); e *Sex Stratification*, com Patricia Ulbrich (1983). Ver também *Women in Sociology*, organizado por Mary Jo Deegan (1991).

Hughes, Helen MacGill (1903-) Hughes é uma socióloga norte-americana que deu importantes contribuições ao progresso da sociologia como profissão, mas estas permaneceram na maior parte ignoradas em uma disciplina dominada pelos homens. Além de trabalhos clássicos sobre a mídia, serviu durante 17 anos como diretora do *American Journal of Sociology*, foi uma das fundadoras da Sociologists for Women in Society e realizou trabalho importante para documentar o status de segunda classe das mulheres na sociologia. Seus trabalhos sociológicos publicados incluem também obras sobre relações sociais, ocupações e ecologia humana, embora estas tenham passado na maior parte despercebidas devido a seu sexo e à eminência de seu marido, Everett C. Hughes.

De suas obras principais constam *News and the Human Interest Story* (1940); *The Fantastic Lodge: The Autobiography of a Girl Drug Addict* (1961); *Where Peoples Meet: Racial and Ethnic Frontiers*, em colaboração com Everett C. Hughes (1952); *Twenty Thousand Nurses Tell Their Story*, com Everett C. Hughes e Irwin Deutscher (1958); *The Status of Women in Sociology, 1968-1972* (1973); e uma série de coletâneas que organizou sobre vários tópicos sociológicos, destinadas a escolas secundárias e publicadas pela Allyn and Bacon. Ver também *Women in Sociology*, organizado por Mary Jo Deegan (1991).

Kollontai, Alexandra (1872-1952) Embora nascida na aristocracia russa, Kollontai foi uma ilustre intelectual, mais conhecida por seu trabalho sobre mulheres e a família, vistas da perspectiva do marxismo revolucionário. Como palestrante e autora feminista, exerceu grande atividade política antes e depois da Revolução Russa, ajudando a organizar o Primeiro Congresso Feminino de Todas as Rússias e participando de comitês dirigentes pós-revolucionários. Seus trabalhos escritos incluem originais análises marxistas do direito das mulheres à independência econômica e ao controle de sua sexualidade. Foi autora de importantes e inovadoras formulações sobre a ligação entre maternidade, FEMINISMO, trabalho e ESTADO.

Suas obras principais incluem *Fundamentos sociais da questão feminina* (1909); *Sociedade e maternidade* (1913); *O comunismo e a família* (1920); *Autobiografia de uma mulher comunista sexualmente emancipada* (1971); *Relações sexuais e luta de classe* (1972); e *Alexandra Kollontai: Artigos selecionados e discursos* (1984). Ver também *Women in Sociology*, organizado por Mary Jo Deegan (1991).

Kuhn, Thomas (1922-) Kuhn é um historiador da ciência norte-americano que desempenhou um importante papel para tornar o trabalho científico mais compreensivo para os sociólogos. O argumento básico de Kuhn diz que a ciência não é diferente de qualquer outro fenômeno social, o que significa que é influenciada e moldada pelas características culturais e estruturais dos sistemas sociais em que é realizado o trabalho científico. Em sociologia, é mais conhecido pela discussão do processo da REVOLUÇÃO CIENTÍFICA, através da qual um paradigma é substituído por outro.

Suas obras mais notáveis incluem *A estrutura das revoluções científicas* (1962), e *A tensão essencial* (1977).

Lazarsfeld, Paul F. (1901-76) Nascido na Áustria, Lazarsfeld emigrou para os Estados Unidos em 1933 e tornou-se figura de destaque no desenvolvimento de métodos quantitativos em SOCIOLOGIA. Fundou o Bureau of Applied Research, na Universidade de Columbia, a primeira organização de pesquisa de levantamento dentro de uma universidade em todo o mundo. Posteriormente, trabalhou para transformar a pesquisa de levantamento e a análise de dados, através de TABULAÇÃO CRUZADA, em grandes instrumentos para submeter a teste ideias sociológicas. É mais conhecido por seu trabalho sobre COMUNICAÇÃO DE

MASSA, SOCIOLOGIA MATEMÁTICA, e COMPORTAMENTO ELEITORAL.

Entre suas obras principais, destacam-se *The People's Choice: How the Voter Makes Up His Mind in a Presidential Campaign* (1944); *Mathematical Thinking in the Social Sciences* (1954); *Personal Influence: The Part Played by People in the Flow of Mass Communications* (1955); *Latent Structure Analysis* (1968); e *Qualitative Analysis: Historical and Critical Essays* (1971).

Lévi-Strauss, Claude (1908-) Antropólogo ESTRUTURALISTA francês, Lévi-Strauss é conhecido sobretudo por seu trabalho sobre LINGUAGEM, SEMIÓTICA, MITO e PARENTESCO em sociedades tribais. Seu argumento básico é que a cultura visível reflete construtos mentais subjacentes que são universais e inerentes aos seres humanos como espécies. Embora a ideia geral de que a realidade social superficial reflete estruturas subjacentes tenha interesse sociológico, as ideias de Lévi-Strauss pouco influenciaram os sociólogos modernos.

Suas obras principais incluem *As estruturas elementares do parentesco* (1949); *Antropologia estrutural* (1949); *O pensamento selvagem* (1962); *Totemismo hoje* (1962); e *Mitologias*, 4 vols. (1964).

Lipset, Seymour Martin (1922-) Sociólogo norte-americano, Lipset tem sido uma figura de destaque no estudo da MOBILIDADE SOCIAL, das causas e consequências da MODERNIZAÇÃO, das condições que apoiam e sustentam o desenvolvimento da DEMOCRACIA em Estados e sindicatos, e dos MOVIMENTOS SOCIAIS.

Entre suas obras, destacam-se *Agrarian Socialism* (1950); *Union Democracy* (1956); *Social Mobility in Industrial Society* (1959); *Political Man: the Social Bases of Politics* (1960); *The First New Nation: The United States in Historical and Comparative Perspective* (1963); *Party Systems and Voter Alignment* (1967); e *Revolution and Counter-Revolution* (1969).

Lockwood, David (1929-) Lockwood é um sociólogo britânico cujo trabalho focaliza-se principalmente em ESTRATIFICAÇÃO e CLASSE SOCIAL. Colaborou com John GOLDTHORPE e outros autores em estudos sobre trabalhadores afluentes.

Suas principais obras incluem *The Blackcoated Worker* (1958); *The Affluent Worker: Industrial Attitudes and Behavior* (1968); *The Affluent Worker: Political Attitudes and Behavior* (1968); e *The Affluent Worker in the Class Structure* (1969).

Lopata, Helen Znaniecki (1925-) Filha do famoso sociólogo de Chicago, Florian Znaniecki, Lopata é conhecida por seus percucientes estudos de mulheres e da viuvez. Desde seu trabalho inicial a respeito de donas-de-casa suburbanas a análises pioneiras dos efeitos da mudança social sobre mulheres idosas, Lopata forneceu importantes recursos a formuladores da política social e a estudiosos da vida social. Trabalhando principalmente a partir da perspectiva do interacionismo simbólico, sua obra inclui também críticas à teoria do papel do sexo e o desmascaramento de numerosos mitos sobre grupos étnicos imigrantes nos Estados Unidos.

Entre suas obras, figuram com destaque *Occupation Housewife* (1971); *Widowhood in an American City* (1972); *Polish Americans: Status Competition in an Ethnic Community* (1976); *Women as Widows: Support Systems* (1979); e *Widows: The Middle East, Asia, and the Pacific*, vol. 1, e *North America*, vol. 2 (1987). Ver também *Women in Sociology,* orgnizado por Mary Jo Deegan (1991).

Lukács, Georg (1885-1971) Lukács foi um filósofo marxista e teórico literário húngaro que despertou controvérsias tanto por seus trabalhos escritos quanto por seu ativismo político como membro do Partido Comunista. Aluno de Georg SIMMEL e Max WEBER, Lukács interessava-se principalmente pelo poder da consciência da classe operária para produzir uma compreensão da história que fosse original e que tivesse potencial revolucionário. Deu grandes contribuições ao estudo sociológico da literatura como produto cultural moldado pelos tempos em que é escrita e que os reflete.

Entre suas obras principais, figuram com destaque *Teoria do romance* (1920); *História e consciência de classe* (1923); *O romance histórico* (1937); *O assalto à razão* (1954); *O significado do realismo contemporâneo* (1963); *Estética* (1963); *Estudo sobre o realismo europeu* (1972); e *A ontologia do ser social* (1978). Ver também Arpad Kadarkay, *Georg Lukács: vida, pensamento e política* (1991).

Lynd, Helen Merrell (1896-1982) Com vasta formação em filosofia, história, psicologia social e sociologia, Lynd é mais conhecida por seus estudos clássicos (em colaboração com o marido, Robert S. Lynd) da vida comunitária na América. O "Middletown Studies" estabeleceu um padrão para a pesquisa comunitária e, a despeito de mais de 60 anos transcorridos, ainda contém numerosos *insights* a oferecer aos pesquisadores modernos.

Lynd estava interessada acima de tudo em compreender o papel que comunidades desempenham na desigualdade social e na criação de significado na vida humana. Esses interesses continuaram em seu trabalho posterior sobre democracia e identidade social, como condições moldadas pela participação do indivíduo na vida social.

Na sua bibliografia, destacam-se *Middletown: A Study in Contemporary American Culture,* em colaboração com Robert S. Lynd (1929); *Middletown in Transition: A Study in Cultural Conflicts*, com Robert S. Lynd (1935); *England in the Eighteen Eighties: Toward a Social Basis for Freedom* (1944); *Field Work in College Education* (1945); *On Shame and the Search for Social Identity* (1958); *Toward Discovery* (1965); e *Possibilities* (1983). Ver também *Women in Sociology,* organizado por Mary Jo Deegan (1991).

Malinowski, Bronislaw (1884-1942) Antropólogo polonês que passou a maior parte de sua vida profissional na Grã-Bretanha, Malinowski é conhecido tanto por seus métodos quanto pelas descobertas deles resultantes. Deu grandes contribuições ao estudo da magia e do comportamento sexual e, juntamente com Alfred RADCLIFFE-BROWN, foi figura de destaque no desenvolvimento da PERSPECTIVA FUNCIONALISTA em antropologia. Metodologicamente, realizou grande trabalho para criar a tradição EMPÍRICA na antropologia britânica. Especializado em ETNOGRAFIA, realizou profundas e detalhadas observações das sociedades tribais, com as quais viveu nas ilhas Trobriand e na Nova Guiné (ver OBSERVAÇÃO PARTICIPATIVA).

Merecem destaque em sua bibliografia *Argonautas do Pacífico Ocidental* (1922); *Sexo e repressão na sociedade selvagem* (1927); *A vida sexual dos selvagens* (1929); *Jardins de corais e sua mágica* (1935); e *Uma teoria científica da cultura* (1944).

Mann, Michael (1942-) Mann, sociólogo e historiador britânico, é conhecido sobretudo por seu trabalho sobre ESTRATIFICAÇÃO social, especialmente em relação à história e à natureza do PODER na vida social. Ele afirma, por exemplo, que o poder tem várias origens diferentes — militar, econômica, política e ideológica — e que elas explicam a sua natureza mutável na história da vida social.

Consciousness and Action among the Western Working Class (1973) e *Sources of Social Power* (1986) figuram entre suas principais obras.

Mannheim, Karl (1893-1947) Mannheim foi um sociólogo húngaro que emigrou para a Inglaterra em 1933, fugindo da Alemanha nazista. Constituiu uma influência poderosa na modelação da sociologia do CONHECIMENTO, especialmente sob a forma de IDEOLOGIA. Seu argumento básico era que o conhecimento produzido em uma sociedade é moldado pela maneira como a própria sociedade é organizada — por sua cultura e estrutura. Por extensão, o que o indivíduo sabe depende de sua localização na estrutura da sociedade, incluindo, mas não sendo limitado, por fatores como CLASSE SOCIAL. Como parte de seu trabalho na sociologia do conhecimento, Mannheim lutou com o problema do relativismo: se o que é considerado verdadeiro é socialmente localizado e determinado, então não pode haver uma base objetiva para a verdade.

Importante entre seus outros interesses era o problema da SOCIEDADE DE MASSA — a falta de COESÃO e significado na vida moderna, que ele atribuía principalmente à dinâmica do CAPITALISMO.

Entre suas obras, vale destacar *Ideologia e utopia* (1929); *Man and Society in the Age of Social Reconstruction* (1940); *Diagnosis of Our Time* (1943); *Freedom, Power, and Democratic Planning* (1951); *Essays on the Sociology of Knowledge* (1952); *Essays on Sociology and Social Psychology* (1953); e *Essays on the Sociology of Culture* (1956). Ver também Lewis A. Coser, *Masters of Sociological Thought*, 2ª ed.(1977).

Marcuse, Herbert (1898-1979) Filósofo e teórico social alemão, Marcuse esteve fortemente ligado ao método da TEORIA CRÍTICA da Escola de Frankfurt, que forneceu um tema unificador aos seus variados interesses. Tornou-se conhecido principalmente por sua análise crítica do CAPITA-

LISMO, MARXISMO (especialmente da forma praticada na antiga União Soviética), REVOLUÇÃO e liberdade humana, TECNOLOGIA e MUDANÇA SOCIAL, sexualidade e o destino do indivíduo na sociedade moderna. Suas ideias tiveram grande eco entre os radicais nos Estados Unidos e na Europa durante a década de 1960.

Suas obras principais incluem *Razão e revolução* (1941); *Eros e civilização* (1955); *Marxismo soviético* (1961); *Ideologia da sociedade industrial* (1964); *Negações* (1968); e *Um ensaio da liberação* (1969).

Marshall, Thomas H. (1873-1982) Historiador e sociólogo britânico, Marshall estudou principalmente o problema da cidadania e a relação entre a DEMOCRACIA econômica e a política. Ele argumentava que há uma contradição básica entre os direitos políticos dos cidadãos — tal como bem-estar — e a desigualdade de CLASSE SOCIAL, da forma modelada pelo CAPITALISMO. A maneira como a desigualdade de classe afeta a democracia política e como esta ameaça a base da desigualdade de classe constituíram temas importantes em sua obra, que é em geral considerada crucial para entender a cidadania como fenômeno social.

Suas principais obras são *Cidadania, classe social e status* (1950); *Sociology at the Crossroads* (1963); *Social Policy* (1970); e *The Right to Welfare and Other Essays* (1981).

Martineau, Harriet (1802-76) Martineau pode ser considerada quase sem contestação como a primeira socióloga, equiparando-se na profundidade e amplidão de seu trabalho aos seus contemporâneos mais conhecidos, como DURKHEIM e WEBER. Autora prolífica, publicou dezenas de livros e centenas de artigos sobre temas sociológicos, variando de saúde no trabalho e ECONOMIA POLÍTICA a RELIGIÃO, CLASSE SOCIAL, SUICÍDIO, escravidão e direitos das mulheres. Foi a primeira a traduzir o *Cours de Philosophie Positive*, de Auguste COMTE, para o inglês, tornando-o conhecido pela primeira vez de seus concidadãos britânicos e dos Estados Unidos. Escreveu o primeiro tratado sistemático sobre métodos de pesquisa sociológica, isso várias décadas antes que seus colegas homens se interessassem por esses problemas. Visitou os Estados Unidos e escreveu uma penetrante análise da vida na América, semelhante em amplidão e *insight* ao trabalho mais conhecido de Alexis de TOCQUEVILLE. Ainda assim, foi na maior parte esquecida em sociologia, principalmente porque, como tantas das primeiras sociólogas, seus trabalhos eram ignorados por uma profissão dominada por homens.

Suas principais obras incluem *Illustrations of Political Economy*, 6 vols. (1832-34); *Society in América*, 3 vols. (1837); *How to Observe Morals and Manners* (1838); *Eastern Life, Present and Past* (1848); *Household Education* (1849); *England and Her Soldiers* (1859); *Health, Husbandry, and Handicraft* (1861); e *Harriet Margineau's Autobiography* (1877). Ver também *Women in Sociology*, organizado por Mary Jo Deegan (1991), e Robert K. Webb, *Harriet Martineau: A Radical Victorian* (1960).

Marx, Karl (1818-83) Juntamente com Émile DURKHEIM e Max WEBER, Marx é em geral considerado como uma das figuras mais importantes no desenvolvimento do pensamento sociológico. Com formação em filosofia, direito e economia, Marx iniciou sua carreira como professor, mas foi obrigado a deixar o cargo e, finalmente, também a Alemanha natal devido a seu ativismo político e oposição ao Estado prussiano. Da vida universitária passou ao jornalismo e ao ativismo político e, em seguida, à pesquisa e à literatura, após sua mudança para Londres em 1849. Nessa cidade, fez amizade com um industrial, Friedrich ENGELS, que se tornou seu colaborador e benfeitor e ajudou-o durante alguns dos períodos mais difíceis de pobreza da família. Pelo resto da vida, Marx dedicou-se ao estudo da economia e de sua interação dinâmica com a vida social.

Nos seus primeiros trabalhos, Marx desenvolveu interesse pela ALIENAÇÃO, especialmente sob a forma produzida pelas condições de trabalho. Mais tarde na carreira, mudou a atenção para a conexão entre economia e vida social. Ele argumentava, por exemplo, que a organização da vida econômica — fosse como Estado feudal ou capitalismo industrial — afetava todos os demais aspectos da vida social, da FAMÍLIA à RELIGIÃO e a CULTURA POPULAR (ver BASE E SUPERESTRUTURA; CONSCIÊNCIA E FALSA CONSCIÊNCIA DE CLASSE; IDEOLOGIA). Uma das mais profundas consequências de tudo isso residia na criação e perpetuação dos sistemas de CLASSE SOCIAL, nos quais as classes dominantes apropriavam-se da riqueza produzida pelas classes subordinadas. Embora o sistema de classe tivesse existido, sob variadas formas, durante milhares de anos, Marx queria principalmente entender o CAPITALISMO, na medida em que expandia rapidamente seu domínio sobre o mundo do século XIX.

Ao analisar o capitalismo como sistema dinâmico, Marx formulou também uma teoria da história baseada na ideia de que sistemas geram suas próprias CONTRADIÇÕES internas e que estas, por seu lado, produzem estresse e tensão que, em última análise, são solucionados através de MUDANÇA SOCIAL. É muito grande a probabilidade de que as contradições estimulem o CONFLITO DE CLASSE, que ele considerava como o principal motor da mudança social. Uma vez que tudo isso envolvia sistemas econômicos, cujo principal foco eram os aspectos materiais da vida humana, o método de Marx de estudar a vida social e a história é frequentemente descrito como uma forma de MATERIALISMO. A profunda dependência de Marx da visão materialista de vida social é, talvez, o aspecto mais controvertido de seu enfoque, que é criticado como chegando às raias do DETERMINISMO.

Embora a obra de Marx tenha sido submetida a um alto grau de crítica, o fato de que continue a despertar tanta atenção confirma sua relevância duradoura para a compreensão da vida sob o capitalismo industrial. Embora Marx não se identificasse explicitamente como sociólogo, ele desempenhou um papel decisivo no desenvolvimento da sociologia como ponto de vista de estudo, ao concentrar-se na maneira como sistema sociais geram consequências que afetam numerosas pessoas, bem como motivos e comportamento individuais. Para Marx, os "males" do capitalismo não eram causados por indivíduos maus, mas por um sistema organizado de um modo que gerava consequências más.

Entre suas principais obras, cumpre destacar "Crítica da filosofia do direito de Hegel: introdução" in *Temas de ciências humanas* traduzido e editado por L.D. Easton e K. Guddat [1893] 1967; "Teses sobre Feuerbach", em Friedrich Engels, *Feuerbach e o fim da filosofia clássica alemã* [1845] 1935; *O 18 Brumário de Louis Bonaparte* [1852] 1934; *Contribuição à critica da economia política* [1859] 1970; *O capital: crítica da economia política*, 3 vols. [1867, 1885, 1894] 1975; *Manuscritos econômico-filosóficos de 1844*, traduzido por Tom Bottomore (1961); *A ideologia alemã*, em colaboração com Friedrich Engels [1845] 1965; *O manifesto comunista* [1848] 1932. Ver também Lewis A. Coser, *Masters of Sociological Thought*, 2ª ed. (1977); T.B. Bottomore, *Marxist Sociology* (1975); e D. McLellan, *Karl Marx* (1973).

Mead, George Herbert (1863-1931) Sociólogo, filósofo e psicólogo social da Universidade de Chicago (ver ESCOLA DE CHICAGO), Mead realizou trabalho pioneiro no desenvolvimento da perspectiva da interação simbólica. Ele, como seu colega Charles Horton COOLEY, interessava-se pela relação entre indivíduos e sociedades, sobretudo na medida em que isso afeta como o SELF é formado e funciona em relação ao OUTRO. Juntamente com o conceito de IMAGEM DE ESPELHO, de Cooley, Mead formulou os conceitos de EU, SELF e MENTE para explicar nossa capacidade de assumir papéis sociais, de nos ver e refletir sobre nós mesmos (ver REFLEXIVIDADE), a internalizar expectativas sociais, e a estabelecer uma conversa interna, através da qual prevemos as expectativas e comportamento de outras pessoas.

Suas principais obras incluem *Mind, Self, and Society* (1934); *The Philosophy of the Act* (1938); e *The Philosophy of the Present* (1959). Ver também Lewis A. Coser, *Masters of Sociological Thought*, 2ª ed. (1977).

Mead, Margaret (1901-78) Mead, antropóloga norte-americana, deu contribuições importantes à compreensão da socialização, adolescência, relações entre gerações e gênero. É mais conhecida por seu trabalho sobre a importância da natureza e cultura na formação da personalidade humana. Os estudos de Mead sobre sociedades tribais levaram-na a concluir que a cultura, e não a biologia, era o principal fator no desenvolvimento humano.

As principais obras de Mead incluem *Coming of Age in Samoa* (1928); *Growing up in New Guinea* (1930); *Sex and Temperament in Three Primitive Societies* (1935); *Male and Female* (1949); *New Lives for Old* (1956); *Culture and Commitment* (1970); *Science and the Concept of Race* (1970); e *Twentieth Century Faith* (1972).

Merton, Robert K. (1910-) Merton é geralmente considerado uma das figuras mais ilustres da sociologia norte-americana neste século. Desde seus dias como aluno de Talcott PARSONS e, subsequentemente, como colega de Paul LAZARSFELD no Bureau of Applied Research, da Universidade de Columbia, Merton tem dado duradouras contribuições à compreensão crítica de uma grande variedade de assuntos fundamentais, incluindo os conceitos de ESTRUTURA SOCIAL, PERSPECTIVA FUNCIONALISTA, CIÊNCIA; DESVIO (ver ANOMIA; ESTRUTURA DE OPORTUNIDADES), COMUNICAÇÃO DE MASSA, teoria do PAPEL e BUROCRACIA. Sua dissertação de doutorado sobre o desenvolvimento da ciência no século XVII é em geral creditada por ter provocado uma grande mudança nos métodos sociológicos de estudar a ciência, que influencia desde então o trabalho nesse campo.

Durante toda a sua carreira, Merton tem se preocupado em formular teorias sociológicas importantes, que podem ser submetidas a testes empíricos, em encontrar uma AMPLITUDE MÉDIA entre o que C. Wright MILLS criticou como abstrações inverificáveis da TEORIA GERAL e a trivialidade do EMPIRISMO ABSTRATO. A opinião geral de Merton sobre vida social fundamenta-se na ideia de que as opções que pessoas fazem como indivíduos são socialmente estruturadas, concedendo-lhes o potencial para certo grau de criatividade e autodeterminação, mas também estabelecendo limites às alternativas entre as quais podem escolher.

As principais obras de Merton incluem *Science, Technology, and Society in Seventeenth-Century England* (1938); *Mass Persuasion* (1946); *The Focused Interview: A Manual of Problems and Procedures* (1956); *On the Shoulders of Giants* (1965); *Social Theory and Social Structure*, ed. ampl. rev. (1968); *The Sociology of Science: Theoretical and Empirical Investigations* (1973); e *Sociological Ambivalence and Other Essays* (1976). Ver também *The Idea of Social Structure: Papers in Honor of Robert K. Merton,* organizado por Lewis A. Coser (1975).

Michels, Robert (1876-1936) Sociólogo alemão formado também em história e economia, Michels trabalhou nos problemas relacionados com CONFLITO DE CLASSE, REVOLUÇÃO, DEMOCRACIA, FASCISMO, imperialismo, NACIONALISMO, COMUNICAÇÃO DE MASSA e o papel dos intelectuais na mudança social. É talvez mais famoso por sua lei de ferro da OLIGARQUIA, da forma aplicada à DEMOCRACIA nos SINDICATOS. Sua influência é muito grande, contudo, em todo o estudo das organizações políticas e de outros tipos.

Obras principais: *Partidos políticos* (1911) e *Primeiras lições sobre sociologia política* (1927-36).

Mills, C. Wright (1916-62) Mills foi um sociólogo norte-americano famoso por suas ideias algo radicais e, não raro, por críticas polêmicas à sociedade moderna e à prática sociológica. Criticava, por exemplo, a tendência para formulação de TEORIAS GERAIS, que careceriam de fundamentos em dados e experiência do mundo real, mas criticava também o EMPIRISMO ABSTRATO, que se focalizava na análise de massas de dados sem um arcabouço teórico com o qual interpretá-los. Ambas as orientações, acreditava, distraíam os sociólogos do que considerava como tarefa fundamental, a de ajudar a produzir mudança progressiva. Como sociólogo praticante, interesssava-se principalmente pela desigualdade social, o poder das ELITES, a CLASSE MÉDIA em declínio, a relação entre indivíduos e SOCIEDADE, e a importância de uma perspectiva histórica como parte fundamental do pensamento sociológico.

Suas obras mais conhecidas são *Ensaios de sociologia* (1946), que organizou e traduziu; *A nova classe média* (1951); *Character and Social Structure* (1953); *A elite do poder* (1956); *A imaginação sociológica* (1959); *The Marxists* (1962); e *Power, Politics, and People: The Collected Essays of C. Wright Mills* (1962). Ver também Herbert Aptheker, *O mundo de C. Wright Mills* (1960), e *A nova sociologia: Ensaios de ciência e teoria sociais em homenagem a C. Wright Mills,* organizado por Irving Louis Horowitz (1964).

Moore, Barrington (1913-) Moore é um sociólogo norte-americano com um profundo interesse pelos métodos comparativo e histórico para compreender a vida social. É especializado em sociologia política e econômica e na maneira como sistemas de classe e industrialização moldaram sistemas políticos como DEMOCRACIA, FEUDALISMO e COMUNISMO na Europa, Estados Unidos, Japão, China e na antiga União Soviética. Seus interesses incluem também a condição humana, a guerra e a privacidade.

Suas obras principais incluem *Soviet Politics* (1950); *Terror and Progress USSR* (1954); *Political Power and Social Theory* (1958); *Social Origins of Dictatorship and Democracy* (1968); *Reflexão sobre as causas da miséria humana* (1972); *Injustice* (1978); e *Privacy: Studies in Social and Cultural History* (1984).

Mosca, Gaetano (1858-1941) Juntamente com Vilfredo PARETO e Robert MICHELS, Mosca, político e cientista político italiano, desempenhou um papel importante ao desenvolver o estudo das ELITES. Mosca argumentava que a dominação da sociedade por uma classe dominante era inevitável e que o povo não governa nem nas democracias representativas.

Suas obras principais incluem *A classe governante* (1896). Ver também James H. Meisel, *O mito da classe governante: Gaetano Mosca e a "Elite" (1958).*

Myrdal, Alva (1902-86) Socióloga sueca cuja obra incluía ciência política e econômica, Myrdal distinguiu-se por seu trabalho pelo desarmamento nuclear e a paz mundial. Em seus estudos, ela pesquisou principalmente as questões da paz e da guerra, planejamento populacional, a família e os direitos das mulheres. Acreditava na importância da análise e compreensão sociológica para promover a MUDANÇA SOCIAL progressiva e pôs estes princípios em prática em anos de serviços às Nações Unidas. Por seu trabalho, foi contemplada com numerosos prêmios de paz, incluindo o Prêmio Nobel da Paz de 1982.

Entre suas obras, destacam-se *Nations and Family: The Swedish Experience in Democratic Family and Population Policy* (1941); *Women's Two Roles: Home and Work,* em colaboração com Viola Klein (1956); e *The Game of Disarmament: How the United States and Russia Run the Arms Race* (1976). Ver também *Women in Sociology,* organizado por Mary Jo Deegan (1991).

Pareto, Vilfredo (1848-1923) Engenheiro, economista e sociólogo italiano nascido em Paris, Pareto deu duradouras contribuições à economia matemática e à teoria sociológica. É talvez melhor conhecido na sociologia por seu trabalho de desenvolvimento do conceito de ELITES (juntamente com Gaetano MOSCA e Robert MICHELS). Pareto considerava as sociedades como máquinas governadas por várias elites, que se revezavam no PODER em um ciclo interminável, que pouco espaço deixava para a participação das massas. Interessou-se também por teorias de ação humana e pelo que considerava como os aspectos principalmente não lógicos da vida humana, que estavam, acreditava, enraizados em tendências psicológicas humanas básicas (ver RESÍDUOS E DERIVAÇÕES).

Suas obras principais incluem *Tratado geral de sociologia*, 4 vols. (1916). Ver também Lewis A. Coser, *Masters of Sociological Thought,* 2ªed. (1977).

Park, Robert Ezra (1864-1944) Aluno de Georg SIMMEL, Park foi um dos membros mais eminentes da ESCOLA DE CHICAGO e desempenhou papel importante no desenvolvimento da SOCIOLOGIA, tanto em conteúdo quanto em método. Foi um dos primeiros praticantes do método da OBSERVAÇÃO PARTICIPATIVA e acreditava profundamente na importância da pesquisa empírica. É mais conhecido por seu trabalho sobre URBANIZAÇÃO, vida comunitária, relações raciais e MUDANÇA SOCIAL.

Escreveu, entre outros, *Introduction to the Science of Society* (1921); *The City* (1925); *Race and Culture* (1939); e *Collected Papers of Robert Ezra Park,* 4 vols. (1950). Ver também Lewis A. Coser, *Masters of Sociological Thought*, 2ªed. (1977).

Parsons, Talcott (1902-79) Embora tenha relativamente poucos seguidores entre os sociólogos modernos, Parsons é considerado por muitos o sociólogo norte-americano mais influente deste século. Foi ele o primeiro a apresentar a obra de Émile DURKHEIM e Max WEBER aos leitores americanos e também o homem que construiu os alicerces do que se tornaria a moderna PERSPECTIVA FUNCIONALISTA. Esse conceito evoluiu do principal interesse de Parsons, o de compreender o problema da ordem — isto é, o que mantém coesos os SISTEMAS SOCIAIS. Em um conjunto complexo de trabalhos teóricos, Parsons tentou criar um modelo geral da vida social que explicasse a natureza dos sistemas sociais e os padrões de interação através dos quais indivíduos deles participam. Seu enfoque principal consistia em ver os sistemas sociais como existindo independentemente — como Durkheim argumentara antes dele — e como tendo necessidades próprias, que deviam ser atendidas para que os sistemas funcionassem. Por sua parte, indivíduos são socializados e incorporados ao sistema e, internalizando valores e NORMAS fundamentais, comportam-se de maneiras que atendem às necessidades do sistema e perpetuam sua existência.

Parsons alimentava a esperança de que seu enfoque integrasse as diferentes correntes da sociologia e das ciências sociais. Durante várias décadas após a Segunda Guerra Mundial, exerceu poderosa influência sobre a sociologia americana.

Com o surgimento dos movimentos dos direitos civis e contra a guerra no Vietnã, contudo, uma consciência mais crítica deu origem a pesados ataques a Parsons e à sua obra. Ele foi frequentemente acusado, por exemplo, de apoiar implicitamente o status quo, ao enfatizar a importância de valores e normas no atingimento de consenso sobre a forma da vida social. Essa orientação tendia a ignorar o conflito, argumentavam seus críticos, uma vez que os valores e normas da corrente principal da vida na sociedade serviam aos interesses de grupos dominantes, às expensas dos que ficavam abaixo deles. Parsons foi também criticado por elaborar uma TEORIA GERAL com pouquíssima atenção à prova empírica e por atribuir a valores, normas e socialização maior poder do que de fato têm na determinação dos padrões das relações sociais, e por não dar quase nenhuma importância a fatores estruturais, como classe e sistemas raciais de desigualdade. A despeito do eclipse de seu outrora poderoso status na sociologia americana, Parsons deu duradouras contribuições ao modelar o desenvolvimento da teoria e por tentar integrar a sociologia sob um único modelo.

Suas principais obras incluem *The Structure of Social Action* (1937); *The Social System* (1951); *Essays in Sociological Theory* (1964); *Societies: Evolutionary and Comparative Perspectives* (1966); *Politics and Social Structure* (1969); *The System of Modern Societies* (1971); e *Family, Socializaton, and Interaction Process*, em colaboração com Robert F. Bales (1953). Ver também F. Bourricaud, *A sociologia de Talcott Parsons* (1981) e G. Rocher, *Talcott Parsons e a sociologia americana* (1974).

Popper, Karl (1902-94) Filósofo nascido na Áustria que emigrou para a Grã-Bretanha, Popper especializou-se em filosofia social e filosofia da ciência. É mais conhecido pelo desenvolvimento do conceito de FALSIFICACIONISMO como perspectiva de como a ciência é usada para comprovar a verdade. É também conhecido por seus argumentos contra o DETERMINISMO e o HISTORICISMO e a defesa do INDIVIDUALISMO METODOLÓGICO.

Suas obras principais incluem *A lógica da descoberta científica* (1934); *A sociedade aberta e seus inimigos* (1945); *A miséria do historicismo* (1957); *Conjecturas e refutações* (1963); *Conhecimento objetivo* (1972); e *Realismo e o propósito da ciência* (1983).

Radcliffe-Brown, Alfred (1881-1955) Radcliffe-Brown foi um antropólogo que, juntamente com Bronislaw MALINOWSKI, desempenhou um papel importante no estabelecimento do POSITIVISMO e da PERSPECTIVA FUNCIONALISTA na antropologia britânica. Trabalhando principalmente em sociedades tribais na Austrália e nas ilhas Andaman, concretizou seu interesse pela família e os sistemas de parentesco baseado na ideia de que sociedades são como organismos, cujas instituições, como a família, atendem a necessidades sociais básicas, que lhes permitem funcionar. Foi um forte defensor da PERSPECTIVA COMPARADA.

Entre suas obras principais, contam-se *The Andaman Islanders* (1922); *The Social Organization of Australian Tribes* (1931); *Taboo* (1936); e *Structure and Function in Primitive Society* (1952).

Rex, John (1925-) Rex é um sul-africano que emigrou para a Inglaterra e tornou-se conhecido por seu trabalho inovador sobre relações raciais, pela corajosa defesa da teoria sociológica clássica, e pela capacidade de associar teoria à pesquisa empírica.

Suas obras principais incluem *Problemas fundamentais da teoria sociológica* (1961); *Race, Community, and Conflict* (1967); *Race, Colonialism, and the City* (1970); *Discovering Sociology* (1973); *Sociology and the Demystification of the World* (1974); e *Social Conflict* (1981).

Riesman, David (1909-) O sociólogo norte-americano Riesman é mais conhecido por seu trabalho sobre a relação entre sistemas sociais e caráter individual. Em seu influente livro *The Lonely Crowd*, Riesman argumentou que à medida que a conformidade e o medo de perder a aprovação dos outros tornam-se cada vez mais importantes no meio empresarial e em outros ambientes, as pessoas ficam cada vez mais ansiosas e "voltadas para os outros". Isso contrasta com o fato de o homem ser "voltado para dentro" e de depender de um senso mais profundo e mais estável de identidade e integridade pessoal.

Destacam-se em sua bibliografia as seguintes obras: *The Lonely Crowd* (1950); *Individualism Reconsidered* (1954); *Abundance for What?* (1964); e *On Higher Education* (1980).

Riley, Matilda White (1911-) A socióloga norte-americana Riley deu importantes contribuições à compreensão da metodologia sociológica das mulheres nas profissões liberais e das comunicações. É mais conhecida, contudo, por seu trabalho pioneiro na definição e desenvolvimento da sociologia do envelhecimento, usando uma rica perspectiva que integra sociologia, antropologia, economia, medicina e gerontologia. Antiga presidente da American Sociological Association, ela fez muito para lançar os fundamentos conceituais e empíricos da pesquisa sobre o envelhecimento e desempenhou um papel importante para apoiar e facilitar a pesquisa de outros profissionais nesse campo.

As principais obras de Riley incluem *Aging and Society*, vol. 1; *An Inventory of Research Findings*, em colaboração com Anne Foner, e subsídios de Mary E. Moore, Beth Hess e Barbara K. Roth (1968); *Aging and society*, vol. 2: *Aging and the Professions*, em colaboração com John R. Riley Jr. e Marilyn Johnson (1969); *Aging and Society*, vol. 3: *A Sociology of Age Stratification*, em colaboração com Marilyn Johnson e Anne Foner (1972); *Sociological Observation: A Strategy for New Social Knowledge*, organizado em colaboração com Edward E. Nelson (1974); *Aging in Society: Selected Reviews of Recent Research*, organizado em colaboração com Beth B. Hess e Kathleen Bonds (1983); e *Social Structures and Human Lives*, organizado em colaboração com Bettina J. Huber e Beth B. Hess (1988). Ver também *Women in Sociology*, organizado por Mary Jo Deegan (1991).

Rossi, Alice S. (1922-) Embora seus primeiros trabalhos se concentrassem em uma grande variedade de temas, variando de relações de grupo e ocupações à União Soviética, Rossi é mais conhecida por suas contribuições inovadoras em sociologia feminista. Começando com o pioneiro "Equality between the sexes: An immodest proposal", ela foi uma das cofundadoras da National Organization for Women and Sociologists for Women in Society. Seu trabalho em teoria feminista, vida adulta e envelhecimento, mulheres empregadas, paternidade e família tem sido influente, especialmente na medida em que tentou integrar fatores biológicos e psicológicos na compreensão sociológica do gênero. Ver também *Women in Sociology*, organizado por Mary Jo Deegan (1991).

Suas principais obras incluem "Igualdade entre os sexos: uma proposta imodesta", *Daedalus* 93 (primavera, 1964); *Os papéis femininos: De Adams a Beauvoir* (1973); *Feministas na política* (1982); *Estações na vida da mulher* (1983); e *Sexo e o curso da vida* (1985).

Saint-Simon, Claude-Henri de (1760-1825) Saint-Simon foi um aristocrata francês cujas teorias no campo social afetaram profundamente figuras importantes no desenvolvimento da sociologia, entre elas Auguste COMTE, Karl MARX e Émile DURKHEIM. É mais conhecido por três argumentos básicos: que a história é evolutiva e que se desenvolve através da relação entre novas maneiras de pensar (tal como o POSITIVISMO) e formas de organização social (tais como o FEUDALISMO ou a INDUSTRIALIZAÇÃO); que a vida social é governada por leis de organização social que podem ser descobertas pela CIÊNCIA; e que cientistas e industriais são os mais bem-preparados para solucionar os grandes PROBLEMAS SOCIAIS e, portanto, deveriam governar a sociedade e orientar a mudança social.

Suas grandes obras incluem *Textes choisis* (1951) e *Organização social* (1964). Ver também Frank E. Manuel, *O novo mundo de Saint-Simon* (1956), e K. Taylor, *Henri Saint-Simon 1760-1825: textos selecionados de ciência, indústria e organização social* (1975).

Schutz, Alfred (1899-1959) Austríaco que emigrou para os Estados Unidos, Schutz foi um filósofo e sociólogo interessado principalmente em SOCIOLOGIA FENOMENOLÓGICA e seu uso para compreender a ação social e a INTERAÇÃO na vida diária. Ele estudou em especial como organizamos o comportamento e a compreensão de nós mesmos e de outros indivíduos, em um todo coerente que contribui para a formação de padrões que tornam reconhecível a vida social. Isso inclui o papel decisivo do CONHECIMENTO, significado e interpretação na construção da vida social, o que aproximou muito seu trabalho da ETNOMETODOLOGIA (ver também CONTEXTO INDICATIVO; REFLEXIVIDADE; TIPIFICAÇÃO).

Entre suas obras principais, incluem-se *Fenomenologia e relações sociais* (1932); *Reflexos do problema da relevância* (1970); *Escritos*, 3 vols. (1962-66); e *As estruturas do mundo-vida* (1974).

Simmel, Georg (1858-1918) Sociólogo e filósofo alemão, Simmel só perde em importância para os geralmente reconhecidos gigantes da sociologia, Max WEBER, Émile DURKHEIM e Karl MARX. Ele se opôs a uma visão estruturalista da sociedade e argumentou, em vez disso, que "sociedade é um conjunto de pessoas ligadas por suas interações recíprocas" (1902, p.10). Foi um profundo estudioso da interação, com um interesse especial pela forma e papel do conflito e a importância dos números. Notou, por exemplo, que quando uma terceira pessoa é introduzida em uma interação, a estrutura muda, já que surge a possibilidade de que dois dos participantes se aliem contra um deles, e que nenhum membro controla mais o futuro da interação. Simmel é também conhecido por sua clássica análise do desenvolvimento e da importância social do dinheiro.

Entre suas grandes obras figuram *A sociologia de Georg Simmel* (1902); *Filosofia do dinheiro* (1907); e *Conflito e a trama de afiliações em grupos* (1908). Ver também Lewis A. Coser, *Masters of Sociological Thought*, 2ª ed.(1977); David Frisby, *Sociological Impressionism: A Reassessment of Georg Simmel's Social Theory*, 2ªed. (1992), e David Frisby, *Simmel e Since* (1992).

Smith, Adam (1723-90) O filósofo escocês Smith produziu um profundo impacto sobre o pensamento econômico em geral e o capitalismo em particular. Embora seu trabalho cobrisse um vasto campo de assuntos, incluindo a base moral da vida social, o direito e a política, foi a sua versão da vida econômica — consubstanciada em *The Wealth of Nations* — que deixou marca na história do pensamento ocidental. Nesse trabalho, Smith fez o primeiro esforço sério para reunir imensos volumes de dados econômicos e sociais, com vistas a extrair sentido do CAPITALISMO como sistema e a mapear as condições para o seu sucesso como INSTITUIÇÃO social. Ele argumentava que o sistema econômico ideal era governado exclusivamente pelo interesse individual que tinha permissão para operar em um mercado competitivo aberto, isento da interferência do governo e das forças destrutivas do monopólio e outras formas espoliativas de controle e manipulação econômica. O resultado, acreditava ele, seria uma sociedade próspera que atenderia ao bem comum através de empresas que produziriam bens que as pessoas queriam aos preços que estivessem dispostas a pagar.

Suas principais obras incluem *The Theory of Moral Sentiments* (1759); *Uma investigação a natureza e causas da riqueza das nações* (1776). Ver também *The Works of Adam Smith,* 5 vols. (1963).

Smith, Dorothy E. (1926-) Socióloga britânica que emigrou para o Canadá, Smith tornou-se o que muitos consideram a maior teórica feminista em sociologia. Seu principal interesse situa-se na sociologia do CONHECIMENTO e nos problemas de incorporar as perspectivas das mulheres às ideias e explicações sociológicas da sociedade. Da forma como a sociologia é atualmente praticada, o que se considera como conhecimento "objetivo" da vida social é invariavelmente derivado de uma perspectiva patriarcal, dominada pelo homem e com ele identificada. Grande parte da obra de Smith coloca questões de importância fundamental para a teorização, pesquisa e prática sociológicas, ao pedir uma sociologia que considerasse a vida social de uma perspectiva informada pela experiência e posições das mulheres na sociedade. Ela deu ainda contribuições importantes à compreensão marxista e feminista das relações entre mulheres e família e CAPITALISMO.

Entre suas principais obras, cumpre citar *Feminism and Marxism — A Place to Begin* (1977); *The Everyday World as Problematic* (1987); *The Conceptual Practices of Power* (1990); e *Texts, Facts, and Femininity: Exploring the Relations of Ruling* (1990). Ver também Sylvia M. Hale, *Controversies in Sociology* (1989) e *Women in Sociology,* organizado por Mary Jo Deegan (1991).

Sorokin, Pitirim A. (1889-1968) Emigrando para os Estados Unidos depois de ter sido expulso da União Soviética em 1922, Sorokin acabou por tornar-se o primeiro professor de sociologia da Universidade de Harvard. Seus principais interesses incluíam as causas e consequências da MOBILIDADE SOCIAL, a teoria sociológica e a MUDANÇA SOCIAL. Autor prolífico, é talvez mais conhecido por sua teoria evolutiva da MUDANÇA CÍCLICA.

Suas obras principais incluem Sociology of Revolutions (1925); Social Mobility (1927); Contemporary Sociological Theories (1928); *Social and Cultural Dynamics*, 4 vols. (1937-41); *Sociocultural Causality, Space, and Time* (1943); *Society, Culture, and Personality* (1947); *The Social Philosophies of an Age of Crisis* (1950); *Fads and Foibles in Modern Sociology* (1956); e *Sociological Theories of Today* (1966). Ver também Lewis A. Coser, *Masters of Sociological Thought*, 2ªed. (1977) e Frank R. Cowell, *History, Civilization, and Culture: An Introduction to the Historical and Social Philosophy of Pitirim A. Sorokin* (1952).

Spencer, Herbert (1820-1903) Teórico social britânico, Spencer foi um dos primeiros a pensar em vida social em termos de sistemas sociais e, como tal, desempenhou um papel importante no desenvolvimento da PERSPECTIVA FUNCIONALISTA. Baseando-se no trabalho de campo em rápido crescimento da biologia, Spencer via as sociedades como organismos que progrediam através de um processo de evolução semelhante ao experimentado pelas espécies vivas. Dessa perspectiva, as sociedades se adaptam aos seus ambientes, tornando-se mais complexas e heterogêneas, por um lado, e integrando seus vários elementos em um todo unificado, por outro. Grupos individuais nas sociedades concorrem por recursos limitados, emergindo os mais "aptos" entre eles como dominantes. Essa última tese é frequentemente associada ao DARWINISMO SOCIAL, uma ideologia popular que considerava a ESTRATIFICAÇÃO social como consequência natural do progresso evolutivo humano e que se manifestava contra qualquer tipo de intervenção do governo ou de outras origens para melhorar as condições da vida social de grupos desprivilegiados.

O apego de Spencer a metáforas biológicas para explicar sociedades humanas perdeu há muito sua atração para os sociólogos, devido às muitas diferenças entre sociedades e organismos biológicos. A ênfase que ele deu, já em seu tempo, à importância dos sistemas sociais e à maneira como funcionam e mudam, porém, constituiu uma contribuição de valor inestimável para o crescimento da sociologia como maneira de pensar a vida social.

Suas grandes obras incluem *Social Statics: The Conditions Essential to Human Happiness* (1850); *Education* (1854); *The Principles of Psychology* (1855); *First Principles* (1862); *The Principles of Sociology* (1876-96); *The Data of Ethics* (1884); e *The Man* Versus *the State* (1884). Ver também Jonathan H. Turner, *Herbert Spencer: A Renewed Appreciation* (1985).

Stouffer, Samuel A. (1900-60) Como sociólogo, Stouffer é mais conhecido como figura eminente no desenvolvimento de levantamentos em grande escala como estilo tipicamente americano de pesquisa social. Foi o principal investigador nos estudos maciços, e que marcaram época, de soldados americanos durante a Segunda Guerra Mundial, e que estabeleceram o padrão para a pesquisa modesta em teorização e que raramente se desvia da prova concreta. Sua análise de dados era engenhosa e seus métodos de pesquisa produziram um imenso impacto no desenho e análise de levantamentos.

Entre suas principais obras, destacam-se *The American Soldier*, 2 vols. (1949); *Measurement and Prediction*, com vários coautores (1950); *Social Research to Test Ideas* (1962); e *Communism, Conformity, and Civil Liberties* (1965).

Sumner, William Graham (1840-1910) Economista e sociólogo norte-americano, Sumner fundou o departamento de sociologia da Universidade de Yale e é mais conhecido por suas teorias evolutivas de MUDANÇA SOCIAL e desenvolvimento. Foi defensor apaixonado do DARWINISMO SOCIAL, mas é mais conhecido sociologicamente por seu trabalho clássico sobre MANEIRAS DE AGIR.

Na sua bibliografia destacam-se *What Social Classes Owe to Each Other* (1883); *Folkways* (1906); e *Essays of William Graham Sumner* (1940). Ver também Maurice R. Davie, *William Graham Sumner* (1963).

Sutherland, Edwin H. (1883-1950) Sutherland foi um sociólogo norte-americano que recebeu crédito principalmente por ter incluído a criminologia como campo de estudo. É mais conhecido por seu enfoque caracteristicamente sociológico do comportamento criminoso, focalizado na influência da CULTURA e de INSTITUIÇÕES sociais na formação da personalidade e do comportamento individual. Sua teoria de ASSOCIAÇÃO DIFERENCIAL constituiu uma tentativa, que marcou época, de explicar grandes padrões de comportamento criminal diferentes, usando um único método teórico. Sutherland é conhecido também por sua pesquisa pioneira sobre CRIME DE COLARINHO-BRANCO e do crime como ocupação.

Suas principais obras incluem *Criminology* (1924); *The Professional Thief* (1937); *White-Collar Crime* (1949); *The Sutherland Papers*, organizado por Albert K. Cohen et al. (1956); e *White-Collar Crime: The Uncut Version* (1983).

Szaz, Thomas Stephen (1920-) Szaz é um psiquiatra norte-americano cuja obra tem influenciado sociólogos interessados na TEORIA DAS ROTULAÇÕES do DESVIO. Szaz argumenta que, de muitas maneiras, a doença mental não existe, mas é uma categoria socialmente criada, usada para fins de CONTROLE SOCIAL. Ela dá a médicos e a outros indivíduos autoridade para rotular pessoas como mentalmente doentes e, em seguida, controlá-las, obrigando-as, por exemplo, a submeter-se a terapia ou internando-as em hospitais de doentes mentais.

Entre suas obras, destacam-se *The Myth of Mental Illness* (1961) e *Insanity: The Idea and Its Consequences* (1987).

Taeuber, Irene B. (1906-74) Demógrafa e estatística norte-americana, Taeuber representou um importante papel no desenvolvimento do campo da demografia na sociologia. De 1937 a 1954, assumiu a principal responsabilidade pela publicação da revista bibliográfica *Population Index*, que durante muitos anos foi a única revista demográfica a circular no país. Serviu também como diretora do U.S. Bureau of the Census e como presidente da Population Association of America.

Além desses cruciais papéis de apoio à disciplina, o interesse de Taeuber pelas populações da Ásia e Sudoeste da Ásia introduziu uma perspectiva abrangente de culturas na demografia americana que, até então, focalizava-se inteiramente nos Estados Unidos. Fez muito também para desenvolver a interpretação dos processos demográficos — nascimentos, óbitos e migrações — como fenômenos fundamentalmente sociais, que precisavam ser explicados de um ponto de vista sociológico.

Suas obras mais importantes incluem *General Censuses and Vital Statistics in the Americas* (1943); *The Population of Tanganyika* (1949); *The Population of Japan* (1958); *The Changing Population of the United States*, em colaboração com Conrad Taeuber (1958); *China's Populations: Some Approaches to Research* (1964); *Population Trends in the United States* (1965); *People of the United States in the Twentieth Century*, em colaboração com Conrad Taeuber (1971), e *Population Growth and Development in Southeast Asia* (1972). Ver também *Women in Sociology*, organizado por Mary Jo Deegan (1991).

Taft, Jessie (1882-1961) Formada em filosofia e, em seguida, na tradição do interacionismo simbólico da sociologia, Taft constitui um exemplo sem igual de mulheres cujas carreiras e contribuições foram severamente limitadas devido ao status das mulheres na sociedade. Não tendo conseguido cargos de magistério nas universidades, ela passou a maior parte da vida como socióloga em uma rede de mulheres que eram mantidas fora das fronteiras da sociologia universitária. Seu principal trabalho consistiu em ampliar as teorias de *self* e sociedade de George Herbert MEAD, com vistas a incluir mulheres, especialmente mulheres jovens. Tornando-se mais conhecida como assistente social do que como socióloga, Taft deu contribuições EXCEPCIONAIS à compreensão feminista da SOCIALIZAÇÃO e do desenvolvimento do SELF feminino.

Entre suas obras, destacam-se *The Dynamics of Therapy in a Controlled Relationship* (1933); *Day Nursery Care as a Social Service* (1943); *A Functional Approach to Family Case Work* (1944); e *Family Casework and Counselling* (1948). Ver também *Jessie Taft: Therapist and Social Work Educator*, organizado por Virginia P. Robinson (1962); Rosalind Rosenberg, *Beyond Separate Spheres* (1982); e *Women in Sociology*, organizado por Mary Jo Deegan (1991).

Thomas, Dorothy Swain (1889-1977) Conhecida estatística e demógrafa americana, Thomas é mais conhecida por seu trabalho sobre a relação entre industrialização e crescimento econômico, e sobre movimento e distribuição de POPULAÇÕES, especialmente através de MIGRAÇÃO. Foi uma dedicada pesquisadora e promoveu o uso de métodos científicos rigorosos de observação em seus estudos de crianças em escolas maternais. Seu trabalho incluiu também uma documentação, que marcou época, da experiência de japoneses-americanos internados à força durante a guerra de 1939-45. Além de pesquisas e trabalhos publicados, serviu como presidente da Population Association of America e foi a primeira mulher escolhida como presidente da American Sociological Association.

Entre suas obras, destacam-se *Social Aspects of the Business Cycle* (1925); *The Child in America: Behavior Problems and Programs*, em colaboração com William I. Thomas (1928); *Some New Techniques for Studying Social Behavior*, com vários colaboradores (1929); *Observational Studies of Social Behavior*, com vários coautores (1933); *Social and Economic Aspects of Swedish*

Population Movements (1941); *The Spoilage: Japanese American Evacuation and Resettlement*, vol. 1, em colaboração com Richard S. Nishimoto (1946); *The Savage: Japanese American Evaluation and Resettlement*, vol. 2, com Charles Kikuchi e James Sakoda (1952); e *Population Redistribution and Economic Growth, United States 1870-1950*, 3 vols, com vários coautores (1957, 1960, 1966). Ver também *Women in Sociology*, organizado por Mary Jo Deegan (1991).

Thomas, William I. (1863-1947) Thomas foi membro da ESCOLA DE CHICAGO de sociologia. Seus interesses incluíam história social vista do ponto de vista da biografia individual e da complexa relação entre CULTURA e personalidade. É talvez mais conhecido por sua famosa citação sobre a relação entre realidade e DEFINIÇÃO DE SITUAÇÃO: "Se homens definem situações como reais, elas são reais em suas consequências" (1928).

Entre as grandes obras que escreveu, cumpre mencionar *Sex and Society* (1907); *Sourcebook for Social Origins* (1909) (em colaboração com Florian Znaniecki); *The Polish Peasant in Europe and America*, 2 vols. (1918-20); *The Unadjusted Girl* (1923); *The Child in America* (1928); *Primitive Behavior* (1937); e *Social Behavior and Personality* (1951). Ver também Lewis A. Coser, *Masters of Sociological Thought*, 2ªed. (1977).

Tilly, Charles (1926-) Sociólogo norte-americano com interesses especiais por estudos históricos, Tilly deu grandes contribuições ao uso de dados empíricos para submeter a teste hipóteses sobre o papel de MOVIMENTOS SOCIAIS e COMPORTAMENTO COLETIVO em padrões em grande escala de MUDANÇA SOCIAL. Tilly considera a ação coletiva como intencional e importante para produzir mudança, como reação a grandes processos como urbanização, industrialização e expansão capitalista, e poder crescente do Estado.

Suas principais obras incluem *The Vendée* (1964); *Strikes in France: 1830-1968*, em colaboração com Edward Shorter (1974); *The Rebellious Century*, em colaboração com Louise Tilly e Richard Tilly (1975); *From Mobilization to Revolution* (1978); *Historical Studies of Changing Fertility* (1978); *As Sociology Meets History* (1981); *Big Structures, Large Processes, Huge Comparisons* (1985); *Coercion, Capital, and European States: A.D. 990-1900* (1990); e *European Revolutions, 1492-1992* (1993).

Tocqueville, Alexis de (1805-59) Aristocrata francês, de Tocqueville, é mais conhecido por seu percuciente trabalho em sociologia comparada e histórica. Quando jovem, viajou pelos Estados Unidos na década de 1830, a fim de comparar seu sistema democrático com o que emergia na França e escreveu uma obra em dois volumes que se tornou um clássico. Interessavam-no principalmente as consequências positivas e negativas das várias formas de democracia, como os numerosos aspectos da vida social, da economia e do direito à religião e à arte. Argumentava, por exemplo, que um sistema puramente democrático poderia levar ao que chamava de "tirania da maioria". Outra grande obra sua comparou a França com a Inglaterra, com vistas a explicar por que a revolução ocorreu na primeira, e não na segunda.

Suas obras mais importantes incluem *Do serviço penitenciário norte-americano* (1833); *A Democracia na América*, 2 vols. (1835-40); *O Antigo Regime e a revolução* (1854); e *Lembranças de 1848* (1893).

Tönnies, Ferdinand (1855-1936) Tönnies, sociólogo alemão, tornou-se mais conhecido por seu trabalho sobre os efeitos da URBANIZAÇÃO, INDUSTRIALIZAÇÃO e modernização sobre a COESÃO social de comunidades. Formulou os dois conceitos fundamentais de GEMEINSCHAFT E GESELLSCHAFT a fim de descrever sociedades mantidas coesas principalmente por laços tradicionais, baseados em cultura e estilo de vida comuns e as que eram mantidas através de diferenças, conciliadas por divisões de trabalho complexas e pela interdependência que as acompanham. Sua obra influenciou o desenvolvimento da ESCOLA DE CHICAGO.

Suas principais obras incluem *Comunidade e sociedade* (1887) e *Costume: um ensaio sobre códigos sociais* (1909). Ver também Louis Wirth, "The sociology of Ferdinand Tönnies". *American Journal of Sociology* 32(1926): 412-22.

Veblen, Thorstein (1857-1929) Sociólogo e economista norte-americano, Veblen concentrou-se na crítica ao CAPITALISMO, como sistema espoliador, predatório; na classe social dominante — que chamou de classe ociosa —, a que mais se beneficia com a espoliação (ver CONSUMO CONS-

PÍCUO); e a influência de VALORES econômicos sobre a vida social. Criticava em especial, por exemplo, o que considerava a corrupção da educação pela busca obstinada do sucesso econômico.

Suas obras principais incluem *The Theory of the Leisure Class* (1899); *The Theory of Business Enterprise* (1904); *The Instinct of Workmanship and the State of the Industrial Arts* (1914); *Imperial Germany and the Industrial Revolution* (1915); *The Higher Learning in America: a Memorandum on the Conduct of Universities by Businessmen* (1918); *The Place of Science in Modern Civilization and Other Essays* (1919); e *The Vested Interests and the Common Man* (1919). Ver também David Riesman, *Thorstein Veblen: A Critical Interpretation* (1953).

Wallerstein, Immanuel (1930-) Wallerstein é um sociólogo e historiador norte-americano que tem sido uma figura fundamental no desenvolvimento da teoria do SISTEMA-MUNDO e um cultor altamente influente de enfoques multidisciplinares para compreender a dinâmica do CAPITALISMO.

Entre outras grandes obras, escreveu *Africa: The Politics of Unity* (1967); *The Modern World System* (1974); *The Capitalist World Economy* (1979); *The Modern World System II: Mercantilism and the Consolidation of the European World Economy, 1600-1750* (1980); *The Politics of the World Economic System* (1984); *Africa and the Modern World* (1986); e *The Modern World System III: The Second Era of Great Expansion of the Capitalist World-Economy, 1730-1840* (1989).

Webb, Beatrice (1858-1943) Escritora prolífica e dedicada ativista social, Webb é mais conhecida como grande líder intelectual na crítica socialista e no trabalho de reforma na Grã-Bretanha. Com o marido, Sidney Webb, foi cofundadora da London School of Economics e do *The New Statesman*. Seus estudos sobre trabalhadores pobres e cooperativas de consumidores foram marcos que lançaram as bases de seu ativismo público, incluindo servir em numerosas comissões de governo e desempenhar um papel eminente na criação do sistema de bem-estar social britânico. Foi a primeira mulher a ser eleita para a British Academy.

Suas principais obras incluem *The Co-operative Movement in Great Britain* (1891); *Industrial Democracy*, em colaboração com Sidney Webb (1897); *Problems of Modern Industry* (1898); *English Poor Law Policy* (1910); *The Wages of Men and Women* (1919); *A Constitution for the Socialist Commonwealth of Great Britain* (1920); *The Decay of Capitalism* (1923); *English Poor Law History*, 3 vols. (1927-29); e *Methods of Social Study* (1932). Ver também *Women in Sociology*, organizado por Mary Jo Deegan (1991).

Weber, Max (1864-1920) Juntamente com Karl MARX e Émile DURKHEIM, Weber é considerado na história da sociologia como um de seus fundadores. Com uma larga formação em economia, história, direito e filosofia, Weber trouxe para o trabalho sociológico uma rica e complexa perspectiva sobre a vida social. Foi responsável por uma das primeiras grandes discussões sobre o uso de métodos de pesquisa nas ciências sociais (ver Harriet MARTINEAU), incluindo questões como OBJETIVIDADE e NEUTRALIDADE DE VALOR. Com sua teoria de ação, combinou método com conteúdo ao fornecer um marco para ligar indivíduos a sistemas sociais. Os sistemas, argumentava ele, são padrões de ação e interação, e a única maneira de estudá-los e compreendê-los é pelo exame do significado que os atores dão ao que fazem. Nesse sentido, a ciência social puramente objetiva é não só impossível, mas indesejável, uma vez que a própria natureza da vida social requer que usemos de empatia para levar em conta compreensão e significado subjetivos.

Weber deu grandes e clássicas contribuições ao estudo da RELIGIÃO, história econômica, CAPITALISMO, e LEI. Foi um dos primeiros cultores da PERSPECTIVA DE CONFLITO, especialmentee em seu trabalho pioneiro sobre o desenvolvimento da BUROCRACIA como forma saturante de organização social. Weber argumentava que a RACIONALIZAÇÃO estava se transformando em um princípio cada vez mais poderoso sob o capitalismo industrial, à medida que custo, lucro e eficiência cresciam em importância social. O resultado, acreditava, seria uma "jaula de ferro" que cada vez mais manteria a vida de pessoas em suas garras, com pouca esperança de fuga ou alívio de seus sufocantes efeitos sobre o espírito humano.

Como aconteceu com Durkheim e Marx, a influência de Weber sobre a sociologia é duradoura e proporciona um ponto de referência para uma faixa extraordinária de teoria e pesquisa.

Suas grandes obras incluem *A ética protestante e o espírito do capitalismo* (1904-05); *A cidade* (1912); *Metodologia das ciências sociais* (1904-

17); *A religião da China* (1915); *A religião da Índia* (1916); *O antigo judaísmo* (1917); *Sociologia da religião* (1922); *Economia e sociedade* (1921); *História econômica geral* (1923); e *Teoria da organização econômica e social* (1925). Ver também *Max Weber on Law in Economy and Society*, organizado por M. Rheinstein (1922); e *Ensaios de sociologia*, organizado por Hans H. Gerth e C. Wright Mills (1946). Ver também Lewis A. Coser, *Masters of Sociological Thought*, 2ª ed. (1977).

Wilson, Bryan R. (1926-) Sociólogo britânico especializado no estudo da religião, Wilson tem sido um dos principais proponentes da tese da SECULARIZAÇÃO. Ele argumenta que as grandes mudanças sociais, como a INDUSTRIALIZAÇÃO, a URBANIZAÇÃO e a expansão do CAPITALISMO, reduziram em muito a influência da RELIGIÃO, especialmente na vida pública. Wilson realizou também trabalho de grande importância sobre SEITAS religiosas.

Entre suas obras principais, destacam-se *Religion in Secular Society* (1966); *Youth Culture and the Universities* (1970); *Magic and the Millennium* (1973); *Contemporary Transformations of Religion* (1976); e *Religion in Sociological Perspective* (1982).

Wilson, William Julius (1935-) Entre os sociólogos norte-americanos, Wilson é um líder no estudo da pobreza urbana, especialmente em relação à raça. Tornou-se especialmente conhecido por desenvolver o conceito de uma subclasse como elemento fundamental no estudo do racismo e da desigualdade. Suas obras incluem *The Declining Significance of Race* (1980); *The Truly Disadvantaged: The Inner City, the Underclass, and Public Policy* (1987); e *The Ghetto Underclass* (1989).

Wirth, Louis (1897-1952) Sociólogo norte-americano, Wirth acreditava na importância do uso da sociologia a fim de promover a MUDANÇA SOCIAL progressiva. Como membro da ESCOLA DE CHICAGO, desenvolveu interesse em relações raciais, ECOLOGIA urbana, teoria sociológica e o papel do CONHECIMENTO e da IDEOLOGIA na vida social. Foi um dos fundadores do American Council on Race Relations e serviu como conselheiro do governo em seu trabalho para integrar a teoria e a pesquisa sociológicas na política e ação públicas.

Suas principais obras incluem *The Ghetto* (1928) e *Louis Wirth on Cities and Social Life: Selected Papers* (1964). Ver também Reinhard Bendix, "Social theory and social action in the sociology of Louis Wirth". *American Journal of Sociology* 59 (1954): 523-9.

Wittgenstein, Ludwig (1889-1951) Filósofo austríaco cujo trabalho sociológico mais relevante focalizou-se na importância da linguagem, contexto social e na maneira como interpretações individuais da realidade social modelam os padrões da vida social. Sociologicamente, suas ideias são mais ligadas à ETNOMETODOLOGIA e à SOCIOLOGIA FENOMENOLÓGICA.

Entre suas obras mais importantes destaca-se *Investigações filosóficas* (1953).

Znaniecki, Florian (1882-1938) Polonês que emigrou para os Estados Unidos, Znaniecki tornou-se membro da ESCOLA DE CHICAGO e é talvez mais conhecido como coautor de *The Polish Peasant in Europe and America*, em colaboração com William I. THOMAS. Interessou-se em compreender a relação entre sociologia e outras disciplinas e argumentou que, embora a melhor prática sociológica seguisse os princípios e métodos científicos, seu foco em fenômenos sociais, e não naturais, tornava-a uma disciplina única. Interessou-se também pelo problema geral da maneira como sistemas sociais são construídos através de interação entre indivíduos.

Suas principais obras incluem *The Polish Peasant in Europe and America*, 2 vols. (1918, 1920); *Cultural Reality* (1919); *The Laws of Social Psychology* (1925); *The Method of Sociology* (1934); *Social Actions* (1936); *The Social Role of the Man of Knowledge* (1940); *Cultural Sciences* (1952); e *Modern Nationalities: A Sociological Study* (1952). Ver também Lewis A. Coser, *Masters of Sociological Thought*, 2ª ed. (1977).

Índice Remissivo